FOLIO POLICIER

Guy-Philippe Goldstein

Babel Minute Zéro

Denoël

Au Nord il est une belle si belle
Que nulle ne reste belle près d'elle.
D'un regard elle jette les remparts à terre,
D'un second regard le royaume est abattu.
Qui ne sait que, les murs et le royaume à terre,
La belle à nouveau fera la fière ?

Li-Yen-nien (1er siècle av. J.-C.)

[…] Le mot « guerre », lui-même, est devenu erroné. Il serait probablement plus exact de dire qu'en devenant continue, la guerre a cessé d'exister. […] Cela, bien que la majorité des membres du Parti ne le comprenne que dans un sens superficiel, est la signification profonde du slogan du Parti : *La guerre, c'est la paix.* […]

George Orwell, *1984*

Je n'avais jamais connu la guerre.

En quelques jours à peine, j'allais perdre cette virginité.

Longtemps, j'ai été cette femme innocente et naïve qui croyait à la géométrie du progrès. Une simple ligne droite, montante, parallèle à la flèche du temps. Le passé était forcément derrière nous. Il ne peut pas y avoir de guerre quand l'on trouve du steak de soja ou des yoghourts au bifidus dans son supermarché. Ou quand on peut payer sa place de parking avec une carte de crédit. La guerre, c'était dans les musées qu'elle se déclarait. Pas sur le pavé de nos rues tranquilles. Il y avait bien cette rumeur qui n'avait jamais cessé de bruire, là-bas, aux confins du monde connu. Ces images télévisées de pays de soleil éclaboussés de sang. Mais pour moi, elle demeurait une grande dame de l'ancien temps. Pour moi, elle se résumait à cette contemplation de vieilles photos sépia remplies de regards innocents, capturés avant la mort. Aujourd'hui, l'ordre régnait. Elle n'avait plus sa place parmi nous. Elle avait fait retraite.

Je n'avais jamais connu la guerre. Mais maintenant que sa souillure est revenue me hanter, je suis forcée de contempler mon erreur dans le reflet de ces jours passés, ces jours de paisible illusion. Comment ai-je pu échouer à discerner sa silhouette à l'horizon ?... Telle était pourtant ma tâche : j'étais une sentinelle. Un agent du renseignement, employée du gouvernement fédéral américain. Un fonctionnaire dont l'identité n'appartient qu'à l'État. Jusqu'à ce jour.

Mon nom est Julia. Il y a longtemps maintenant — peut-être vingt-cinq ans —, j'ai fait, par amour et par fidélité, le choix de servir plutôt que de disposer. J'ai décidé de participer au jeu secret que se livrent tous les États entre eux, depuis toujours, alliés du jour ou ennemis ancestraux — cela ne fait aucune différence. J'ai pour commerce de traquer l'information. De démonter les certitudes les plus fermement établies — car c'est là, précisément, que l'adversaire, ami ou ennemi, nous attend. Et cette main qui vous caresse, c'est peut-être celle qui vous étranglera. Et cet ami d'enfance qui vous sourit n'est là que sur demande d'un puissant dont il est l'intermédiaire. Et cet ennemi implacable qui a consumé vos enfants jusqu'à la dernière cendre veut devenir votre plus fidèle allié. Le « démon » n'existe que tant que les intérêts divergent. Le noir peut être blanc, le blanc gris et le gris la seule couleur restant à notre arc-en-ciel quotidien, tellement prégnante que l'on en oublie jusqu'à l'existence. Le monde n'a plus de couleurs, il n'a que des dégradés. Jusqu'à ce que ces teintes finissent par vous habiller. Je cherche à tromper les hommes, tant que cela sert les desseins de mon État. Car là réside ma loyauté et s'éteint ma solitude, depuis maintenant plus de vingt-cinq ans et peut-être même plus avant. Le temps a passé, mes traits ont vieilli mais mon amour demeure, plus solide qu'à l'adolescence... Oui, moi qui ne suis qu'un agent des services de renseignements, une employée du ministère de la défiance ; moi dont la tâche, depuis mon entrée dans la confrérie

des seigneurs de la côte Est, de la fraternité du campus
de Yale à celui de Langley, le quartier général de la
CIA, m'a conduite à toujours suspecter l'intention d'un
ennemi dans chacune des formes que nous analysions
dans le noir, je ne m'étais pas rendu compte que c'était
son ombre en réalité que j'avais fini par traquer.
L'ombre de la guerre. Comment avais-je pu m'aveugler
à ce point ?

Je n'avais jamais connu la guerre. Mais elle, elle ne
nous avait pas oubliés. Elle nous guettait depuis longtemps.

Elle est revenue cogner à notre porte. La fois dernière, c'est par l'entrebâillement des tours jumelles de
New York qu'elle a tenté de passer. Dans les rues
submergées de terreur, j'ai retrouvé les regards des
images sépia. Avais-je oublié ? C'était le regard de mes
parents, de mes grands-parents, de mes arrière-grands-
parents, et de toutes les générations qui m'ont précé-
dée. C'était le regard de vos aïeux. Comment croire
qu'elle aurait sauté une génération. Ou qu'une nouvelle
race d'hommes était née. Non. Notre espèce obéit à
certaines règles de la primatologie. À chaque génération arrive la saison de la chasse. L'instant où elle
provoque le rut. C'est l'instant où tout bascule et tour-
billonne. Ce n'est pas la peur de la mort. Mourir, ce
n'est pas disparaître lorsque demeurent ceux qui vous
ressemblent. Non. Elle, elle est l'instant décisif : celui
où votre humanité elle-même va se modifier. Violée,
glorifiée ou génocidée. Demandez donc à vos aïeux.
Ils vous diront qu'elle seule décide du passé et de
l'avenir. De la disparition de vos fils et de vos filles.
De votre propre destruction ou non.

C'est elle, la guerre.

Elle est dangereuse. Elle se nourrit de l'arrogance
d'une puissance récemment acquise. Laissez parler vos

ancêtres. Tous ceux que vous avez oubliés, mais dont vous avez hérité sans vous en douter l'ultime souffle. Ils vous diront : elle a le visage aussi rond et lisse que le sceptre du Monde. Sa silhouette se dessine sur ces frises orgueilleuses aux fronts des arcs de Triomphe. On y voit ses cheveux, qui ont la couleur du sang de Rome au faîte de l'Empire. Sa peau, qui transpire la boue de la plaine russe lorsqu'elle enterre les braves de Napoléon. Ses lèvres noires striées de carmin et d'or : son baiser arbore les couleurs de toutes les révolutions. Son cœur s'irrigue du sang de la haine, le nectar des pieux. Son amour n'impose qu'un seul et unique vainqueur. Aux meilleurs des hommes, au plus fort des camps de l'atteindre sur la plus haute marche, plus tentatrice qu'Astarté et qu'Athéna réunies, elle, l'éclat de la domination du monde, aux larmes sèches et au visage plus pur qu'un songe d'enfance.

Ce n'est pas le démon, non ; plutôt l'ange du mal. Une divinité païenne, c'est-à-dire d'avant le début de la civilisation — donc du temps d'aujourd'hui, d'hier et peut-être de toujours.

Était-ce son ombre que j'avais aperçue ce 11 septembre ? Sa rumeur, que j'avais entendue sourdre dans le fracas des bombardements de Bagdad ? Était-ce bien elle qui approchait, sinuant, dans le dédale de ces emballements stupéfiants ?... Non, nous devions la bannir à jamais. En toute hâte, nous avons bâti une cage d'électrons et de silice pour la contenir. L'infosphère, le renseignement électronique, nos protections technologiques — voilà les fortifications qui interdiraient son retour. Sauf que ce n'est pas nous qui la convoquons. C'est elle qui arrive sans prévenir. Elle qui porte tous les habits. Elle qui parle toutes les langues. Voilà ce que m'a dit le vieil homme que j'ai rencontré hier. Ce vieillard qui a essayé de lui parler. De l'apprivoiser. Je vais le retrouver dans ces pages. Car j'ai décidé de commettre une faute professionnelle : je vais parler librement de quelques semaines de ma vie. Je serai nue, à raconter ma vérité. À me souvenir de notre histoire.

Celle qui a commencé ce beau jour d'été où elle nous a rattrapés.

Qui a-t-elle rencontré au départ ?… Comme chaque fois : un jeune homme qui marche dans une rue ensoleillée, dans un pays lointain. Une chemise blanche, le col ouvert. Une marche tranquille, parfumée d'une cigarette que l'on grille après un bon déjeuner. Rien ne sert de hâter le destin. Il fait beau, le passage d'un cyclomoteur égaie un court instant la rue ; de l'autre côté du trottoir, les jupes courtes de deux coquettes jouent malicieusement avec le regard du jeune homme. Un sourire en révérence à la blancheur des quatre jambes dénudées qui passent à quelques mètres. Au loin, le bruit d'un chantier, suffisamment étouffé par la distance et le soleil pour ne laisser passer que la rumeur de vie qu'il insuffle à l'harmonie de la rue. Des pas nonchalants, arrachés au bitume. Au milieu du chemin, un passant aux lacets défaits, l'air un peu perdu. Deux cigarettes qui grillent dans la rue. Un ciel pur, bleu, infini.

« Zhu Tianshun ? »

Une. Deux. Trois détonations. La chemise blanche s'empourpre de sang comme si elle se noyait dans les entrailles du jeune homme. Sa silhouette s'effondre. L'homme aux lacets bascule, une portière claque, une voiture fuit. Le visage touche le bitume auquel il ne peut plus s'arracher. Le sol est brûlant. Le ciel glacé, puis noir. D'un noir infini.

C'est ainsi qu'elle retrouva notre chemin. Et voici comment elle nous défit.

Je me souviens de la tour sud. Ce qui est improbable n'est pas impossible.

Ne l'ignorez plus. Elle est de retour.

I

L'assassinat

28 juin-22 juillet

« Or, les gongs et les tambours, les drapeaux et les étendards sont utilisés pour faire converger en un point l'attention des troupes. Lorsque les troupes peuvent être unies de cette façon, le brave ne peut avancer seul, ni le poltron reculer. Tel est l'art de conduire une armée. »

Sun Tzu, *L'Art de la guerre.*

1

Journal de Julia — Washington D.C., 29 juin

Le premier signe est venu au creux de ces heures incertaines qui démarquent avec peine la nuit du petit matin. Je suis toujours au bureau, abrutie de fatigue, seule depuis des heures. Dehors, Washington D.C. demeure encore muette. Mais dans le ciel, les ténèbres se déchirent sous la force de vagues immobiles. Le moment approche.

C'est là, sur le coin droit de mon écran d'ordinateur — une icône d'alerte. Nouvelle « flash » — source ouverte. Je clique. Un fil personnalisé de l'édition électronique du *New York Times*. L'écran dans l'écran avale lui aussi tout l'espace. Et marque la fin de la nuit. Mais je ne le sais pas encore.

… L'assassinat à Hong Kong du journaliste Zhu Tianshun, l'un des dirigeants du camp démocratique, déclenche un vaste mouvement de contestation dans le sud de la Chine…

Le bureau est toujours silencieux. Mes subordonnés ne viendront que dans quatre ou cinq heures. Je clique par curiosité.

… Les manifestants réclament que toute la lumière soit faite sur l'assassinat survenu le 28 juin, en plein jour, du journaliste Zhu Tianshun, l'un des membres dirigeants du courant protestataire en faveur des réformes démocratiques…

Étrange coïncidence. Pourtant, à ce moment précis de mon voyage, je referme l'alerte et le signe disparaît dans la torpeur de mon écran. J'ignore le jour nouveau qui se lève. Bien trop occupée à préparer mon départ, classer mes informations, et disséquer mes dizaines de résultats de recherches sur Internet pour avoir pu identifier ce lien crucial. Car c'est au lendemain de l'assassinat du journaliste Zhu Tianshun, le 29 juin, que je quitte Washington. Je dois partir pour Berlin. Je ne suis pas encore au courant des manifestations monstres qui vont secouer Hong Kong, Canton et bientôt l'ensemble des grandes villes chinoises. Non, en ce matin du 29 juin, bercé par le lent débit du fleuve Potomac et les vagues d'air chaud qui remontent depuis les champs de la Virginie, la capitale du monde est encore bien tranquille. Le sujet du moment, c'est la traduction obligatoire des textes publics en espagnol, que certains représentants de la Californie et de la Floride voudraient imposer. Bref, un divertissement politique — l'été approche, et ce ne sont pas quelques sénateurs, velléitaires de la dernière minute, qui empêcheront les fonctionnaires fédéraux de finir la préparation de leurs vacances sur Internet… Alors, pourquoi s'intéresser au brouhaha inintelligible qui provient de Chine, comme il pourrait venir d'Europe, d'Asie ou d'Afrique ? Demain, le jour sera le même, il commencera juste quelques minutes plus tôt ou plus tard, n'est-ce pas ?

Mes yeux sont rouges de fatigue. Ma dernière nocturne à Washington. Le boulot mais mon côté insomniaque, aussi — j'ai toujours cru en l'alchimie de la nuit pour sublimer les tâches plus vaines. Pour ne trouver le plus souvent au bout du combat que la fatigue et l'abattement. La vérité ne peut-elle se dévoiler qu'après minuit ?... Je brûle cette dernière nuit à la lampe halogène, seule, dans mon bureau discret sur 1615 L Street, totalement impersonnel, dissimulé au milieu des cabinets d'avocats qui se partagent l'immeuble — une simple structure de verre, désertée après neuf heures du soir, et pas plus grande qu'une dizaine d'étages. Pour mes voisins de palier, je dirige un petit cabinet de consultants, travaillant essentiellement pour le FBI — le siège est à quelques blocs à l'est du mien. Pour un nombre très restreint de membres de l'administration présidentielle, je suis en réalité un « agent sans couverture officielle ». Si jamais je suis arrêtée à l'étranger, je ne pourrai pas bénéficier de l'immunité diplomatique. La CIA ne forme qu'une poignée d'entre nous par an. Je suis fière d'en faire partie. Et après deux décennies assez chargées, je n'ai pas encore abandonné le terrain — même si je passe désormais plus de temps, ici, à Washington, à former les nouvelles recrues et prendre ma part aux luttes politiques de la maison. Mon rang confidentiel fait de moi l'une des baronnes de notre communauté du renseignement, encore largement dominée par les hommes. Il m'arrive de recevoir des appels directement du patron de la CIA, Paul Adam — comme ce soir du 28 juin où nous avons discuté à plusieurs reprises de ma mission à Berlin. Et si, cette nuit, après en avoir terminé avec mes derniers appels, je scrute la ville à travers mon bureau de verre, ce n'est pas vers le siège du FBI que traînent mes derniers regards. Non. C'est vers le sud, à quatre blocs d'ici — vers la Maison Blanche. Vers le bureau du président — le seul à briller encore dans la nuit, comme un écho à mon sacrifice.

Ce n'est pas un hasard.

Je connais le président Jack H. Brighton, et cela remonte à bien avant son investiture. Le président Jack, comme j'avais coutume de l'appeler lorsqu'il se demandait encore s'il était prêt à se lancer dans l'aventure de la course à la présidentielle. Nous ne sommes pas amis. Ni collègues. C'est un lien bien plus fort qui nous unit. Jadis, Jack et mon père travaillaient ensemble. Jack a suivi mon parcours dans le sérail, à mesure que lui-même escaladait sa montagne. Il ne s'agit pas de complicité, pourtant. C'est un homme trop discret pour cela. Jack ne se livre pas, jamais. Vous pouvez vous approcher d'aussi près que vous voudrez, il y aura toujours cette bulle invisible, cette distance physique qui protège son mystère. Lors des réunions publiques, il peut distribuer ses sourires à une forêt de mains folles explorant le vide pour le toucher — il a toujours ce regard vif lui permettant de juger en quelques instants à qui accorder son contact. Il n'est ni froid ni calculateur, non. Beaucoup autour de lui éprouvent de l'empathie à son égard. Mais ce n'est pas à cause de l'affection qu'il prodigue. Non, il n'a jamais embrassé sa femme Katherine sur la bouche pour combler la curiosité de millions de spectateurs, ou atterri d'un avion de combat en uniforme de pilote de chasse devant les caméras. Ce n'est pas un séducteur, il ne vous flattera jamais en vue de vous soutirer votre accord — ce qui a failli d'ailleurs lui faire perdre les élections. Ce qui fait aussi qu'il partage la vie de sa femme Katherine depuis l'âge de vingt ans. Jack ne caresse pas le narcissisme de ses collaborateurs. Jack ne distribue pas ses faveurs pour les retirer brutalement afin de voir si vous allez ramper jusqu'à lui. Il ne connaît pas l'effusion. C'est un ambitieux sauvé par sa simplicité : Jack inspire le respect, c'est tout. Ma famille lui a toujours été loyale. Mon père a été un de

ses soutiens les plus fidèles. Jack a toujours su honorer
et entretenir cette droiture. Voilà comment, moi aussi,
tout naturellement, je suis entrée dans le clan. En suivant sa longue marche, j'ai appris à aimer et à faire
mienne cette loyauté pour les choses essentielles,
celles qui ne se disent pas, tant elles sont évidentes.
Plus je me suis rapprochée de lui, plus j'ai senti brûler,
moi aussi, cette flamme qui aide à avancer le front
haut. Oui, il a été mon tuteur. C'est cet amour pur que
j'ai poursuivi à travers la carrière que j'ai choisie — ce
métier du secret où il faut placer sa loyauté au-dessus
de tout, et la taire aussitôt. Et ma loyauté pour l'État,
c'est celle que j'ai offerte à Jack, lorsque lui et moi,
encore jeunes, avons scellé sous la flamme notre pacte
secret, notre pacte d'absolue fidélité, de corps et
d'esprit, et l'avons tu aussitôt — seule manière de le
préserver des intérêts hostiles, du regard de l'opinion
et de sa famille, et de le faire tenir ainsi toutes ces
années, se consumant dans le silence de nos vies. Voilà
pourquoi mon patron, Paul Adam, n'a pas eu besoin de
discuter longtemps avec moi. Je lui ai imposé mes
conditions. Même si cela fait bien longtemps que je
n'ai pas revu Jack, je sais que son ombre est toujours
là, à me surveiller et me protéger. Il sait également que
je fais la même chose pour lui. Je suis sa grande sœur,
il est mon grand frère. Et probablement plus que cela.

Comme chaque fois à l'heure des départs, comme à
chaque nouvelle route qui m'invite à la fuite, c'est pour
Jack que je pars — aujourd'hui à Berlin. Sauf qu'en
cette fin de nuit le doute seul m'accompagne vers
l'ancienne capitale impériale. Dans l'aube naissante, je
pars à la recherche d'un fantôme qui vient de ressurgir
là où il n'aurait pas dû. Il s'appelle Alberich, il est allemand, il est né avant la seconde guerre mondiale — et
il n'aurait jamais dû revenir à Berlin. Mon opération

d'interception, montée en toute hâte, le fera passer pour un ancien nazi en cavale. Mais c'est pour de tout autres secrets plongeant dans les ténèbres de la guerre froide que je le recherche.

Pour cette mission, je prendrai pour identité celle de Julia Tod-Smith, un agent du FBI détaché auprès du Nazi War Criminal Records Interagency Working Group. Une femme d'une quarantaine d'années aux rides à peine naissantes, frais sillons qui n'altèrent pas encore la topographie d'un visage longtemps marqué d'une cire juvénile et de traits fins, aussi intacts que dans l'enfance. Au loin, sa chevelure resplendit d'un éclat noir de jais. Julia peut séduire d'un sourire appuyé de carmin et d'un plissement du regard à peine surligné de cils fins. Julia n'abuse pas du maquillage. Ses seins demeurent étonnamment fermes pour son âge. Sa haute taille soulignée d'une prestance presque masculine ne manque jamais d'attirer les regards. Ses hanches sont fines, elles n'ont jamais été déformées par l'enfantement. Mais elle réserve désormais sa petite boutique d'artifices à seules fins professionnelles. Elle est divorcée, d'un mariage mort-né, contracté pour apaiser sa famille. Voilà Julia. Il y a toujours une part de moi dans les couvertures que je compose. Mais cette fois, il a fallu aller très vite ; c'est pourquoi l'agent du FBI Julia Tod-Smith me ressemble tellement. Nos parcours sont presque les mêmes. Elle a mon visage et mon corps. J'ai endossé son costume comme si c'était mon propre rôle que je jouais. C'est la première fois que je prends de tels risques. Mon reflet sera mon masque. Ma légende écrite en toute précipitation convoquera l'une des variations avortées de ma propre vie. Avec un peu plus de patience et de sagesse, j'aurais pu être une autre Julia. Tant pis. Je n'ai plus le temps.

Le ciel est blanc neigeux. Aucun nuage. Le jour va éclater dans quelques quarts d'heure. Mon billet pour

Berlin Teigel m'attend sur le rebord du bureau. Je ferme mon ordinateur portable. La Chine et ses manifestations sont loin.

Je dois partir, je dois toujours partir.

2

29 juin — Canton
Visite officielle du Premier ministre Hu Ronglian

Le Premier ministre Hu Ronglian était prisonnier au soixante-dix-neuvième étage du Citic Plaza. Des manifestants venaient de s'infiltrer dans la tour. Ils avaient réussi à pénétrer dans le plus haut gratte-ciel de béton du monde — cet immense totem aux ailes massives qui occupait le ciel de Canton quel qu'en soit l'endroit et renvoyait de l'horizon bleu le rayonnement de l'acier. Désormais, la Citic était compromise, la tour était un piège. La police armée du peuple craignait pour la vie du Premier ministre.

Hu Ronglian demeurait seul dans la salle de réunion, évacuée sur ses ordres. Il contemplait silencieusement la grande baie vitrée. À quatre cents mètres de haut, la plongée était vertigineuse sur Canton et la rivière de Perle. Dans l'horizon de la nouvelle Los Angeles du Pacifique, une forêt de gratte-ciel, certains plus grands encore que le Citic Plaza, dessinaient le pays moderne pour lequel Hu Ronglian s'était toujours battu. Le cœur de Canton s'était métamorphosé en quelques années. De la nouvelle TV-Tower au China International Center

Tower, un quartier d'affaires plus grand encore que celui de San Francisco avait surgi de terre. Derrière ce cœur de diamant et de lumières scintillant de reflets d'écrans vidéo géants, serpentaient entre terre et fleuve des milliers de kilomètres d'asphalte. Les vélos du siècle passé s'étaient évanouis en une décennie : la ville appartenait aujourd'hui à une myriade de véhicules, billes d'aciers roulant en tous sens et qui perçaient le smog éternel de Canton. Pluies tropicales ou canicules permanentes, rien ne pouvait arrêter l'efflorescence de la cité — rien ne pouvait censurer l'annonce faite au monde qu'une nouvelle ère commençait ici. Le magma vital qui jaillissait au pied du nouveau centre-ville se répandait à travers tout l'horizon, se jetant vers la mer par-delà les dizaines et dizaines de *li* de nouvelles banlieues et d'anciens taudis pour finir par rejoindre la coulée ardente de Hong Kong. En moins de quinze ans, Canton était devenue la nouvelle mégalopole américaine. Elle était déjà plus grande que Seattle ou Boston. Son énergie, entièrement tournée vers le commerce et la mer, rivalisait avec celle de Shanghai. Alliée avec sa voisine Hong Kong, elle allait étourdir bientôt, très bientôt, les songes de grandeur passée du port de New York, un siècle après que celui-ci eut supplanté le port de Londres. Et chaque gratte-ciel était une étape de plus vers le rattrapage inéluctable du grand voisin du Pacifique… Mais Hu connaissait également la fragilité de ces chênes neufs. Ils ne résisteraient pas au typhon des terres du Milieu — ce vent mauvais qui se lève en Chine à chaque génération et abat tout sur son passage. Ils succomberaient au lierre destructeur, jeune et aveugle, surgi d'on ne sait où pour étouffer d'un coup le plus grand arbre. La Citic allait tomber.

Des portes claquèrent de l'autre côté de la salle. C'était l'un des officiers chargés de sa sécurité.

« Camarade Ronglian, les ascenseurs sont dégagés. Nous pouvons tenter une sortie.

— "Tenter" ?… »

Hu s'arrêta net et reprit son souffle.

« … Bon. Nous descendrons quand je vous en donnerai l'ordre. »

Hu Ronglian était tombé dans un piège. Il composa sur son mobile le numéro de son chef de cabinet.

« Ou êtes-vous ?

— Au quarantième étage, camarade Ronglian. Je vous rejoindrai dans le hall. La limo nous attend sur l'esplanade.

— Vous avez eu le responsable de la police armée du peuple ? Qui sont les hommes qui se sont infiltrés dans la tour ?

— Nous ne savons pas, camarade Ronglian. Peut-être des lycéens… »

Hu marqua un temps d'arrêt. Plus que tout, il craignait les lycéens. À l'instar de l'ensemble des membres du Parti communiste, le souvenir des massacres commis par les jeunes Gardes rouges lors de la Révolution culturelle l'avait profondément marqué. Il y avait là autant de dégoût viscéral que de remords sincère. Il savait ce dont pouvait être capable un esprit fiévreux à peine sorti de l'enfance et soudain autorisé à soumettre le monde des pères. À l'orée de l'adolescence, lui aussi s'était choisi par égarement Mao comme nouveau chef de famille puis avait déposé dans les larmes l'ancien despote.

« Vous pensez que l'on veut me tendre un piège ? »

Le chef de cabinet hésita.

« Je ne sais pas, camarade Ronglian. Il ne faudrait pas que l'on vous prenne en photo avec les manifestants maintenant. Le secrétaire général Quiao Yi vous le ferait payer.

— Je sais… » Hu Ronglian hésita. De toute façon, il n'avait plus le temps. Du haut du soixante-dix-neuvième étage, il avait vu arriver un long cortège de manifestants qui débouchaient depuis la nouvelle gare du quartier de Tianhe. Dans quelques minutes, toutes les voies d'accès au Citic Plaza seraient bloquées. « … Je descends. Retrouvez-moi dans le hall. Prions pour que tout soit dégagé. »

Hu Ronglian referma son portable et fit signe à l'officier de la police armée du peuple qu'il partait. À grands pas, suivi maintenant de cinq autres agents de protection, il quitta la salle de réunion et s'engouffra du soixante-dix-neuvième étage dans le premier ascenseur.

Son cœur battait. Il risquait gros.

Hu Ronglian, numéro deux du régime, était la figure de proue de la frange réformatrice au sein du Parti — la faction de Shanghai. Depuis la grande métropole du Pacifique, il avait tracé son chemin entre intellectuels défroqués ivres d'Occident et membres de la nouvelle classe possédante — une génération de jeunes entrepreneurs bourrés de culot et de générosité bien investie. Il voulait l'ouverture au monde, le *rushi*. Habillé de costumes de flanelle gris achetés à grands frais auprès des meilleurs tailleurs de Hong Kong, il savait manier le « sourire Clinton » et avouait sa curiosité pour Adam Smith quand il voulait faire plaisir aux journalistes du *New York Times*.

Tout cela se retournerait contre lui s'il devenait l'otage des manifestants.

L'ascenseur poursuivait sa descente rapide. Quarante-quatrième étage.

Il se rappelait la photo du secrétaire général du Parti en 1989, Zhao Ziyang, accompagné de Wen Jiabao, dialoguant avec les étudiants lors des événements de

Tienanmen. Zhao Ziyang avait fini sa carrière en maison d'arrêt.

Treizième étage. Drôle de chute. Pour Zhao, il avait suffi d'une photo.

Il se surprit dans le reflet d'un des miroirs teintés de l'ascenseur. Il avait toujours été bien plus grand que ses compatriotes, à hauteur d'Occidental. Ses larges sourcils soulignaient un sourire souvent généreux, affiché avec complaisance. Toujours ce teint bronzé, travail de ses fréquentes visites au sud du pays. Toujours cette masse grisonnante de cheveux peignés à la mode par l'un des salons en vogue de Pékin et qui faisait sa fierté. Il avait toujours préféré la séduction à la contrainte.

Quatrième étage. On approchait.

Il passa une main nerveuse dans ses cheveux et serra sa cravate. Il était prêt. Non, il ne finirait pas comme Zhao Ziyang.

Rez-de-chaussée.

Les battants de l'ascenseur s'ouvrirent sur un vaste hall dallé de marbre anthracite. Au milieu de l'espace désert, un petit groupe de policiers mené par son chef de cabinet l'attendait. Cent mètres à franchir avant la limo. La troupe, Hu Ronglian blotti en son milieu, fonça vers la sortie du Citic Plaza.

À mi-chemin, Hu entendit des clameurs qui venaient de l'extérieur. Le chef de cabinet se retourna, brusquement inquiet.

« Pas le temps ! » intima Hu, alors qu'il approchait de la sortie. « On fonce ! »

Ils déboulèrent sur l'esplanade. La limo noire était à cinquante mètres. Toujours pas de contacts. Où étaient-ils ?... Le regard de Hu s'arrêta brusquement à cinq cents mètres de là — au fond, loin, très loin, de l'autre côté de l'immense promenade de Tianhe, près de la nouvelle gare ferroviaire. Une masse énorme barrait l'horizon : la vague compacte des manifestants agitée de remous lents, pleine de calicots écumant à la surface et qui allait fondre sur eux. Cette large assemblée d'âmes en marche et en colère constituait toute l'énergie accumulée de la ville. L'intuition du danger imminent écrasa d'un coup Hu. Il observait, fasciné. Il fallait percer à jour cette masse remuante de banderoles blanches, tambours et fusées éclairantes qui assourdissaient par instants ce grand charivari incontrôlé. Il y avait d'abord des visages frais, bien coiffés et presque souriants — des étudiants nantis de l'université de Canton ; plus loin, les regards fermés d'hommes plus mûrs, en jeans et vestes bon marché — classes moyennes ? chômeurs ? L'analyste sommeillant en Hu n'aurait pu le dire. Son attention était happée ailleurs, dans le corps même de la vague : cette foule bigarrée qu'il discernait maintenant, pleine de traîne-savates mal rasés aux vareuses déchirées — les déclassés, ces paysans jetés de leur campagne miséreuse. Ils étaient les sans-*hukou* — le livret de résidence les autorisant à travailler à Canton. Ils se révoltaient maintenant contre le rêve qui n'avait jamais pu tenir ses promesses. Mais ils n'étaient pas seuls. Réceptif à ce grand brassage de classes et de haines, Hu croisait les regards enfiévrés des lycéens, le front ceint de bandeaux. Ils étaient en première ligne et réclamaient de tous leurs poumons qu'on les écoute.

Hu se tourna vers son chef de cabinet.

« Vous entendez ? »

Les revendications parvenaient d'au loin comme une rumeur tragique avant que l'éclair ne foudroie le ciel. On entendait des demandes — l'arrestation des assassins du journaliste Zhu Tianshun. Mais aussi des slogans anti-Parti. Un groupe d'étudiants de l'université normale de Canton avait étendu une banderole — elle réclamait la fin de la corruption et l'élimination du système des

Tegong. Hu Ronglian soupira : à l'image de la Nomenklatura soviétique, le système des Tegong permettait aux cadres les plus importants du Parti de se procurer nourriture, logement et autres commodités à prix réduit. Une absurdité anachronique qu'il avait essayé de faire supprimer depuis longtemps. Mais son attention fut retenue par une mélodie aux accents graves que l'on entendait venir des entrailles de la vague. Il s'agissait d'une chanson. Elle était reprise par un nombre croissant de voix. Plus aucun doute. L'unisson s'installait. Hu adressa un regard stupéfait à son chef de cabinet. Ils avaient compris.

« Camarade Ronglian, n'est-ce pas cette chanson… *En sang mais pas battu* ? »

En sang mais pas battu. La chanson favorite de la troupe lors de la guerre du Vietnam de 1979. La chanson maudite qui était devenue l'hymne des forces contre-révolutionnaires lors des événements de Tienanmen du 4 juin 1989.

Un voile noir s'abattit sur le visage de Hu, il savait ce que tout cela voulait dire. Chaque nouvelle pièce de la mosaïque était un signe annonciateur de plus. Un signe de trop.

Il fallait fuir au plus vite.

Instinctivement, Hu Ronglian accéléra vers la portière de la limo. Dix mètres. Tout d'un coup, avant qu'il puisse s'y engouffrer, des coups de feu éclatèrent. Hu se retourna. Un petit groupe de manifestants — trois, quatre étudiants, pantalons de toile et tee-shirt, le front ceint de bandeaux, à quelques mètres derrière lui, déboulant depuis le Citic Plaza. Les policiers les encerclaient. Hu ne pouvait plus bouger un muscle. Les trois étudiants semblaient eux aussi tétanisés. Et, brusquement, l'adolescent de tête s'effondra. Comme un pantin sans vie, il se laissa tomber sur la dalle de ciment. Son tee-shirt blanc plein de sueur portait une tache rouge qui s'élargissait à vue d'œil. Hu comprit d'un coup le drame. Un de ses gardes du corps, plus éberlué que lui, tenait son revolver encore fumant, le poignet fébrile. Venu de derrière, le jeune meneur s'était approché de trop près. Le garde du corps avait tiré d'instinct. Derrière, la vague et sa clameur grossissaient. Si elle apprenait l'assassinat de l'adolescent, dans l'instant la lame se transformerait en furie déchiquetant tout sur son passage. Mais Hu ne put faire autrement que de revenir sur ses pas et s'approcher du corps agonisant de l'étudiant. Les policiers tenaient en joue les deux autres étudiants qui ne respiraient plus.

L'adolescent avait le visage couvert de fièvre. Il était transcendé par une peur terrifiante qui paralysait à son tour Hu Ronglian. Malgré le tumulte qui se rapprochait — déferlante de chairs et de colère pure rythmée d'incantations funèbres, sur le point de les engloutir —, le Premier ministre se tenait aux côtés du jeune garçon, plus proche encore que s'il s'était agi de son propre fils. Aucun son ne sortait de sa gorge — ni cri de colère ni mot de réconfort. Stupéfait par la résonance terrible des événements, Hu Ronglian se taisait. Était-il dans l'œil du typhon ? C'est alors que l'adolescent tenta une dernière fois de remuer ses lèvres. La vie le quittait, mais il avait encore la force d'arracher un mot ou deux à son futur cadavre. Un souffle. Rien qu'un souffle.

« Camarade Ronglian ? »

À cet instant précis, Hu comprit qu'il était arrivé à l'épicentre même de ses cauchemars. Il ne put contenir un frémissement. Le fils ne fut soudain plus qu'un cadavre. Mais son âme continuait à le fixer. Elle le maudirait à jamais. Elle venait de le lui annoncer. Hu fit un pas en arrière. Il l'avait vue briller dans le regard mort du jeune étudiant. Confusion. La chanson maudite qui se faisait plus forte. Alors Hu se tourna vers la vague, comme pour l'affronter les bras nus. C'était elle qui l'avait tué — elle et seulement elle. Par défi, il retrouvait ses esprits. Désormais il le savait, le moment tant redouté était arrivé. La Chine avait bien à nouveau rendez-vous avec son destin : elle redevenait ce bateau ivre prêt à plonger dans la guerre civile — avec le risque d'entraîner le reste du monde dans le chaos.

Le chef de cabinet se jeta sur le Premier ministre.

« Camarade Ronglian ! Les manifestants seront sur nous dans deux minutes ! Nous devons partir ! »

Tout se remit en mouvement aussitôt. Hu quitta le cadavre et fut poussé dans la limo. Son chef de cabinet se jeta à côté. Les portières se verrouillèrent immédiatement. Le moteur rugit. Derrière, la clameur s'exaspérait. La foule des manifestants n'était plus qu'à deux cents mètres. Il s'en était fallu d'un cheveu.

« Nous l'avons échappé belle, camarade Ronglian ! » s'exclama le chef de cabinet alors que la voiture démarrait en trombe.

Hu Ronglian pensa encore un peu au jeune étudiant. Plus tard, il essaierait de faire la paix avec l'âme du damné. La vie devait maintenant reprendre le dessus.

« Nous ne sommes pas au bout de nos problèmes, rectifia sévèrement Hu Ronglian. Le secrétaire général Quiao Yi va réclamer une réunion urgente du comité permanent du Bureau politique. Probablement dès demain. Il veut la répression. Et il voudra ma tête… car c'est moi l'imbécile qui réclame la démocratie au sein du Parti ! »

Ainsi, le moment de vérité était venu. Plus aucun doute pour Hu Ronglian : dans vingt-quatre heures, une guerre sans merci allait éclater au cœur de Pékin entre lui et le secrétaire général du Parti, Quiao Yi.

Au moins Quiao Yi ne bénéficierait pas de l'effet de surprise. Cela faisait vingt ans que Hu Ronglian pressentait ce moment. Vingt ans qu'il le préparait. Et il avait un plan — son plan secret, le plan Ronglian. Vingt ans qu'il craignait plus que tout au monde de le mettre un jour à exécution. Mais peut-on échapper à son destin ? Peut-on échapper à la malédiction du pays qui vous a fait naître, qui a fait de vous l'un de ses fils prodigues — et qui réclame de vous aujourd'hui le plus grand des sacrifices, celui de ses propres principes ?

Les liens du sang sont toujours les plus forts. La bataille de Pékin commencerait dans vingt-quatre heures.

3

Quelque part entre le Groenland et l'Islande, une turbulence un peu plus forte que les autres gifle d'un coup
sec le corps du grand avion. J'ouvre un œil. L'A380
frémit mais poursuit sa route. Allongée dans le fau-
teuil-lit de la *business*, je convoque mes esprits pour la
bataille qui s'annonce. Désormais, je ne dormirai plus.

Je pars donc pour Berlin à la rencontre d'un spectre
qui vient de surgir là où il n'aurait jamais dû réapparaître. Un spectre tout droit issu de l'ancienne Union
soviétique, l'autre Empire englouti. Un spectre qui
aurait dû retourner au néant il y a bien longtemps.

Les Russes pour l'instant n'en savent rien. Alberich
est le nom du revenant qui m'attend de l'autre côté de
l'océan. C'est un homme trop âgé pour être encore un
mortel. Il est un de ces derniers patriarches de l'avant-
guerre froide, né du temps de l'Europe, ce temps d'avant
l'ère nucléaire et de ses superpuissances. Comment a-t-il
fait pour survivre jusqu'à maintenant?... Ou bien Alberich est réellement un fantôme, ou bien il a signé un
pacte avec le Diable. Mathématicien allemand, récupéré

par les Russes après la seconde guerre mondiale, il jouait un rôle central dans le complexe militaro-industriel soviétique et le développement de son informatique militaire. Pendant un temps, après la chute du Mur, nous avons tenté une parade nuptiale afin de l'attirer de notre côté. En vain. Le vieil homme semblait moins intéressé par nos offres de gratification matérielle que par l'achèvement de rêves nébuleux. Tout aussi rapidement qu'il avait fait surface, Alberich a disparu du radar. Et voilà brusquement qu'il réapparaît hier, 28 juin, au beau milieu du service des urgences d'un hôpital de Berlin, frappé de crise cardiaque. Les fantômes ne meurent jamais. Dès que le nom a surgi sur les écrans de la National Security Agency, nous avons mis en place la mission. Avec son passé, un ancien responsable tel qu'Alberich est condamné à demeurer enchaîné à ses secrets et ne peut avoir quitté la Russie avec le plein accord des autorités. S'il est à Berlin, c'est peut-être qu'il a fui sa « mère patrie ». Et s'il est maintenant dans une chambre d'hôpital, c'est peut-être qu'on l'a rattrapé. Ce ne serait pas la première fois que les anciens du KGB tentent d'éliminer l'un des leurs en provoquant artificiellement une crise cardiaque via l'absorption de certains composés chimiques. Les poisons sont une spécialité russe, qu'ils soient organiques ou radioactifs. Spéculation excessive ou non, telle est mon intime conviction. Je dois y aller. Je dois l'intercepter.

L'A380 vient de se frotter à la piste. Il est huit heures du matin, nous sommes à Berlin. La première épreuve commence. Au sortir des défilés de béton, de satellites aéroportuaires en terminaux interminables — le poste de douane. Mes collaborateurs ont travaillé toute la journée d'hier pour me fabriquer un passeport présentable — mais il suffirait d'une erreur sur la piste magnétique pour

que ma mission — et ma carrière ? — s'arrêtent net. Dans
mon métier, en quelques secondes, un simple détail
peut mettre fin au plan de toute une vie. J'approche de
la fenêtre de verre. Sans un mot, l'officier des douanes
se saisit par l'ouverture de mes papiers, et fait glisser la
page centrale de mon passeport sur le lecteur optique.
Une fois. Deux fois. Silence. Il me fixe sans un mot. Et
me rend mes papiers. Tout semble en règle. Julia Tod-
Smith réussit son premier test — direction l'hôpital.

Je ne connais pas Berlin. Nos vieux y ont leurs
souvenirs de guerre, du temps du rideau de fer, du
Glienicker Brücke et de l'Oberbaumbrücke, ces ponts
sur la Spree où s'échangeaient espions et dissidents.
Mais cela appartient déjà à une autre époque — ce
que l'on nomme l'Histoire, cette rumeur nostalgique
des cimetières et des rayonnages empoussiérés. J'ai eu
ce choc, une fois que je discutais avec la petite fille
d'un ami — elle était née en 1995. Elle n'avait aucune
notion de ce que signifiait l'expression « Union soviétique ». La petite poupée aux cheveux blonds me
regarda avec ses gros yeux bleus écarquillés. S'agissait-il d'un pays imaginaire ?… « Union soviétique »
— l'ennemi juré d'une moitié de l'humanité pendant
plus d'un demi-siècle. J'ai compris que j'appartenais à
un monde qui n'existerait plus, celui d'un conte fantas-
tique dont on avait tourné la dernière page depuis
longtemps — et moi avec. L'« Union soviétique » ne
serait plus bientôt qu'un monstre mythologique, un
dragon de légende qui hanterait à jamais les rayons
de bibliothèques. Et Berlin, l'antique cité brisée en
deux, partagée entre les dieux de l'Ouest et de l'Est,
écartelée par un mur de béton et de peur, la ville
mystérieuse où se jouait l'équilibre du monde dans la
trajectoire fugitive d'espions aux paris obscurs — Berlin elle aussi serait rendue à la banalité, et un jour à

l'oubli. Ce jour est-il déjà là ? Je regarde défiler la ville sur ma vitre pendant quelques quarts d'heure. Les murailles de béton, les gratte-ciel en construction, les vieux quartiers encore en rénovation — non, au début, l'ancienne-nouvelle capitale ne m'évoque rien de particulier. J'aurais pu être à Cincinnati ou Minneapolis, cela m'aurait fait le même effet.

Et puis, insidieusement, une réflexion de Paul Adam me revient : « Berlin, ce n'est pas anodin… L'histoire commence peut-être là. » Et je vois surgir devant moi, à nouveau, l'histoire maudite de la ville qui gorge ses parois, ses artères et son cœur de pierre. Dans la coupole de verre du nouveau Reichstag, j'aperçois le reflet des flammes du grand incendie nazi ; devant les ruines éternelles de l'église Kaiser-Wilhelm-Gedächtniskirche, j'entends le vrombissement sourd des chars et des bombardiers qui continuent de hanter la ville, même deux générations plus tard ; au seuil de la porte de Brandebourg encadrée par les nouvelles ambassades de France et de Grande-Bretagne, je devine le tracé invisible du Mur qui continue de rattacher deux frères pleins de suspicion et de rancœurs étouffées. Ma respiration se fait plus dure. Mon regard fouille les façades qui s'évanouissent aussitôt apparues. Mon cœur se met à battre. Une nouvelle intuition. Oui, un fantôme n'aurait pas trouvé meilleur endroit pour réapparaître. Alberich est ici chez lui.

Le taxi plonge au cœur des avenues du quartier du Mitte. Les monuments et palais de l'ancienne capitale prussienne défilent comme à la parade, et ma prémonition semble prendre corps. Je n'en ai parlé ni à Paul ni à mes autres collègues — mais c'est le pressentiment d'une menace imminente, je redoute ce vieux patriarche égaré, même convalescent, même à moitié assommé par son infarctus. Nos plus récentes informations rapportaient qu'Alberich continuait de s'occuper d'un centre de recherche en Sibérie, spécialisé, semble-t-il, dans les virus informatiques. Alberich avait également été en charge dans le passé de la sécurité informatique des forces stratégiques soviétiques. Quelles que soient les raisons de son étrange itinéraire, c'est peut-être la sécurité de la Russie, deuxième puissance nucléaire mondiale, qui est en jeu. Si mon intuition est juste, alors je devrai arracher jusqu'à la plus étroite parcelle de vérité à l'esprit fatigué du vieillard. Je n'hésiterai pas à me faire violence. Et si je ne le fais pas pour moi, je le ferai pour Jack. Par amour et par fidélité.

4

30 juin — Pékin, Zhongnanhai
Réunion du comité permanent du Bureau poli-
tique du Parti communiste chinois

Les rumeurs les plus folles circulaient. La fermeture définitive du magazine *Nanfang Zhoumo*, décidée la veille, était terriblement impopulaire. L'assassinat non élucidé de son rédacteur en chef et leader du groupe local de dissidents, Zhu Tianshun, l'étincelle tragique. Le feu du mécontentement embrasait villes et villages. Le Parti et le peuple risquaient l'affrontement. Tout dépendrait des chiffres que Pékin redoutait désormais — les premières estimations des manifestations qui avaient secoué le sud du pays. Hu Ronglian, fraîchement rescapé du traquenard de Canton, craignait plus que tout autre ce qui serait annoncé dans quelques minutes. Les malédictions les plus implacables sont toujours celles que l'on a soi-même prophétisées.

Le regard du Premier ministre Hu Ronglian balaya la petite salle aux murs tendus de velours rouge. Les quatre autres membres du comité permanent du Polit-buro étaient en train de prendre place. Réunis ensemble, ces cinq hommes formaient le noyau central de dirigeants commandant le Parti central. En dessous d'eux, la machine du Parti central régissait la vie de plus d'un milliard et demi d'individus, presque un quart de toute l'humanité. Et au-delà, hors des frontières de l'Empire, des bords de l'Asie jusqu'aux rives de l'Atlantique, s'écrivait d'une même encre le destin de milliards d'autres êtres humains — ces autres Terriens qui dépendaient des respirations et des soubresauts du peuple de Chine, l'atelier du monde, son bailleur de fonds et un jour son principal client. Une grande guerre civile dans l'Empire risquait de provoquer une nouvelle grande dépression dans le reste du monde — et donc d'autres guerres sur le reste du globe. Et l'équilibre de tout cet édifice fragile se décidait dans cette petite pièce au parquet de bois, ici, au cœur de Zhongnanhai, le vaste Kremlin chinois — immense citadelle au milieu de Pékin, isolée du reste de la ville par une impénétrable enceinte. La longue muraille sang de bœuf au cœur de la capitale rappelait que l'on ne pouvait impunément violer l'intimité du Centre — ses villas, ses résidences surveillées, ses bureaux ministériels, son sauna avec hammam et piscine et en son centre secret le paisible lac du sud Nanhai. Cependant, en ce moment précis, rien ne pouvait venir conforter les nerfs mis à rude épreuve du Premier ministre Hu Ronglian. La salle de réunion était fraîche et exiguë — et sa galerie de portraits de célèbres dirigeants aux traits sévères plantés sur chaque mur n'incitait pas au repos de l'âme. Hu Ronglian fixait un portrait du camarade Mao. Le Grand Timonier semblait le scruter, inquisiteur, depuis le fond de sa pupille de papier. Imperceptiblement, il se voûta sous la pression de cet inflexible regard. Pourtant, Hu Ronglian avait tout fait pour être le seul à ne pas trahir sa nervosité en entrant dans la pièce. À sa droite, le maréchal Gao Xiaoqian, le chef d'état-major de l'Armée populaire de libération, héros de la guerre du Vietnam de 1979. Il devait son bâton de commandeur à ses talents d'intrigant ainsi qu'à son oncle, figure du Parti coulée de son vivant dans le bronze de l'Histoire officielle. Le neveu, le maréchal Gao Xiaoqian, n'était pas en forme aujourd'hui. Depuis qu'il était entré, il fouillait la masse de ses cheveux argentés, se grattant instinctivement le cuir. C'était irritant. Que pouvait-il lire dans les entrailles de son crâne épouillé ?... Aux côtés du maréchal, le président Li Xuehe, plus croulant qu'à l'habitude malgré ses quatre-vingt-trois ans. Le regard perdu, Li faisait une overdose silencieuse d'adrénaline. À l'opposé de la table de chêne, Jia Gucheng, le patron du ministère de la Sécurité d'État, se taisait. Lui connaissait les chiffres. Son visage impassible n'annonçait rien de bon.

Très en retard, le secrétaire général Quiao Yi venait de prendre place directement en face du Premier ministre Hu Ronglian. Le chef suprême du Parti central était pourtant d'une scrupuleuse ponctualité. Quels dignitaires de quinze ans son aîné venait-il de croiser dans Zhongnanhai, chuintant entre leurs dents plombées d'or des conseils d'un autre siècle ? Oui, l'heure était peut-être grave... À mille manifestants, on pouvait jouer du bâton et ignorer. À cent mille, on devait ouvrir les casernes et réprimer. À un million — à un million, il fallait réfléchir. À un million, il fallait éviter la guerre civile.

Jia Gucheng, le patron du Guoanbu, le ministre de la Sécurité d'État, distribua alors à chacun des membres du comité permanent une petite chemise composée de plusieurs feuilles et fax, qui composait le « Rapport général des renseignements » — le *Yaoqing Baogao*. Le secrétaire général Quiao Yi prit la parole.

« Camarades, le décompte réel des manifestations de Canton et Hong Kong par nos informateurs fait état de cinq cent mille manifestants à Canton et deux cent mille à Hong Kong. Si l'on additionne les cortèges de Shenzhen, Foshan, Chaozhou et Dongguan, c'est plus d'un million et demi de citoyens qui sont descendus dans la rue. À Canton, la mobilisation a concerné un habitant sur dix. »

Les membres du comité étaient sonnés.

C'était l'incendie. Avec plus d'un million et demi de manifestants dans la rue, pas des paysans, non, mais des masses urbanisées, éclairées, agissantes, les choses allaient dégénérer. Une mécanique politique infernale venait de se mettre en marche. La Chine et toutes ses dépendances — l'Asie, l'Europe, l'Amérique — étaient au bord du précipice.

« La mobilisation est-elle sur une dynamique ascendante ? demanda aussitôt Hu Ronglian.

— Oui, camarade Ronglian, répondit le ministre de la Sécurité d'État Jia Gucheng en utilisant la forme de politesse classique — le « camarade » suivi du prénom. Les leaders étudiants du campus de l'université normale de Canton viennent de former une fédération illégale. Ils sont en train de prendre contact avec d'autres dirigeants étudiants contre-révolutionnaires que nous surveillons depuis quelque temps. Nous craignons de nouvelles manifestations à Canton, Hong Kong, Macao et Shenzhen dans deux jours. Nous pensons qu'à cette occasion, l'agitation étudiante va également atteindre les campus de Pékin, Chengdu, Shanghai et Nanjing. »

C'était la contagion, parmi les plus grandes villes du pays…

Le Premier ministre Hu Ronglian flairait un piège. Le secrétaire général Quiao Yi allait perdre son sang-froid. Ce dernier regardait fixement son Premier ministre. Hu Ronglian sentait peser sur lui cette même animosité brute, cette volonté d'écraser, qu'il avait perçues chez Quiao Yi tant de fois. Lors de passes d'armes feutrées au cours des réunions du Comité central. Au cours des affrontements politiques tenus à huis clos lors des réunions de Beidahe, cette station balnéaire où chaque été se mesuraient les uns aux autres les chefs des factions du Parti. Tous deux étaient destinés depuis longtemps à se combattre. Ils avaient gravi la montagne en venant de versants différents. Ils devaient leurs fortunes respectives à des clans opposés voués depuis des décennies à la conquête du pouvoir. Champion de la faction de la Ligue de la jeunesse communiste, le secrétaire général avait fait ses classes en tant que gouverneur de la province de Ninxia, au fin fond du pays, puis au Xinjiang, dans le « Far-West » chinois. Face aux insurrections des musulmans ouïgours, il avait pu démontrer son efficacité de réformateur. On ne lui connaissait qu'un seul péché mignon — l'expresso italien, qu'il avait découvert depuis son retour à Pékin. À l'œuvre dès sept heures, il pouvait en avaler tasse sur tasse, du matin au soir. Et finir par exploser, à la fin de la journée, avec une rage inouïe, contre quiconque trahissait une inadmissible lenteur d'esprit en sa présence. Fils d'une famille d'ouvriers modèles du combinat de Huabei, brillant élève de l'université de Tsinghua, il méprisait les médiocres — un terme fourre-tout qui désignait les beaux parleurs et les nouveaux riches. Le Premier ministre Hu Ronglian savait, pour avoir discuté du passé avec lui autour d'une vieille bouteille de bordeaux, que Quiao Yi admirait secrètement Zhou Enlai, Sun Yatsen et, curieusement, Napoléon Bonaparte — peut-être parce que Quiao Yi, lui aussi, devait sa réussite à une ambition démesurée et à l'amour de la géométrie. Malgré les discussions arrosées et les luttes au couteau, Hu Ronglian ignorait si le secrétaire général éprouvait de la haine pour lui. Hu aurait pu entrer dans la définition des « médiocres » selon Quiao Yi. Hu Ronglian était un séducteur. À Zhongnanhai, certaines mauvaises langues aimaient opposer le chef de la « civilisation jaune », Quiao Yi, au leader de la « civilisation bleue », Hu Ronglian, nécessairement tourné vers l'économie de l'océan Pacifique. Tout les séparait. Le secrétaire général Quiao Yi était de petite taille, le front luisant comme un bouclier d'airain. Son regard, toujours à l'affût derrière une paire de lunettes à la monture carrée, perçait, à peine souligné par des sourcils plus subtils que la pointe d'un calame. L'inverse de Hu Ronglian. Mais Hu savait que cet antagonisme colporté par les différentes factions du Parti était bien naïf. Quiao Yi était trop intelligent pour ne pas compter sur la nécessité du *rushi* : l'ouverture au monde et aux réformes économiques. Et Hu Ronglian, bien trop pragmatique pour se rendre compte qu'au sein du Parti il était vital de multiplier les appuis tactiques, donc les ambiguïtés. Et puis, au fond, qu'est-ce qui les distinguait tellement ? Il n'y avait pas des milliers de façons de diriger les affaires de la Chine. Hu Ronglian et Quiao Yi partageaient cette même conviction : laissée à ses professionnels, la matière politique se résume à une question de gestion. Mais parce que le pouvoir ne se partage pas, le professionnel s'efface toujours derrière le chef de clan. Cela aussi, ni Hu ni Quiao ne l'ignoraient.

« Nous ne pouvons nous permettre de laisser s'échauffer les esprits dans les campus, fit le secrétaire général, la mine solennelle mais le débit trop rapide. Pas avec un million et demi de citoyens dans la rue. Les événements d'avril-mai 1989 nous ont enseigné deux leçons importantes. La première, c'est qu'au-delà d'un certain niveau de mécontentement il est impossible de calmer les esprits sans recourir à la force. La

seconde, c'est que les mouvements dirigés par des leaders étudiants sont eux-mêmes difficilement contrô-
lables. Les leaders étudiants de 1989 étaient désunis,
leurs revendications maximalistes. Ils n'ont jamais été
capables de s'organiser et de répondre de façon uni-
taire et raisonnable à la main que le Parti central leur
a tendue de nombreuses fois. La description qui nous
est faite des manifestations de Canton correspond malheureusement, presque trait pour trait, au démarrage
des événements du printemps 1989. »

Quiao Yi et certains des vieillards de Zhongnanhai
perdaient leur sang-froid et la faction de la Ligue de la
jeunesse communiste allait essayer de profiter des événements. Le programme de réformes politiques que
soutenaient Hu Ronglian et ses amis de la faction des
« Shanghaïens » risquait d'être jeté aux oubliettes. Hu
Ronglian s'était battu depuis des années pour ouvrir le
principe du vote démocratique aux différents échelons
du Parti. Il rêvait d'une démocratie chinoise établie
dans le Parti communiste. Le choix d'une politique de
répression allait engager pour plusieurs années le destin
des membres du Parti central. Et l'avenir politique des
alliés de Hu Ronglian de la faction de « Shanghai », sa
clientèle, serait compromis pour longtemps. Une partie
d'entre eux la déserteraient, cherchant protection chez
plus puissant que lui. Hu Ronglian serait condamné à
disparaître de la scène. De lui-même, ou bien accusé de
corruption et envoyé à la prison de Quincheng ! Hu
Ronglian ne pouvait se laisser mettre KO. Il en allait de
son étoile. Non, de celle de la Chine.

« Camarades, intervint-il, le front levé, nous souscri-
vons tous à l'analyse dominante. Mais le journaliste Zhu
Tianshun a été froidement assassiné. En plein jour. En
pleine rue. Voilà ce qui a mis le feu aux poudres. Camarade Gucheng, connaissez-vous le nom des assassins

de Zhu Tianshun ?… Éclairés par la lumière de la vérité, peut-être pourrons-nous calmer la colère de la rue.

— Je ne le pense malheureusement pas, camarade Ronglian, répondit avec aplomb le patron des services de sécurité et de police. Zhu Tianshun enquêtait sur la collusion entre la direction de la China Equipment Bank et certains membres du Parti, influents auprès de la People's Bank of China. Sur la base des interrogatoires de certains journalistes du *Nanfang Zhoumo*, nous avons acquis la conviction que cette collusion existe bien ; que la China Equipment Bank est au bord de la faillite. Et que Zhu Tianshun a été assassiné parce qu'il avait connaissance de cette situation. Un contrat a été passé sur lui, exécuté par des éléments de la pègre locale pour le compte de l'un des dirigeants de la China Equipment Bank. Et peut-être avec la complicité d'éléments du Parti de la province de Fujian. »

Voilà le genre d'information qui vous condamnait au silence. Tous étaient atterrés, y compris Hu Ronglian.

« Il s'agit effectivement d'une affaire très, très grave, assena Quiao Yi. Nous saurons punir avec la plus extrême sévérité les membres du Parti communiste de la province de Fujian qui ont participé à ce crime odieux… Mais la China Equipment Bank est l'une des plus grandes banques du pays, remettre en cause cette institution pourrait avoir des conséquences incalculables sur nos équilibres financiers. C'est le désordre, la misère, et finalement une plus grande injustice encore que nous pourrions provoquer. Voilà pourquoi je recommande que les informations concernant le meurtre du journaliste Zhu Tianshun soient immédiatement classées par le ministère de la Sécurité d'État dans le cadre de la protection du secret défense. »

Le silence du reste du comité valut assentiment. Quiao Yi poursuivit. Son côté pont d'Arcole.

« L'affaire du meurtre de Zhu Tianshun nous oblige à être très fermes par rapport aux désordres étudiants. Il existe aujourd'hui, d'après le camarade Gucheng, des ferments encore plus dangereux qu'au printemps 1989 et je propose que les autorités du Guangdong décrètent immédiatement l'interdiction de toute manifestation dans la province, ainsi que l'instauration du *Caiqu jieyou cuoshi* — la déclaration de mesures partielles et de court terme de la loi martiale sur toutes les grandes villes de la province. Prenant effet dès demain soir minuit. Nous agirons avec la plus grande sévérité contre les contrevenants. Tout en gardant à l'esprit la sagesse du camarade Yang Shangkun, le regretté compagnon de route du camarade Deng Xiaoping, qui, au moment de la fermeté, insista avec raison sur les mots d'ordre suivants : "Pas de vies sacrifiées. Pas de sang versé." Camarades, telle est bien la sagesse qui doit conduire notre action. » Et il conclut en joignant les paumes de ses mains en un signe de pieuse résolution.

La référence à Yang Shangkun n'était pas passée inaperçue. En 1989, lors des événements de Tienanmen, il avait été le dernier Aîné à soutenir le secrétaire général Zhao Ziyang quand celui-ci tentait encore de maintenir le dialogue avec les étudiants. Un clin d'œil pour faire passer la pilule. Quiao Yi avait monté la barre. Il devait avoir l'appui de certains vieillards de Zhongnanhai. Hu Ronglian sentit qu'il ne pourrait résister. Il était sur la touche.

Le comité approuva.

Le Parti central déclenchait l'épreuve de force.

5

Il devait être sept heures et quart du matin. Les murs blanc crème du Bureau ovale réfléchissaient la lumière du petit matin. Sur un coin de table, un buste d'Abraham Lincoln adressait un regard pensif à la pelouse sud et au monde qui s'éveillait au-delà. Le président Jack Brighton était déjà au poste, épluchant un projet de réformes fiscales qu'il n'avait pas fini de lire la veille. Le soleil caressait de ses rayons encore obliques les bords roux du bureau — le « Resolute », une pièce historique du mobilier national, fabriquée dans le chêne d'un navire anglais abîmé dans l'Arctique. Une ou deux fois, Brighton s'était mis à songer au passé chargé de cette compacte masse de bois. L'image qui lui revenait, ce n'était ni la photo de John John caché aux pieds de son père, ni celle de Truman désignant son petit écriteau fétiche, posé sur le bureau comme par défiance — *The buck stops here.* Non — curieusement, c'est le souvenir disparu des marins du *HMS Resolute* qui était venu le visiter. Leur sacrifice oublié insufflait un semblant d'âme à la chair de bois et retentissait comme un appel solennel à son pro-

priétaire temporaire. Brighton continuait de tourner les
pages tout en les annotant discrètement. Derrière lui, sur
une table encadrée par les drapeaux de l'Union et celui
du président, quelques photographies personnelles
veillaient silencieusement. Un cliché officiel, celui du
propriétaire, avec sa femme Katherine, son fils Alan et
leur chien, un gros pékinois blanc nommé Puffy, tous les
quatre au pied de leur nouvelle demeure. Une photographie plus personnelle, noir et blanc, celle de ses parents,
alors que son père William, encore jeune et plein d'ambition, était diplomate en poste à Vienne, en 1956. Une
autre photo de William, trente ans plus tard, dans son
bureau de Boston, alors qu'il cherchait à rebâtir une fortune brutalement évanouie après de retentissants échecs
dans la spéculation immobilière. La photo avait été prise
quelques semaines avant son infarctus — la dernière
photo de son père et le même regard paisible, le même
sourire poli qu'une génération plus tôt, à Vienne. Et puis,
il y avait un cliché plus inattendu — celui d'un couple
d'amis, les O'Brien, accompagnés de leur fille unique,
Julia, jouant de ses cheveux noirs et regardant l'objectif
d'un air songeur. La photo avait été prise alors qu'elle
venait d'avoir vingt ans. Quelque chose détonnait. Il
semblait qu'elle regardait ailleurs que ses parents. Que
ses yeux sombres fixaient autre chose. Jack, un intime
de George O'Brien, connaissait bien l'histoire de Julia.
Ce cher George, cet Irlandais têtu comme une mule,
avait toujours voulu un héritier. Il rêvait d'avoir un fils.
Même si elle s'appelait Julia. Alors George avait élevé sa
fille avec l'ambition qu'elle reprenne un jour son cabinet,
n'obéisse qu'à elle-même et poursuive la lignée des
O'Brien sur la terre d'Amérique. La vie en avait décidé
autrement, Brighton en savait quelque chose. Et, calé
dans son fauteuil de cuir, il préférait maintenant leur
tourner le dos. Il attendait la venue de son conseiller

pour la sécurité nationale, Mark Levin. Celui-ci devait arriver comme d'habitude à huit heures vingt du matin. Chaque jour, y compris le dimanche, et avec la même rigoureuse ponctualité, Brighton et Levin avaient pour discipline de discuter trente minutes maximum des derniers événements internationaux affectant la sécurité du pays.

Le téléphone sonna. Brighton décrocha — c'était son fils Alan. Ils avaient l'habitude de s'appeler une fois par semaine, tôt le matin, pour de brèves conversations.

« Tu as réussi à te lever, Alan ?

— Toujours à l'heure quand j'appelle le président… J'ai un peu de boulot à terminer pour mes étudiants, je ne pourrai pas rester très longtemps. » Alan était en postdoc à Princeton, spécialisé en cosmologie. C'était l'intellectuel de la famille, toujours debout une demi-heure avant son père.

« Je t'ai vu à la télévision hier soir, Jack. Pas mal. Pas mal du tout. Même si je ne suis pas toujours d'accord… »

Le président Brighton sourit.

« Tu veux t'y mettre également ?

— Non, non, pas de politique entre nous, mon cher Jack… Je ne peux pas te critiquer. Tu sais bien que tu seras toujours "mon père, ce héros au regard si doux". »

Alan n'était pas totalement ironique. Ils éprouvaient une grande admiration l'un pour l'autre. La même admiration, la même loyauté partagée que, des années plus tôt, William Brighton avait su enseigner à son fils Jack.

« Moi non plus, je ne vais pas tarder. Levin doit me voir d'ici quelques minutes.

— Tu pars à Paris demain ?

— Oui, avec ta mère. Nous sommes en visite officielle pour trois jours… Ça devrait bien se passer… Il faudrait que je me remette au français. Cela fait trop longtemps que je ne le pratique plus. »

Alan se fit plus nerveux.

« À propos, tu as vu la manifestation en Chine ? C'est incroyable, non ?

— Peut-être. Je ne sais pas. Nous verrons bien.

— Moi je ne serais pas rassuré. De voir tant de Chinois manifester. Les choses se réveillent. Je sens que tu vas avoir du pain sur la planche, Jack.

— Tant mieux, c'est pour cela que l'on m'a élu président. » Il avait été un peu sec. Jack était agacé de voir que son fils finissait toujours par se mêler de ce qui ne le regardait pas, un peu comme tous ces conseillers qui papillonnaient autour de lui.

« Désolé de t'embêter. Tu aurais été peintre, je t'aurais parlé peinture, Jack.

— Non, ça va, excuse-moi. » On venait de le prévenir que Levin attendait dans l'antichambre. Il avait cinq minutes d'avance. « Je suis désolé, Alan, je dois te quitter. Levin est là.

— Pas de problèmes. Je t'embrasse, Jack.

— Je t'embrasse, mon fils. »

Ils raccrochèrent simultanément. Brighton s'en voulait un peu. Cela faisait trop longtemps qu'il n'avait pas eu un vrai dîner avec son fils. Mais Alan lui aurait parlé big bang, fluctuation du vide quantique, probabilités de vies extraterrestres… Alan ne savait pas décrocher. Jack sourit — il s'imaginait contraint d'écouter à table des heures durant son fils, et pour une fois l'empêcher de parler d'autorité. La dernière fois, lors de leur tête-à-tête annuel organisé dans la Chambre verte de la Maison Blanche, Alan s'était lancé dans une longue discussion sur le programme scientifique SETI au moment où deux magnifiques pavés chateaubriand ruisselants de jus et de beurre avaient atterri dans leurs assiettes respectives. Pendant trois quarts d'heure, Alan avait discouru sur l'importance de SETI, dont l'objectif était la recherche de signes intelligents de vie extraterrestre dans l'espace. Lorsque Jack avait fait comprendre à son fils qu'il n'était pas intéressé et qu'il voulait se concentrer sur son assiette, Alan lui avait lancé sa critique favorite sur un ton navré qui trahissait en vérité toute sa tendresse pour son père — « Ah ! vous, les politiciens de Washington, vous n'avez jamais su quelles étoiles saluer ! Un jour, vous vous rendrez compte que derrière le drapeau, il y a un ciel immense, et des milliards d'étoiles qui y brillent sans hymnes ni serments ! »… La jeune génération a de drôles de préoccupations ! songea Jack, qui avala sa tasse de café crème et fit entrer Levin.

Fréquemment en retard le restant de la journée, Levin était toujours ponctuel à ce premier rendez-vous de huit heures. Il voyait dans cet office du matin une célébration laïque de la grandeur de la République, tout autant qu'un accès privilégié aux réflexions les plus intimes du président. Il ne faisait pas partie du clan « historique », celui qui protégeait Brighton depuis des années. Jusqu'à ce que l'équipe de campagne de Brighton évoque son nom comme possible conseiller du président pour la sécurité nationale, trois mois avant les élections, il ne l'avait rencontré qu'une ou deux fois. Levin se souvint avoir été favorablement impressionné par le CV du candidat. Passé par le lycée d'Andover et l'université de Yale, Brighton était un pur produit de la bourgeoisie d'affaires de Boston que les années de service au Vietnam avaient profondément transformé. Jeune lieutenant à l'époque, respecté de ses frères d'armes, le réseau des vétérans lui avait servi par la suite de tremplin politique. Internationaliste convaincu et démocrate modéré, il avait fait sa carrière dans l'Illinois, d'abord en tant qu'avocat d'affaires, puis de représentant au Congrès, dans le treizième district, et enfin en tant que sénateur. Son expérience en matière d'affaires étrangères le distinguait des autres : il avait été ambassadeur aux Nations unies et avait dirigé la commission du Sénat sur le renseignement. Cela avait mis en confiance Levin qui avait déjà travaillé à Washington et en était revenu échaudé par le provincialisme crasseux de certains de ses « clients ». Brighton paraissait solide, tant professionnellement que physiquement. Sur les photos, il portait fièrement son mètre quatre-vingt-dix. Sa carrure de marine avait encore bonne allure malgré un embonpoint de notable qu'il contenait tous les matins par vingt minutes d'abdos. Seul son visage était adouci par des sourcils épais qui tombaient sur ses yeux et lui donnaient de faux airs de prêtre plein de commisération. Avant leur premier véritable entretien, Levin avait parcouru une biographie du candidat formatée pour la campagne électorale. Jack H. Brighton y confessait sa grande admiration pour les deux Roosevelt, Teddy et Franklin, et surtout Lincoln. Malgré la touche internationaliste de la palette, tout cela fleurait le conformisme à plein nez. Et à plus de cinquante-cinq ans et une carrière bien remplie au cours des trente dernières années, Levin ne courait pas après les offices. Il n'avait aucune envie de perdre son temps avec un produit prépackagé par un assortiment des lobbies de Washington. Lors de leur première rencontre, Levin avait essayé de bousculer Jack, histoire de voir ce qu'il avait dans le ventre. « … Jack, j'ai lu dans votre biographie autorisée que vous admiriez Lincoln. Vous pensez vraiment que vous lui ressemblez ? » Brighton avait souri à la provocation — mais il n'avait pas fait de démonstration bruyante. Pas de rire sonore, ni de tape sur l'épaule. Brighton gardait toujours ses distances. En regardant Levin droit dans les yeux, il lui avait répondu d'une voix calme et posée, où l'on entendait murmurer sa conviction la plus intime : « J'ai dit cela, Mark, pour deux raisons. La première est politique : Lincoln est un rappel à tous les républicains modérés que mon opposant actuel n'est peut-être pas celui qui représente le mieux les valeurs du Parti républicain des origines. La seconde est personnelle. Lincoln est un modèle de probité et de droiture pour nous tous. Personne ne sera son égal, jamais. Mais nous devrions tous essayer d'emprunter le chemin qu'il nous a tracé, au moment où la République était menacée. Trop de mensonges emprisonnent aujourd'hui le peuple américain. L'un des plus dangereux consiste à dire que le président n'a pas à s'embarrasser de connaissances superflues ; qu'il doit laisser libre cours à son instinct ; qu'il ne doit pas s'occuper plus que nécessaire des affaires étrangères, très secondaires par rapport aux problèmes intérieurs. Tout cela est faux, et vous le savez. Bien des fois, nous avons vu des candidats se présenter à la plus haute magistrature sans avoir l'expérience nécessaire… Mais ce dont notre pays a besoin aujourd'hui, c'est de vrais professionnels. Les habitudes du passé doivent changer. Notre vieux pays a besoin de nouvelles traditions. Voilà pourquoi, si je suis élu, je vous veux à mes côtés, Mark. »

Deux ans et une élection plus tard, Levin était devenu le confident du président pour les affaires de sécurité nationale, tout autant que son aiguillon et parfois même son contradicteur le plus coriace. Mais cette dernière fonction, Levin ne pouvait l'endosser qu'en tête à tête avec le président, au premier rendez-vous du matin. Et ce matin du 30 juin, Levin sentait le vent se lever.

« Monsieur le président, je suis inquiet.

— Les manifestations en Chine ?… Je me demande si la rivalité entre Quiao Yi et Hu Ronglian va enfin s'exposer au grand jour. Cela pourrait être l'occasion d'un vrai règlement de comptes. Qu'en pensez-vous, Mark ?

— Peut-être bien, monsieur le président. Mais je pense que la situation en Chine reste encore très embryonnaire. Je ne peux rien dire de définitif là-dessus pour l'instant… En réalité, c'était de nos partenaires européens que je voulais vous parler. Et de votre voyage en France. Nous avons quelques informations préoccupantes à ce sujet. »

Brighton posa ses lunettes de lecture devant lui et s'enfonça dans son fauteuil. Il observait Levin.

« Quelles informations, Mark ?

— Notre contact à Paris nous dit que le président Vernon et son équipe sont en train de se monter la tête sur la question des litiges commerciaux. En particulier l'affaire des avions de la Saudi Arabian Airlines. L'un des négociateurs d'Airbus s'est suicidé. Une de nos agences de renseignements en est indirectement responsable. Un accident. Les Européens sont fous de rage. Il faut nous préparer une ligne de défense.

— Ont-ils raison d'être furieux ?

— Pas plus que nous à leur égard.

— Alors pourquoi devrions-nous nous en défendre ?

— Parce qu'un jour ou l'autre, monsieur le président, ils seront tellement fous de colère qu'ils feront des bêtises. Et ils utiliseront l'euro contre le dollar. »

Brighton acquiesça à la justesse du commentaire.

Levin n'avait pas tort de le rappeler, la domination du dollar sur l'euro était devenue de plus en plus théorique au fil du temps. Il fallait donc tout faire pour maintenir les apparences et éviter qu'un pays européen, se sentant agressé, n'en vienne à vouloir tester le statu quo. Nul ne savait précisément ce qu'il adviendrait en cas de guerre monétaire transatlantique. Et si celle-ci n'entraînerait pas d'autres dérapages. Il avait fallu du temps pour que les Américains comprennent que leurs anciens alliés avaient changé ; qu'ils n'étaient plus tenus à la

même solidarité fondamentale que du temps de la
menace communiste, il y a plus d'un quart de siècle.
Mais Brighton et Levin partageaient désormais cette
vision commune : le temps des dérives solitaires et des
actions unilatérales devait s'achever. La clé de toute
doctrine de sécurité résidait dans l'action collective. Tel
serait le combat de leur présidence.

6

Journal de Julia — Berlin, 30 juin

Mon imper beige est trempé de pluie froide, comme si la ville cherchait déjà à me punir. Berlin pleure sa malédiction et noie ses otages de passage. Il est tard, l'hôpital est déserté, les visites ne sont plus autorisées. Dans le fond du hall, une vieille en chandail gris pousse son déambulateur avec autant de désespoir que Sisyphe de Corinthe ramenant le rocher au sommet de la colline. Elle crie d'un coup : « Sac de merde ! » Suis-je aux portes du premier cercle ? Franz Berger, mon contact auprès de la Polizei de Berlin, surgit entre deux silences.

« Agent Tod-Smith ? Vous pouvez venir voir le patient. » Nous montons à l'étage. Il me raconte les conditions dans lesquelles on a retrouvé le patient. Il est arrivé la veille de Russie. A pris une chambre pour trois jours dans un petit hôtel du quartier de Charlottenbourg, au 14 Theodor-Heuss-Platz. Vers dix heures du soir, la veille, le personnel a entendu des coups sur les murs, puis des cris dans sa chambre. À toute vitesse, le directeur d'hôtel a fait ouvrir. Le vieillard s'étouffait. On fait appeler d'urgence l'ambulance. Il avait perdu connaissance. Le passeport russe, peut-être faux, indique qu'il s'appelle Ernst Alberich.

Le médecin chef nous accueille devant sa chambre — il doit avoir dans les trente-cinq ans, une tête de plus que nous, les cheveux blonds plaqués au front, le stéthoscope pendu autour du cou. Histoire de nous rappeler qu'on est chez lui. S'ensuit un échange entre le docteur et le policier, du style : ne l'interrogez pas trop longtemps, il est encore en état de choc. J'apostrophe en anglais le médecin chef.

« Ne prenez pas tant de soin de ce salopard de nazi. Quel est son état général ?

— Ce vieil homme a passé une rude épreuve, madame, me répond le médecin chef, sévère, dans un anglais sans accent. Dans la foulée du choc cardiaque, de la tachycardie ventriculaire et de la fibrillation, le patient a subi une attaque cérébrale qui a provoqué des convulsions épileptiques. Il a eu de la chance, il a échappé au coma… Mais ses fonctions intellectuelles sont durablement atteintes. »

La dernière remarque me contrarie.

Je pénètre dans la chambre, suivi du Kommissar Franz Berger. À la lumière des néons installés au-dessus du lit du patient, la pièce resplendit d'une blancheur virginale. Recroquevillée au milieu des draps, une vilaine boule de chair marmonne une plainte inaudible, qui résonne comme le chant d'un enfant. Le policier tapote poliment le monticule de chair rose.

« *Herr Alberich ? Sie Haben einen Besucher…* »

La carcasse du fantôme se glisse hors des draps avec la grâce d'un félin. Deux petits yeux bleus d'un azur électrique me scrutent avec une intensité animale. Son corps est pâle et osseux. Mais c'est un leurre. La carrure trapue et les gestes vifs trahissent une force qui n'a pas disparu avec l'âge.

« *Herr Alberich ?* reprend doucement le policier. *Ist alles gut mit Ihr ?*

— Taisez-vous les ombres !… Taisez-vous ! Je fais un rêve… Vos gueules ! »

Le poing gauche s'est écrasé sur les draps.

Alberich simule la folie — c'est une bonne idée. Il a déjà été en contact avec moi, au début des années 1990, alors que nous tentions de le convaincre de travailler pour nous. À deux ou trois reprises, je lui ai transmis certains mots de passe permettant de décrire de manière anodine nos situations de crise — « On me surveille », « Annulons ce rendez-vous » ou encore « Assurez ma sécurité », ce qui pouvait se traduire par une demande d'exfiltration… Si Alberich ne les a pas oubliés, il pourra me communiquer les codes et m'expliquer la situation, tout en confondant le policier et le médecin chef.

« Herr Alberich, serait-il possible de vous poser quelques questions ?

— Non, je suis désolé… Il est trop tard. Il est minuit. Il est toujours minuit quand c'est Elle qui a fixé le rendez-vous…

— Qui, Elle ?

— La Déesse de la Bandaison, voyons !… » Et il part dans un grand rire paillard. « … Vous n'y croyez pas ? Hein ? Alors, que croyez-vous ? Vous croyez en Dieu ? Quel est votre prénom ? » Sa voix est de plus en plus vive.

« Je m'appelle Julia Tod-Smith, Herr Alberich.

— Tod-Smith… Tod-Smith… Non, trop long. Je n'y arriverai pas. Tod, plutôt… C'est un beau nom. Vous avez de la chance, madame Tod. Tod est déjà mort. Nous avons l'éternité devant nous pour causer tranquillement près du feu. Ou carrément au cœur de la fournaise, n'est-ce pas, Tod ? » Il me fait un clin d'œil, puis se recroqueville dans ses draps et s'endort. Pour l'heure, il m'a échappé. Je ne peux cacher mon désarroi et quitte rapidement l'hôpital, sans un mot pour le policier ou le médecin chef. La pluie continue de noyer la grisaille couleur de plomb du ciel. Le taxi s'est embourbé dans une coulée immobile de feux jaunes, rouges et blancs. On entend dans le lointain des coups de klaxon fatigués.

Ça va mal. Je ne peux pas travailler avec le Kommissar Berger et ce con de médecin chef à mes côtés. Et puis il y a Alberich lui-même. À aucun moment de notre brève conversation, il ne m'a communiqué de code. Peut-être est-il réellement fou. Et qui est la déesse de la Bandaison ?… Je me replonge dans la fiche établie par nos services.

Docteur Alberich, né à Berlin en 1926, famille bourgeoise, belle demeure sur Reichskanzlerplatz, jeune et brillant mathématicien, travaille pendant la guerre pour le Perz Z, l'un des services de renseignement du ministère des Affaires étrangères du Reich. Se serait intéressé aux premiers ordinateurs de Konrad Zuse en 1942-1943. S'est retrouvé du mauvais côté de la frontière à la fin de la guerre. À l'Est. Repéré et capturé par les Soviétiques. Expédié dans le secret en Russie. Rééduqué. Alberich est encore jeune et travaille pour le 8e directorat principal du KGB, en charge des transmissions et de la cryptographie. On le retrouve en 1956 à Moscou avec l'équipe historique de Mikhaïl Kartsev au laboratoire des systèmes électriques de l'Institut d'ingénierie mécanique de l'Académie des sciences de l'Union soviétique. Il participe à l'élaboration des superordinateurs M10 et M13 entre 1973 et 1979 — à l'époque, des machines qui pouvaient rivaliser avec les superordinateurs américains de Seymour Cray. Il devient un de ceux qui comptent. Il n'est plus allemand ; il est devenu soviétique. Dans les années 1980, il rejoint le centre de recherche cybernétique Arzamas-84 en Sibérie, qu'il codirige. Ensuite, après la chute du mur de Berlin, il noue des relations avec la firme informatique américaine Star Networks. En réalité, il commence à livrer des détails du programme informatique soviétique à ses nouveaux correspondants de la CIA. Le contrat d'Alberich prend fin quand suffisamment de disciples d'Alberich partent travailler aux États-Unis. Nous avons siphonné son carnet d'adresse. Alberich a de grands projets. Il cherche un sponsor. Nous ne sommes pas intéressés. La source est épuisée. Il disparaît alors dans la nature, peut-être déçu. Il atteint maintenant plus de quatre-vingts ans. Mais sa carrière ne s'arrête pas là. Il rejoint à nouveau Arzamas-84. Le centre aurait reçu un financement de Pékin et l'Armée populaire de libération — l'armée chinoise — s'intéresserait de près aux travaux d'Alberich dans le cadre de différents protocoles de coopération militaire sino-russe. Et puis, plus de nouvelles… jusqu'à hier — où l'on retrouve Alberich dans un lit d'hôpital à Berlin. À des milliers de kilomètres de là où il devrait être.

J'appelle Berger pour lui donner rendez-vous vers dix heures au bar de l'hôtel Adlon.

Quand j'arrive dans le hall de l'hôtel, il est déjà installé dans l'atrium, près de la fontaine. Le marbre blanc et le mobilier art déco évoquent un passé de fastes révolus. L'Allemagne de Weimar ?

Je commande un gin fizz, Berger un whisky. Il doit avoir dans les quarante ans, cheveux brossés en arrière, yeux vifs et veste de cuir noir. Il n'a pas l'air fatigué, il doit avoir l'habitude de travailler tard le soir. Drôle de commissaire. Pas d'alliance. Je décroise mes jambes, mais c'est lui qui attaque le premier.

« Alors, comme ça, vous croyez vraiment qu'Alberich est un criminel de guerre ? » Il sort son paquet de cigarettes de la poche de sa veste. « … Moi, je trouve cela incroyable qu'il revienne à Berlin. Si c'est vraiment un nazi, mettez-le dans le formol… Parce que c'est probablement le dernier que vous attraperez vivant… » Il allume sa cigarette, sans même me demander mon avis.

« Commissaire Berger, j'ai besoin de transférer Alberich vers un autre hôpital où il pourra parler en plus grande sécurité… »

Il tire une bouffée sur sa cigarette. Il ne dit rien.

« … Je pourrais demander le transfert à mon ambassade ; je pourrais l'obtenir en peu de temps. Mais je ne veux pas de complications diplomatiques. Je préfère vous demander cette faveur directement. Il sera transféré juste pour quelques jours. Le temps de l'interroger, enregistrer sa déposition, et repartir. Après, il sera à vous. »

Il tire une seconde bouffée. Il est allemand, je suis américaine. Il ne va pas marchander le transfert d'un nazi devant moi.

« … Votre criminel de guerre a la permission de minuit. Mais vous me le ramenez en bon état… Ou je vous promets que vous ne quitterez pas l'Allemagne, madame Tod-Smith.

— Vous n'allez pas arrêter un allié, commissaire Berger ? Cela ferait mauvais genre, non ?

— Le seul allié que cette ville connaisse, c'est le temps, Fräulein Tod-Smith. Regardez cet hôtel. L'Adlon. Vous le connaissez ? La résidence de Caruso et de Dietrich… Comptez le nombre de guerres et de révolutions qu'il a vues passer… Vous êtes encore loin du compte. Mais son sol de marbre blanc, lui, est toujours bien là, luisant, sous vos pieds. Et il sera encore là demain… Je vous laisse votre nazi… Vous devez avoir plus d'expérience que nous dans l'art du recyclage… Je vous souhaite bien du courage, Fräulein Tod-Smith. Autant essayer de faire parler un monument aux morts… Bonne nuit. »

Berger s'en va sans plus insister. Je n'avais pas vraiment cherché à l'humilier, mais de toute façon je n'ai plus le choix. Depuis l'hôpital américain de Berlin, son exfiltration hors du pays sera plus facile.

En fin de soirée, le transfert est officiellement accepté. Je devine Alberich assommé de fatigue, reposant maintenant dans sa nouvelle chambre blanche. De l'extérieur, une chambre en tout point semblable à celle qu'il vient de quitter. Mais celle-ci m'appartient. C'est mon domaine, ma chambre blanche. Il en sera le révélateur.

7

1er juillet — Paris, palais de l'Élysée

Dehors, de gros nuages bas crachaient une pluie fine. François Vernon piétinait le sol de marbre blanc. Le président de la République tournait en rond. Cela s'entendait. Il se tourna vers le chef du protocole, Frédéric, un diplomate à particule d'une quarantaine d'années qu'il adorait traiter sans façons :

« Bon, alors, quoi, Frédéric ? Il est où, ce carrosse royal ? Vous nous l'avez transformé en citrouille ? »

Du haut de son mètre soixante-cinq, le président Vernon trépignait d'impatience dans le vestibule d'honneur. Il fallait que tout soit « réglé comme du papier à musique », selon l'expression du Premier ministre, pour l'arrivée en fin de journée de son hôte de marque, le président Brighton, en visite officielle en France.

« C'est-à-dire, monsieur le président, répondit l'ambassadeur plein de sa fonction et remisant ses lunettes sur le bout de son nez, l'avion du président Brighton est arrivé avec un peu de retard à Orly… et puis la circulation… »

La pluie se faisait plus drue.

François Vernon se voulait sous son meilleur jour. Il savait que nombre de chancelleries observeraient à la loupe les moindres détails de ces grandes retrouvailles franco-américaines préparées maintenant depuis plusieurs mois.

« On est bien maintenant ! » marmonna le président, le teint cuivré après un week-end ensoleillé au fort de Brégançon, sa résidence d'été nichée sur un piton rocheux à quelques brasses de la Côte d'Azur. « Ça commence à me faire… » Il n'eut pas le temps de terminer. Le cortège officiel venait d'entrer dans la cour intérieure du palais. Il était emmené par une limousine noire, flanquée de deux petits drapeaux américains claquant au vent. Bravant la pluie, Vernon déboula sur le perron, un chambellan agrippé au parapluie se jetant à ses trousses. On fit sortir Mme Vernon, restée dans le vestibule à tramer d'elliptiques tactiques conjugales, dissimulée derrière son portable. On avait fait les choses en grand. Le tapis rouge recouvrait le gravier de la cour sur une douzaine de mètres. Le président Vernon descendit les marches quatre à quatre. Il arborait le plus franc sourire de la République française à l'adresse de sa sœur américaine, alors que Brighton peinait à s'extraire de sa limousine.

« Mon cher Jack !… Quel plaisir de vous revoir ! s'exclama Vernon, théâtral, se laissant emporter par son empathie naturelle.

— Je suis très heureux de vous retrouver, mon cher François », s'essaya à son tour le président Jack Brighton.

Retenus par une corde, journalistes et photographes officiels firent crépiter les flashs de leurs appareils. Les visages illuminés par cette forêt d'étincelles, les deux chefs d'État entamèrent leur parade toute de sourires et de tapes amicales, suffisamment longtemps pour que la signification politique de cette rencontre n'échappe à personne. Les deux premières dames se saluèrent à leur tour, imitant leurs maris par quelques sourires plus retenus. Après dix minutes d'échauffement, les journalistes furent congédiés et Jack Brighton et François Vernon attaquèrent le vif du sujet.

Brighton rappelait à Vernon un vieux banquier de Boston, ami de ses parents, qui l'avait hébergé un été, il y a longtemps, lorsqu'il était encore adolescent. Depuis, les Américains l'avaient toujours fasciné. Il appréciait leurs manières directes, leur tutoiement systématique, leur facilité à discuter des heures entières dans la rue avec des inconnus en demandant subitement nom et prénom au beau milieu de la conversation — un tabou absolu pour ses compatriotes parisiens. Et puis, Jack Brighton était une vieille connaissance. Vernon l'avait croisé une première fois en 1989, lorsque le jeune séna-teur était venu à Paris pour la mission d'information d'une commission du Sénat américain. À l'époque, Ver-non était encore un député ambitieux recherchant la paternité spirituelle et politique de l'ancien président. Il avait trouvé sa niche dans les questions de défense et se sentait désormais prêt pour un premier poste gouverne-mental. Jack venait, lui, précédé de l'aura d'un membre prometteur du Parti démocrate à qui l'on prédisait déjà un grand destin national. Les deux hommes étaient de la même génération, tenaient à peu près le même langage sur de nombreux sujets — et puis, Brighton était quel-qu'un de sérieux qui bossait vraiment ses dossiers. Ver-non, fils et petit-fils d'instituteurs, s'était défroqué après avoir choisi la voie de la prépa HEC plutôt que le corps professoral et l'École normale, pour finalement bifurquer vers Sciences-Po puis l'ENA, et appréciait de se retrou-ver avec un autre fort en thème. Brighton était un esprit sophistiqué. Derrière ses manières de Yankee, il cachait une grande délicatesse, une attention aux détails et un vrai temps de réflexion avant de se résoudre à telle ou telle solution. On était très loin des décisions à l'emporte-pièce qu'un certain folklore, probablement originaire de la côte Est, attribue aux gens de Chicago, sa circonscription d'origine. Il y avait aussi une connexion personnelle entre les deux hommes. Tous deux aimaient à lire quelques vers de poésie à leurs rares moments perdus — une forme littéraire qui offrait en quelques lignes un raccourci d'humanité adapté à leurs contraintes d'emploi du temps. Ils en parlaient parfois vers la fin de leurs échanges, sur la suggestion de leurs conseillers respectifs, quand il était utile de renforcer l'atmosphère de détente et d'approfondir la relation. François adorait l'allégresse libre, prétexte à cette revendication pacifique du soi d'un Walt Whitman et ne cessait de relire en anglais et en français les *Feuilles d'herbe*. Bien heureusement pour leurs intérêts diplomatiques, Jack, lui, avait le bon goût de préférer un auteur français — Victor Hugo, dont il aimait le souffle humaniste et volontaire. Enfin, il y avait un autre lien entre les deux hommes. Jack et François avaient tous deux adopté et n'avaient jamais eu d'enfants naturels. Cette douleur tissait une complicité secrète entre les deux hommes. Mais de cela, ils ne parleraient jamais. Sur la photo officielle, les deux hommes souriraient. C'était facile. Jack savait se décoincer. Son indéfectible fidélité conjugale mise à part, Brighton n'était pas un puritain et appréciait une certaine décontraction sans trop d'excès. Cette année 1989, Jack et François s'étaient retrouvés de nombreux soirs à prendre un verre au Palace et aux Bains, invitant et mélangeant leurs réseaux de relations afin de créer des liens plus forts. Par la suite, quand l'occasion s'offrait à Vernon de passer par Washington, le Français prenait toujours la peine de donner un coup de fil de politesse au couple Brighton. Il y avait certes de l'estime réciproque entre les deux hommes, mais surtout cette compréhension non dite, inscrite dans leurs trajectoires respectives, qu'un jour viendrait où cet échange amical serait utile et peut-être même nécessaire à l'établissement de relations plus confiantes entre leurs deux pays.

Justement. Les relations franco-américaines allaient mal. Depuis que l'OTAN avait été abandonné en tant qu'outil militaire par les Américains, et qu'il s'était réduit à un simple forum diplomatique accueillant la Russie, le malaise s'était aggravé. Les Français, les Allemands et les autres grandes puissances européennes s'étaient battus pour maintenir l'OTAN en vie. Mais rien n'y faisait. Au-delà des péripéties du moment, ayant parfois pour cadre le Moyen-Orient, la rupture était profonde. Tout simplement, aux yeux de la première puissance, c'est-à-dire l'Amérique, la grande alliance des deux continents n'était plus nécessaire. L'Europe avait perdu son importance stratégique. Elle n'était plus la région où se jouait la paix du monde — et l'Amérique avait désormais les yeux rivés ailleurs, sur le grand océan Pacifique et ses abysses infinis.

François Vernon était un réaliste. Bien sûr, avec l'explosion de l'Asie, la place relative de l'Europe s'amenuisait encore. Mais tout de même. Vernon suspectait nombre de ces universitaires de Washington, hébergés par des *think tanks* aux noms ronflants et aux financements suspects, d'avoir intellectuellement succombé à une nouvelle bulle spéculative. Les Américains auraient tort de négliger le pouvoir commercial et diplomatique de l'Europe, ou encore l'arsenal nucléaire de la Russie. L'image idéalisée que longtemps Vernon s'était faite de l'Amérique s'était également écornée. La généreuse bienveillance du grand frère qui avait sauvé de la misère et de la peur l'Europe occidentale aux lendemains de la seconde guerre mondiale appartenait au passé. Désormais, comme tous les autres États, le gouvernement américain se souciait d'abord et avant tout du bien-être de ses propres concitoyens. Mais, pour Vernon, l'Amérique était devenue trop puissante pour ne rechercher que la satisfaction de ses propres intérêts. Qu'elle le veuille ou non, elle était l'axe essentiel autour duquel bâtir un ordre encore hésitant, tant d'années après la fin de la guerre froide. Or, sous la pression de certains représentants des États du Sud au Congrès américain, l'Amérique refusait de montrer l'exemple. Elle désirait simplement jouir de sa position, comme tous les autres pays au monde. Vernon avait prévenu Brighton lors d'une conversation privée, quelques années plus tôt. C'était une situation à terme intenable. En souriant, François lui avait cité Spiderman : « Avec de grands pouvoirs viennent de grandes responsabilités. » Jack lui avait répondu sur le ton de la plaisanterie qu'il le comprenait mais qu'il n'était lui-même qu'un Peter Parker sans tenue ni pouvoirs. Aujourd'hui, il était le président des États-Unis d'Amérique mais sa marche était entravée par les puissantes commissions du Sénat et de la Chambre des représentants, dominées par des élus du Sud.

L'ordre du jour, c'était la guerre économique qui constituait le nouveau cap de cette dégradation atlantique. Malgré l'établissement de l'Organisation mondiale du commerce à la fin du siècle dernier, l'idée en périclitait et l'échec du Doha Round en 2006 avait été le meilleur exemple d'un approfondissement de crises commerciales successives. Tous avaient fini par s'accommoder d'une lente désagrégation de l'esprit d'échange entre les nations. Il y avait en particulier un dossier sensible sur lequel le président Vernon pouvait mettre en défaut son homologue américain. Et que le ministre des Affaires étrangères lui avait défendu d'introduire dans le débat. Ils avaient pris place dans le salon Pompadour, jambes croisées à l'identique sur le canapé style Louis XV maquillé de lampas bleu et or. À son aise parmi les ors de la République, Vernon, en chasseur discipliné, attendit que le président Brighton eût fini son exposé.

« François, nous devons résister à la tentation égoïste de nous replier chacun de notre côté sur des blocs économiques. Les jeux de trocs entre blocs nous conduiraient vers une zone grise, une zone de non-droit qui finirait par détruire la croissance mondiale et qui pourrait nous conduire contre notre gré à une logique de guerre économique bloc contre bloc.

— Sur le fond, je suis d'accord, Jack. Le troc n'est pas une solution. Mais il y a d'autres zones grises qui nous préoccupent. Comme la vente des quatre-vingt-dix Boeing 747 nouvelle version en juin dernier à l'Arabie Saoudite au détriment des A 380 d'Airbus Industries. Des éléments de la communauté du renseignement américain ont fait pression d'une façon déloyale pour que Boeing remporte ce contrat. J'ai un rapport secret de la DGSE qui détaille la manipulation dont ont été victimes les acheteurs saoudiens et l'un de nos responsables commerciaux à Airbus Industrie. »

Vernon avait insisté sur le « nos ». Le ton se fit imperceptiblement plus cassant.

« Jack, il s'agit d'une autre zone grise que nous devons traiter. Tant que c'était à la marge, nous n'avions pas à nous en soucier. Mais ce jeu des officines de renseignement a pris des dimensions inacceptables. Il fausse le principe de l'ouverture des marchés et de la compétition équitable. Cela ne sert à rien d'éliminer les subventions des gouvernements d'un côté si, de l'autre, les entreprises de chaque pays sont soutenues par leurs services de renseignement. Sans parler du danger que constitue l'utilisation coercitive de l'action clandestine, qui n'a pas grand-chose à voir avec une négociation commerciale. »

Dans le cas saoudien, l'un des négociateurs en chef d'Airbus Industries avait été « retourné » comme un espion au bon vieux temps de la guerre froide. On avait patiemment agi sur ses faiblesses — sa soif de reconnaissance, son goût pour les bouteilles rares, ses besoins de liquidités. On avait omis la fragilité de ses nerfs. Le négociateur s'était suicidé. Énorme scandale dans la presse allemande et française. D'autant que l'on soupçonnait le renseignement américain d'avoir agi sur le maillon faible d'Airbus, le programme A 380, afin de pousser à la banqueroute pure et simple l'industrie aéronautique européenne. Sous la pression de l'opinion, Vernon n'avait pas d'autre choix que d'évoquer le drame.

« … Un homme est mort dans cette histoire, broyé par une machinerie qui n'a rien à faire avec la liberté des échanges. Convenez avec moi, Jack, que si nous continuons sur ce chemin, la nature de nos échanges commerciaux sera complètement faussée. Ils quitteront le domaine de la compétition économique pour entrer dans celui de la lutte politique. »

Sous couvert de leurs statuts présidentiels, Jack et François pénétraient dans les écuries d'Augias de l'Internationale de la barbouze.

François avait du toupet. Le président américain aurait pu lui balancer à la figure les piles de dossiers que le FBI avait accumulés sur l'infiltration des agents français de la DGSE en mission d'espionnage industriel. De quoi se mêlait-il ?

« C'est un accident, François. Il est regrettable, et je le déplore tout autant que vous… mais franchement, que pourrions-nous ajouter ? Pouvons-nous, d'un commun accord, changer les règles du jeu d'une partie qui officiellement n'existe pas ? Et si même l'on trouvait un accord en la matière, comment le vérifier ? » Jack se souvint qu'il parlait à « François ». « … Concentrons-nous sur l'essentiel. Nos services et les vôtres colla-borent sur les problèmes de sécurité. Cette collaboration est cruciale pour nos deux pays. Cela a été le cas du temps de la guerre froide. Cela le demeure, plus que jamais, maintenant que nous combattons l'hyperterro-risme. Nous devons corriger les erreurs commises, je l'admets, par certains de mes prédécesseurs et retrouver l'ancien esprit de coopération. Cela, c'est le plus impor-tant. Alors, après, ces péripéties commerciales… » Il fit un geste évasif de la main. « … J'ajoute que si l'implica-tion directe d'éléments fédéraux de la communauté du renseignement américain était prouvée dans cette affaire, les sanctions seraient immédiates. Je m'y engage personnellement. »

François avait atteint son but : un engagement person-nel de son camarade Jack. Il comprenait également que les deux hommes n'accordaient pas la même importance à cette nouvelle guerre économique. Ce qui n'était que du domaine de l'anecdote pour Jack était devenu, dans l'esprit de François, un dérapage incontrôlé. L'emploi des barbouzes dans la défense des intérêts commerciaux de la nation était une longue tradition qui avait pris naissance dans la vente d'armes et ses clauses stratégico-diplomatiques. Mais à la fin du XXe siècle, le domaine de la « sécurité nationale » s'était étendu à de nouvelles industries — informatiques ou biotechnolo-giques. L'État avait orchestré la création de champions nationaux pour protéger ces industries « stratégiques ». En retour, les nouveaux géants industriels ainsi créés avaient remercié leurs géniteurs par le financement de campagnes électorales toujours plus dispendieuses. Et une fois réélus, les nouveaux hommes d'État avaient cherché à protéger leurs donateurs avec ce qu'ils avaient de plus efficace sous la main — les services secrets de l'État. Or, Vernon, qui lui-même devait en partie sa campagne à la manne de l'industrie aéronautique, n'ignorait plus que l'emploi des services secrets, par nature coercitive, entraînait un risque de représailles violentes. Dès lors, qui sait si la guerre économique pouvait un jour se transformer en guerre — tout court ?

Le reste de la conversation se poursuivit dans les jardins de l'Élysée afin d'offrir aux journalistes de nouveaux clichés de ces deux camarades qui se connaissaient depuis plus de vingt-cinq ans et discutaient tranquillement au milieu de la pelouse incurvée, inscrivant leurs pas décontractés entre les gerbes majestueuses et sereines des grands jets d'eau. Mais il n'y avait rien dans l'échange pour rassurer Vernon. Son ami Brighton ne pouvait lui promettre d'engagement clair sur le renforcement de l'OTAN ou d'institutions internationales judiciaires et économiques. Brighton demandait du temps. L'influence des représentants du Sud et de l'Ouest dans les deux chambres était encore trop forte. Tout cela inquiétait Vernon. Jack ne s'en rendait pas compte, mais François était lui-même prisonnier des intérêts exprimés par ses diplomates et ses conseillers politiques en opposition à ceux des États-Unis. Et François ne pouvait plus attendre.

8

2 juillet — Pékin, Zhongnanhai,
bureau du secrétaire général du Parti

Le secrétaire général du Parti, Quiao Yi, attendait avec impatience le dernier fax du Guoanbu, le ministère de la Sécurité d'État. Il avait décidé de camper pour la nuit dans ses bureaux privés, un petit pâté de maisons au cœur du Kremlin chinois. Non loin de là, il entendait les canards domestiques de la « Mer du Sud », le vaste étang privé du Zhongnanhai, qui dérangeaient de leurs couacs le silence de la lune. La fatigue entamait sa concentration. Il n'était pas du soir. D'autres bureaux avaient les lumières encore allumées. Beaucoup de gens ne dormiraient pas cette nuit au Parti central. Des manifestations sporadiques éclataient de toute part dans le sud du pays. Les rassemblements, tous interdits, étaient coordonnés par SMS et Internet. Il y a deux heures, sur ordre de Quiao Yi, le Parti communiste de la province du Guangdong avait proclamé l'instauration de la loi martiale. Mais rien ne semblait arrêter le mouvement. Plus de cent mille personnes convergeaient en ce moment même vers la grande place Haizhu à Canton.

Bao Deng, secrétaire de Quiao Yi et son plus proche confident, surgit à l'embrasure de la porte.

« Camarade Yi, nous avons reçu un nouveau fax du Guoanbu… Je me suis permis de vous apporter également un peu de café. »

Quiao Yi mit ses fines lunettes dorées et se plongea immédiatement dans la lecture du bout de papier, sans faire attention à Bao Deng qui lui versait du café.

« Merde, Deng ! Qu'est-ce que c'est que cette cochonnerie ?

— La machine expresso ne fonctionne plus, camarade Yi !… »

Foutue soirée. Et ce que Quiao Yi était en train de lire n'apaisait en rien l'amertume de cette nuit.

Yaoqing Baogao
Ministère de la Sécurité d'État
Rapport sur la situation dans la province
du Guangdong (2 juillet — 21 h 50)

Les troupes du 4ᵉ régiment de la police armée du peuple ont commencé à encercler la place Haizhu où sont déjà réunis cinquante mille manifestants. Des tireurs d'élite ont pris position sur les toits de l'hôtel Landmark, situé sur la place. Nous sommes prêts à intervenir sur ordre du Parti central.

Quiao Yi était à la croisée des chemins. Si rien n'était fait, la place Haizhu deviendrait *de facto* un nouveau Tienanmen.

Sur un écran plasma géant en face de lui apparurent les premières images de la place Haizhu, retransmises en direct par des équipes vidéo spéciales de la police armée du peuple.

Jia Gucheng était en ligne.

« Camarade Yi, les unités anti-émeutes de la police armée du peuple sont en place. »

Quiao Yi se souvenait de son expérience dans le Xinjiang. Le terrain était mûr pour une reprise en main ferme mais sans brutalité excessive.

« Bien. Qu'ils commencent à avancer. Sans tirer. Je ne veux pas un coup de feu. »

Quiao Yi observait à l'écran l'évolution tactique de la situation. Après une percée de quelques dizaines de mètres à peine sur la place, les choses s'envenimèrent pour la police armée du peuple bloquée par plusieurs barricades constituées de bus des transports publics, immobilisés et renforcés par des monticules de gravats. Plusieurs milliers de manifestants avaient décidé de défendre l'endroit et de protéger l'accès au pont Haizhu qui enjambe la rivière de Perle. Les brigades anti-émeutes tirèrent des gaz lacrymogènes sur la foule de casseurs. L'écran devint flou, on changea de caméras, tandis que du côté des autres barricades, celles qui conduisaient au pont, la situation se renversait : surprises par une pluie de cocktails Molotov et de projectiles divers, bouteilles, cailloux, objets pointus, les brigades de l'armée du peuple furent obligées de se replier.

Fou de rage, Quiao Yi décrocha son téléphone :

« Camarade Gucheng ! Pourquoi la police anti-émeutes a-t-elle reculé ?

— Nous avons plusieurs blessés, dont deux graves, camarade secrétaire général. »

Les minuscules haut-parleurs de l'écran plasma laissèrent filtrer une sauvage clameur de victoire venant des barricades.

« Camarade Gucheng, donnez l'ordre aux éléments anti-émeutes de tirer sur les "casseurs" avec des balles en caoutchouc. Des tirs ciblés mais non létaux. Maintenez l'ordre de prise des barricades. »

Plusieurs détachements de la police du peuple partirent à l'assaut des barricades de tête. Les manifestants opposaient une résistance très dure. Quiao Yi vit distinctement un casseur cagoulé, armant un fusil au sommet d'une barricade. Il y eut le bruit d'une branche qui craque, un point rouge sur sa cagoule — et le corps du casseur s'affaissa aussitôt. Un tir de balle en caoutchouc l'avait atteint en pleine tête. Il y eut un moment de flottement. Une nouvelle clameur monta des barricades. Des coups de feu éclatèrent. Des armes avaient été introduites sur la place. Un groupe de manifestants provenant de l'est de la ville s'empara du pont Haizhu.

Jia Gucheng appela sur la ligne gouvernementale.

« Camarade secrétaire général, les lignes de communications des brigades anti-émeutes demeurées sur la place ont été brisées… Elles sont menacées d'isolement. »

La police armée du peuple était prise en étau, on était au bord du fiasco. Une nouvelle erreur — et tout basculait. Il n'était plus très loin de minuit. Les manifestants avaient franchi une ultime ligne rouge en amenant des armes. Ils constituaient une menace mortelle pour la police armée du peuple et l'autorité du Parti central. Quiao Yi n'avait d'autre option que de rétablir l'ordre. Quel qu'en soit le prix.

« Camarade Gucheng, faites appel aux éléments avancés de la 27e armée de l'Armée populaire de libération. Rassemblez toutes vos troupes, donnez l'ordre de nettoyer la place. »

Quelques minutes plus tard, les soldats de la 27e armée et de nouvelles forces de la police armée du peuple firent jonction. Quiao Yi donna l'ordre de l'assaut final.

Les lumières furent coupées sur la place et aux alentours. Les haut-parleurs intimèrent aux manifestants de se rendre. Une grande clameur hostile leur répondit, mêlée de sifflets, de slogans et des jurons anti-partis. Les soldats approchèrent des barricades. Ils scandaient leur progression de coups de feux en l'air, entonnant la chanson de Mao, « Si personne ne m'attaque, je n'attaque personne ». Quiao Yi était en ligne avec Jia Gucheng, guettant sur la surface de l'écran les crépitements d'armes automatiques qui déchiraient la nuit par intermittence. Sauf que ces éclairs jaillissaient des barricades, menaçant les éléments avancés de l'Armée populaire de libération. Quiao Yi donna alors l'ordre aux tireurs d'élite postés sur les toits de l'hôtel Landmark d'abattre les manifestants armés. Des milliers d'éclairs zébrèrent, cette fois, l'écran plasma. Certains contre-révolutionnaires, surpris, protestèrent : « Comment osez-vous tirer sur le peuple ? » La fusillade résonnait dans la nuit. Quiao Yi entendit de nombreuses plaintes de blessés.

Puis le silence.

Des dizaines de projecteurs de brigades anti-émeutes éblouirent la place. Des éléments blindés s'enfoncèrent comme des chiens fous dans la zone d'émeute pour dégager les grands axes. Partout, des centaines d'hommes en sang s'enfuyaient. D'autres se faisaient écraser sous les chenilles. Des corps gisaient ici et là. On entendit encore crépiter quelques fusils mais la situation semblait maîtrisée.

« Quel est le bilan camarade, Gucheng ?

— Deux morts et cinquante blessés, dont trois graves parmi les forces de l'ordre, camarade secrétaire général… Et environ trois cents morts et un millier de blessés parmi les meneurs contre-révolutionnaires. »

Trois cents morts. Statistique éludant les visages, les souffles. Mais la caméra de la police armée du peuple balayait toujours la place Haizhu, désormais aux mains des forces de l'ordre. Elle s'arrêta sur un amoncellement de draps blancs souillés de sang vers lesquels convergeaient les ambulances de l'armée. Les sirènes hurlaient hors écran. Quiao Yi contempla une dernière fois l'amoncellement, longue ligne sans fin de corps étendus sans vie. C'était le prix de sa décision, bien trop élevé. Dans le feu de l'action et des erreurs tactiques de la police armée du peuple. Il avait fait tirer sur la foule. Il retira ses fines lunettes dorées comme pour oublier l'écran. Bao Deng sentit le trouble de son patron :

« Camarade secrétaire général… nous avons bien fait. Nous n'avions pas le choix. »

Quiao Yi n'écoutait pas. Les images décantaient. Cela dépassait son destin personnel. Il avait fait tirer sur la foule en pleine ville. Il avait brisé le tabou.

Il y aurait une réaction. Elle serait imprévisible. Les campus universitaires des grandes villes allaient se soulever. Ou une insurrection éclaterait à Hong Kong. Les dispositions spéciales de la municipalité négociées lors du départ des Anglais, en 1997, empêchaient d'agir avec la même liberté que dans le reste de la Chine. Les « casseurs » du Guangdong ne manqueraient pas de se réfugier à Hong Kong et de profiter de son statut spécial pour en faire un bastion contre-révolutionnaire. Il était deux heures et quart du matin. Quiao Yi décrocha le téléphone. Il allait appeler le ministre de la Sécurité d'État, Jia Gucheng. Rien n'était résolu. Il fallait de toute urgence renforcer les barrages autour de Hong Kong. À moins de tuer la contagion dans l'œuf, le spectre de la guerre civile menaçait désormais l'ensemble de la Chine. Et, par ricochet, le reste du monde.

9

2 juillet — Pékin, hôtel St. Regis, Junior Suite

On frappait à la porte. Les cheveux ébouriffés, Hu Ronglian jeta un coup d'œil à sa montre : trois heures trente du matin. Sur son épaule somnolait paisiblement la compagne de cette courte nuit, une prostituée d'une vingtaine d'années — sylphide à la peau diaphane qui se vantait d'avoir passé un semestre à la London School of Economics. Avec beaucoup de précaution, il se glissa hors du lit et enfila son peignoir. Accompagné d'un auxiliaire de la police armée du peuple, son chef de cabinet se tenait au seuil de la porte.

« Camarade Ronglian, nous avons reçu ce fax du ministère de la Sécurité d'État. »

Hu Ronglian arracha le bout de papier des mains de son assistant. Il détestait être réveillé en pleine nuit. Il comprit au bout de la première ligne que son chef de cabinet aurait dû le déranger plus tôt. Les manifestations à Canton s'étaient terminées en bain de sang. Il saisit aussitôt la portée des derniers événements. La crise venait d'entrer dans une phase critique pour l'avenir de la Chine et celui du Parti central. Les événements de Tienanmen en 1989 n'étaient qu'une simple répétition face à la menace de grande guerre civile qui se profilait désormais.

« Retrouvez-moi dans une heure à Zhongnanhai. Nous ferons le point dans mon bureau. » La belle escort girl qui venait d'ouvrir un œil sursauta et se protégea immédiatement derrière le duvet blanc. Hu Ronglian lui fit signe de se rhabiller rapidement, le chef de cabinet allait la raccompagner discrètement. Hu avait besoin de rester seul un moment. Sur le seuil, la jeune femme adressa un petit baiser d'adieu qui tomba dans le vide.

Le Premier ministre se sentit humilié d'exposer ainsi sa vie sexuelle à ses collaborateurs. Ils n'avaient pas besoin de savoir. Il ne supportait pas d'avoir recours à ces jeunes filles sophistiquées aux cuisses toujours ouvertes mais préférait la souillure à la trahison de Chan, sa femme rencontrée sur les bancs du lycée, morte vingt ans plus tôt d'un cancer du sein long et éprouvant. Grand, élégant, Hu ne tirait pas avantage de son pouvoir de séduction et ne s'était jamais résolu à la remplacer. Elle avait été l'initiatrice, l'amie sincère et la mère de ses enfants. Il maintenait la pureté de sa mémoire pendant qu'il s'adonnait à ces coïts dérisoires apaisant stress et solitude. L'ombre bienveillante de sa femme défunte et le silence gêné de son fils et de sa fille sur la question valaient consentement dans l'esprit de Hu Ronglian. Du reste, Chan, qui s'était toujours montrée perspicace, avait compris que sa vraie rivale ne prendrait jamais la forme d'une jeune beauté arriviste. La seule concubine de son mari, c'était le Parti central. Le jour de sa mort, l'enceinte sacrée de Zhongnanhai était devenue l'unique maîtresse de Hu.

Et voilà qu'à son tour le Parti, malade de toutes ses ambiguïtés, vacillait et semblait perdre pied. Le sang versé à Canton n'était que l'un des symptômes de cette nécrose à l'œuvre depuis longtemps. Travaillé par l'angoisse de voir ses prédictions les plus sombres se réaliser, Hu arpentait sa *junior executive suite*. Ces murs lui paraissaient tellement familiers désormais — les réunions de hauts dignitaires au St. Regis offrant les prétextes les plus commodes pour masquer la vraie nature de ses visites. Moins exposé que le plus officiel Beijing Hotel, Hu en avait fait son havre hors des murs de Zhongnanhai. Il était seul — la présence et l'odeur de la jeune prostituée s'étaient évanouies depuis longtemps. Il pouvait convoquer la mémoire de Chan. Jadis, lorsqu'il avait démarré sa carrière dans le Parti afin de nettoyer l'honneur de la famille — ses parents ayant eu le malheur d'appartenir à une lignée de grands commerçants de Shanghai —, Chan avait été sa première et plus proche conseillère. Elle était douée d'un flair politique inné, doublé d'un bon sens féroce hérité de ses grands-parents paysans dans le Hunan. Ses instincts pouvaient se révéler plus cruels même que ceux de Hu. Longtemps après sa mort, il avait imaginé sa carrière politique si elle avait survécu : jalonnée d'«assassinats politiques» et de haines féroces. Chan avait coutume de dire que l'on ne pouvait combattre le mal que par le mal. Hu était un ambitieux d'un naturel plus sage et modéré — ce qui peut-être avait sauvé sa carrière après le décès de sa femme. Depuis la fin de la Révolution culturelle, les luttes au sein du Parti, quoique brutales, devaient respecter certaines règles non écrites. Ce qui ne l'empêchait pas de se laisser séduire parfois par les intuitions terribles de Chan. Maintenant que son ombre revenait à nouveau le hanter, que le pays risquait une nouvelle Révolution culturelle et que seul un traitement de choc pouvait sauver le Parti central d'une mort certaine, que pourrait-elle bien murmurer à l'oreille de son mari ?

Il se recueillit, le menton reposant sur ses deux poings clos. Il sentait le contact froid de son « anneau de fiançailles ». Quand il avait appris que Chan n'en avait plus que pour quelques semaines, Hu s'était mis en tête d'échanger avec sa femme deux bagues de fiançailles, imitant les coutumes occidentales qui avaient toujours piqué la curiosité de son épouse. Alors en voyage à Berlin, il s'était précipité chez Wurzbacher sur Kurfürstendamm afin d'acheter deux brillants anneaux d'or pour Chan et lui. Il avait juste eu le temps d'échanger les bagues quelques jours avant la fin.

Hu Ronglian ferma les yeux et embrassa l'anneau. Chan s'approchait. Il écouta avec attention le silence de la pièce.

Elle était là désormais. Cette même chaleur incroyable qui l'enveloppait lorsqu'elle déposait un baiser sur son épaule. Comme elle le faisait toujours après l'amour. Ou les nuits où Hu n'arrivait plus à fermer les yeux. Le sourire de Chan irradiait d'une affection presque maternelle pour son mari. Cette chaleur venue de nulle part était là à nouveau. L'anneau incendiait sa main. Les yeux fermés, toujours, il sentait vibrer son ombre. Elle se tenait à ses côtés, par-delà la nuit. Une évidence pour lui seul. Sa loyauté ne l'abandonnerait jamais. Elle était morte mais elle n'avait jamais disparu. Leurs conversations incessantes, leurs aimables disputes sur tel mentor offrant peut-être son soutien ou sur les problèmes de leur fils, ou encore sur la mauvaise origine des parents de Hu — rien ne pourrait jamais briser les échos éternels de ces deux voix unies dans l'obscurité. Hu la voyait. Hu l'entendait. Dans le doute, c'était toujours Chan qui finissait par avoir le dessus. Chan le comprenait mieux que quiconque. Elle n'avait pas d'autre idéal que la victoire de son mari. Il l'écoutait. Elle lui ordonna enfin après toutes ces années de mettre à exécution son plan — le «plan Ronglian». Le chef de cabinet protesterait. Les Aînés de Zhongnanhai s'étrangleraient de peur. Mais le pays n'avait plus d'autre alternative. Le plan était simple et efficace. Chan avait raison. On ne peut combattre le mal que par le mal.

10

4 juillet — Washington, Maison Blanche,
Chambre verte

C'était une tradition pour Jack Brighton : à chaque
jour de l'Indépendance, il célébrait le souvenir de ses
trois ans de Vietnam avec son vieux compagnon de
route George O'Brien, un vétéran lui aussi. Ce déjeuner sans leurs femmes et le reste de la famille était
leur façon de payer un hommage discret à leurs frères
d'armes et à tous leurs amis disparus. Et puis cela
permettait de se retrouver et de faire le point. Le cadre
chaleureux et intime de la Chambre verte de la Maison
Blanche s'y prêtait : protégée par des murs tendus
d'une soierie vert avocat aux fonds moirés, la pièce
dégageait une atmosphère bucolique de résidence d'été
pour planteurs cossus de la Virginie, à peine troublée
par une série de toiles dépeignant paysages de dunes
et villages emmitouflés sous la neige. En face, sous le
pinceau sensuel de Georgia O'Keefe, ondoyaient les
reflets couleur chair d'un large fleuve étale. Seul le
regard inquiet du portrait de Louisa Catherine Adams,
saisie dans une pose austère, aurait pu rappeler à
l'ordre les hôtes de la Chambre verte.

George et Jack se connaissaient depuis longtemps. Ils avaient sympathisé au lycée privé d'Andover. Leurs parents s'étaient côtoyés d'assez loin à l'époque, partageant le sentiment diffus d'appartenir au même monde. Du temps d'Andover, Boston était pour eux un univers cloisonné qui contenait tout. Puis vint le Vietnam et le vieux monde vola en éclats. De mars 1968 à juin 1971, Jack et George, tous deux engagés dans l'infanterie des marines, connurent et partagèrent tout. Un peu plus âgé, George avait le grade de capitaine, Jack celui de second puis de premier lieutenant. À force d'intrigue, il avait fini par atterrir dans la brigade de son copain de classe. Par goût du combat. Il savait que l'unité de George serait envoyée aux avant-postes. Il n'allait pas être déçu. Dès janvier 1968, les combats firent rage autour de la position de Khe Sanh, une lutte acharnée de presque six mois pour la colline 881. Puis les patrouilles incessantes, après Khe Sanh, dans la province du Guang Ngai. La peur de l'embuscade. Le ronflement des *medivac*, les hélicoptères médicaux d'évacuation — ce chant de sirènes qui vous poursuivait, tantôt promesse de retour au pays, tantôt menace de repos éternel. Toutes ces histoires de guerre, communes à tous les vétérans de toutes les guerres, où la décision la plus anodine prend des allures d'énigme mythologique aux conséquences tragiques. Jack avait son histoire lui aussi, compagne du restant de ses jours et de ses sommeils. Le 26e régiment de marines amorçait un retrait vers Dong Ha. Au cours des combats, il avait pris de l'ascendant sur ses soldats tout en demeurant inquiet de ne pas se montrer à la hauteur. Alors, pour mieux s'imposer auprès de la troupe, il avait passé un savon mémorable à un jeune appelé, un grand rouquin constellé de taches de rousseur. Le première classe avait désobéi à l'ordre d'un sergent — Dieu seul sait de quoi il pouvait s'agir, George, lui, ne s'en souvenait plus. Jack lui avait fait comprendre que, dans la vie, il fallait savoir jouer en équipe. Le grand rouquin était rouge de honte. Le lendemain, sur la route de Dong Ha, l'unité fut accrochée près d'un grand bois. La situation était mauvaise, ça pleuvait d'un peu partout. Le grand rouquin de la veille prit sur lui. Afin de mettre le reste de l'unité à couvert, il empoigna son M-16 dans une main et son revolver M-1911 dans l'autre, et se mit à arroser le bois en s'enfonçant dans les taillis jusqu'à disparaître complètement. On ne retrouva son corps au fond du bois que trois semaines plus tard. Encore aujourd'hui, Jack se souvenait du nom exact, du matricule et de la date d'anniversaire de ce soldat perdu. Impossible d'oublier l'ombre que cet homme à peine plus jeune que lui, et qui s'était suicidé par excès d'obéissance, faisait peser sur ses responsabilités de commandeur en chef.

Les deux amis trinquaient.

« Cela me fait plaisir de te revoir, Jack. Surtout ici… » George était toujours un peu sentimental. « … Je sais que tu vas être un président formidable. Nous avons fait suffisamment de sacrifices pour que tu ne nous déçoives pas ! » Le vétéran eut un sourire malicieux.

« Tu es bien aimable avec moi, mon cher George. J'aimerais que nos camarades du Congrès et du Sénat en disent autant ! » Brighton venait d'essuyer une défaite parlementaire un mois plus tôt sur la question des armes à feu et cela augurait mal des élections de mi-mandat en novembre.

George ne voulait pas trop ajouter au constat. Ils burent dans un silence religieux leurs verres de vin — un château-latour 1990 que Jack ne sortait que pour les grandes occasions. George, qui allait vers ses soixante-dix ans, se sentit d'un coup ragaillardi. Il voulut changer de sujet.

« Dis-moi, Jack, tu crois que cette histoire de massacre à Canton va faire boule de neige ? »

Après la présidentielle, George était devenu l'un des directeurs du China Normalization Initiative, un lobby pro-chinois soutenu par de nombreux industriels américains. Brighton finit son verre de vin.

« George... On avait dit pas de boulot, aujourd'hui !
... Jamais le 4 juillet !

— Toi et tes foutus principes...

— Demande-moi plutôt comment va Katherine et je te demanderai comment se porte ta fille Julia.

— C'est plutôt à toi que je devrais poser la question... Je crois qu'elle a rejoint ton administration, non ?... Moi, je ne la vois plus que pour Thanksgiving et Noël !... »

George sourit. Il se voulait affable. Mais il était mal à l'aise. À la différence de son vieux camarade, il était veuf depuis sept ans. Sa fille Julia était tout ce qui restait de sa famille. Jamais remariée, elle demeurerait une femme solitaire et sans enfants par la force des choses. Sa fille avait choisi la carrière du renseignement, il ne pouvait rien y changer. Et puis... il n'aimait pas évoquer le sujet devant son camarade. Julia et Jack étaient proches. Bien trop proches. Peut-être même plus proches que Jack et son épouse Katherine — une femme pour laquelle il avait beaucoup d'affection.

C'était sa fille. Il aurait pu se montrer flatté. Mais Jack ne jouait pas franc jeu. Leur « relation » demeurait cachée, trop malséante pour s'exposer à Washington. George était presque un frère pour Jack. Cette façon de jouer avec sa fille prenait les allures d'une insulte personnelle. Il n'arrivait plus à dominer cette sourde colère fratricide.

Merde !... Il avait toujours soutenu Jack. Après le retour du Vietnam, à Yale, quand Jack s'était présenté

pour diriger une liste étudiante ; puis tout au long de sa
carrière politique. Lors de la tentative de suicide du père
de Jack, ruiné à la suite de malheureuses affaires immo-
bilières, il était encore le seul à ses côtés. Et ce, bien
après le Vietnam. Les journalistes et biographes autorisés avaient toujours pensé que le caractère du futur
président s'était forgé dans la barbarie de la guerre.
George savait que c'était en partie faux. Ce sens si aigu
de la loyauté, Jack ne l'avait pas trouvé au sommet de la
colline 881. Dans le labyrinthe militaire et mental du
Vietnam, Jack avait appris autre chose : la nécessité de
remettre en question les vérités venues de la hiérarchie
quand il s'agissait de survie personnelle... Mais son
sens de la loyauté ne venait pas de là. Après sa faillite
personnelle, le père de Jack avait été abandonné de tous
ses « amis » de Boston. Ses copains de golf, ses amis
peintres, ses anciens associés, les jeunes poulains qu'il
avait toujours soutenus — tous disparurent du jour
au lendemain. Jack s'en souviendrait toujours. Voilà
pourquoi il prisait tellement l'amitié de George : cette
camaraderie des champs de bataille était gravée à vie
dans le cœur de tous les vétérans. Son ami George était
un fidèle. Il ne l'abandonnerait pas en cas de coup dur,
c'était un pacte entre eux. Mais George n'était pas un
imbécile non plus. Si Jack franchissait la ligne rouge,
si son « frère de sang » dévorait ce qui lui restait de
plus cher — ami ou non, fête nationale ou pas, George
n'hésiterait pas à lui coller son poing dans la figure.
George connaissait le monde des patriciens. Il en était
un. Il refusait de voir sa fille s'y laisser détruire.

11

*5 juillet — Pékin, allée Miliang, quartier
Di'anmen, résidence privée du président
Li Xuehe*

Le Premier ministre Hu Ronglian abandonna son imperméable beige à l'un des secrétaires du président Li Xuehe. Il était venu rencontrer le président afin de lui exposer son plan secret, le plan Ronglian.

Tout empirait. La presse internationale — *New York Times*, *Washington Post*, *El País*, *Asahi Shimbun* — faisait ses gros titres sur le «massacre de Canton». Les chancelleries s'en étaient officiellement émues sans que la moindre mesure de rétorsion accompagne ces protestations convenues. L'idée qu'une grande puissance économique comme la Chine puisse sombrer dans la guerre civile était taboue. Dans le sud du pays, la fièvre des manifestations était retombée mais nul n'était dupe. Et si Hong Kong n'avait pas bougé, c'est parce que les leaders contre-révolutionnaires qui s'y étaient réfugiés regroupaient leurs forces. En attendant, un vent de révolte contaminait tous les grands campus du pays. À Shanghai, Pékin, Wuhan, Chengdu, Taiyuan, Harbin ou Guilin, des étudiants du supérieur formaient des associations illégales, dissidentes des ligues officielles et organisant des sit-in improvisés. La zone du triangle dans le campus de l'université de Pékin ne désemplissait pas de ces étudiants protestataires. Montés sur des caisses en bois, le front ceint d'un bandeau, ils haranguaient leurs camarades d'études en hurlant dans des porte-voix, puis s'arrêtaient et le visage en feu venaient s'asseoir au milieu d'un autre sit-in. Leurs mots d'ordre faisaient frémir : « Arrêtons les assassins du journaliste Zhu Tianshun ! », « Instaurons le *toumingdu* » — la transparence, « À bas la corruption ! », « Pas de mafia dans le Parti ! », « La Vérité maintenant ! ». On entendait également des étudiants crier « Mort au fascisme ! » ou « À bas Quiao Yi ! ». Les rassemblements se concluaient par le chant de l'*Internationale*, ce qui n'avait rien pour rassurer le Parti central. Dans les campagnes, la situation dégénérait également. À Gangtou, à deux heures de voiture de Canton, des paysans avaient organisé des autodafés de *hukou*. Ces livrets de travail obligatoires les empêchaient d'émigrer vers les villes côtières pour y travailler. Ils détruisaient maintenant les chaînes qui les retenaient. Plus à l'ouest, dans le pays profond, on assistait à de véritables jacqueries. Plusieurs maires de communes rurales, petits potentats locaux nommés par les partis communistes des provinces, avaient été attaqués, frappés, certains lynchés — l'un eut même la tête décapitée et le trophée fut exposé au milieu de la place du village, sous les hourras de la foule. La police armée du peuple intervint rapidement afin de « rééduquer » ce foyer contre-révolutionnaire. Le pire était cette intuition qu'il ne s'agissait que du début. La guerre civile était en marche qui ferait s'effondrer l'économie de la Chine, puis celle de l'Occident. Suivrait alors une nouvelle ère de dépressions et de grandes guerres à travers le monde.

Mais le Premier ministre Hu Ronglian croyait dur comme fer à son plan. Il sentait le souffle de Chan, le fantôme de son épouse. Et tant pis si les gens de la faction de la Ligue de la jeunesse communiste s'y opposaient.

Le vieux l'attendait dans son bureau, une vaste pièce mal éclairée dont le parquet de bois ne cessait de craquer. À moitié assoupi au creux d'un fauteuil de velours vert cramoisi aux rebords décorés de dentelles festonnées. Sur deux pans de murs, de vieilles cartes jaunies de l'Asie dressées par des explorateurs portugais des XVIe et XVIIe siècles rehaussaient d'une touche exotique l'atmosphère de la pièce plutôt sobre. Il y a très longtemps de cela, Li Xuehe avait tenté une carrière de géographe.

« Je suis désolé, camarade Ronglian, mon genou fait des siennes… » L'Aîné lui fit signe de s'asseoir sur la banquette en face de lui. « Un petit scotch, camarade Ronglian ? » Le secrétaire particulier de Li Xuehe apporta deux verres remplis d'alcool roux.

Le président prenait des risques en organisant cette rencontre à l'insu du secrétaire général Quiao Yi. Le vieux appartenait à une petite faction, celle des enfants des leaders historiques du Parti et ne brillait ni par son esprit ni par ses accomplissements. Parfait homme de cour, l'âge venant, il avait fini par accéder au rôle de pair éminent au sein de la clique des gérontes de Zhongnanhai. Et parmi ces dinosaures se trouvaient les « Super-Aînés », le trio des « Chaoji Yuanlao ».

À la fin du siècle dernier, ce noyau dur de trois individus se réclamant chacun de Deng Xiaoping avait constitué le cœur du pouvoir au sein du Parti central. Hu Ronglian, tout comme Quiao Yi, était lui-même le dauphin de l'un des trois Chaoji Yuanlao. À l'aube du XXIe siècle, les Chaoji Yuanlao avaient décidé d'imiter les dirigeants de la génération de Deng Xiaoping en quittant le devant de la scène, atteints par l'âge. Sauf qu'en secret les trois Super-Aînés s'étaient accordés pour détenir le *baguan*, le contrôle final sur les décisions les plus stratégiques. C'était parfaitement anti-constitutionnel, mais le groupe d'Anciens présidé par Deng Xiaoping n'avait-il pas agi de même lors des événements de Tienanmen en 1989 ?

Seulement, ces trois Super-Aînés-là avaient trop misé sur leur propre résistance biologique. Déjouant tous les pronostics politiques, le mentor de Quiao Yi avait été emporté par une grippe mal soignée. Hu Ronglian n'en avait pas tiré longtemps avantage, les deux Super-Aînés restants déclinèrent rapidement au fil des ans. C'est alors que le fidèle Li Xuehe intervint. Un peu plus jeune que les deux super-vieillards, il avait à la fois conservé leur confiance et une diction intelligible. Il avait ses contacts auprès de la faction de Quiao Yi, la faction de la Ligue de la jeunesse communiste, qui n'était plus représentée dans le duo des Chaoji Yuanlao. Mais il avait le bon goût de ne pas en faire partie. Progressivement, il était devenu l'émissaire personnel des deux Super-Aînés. Pour institutionnaliser le compromis, on le bombarda président, poste sans réelles fonctions, et on le nomma au comité permanent du Bureau politique. Tout ce remue-ménage ne pouvait masquer la nouvelle réalité : derrière les convenances de Zhongnanhai, les Chaoji Yuanlao n'exerçaient plus le *baguan*. Le pouvoir était à prendre. La crise allait être le catalyseur de cette révolution de palais des Nouveaux contre les Anciens. Et si Hu Ronglian avait choisi de rencontrer Li Xuehe, c'était pour signifier à tous dans Zhongnanhai qu'il ne faiblirait pas dans sa lutte contre Quiao Yi.

« Li *lao*, commença Hu Ronglian, utilisant la forme de politesse traditionnelle pour s'adresser à un Aîné, j'aimerais être très clair sur un point. Si toute ma vie j'ai combattu pour qu'une certaine dose de pluralisme soit introduite dans nos institutions, c'était à condition que le calme et l'ordre règnent dans le pays. Ce n'est plus le cas aujourd'hui. Notre maison héberge un milliard et demi d'âmes, elle nécessite une main ferme. Je n'oublie pas comment le mouvement du 4 mai 1919 offrit en peu de temps notre patrie à l'avidité des seigneurs de la guerre et des étrangers… Je n'oublie pas le désordre terrible qu'a provoqué la Révolution culturelle. Tout cela à cause de quelques rivalités au sein du Parti central… Sur nos terres, le vent du désordre peut se lever d'un coup, sans qu'on y prenne garde. »

La couleuvre était dure à avaler mais les Chaoji Yuanlao voulaient entendre un discours de fermeté.

« Vous avez raison, camarade Ronglian. » Il avala d'une traite son verre de scotch. « Comment pensez-vous que la situation va évoluer ?

— Les premières décisions du camarade Quiao Yi sont peut-être justifiées sur un plan idéologique. Malheureusement… lorsque je vois et j'entends tant de jeunes, de paysans, d'ouvriers réclamer la tête de notre secrétaire général, je me dis que cela n'est pas bon pour le Parti central… La déclaration partielle de loi martiale n'a pas permis de rétablir le calme. Le sang qui a coulé à Canton ne sera pas oublié. L'affaire du journaliste Zhu Tianshun arme idéologiquement les contre-révolutionnaires. Bien sûr, nous pourrions répondre plus vigoureusement encore ; bien sûr, nous pourrions invoquer l'article 89 de la Constitution et décréter la loi martiale sur tout le pays… Mais nous risquons de réveiller les forces les plus conservatrices au sein du Parti. Cela aura un effet désastreux sur l'OMC et nos bailleurs de fonds étrangers. Nous avons besoin d'eux aujourd'hui. L'insolvabilité de la China Equipment Bank n'est pas un cas isolé : notre système financier risque de s'écrouler à tout moment, nous le savons tous. Surtout, nous risquons de monter contre nous les nouvelles classes dynamiques et entreprenantes qui aspirent à être entendues. Or, sans l'appui de ces nouveaux entrepreneurs, de leurs employés et de leurs consommateurs…, nous ne durerons pas… Et cette position inextricable sera exacerbée rapidement par la situation particulière de Hong Kong, Li *lao*. Nos accords avec les Anglais nous entravent. Nous ne pourrons facilement rétablir l'ordre là-bas. La cité deviendra un bastion contre-révolutionnaire ! Nous n'aurons plus d'autre choix alors que la répression à tout crin. La rupture avec l'Occident. La rupture avec les élites entreprenantes que nous avons créées. Il nous faudra dénoncer nos dettes et mécaniquement établir la dictature la plus dure dans un contexte d'effondrement mondial. Et nous savons déjà qui sera ce dictateur, nouveau Staline… si bien sûr nous faisons le choix de la répression par le Parti, Li *lao*.

— Que suggérez-vous de faire, camarade ? Comment éviter aux forces de l'ordre d'agir ? »

L'heure était venue pour Hu Ronglian de révéler le plan aux Aînés. Chan avait gagné. Il fallait combattre le mal par le mal.

« En laissant d'autres le faire pour eux, Li *lao*. Et en désarmant idéologiquement les contre-révolutionnaires. La nation est le salut de la République, camarade président. Vous connaissez le mouvement nationaliste des Aiguo Zhuyi ?

— Ces ligues… chauvinistes, camarade Ronglian… Vous voudriez les utiliser contre les manifestants ?

— Nous les connaissons bien, camarade. Cela fait longtemps que les hommes du ministère de la Sécurité d'État les ont infiltrées. On y trouve des patriotes sincères, mais également des universitaires en rupture de ban et quelques éléments mafieux issus des triades.

Beaucoup d'étudiants sont sensibles à leur langage antiaméricain, anti-occidental et parfois anticapitaliste. Dans le même temps, beaucoup de nouveaux bourgeois éprouvent de la sympathie pour ce grand mouvement. La classe des entrepreneurs se reconnaît dans le mouvement national-patriote.

— Sont-ils dangereux, camarade Ronglian ?

— Ils sont les seuls à pouvoir casser les forces contre-révolutionnaires dans les campus, tout en retournant une partie de l'université et de l'opinion de la rue en notre faveur. En les utilisant, nous ne compromettrons ni le Parti ni l'Armée. Pour cette raison, les généraux de l'Armée populaire de libération nous appuieront, car ils n'auront pas à faire la sale besogne. Le maréchal Gao Xiaoqian nous en remerciera. Après, une fois l'ordre rétabli sur les campus, nous pourrons relancer plus vivement le train des réformes — et enfin offrir une solution constitutionnelle qui passera par une plus grande représentation des nouvelles classes entreprenantes du pays. » Dans la tête de Hu Ronglian, cela voulait dire élections libres pour la plupart des échelons du Parti. Et pourquoi pas au-delà, d'ailleurs ?

Li Xuehe paraissait encore un peu sceptique.

« Comment comptez-vous mobiliser ces ligues, camarade Ronglian ?

— La rumeur et l'argent… Nous paierons grassement nos hommes et nos indicateurs. Nous les aiderons à se mobiliser et à recruter partisans et paramilitaires. Nous les encadrerons par nos agents du ministère de la Sécurité d'État afin de contrôler le mouvement. En même temps, nous ferons paraître une série d'éditoriaux dans *Le Quotidien du Peuple*. Le respect de la nation sera à l'ordre du jour. L'agence officielle Xinhua rappellera l'amour que tout citoyen de la République doit éprouver pour la Patrie, *Zhingguo*, le Royaume du Milieu… Et enfin, nous ferons courir la rumeur que la Bank of Taiwan a payé les assassins du journaliste Zhu Tianshun. »

Cette fois, Li Xuehe était livide. Cela dépassait certainement ce que les Chaoji Yuanlao lui avaient permis d'accorder. Ce n'était pas la première fois que Taiwan avait bon dos. Mais, dans le contexte actuel, c'était carrément explosif.

Hu Ronglian sentit immédiatement la gêne de Li Xuehe, qui était celle des deux Super-Aînés. Mais il n'en démordrait pas.

« Li *lao*, nous serons obligés d'impliquer fortement Taiwan ! Soyons réalistes : nous ne pourrons rapidement démobiliser la rue. C'est pourquoi il nous faut obtenir au plus vite le contrôle des esprits. Il faut frapper fort ! Et le seul moyen aujourd'hui d'électriser les cœurs, c'est de rappeler que Taiwan appartient à la République. Et que la coalition scélérate des nationalistes du Néo-Kuomintang et du parti indépendantiste MinJinDang au pouvoir à Taiwan veut manipuler le destin des citoyens de la République ! Que Taiwan veut prendre possession de la République !

— Ne craignez-vous pas les Américains ? » Li Xuehe commençait à avoir le vertige.

« Bien sûr que je les crains, Li *lao*… Mais eux, ne nous craignent-ils pas également ?… Ils ont cru nous impressionner avec leur bouclier anti-missiles. Que cela les mettrait à l'abri de nos missiles si d'aventure ils désiraient défendre eux-mêmes l'indépendance de Taiwan. Or depuis que nous avons développé nos capacités de guerre informatique — dont nous avons vu les résultats récents —, je pense qu'ils peuvent se poser quelques questions. » Hu Ronglian faisait référence à des opérations secrètes de guerre informatique menées quelques mois auparavant conjointement par le ministère de la Sécurité d'État et l'Armée populaire de libération. Avec l'aide d'un centre de recherche russe qui, dans le cadre d'un accord de coopération bilatérale, travaillait essentiellement pour le compte de la Chine, le Guoanbu et l'APL avaient réussi à infiltrer à plusieurs reprises des réseaux militaires américains hautement sécurisés. Cela avait donné une grande confiance au Parti central dans les capacités de guerre informatique de la République. Mais Hu Ronglian sentait Li Xuehe sur le point de s'étouffer. « Et puis, Li *lao*, nous saurons nous montrer conciliants avec les Américains. Plus que jamais, la Bank of China a besoin d'être soutenue. Ils le savent également. Nous pourrons ouvrir la conversation à Washington et leur tendre la main. »

Cette fois on y était. Il fallait écarter définitivement Quiao Yi — car le petit Bonaparte ne se priverait pas, lui, d'éliminer brutalement Hu Ronglian. L'instabilité profonde du pays ne permettrait plus aucun compromis. La reprise en main s'imposerait à tous les niveaux. Hu Ronglian n'avait plus d'autre choix que de se jeter dans l'arène.

« Il y a un dernier point qui nous permettra d'amadouer nos amis américains. Ils sont très sensibles aux hommes qui comprennent leurs valeurs. Si les décisions difficiles que je vous ai décrites, camarade Xuehe, sont prises non par des hommes d'appareil, mais par des gens qui savent dialoguer et écouter nos amis occidentaux, alors les ponts ne pourront être rompus. Au contraire. Ils nous pardonneront rapidement. Ils ne chercheront pas réellement l'affrontement, mais plutôt que les choses se résolvent rapidement afin de nous aider. Cela fait trente ans qu'ils investissent dans l'avenir du marché chinois. Leurs intérêts résident dans la stabilité du pays. Ils réclameront des interlocuteurs qui comprennent leur façon de penser. Voilà pourquoi il faudra changer les hommes à la tête du Parti. »

Li Xuehe vacillait. D'un côté, le secrétaire général Quiao Yi, dont le nom, conspué sur tous les campus, resterait marqué par le massacre de Canton. De l'autre, Hu Ronglian, qui cherchait une solution préservant l'avenir mais porteuse d'un risque de conflit avec Taiwan et les États-Unis et d'un dérapage des ligues patriotiques. Ce ne serait pas la première fois que le pouvoir utiliserait des milices supplétives. La dernière fois, il y avait cinquante ans, pendant la Révolution culturelle, elles avaient pour nom les Gardes rouges…

Et le désordre qu'elles avaient provoqué en Chine avait fait autant de morts que la première guerre mondiale en Europe.

« Nous comprenons bien tout ce que vous dites… Ces mesures sont importantes. Elles ne pourront souffrir opposition. Il faut réunir le plus rapidement possible le comité permanent du Bureau politique. La situation l'exige. »

Le président Li Xuehe s'était aligné. Sa voix vaudrait pour celle des « Super-Aînés ». Hu Ronglian avait reçu le feu vert pour commencer son offensive.

12

9 juillet — Washington, Maison Blanche, Bureau ovale

Comme chaque matin, Levin entra à huit heures vingt dans le Bureau ovale, une copie du « President's Daily Brief » sous le bras. Une heure et demie plus tôt, deux 4 × 4 noirs avaient quitté leur base du Maryland et suivi le cours du fleuve Potomac pour finir leur route au 1600 Pennsylvania Avenue. Les deux véhicules blindés étaient porteurs d'un dossier de cuir noir contenant une dizaine de pages et marqué du sceau officiel du président, au-dessous du titre gravé en lettres d'or. Le « PDB », pour reprendre son acronyme sibyllin murmuré avec gourmandise par les quelques officiels qui y avaient accès, synthétisait toute l'information publique et secrète des dernières vingt-quatre heures concernant les questions de sécurité nationale. Il constituait le rapport, par devoir franc et objectif, que la communauté du renseignement adressait chaque matin au chef de l'exécutif au sujet de l'état du monde. Reprenant une tradition instaurée par l'un de ses prédécesseurs, le premier président G.W.H. Bush, Brighton avait fait de sa lecture l'un des moments clés de sa journée. À l'imitation de G.W.H. Bush, il avait également sévèrement défendu quiconque d'essayer d'influencer politiquement son écriture. À la différence du fils Bush qu'il tenait par contre en très piètre estime, Brighton avait fait comprendre que l'on pouvait étoffer son contenu et sa densité. Comme Bill Clinton, Brighton était un lecteur insatiable et il n'hésitait pas à se plaindre lorsqu'il lisait dans le « PDB » des faits ou des analyses qu'il avait déjà vus ailleurs, en particulier dans des sources publiques. Au début de son mandat, un analyste de la CIA s'était ainsi fait virer après avoir reproduit des commentaires tenus par un chef terroriste dans l'édition en ligne du *New York Times* que Brighton avait lue la veille. Brighton avait alors passé un savon mémorable au patron de la communauté du renseignement, Paul Adam, en lui aboyant à la figure que les deniers du contribuable ne servaient pas à faire du copier-coller sur Internet.

Depuis, une amélioration considérable avait été apportée au détail et à la qualité du « PDB ». Brighton souhaitait le lire en solitaire à huit heures du matin précises, et demandait à son conseiller pour la Sécurité nationale, Mark Levin, de venir très précisément vingt minutes plus tard afin de discuter du contenu du « PDB ». Levin était toujours à l'heure au rendez-vous.

« Bonjour, Mark, content de vous voir ! » claironna Brighton, qui occupait son bureau de chêne depuis un moment déjà. Le président retira ses petites lunettes de lecture et fixa le conseiller du président pour la Sécurité nationale.

« Je lis que la situation en Chine est en train de dégénérer. Quelle est votre analyse, mon cher Mark ? » Comme souvent, le président mettait Levin sur la sellette au bout de deux phrases.

« Le massacre de Canton n'était pas prévu, monsieur

le président. Les autorités ont été surprises par l'affaire du meurtre de Zhu Tianshun, qui a littéralement enflammé la rue… et elles se sont fait piéger par des casseurs qu'elles n'ont pas vus venir. L'actuel secrétaire général Quiao Yi est en position difficile. Il va réclamer la proclamation de la loi martiale mais je pense qu'il ne l'obtiendra pas. Le Parti craint de provoquer la population et craint encore plus une situation comparable à celle de juin 1989. Il ne sait pas comment réagira l'armée si on lui donne l'ordre de tirer sur le peuple. Je crois pour ma part que l'on va assister à une lutte pour le pouvoir au sommet. Les Aînés, qui tirent encore les ficelles à Pékin mais avec de plus en plus de difficultés, devraient rééquilibrer l'influence respective des factions. Je pense qu'ils donneront plus de poids aux hommes du Premier ministre Hu Ronglian. Ce serait une bonne nouvelle pour nous. Il mène la frange la plus pro-occidentale du régime.

— Pourrions-nous intervenir ? Demander à notre ambassadeur sur place de rencontrer Hu Ronglian ?

— Monsieur le président, je pense qu'il serait très maladroit pour nous de nous immiscer dans la cuisine interne du Parti communiste chinois. C'est un moment délicat pour le Parti. Intervenir maintenant, ce serait violer l'intimité du dais nuptial au moment des ébats. Nous ne nous attirerions que des ennuis. Je suis relativement optimiste sur les chances de Hu Ronglian, et je suggère de ne rien faire pour l'instant. »

Brighton acceptait le jugement franc et abrupt de Levin. C'était précisément pour l'entendre qu'ils avaient rendez-vous en tête à tête. Sur le fond, mis à part Hu Ronglian, Brighton connaissait mal le personnel politique chinois.

« Je sais que vous connaissez bien la Chine, Mark, et j'ai une entière confiance dans votre jugement sur les gens de Pékin. Je souhaite néanmoins que vous étudiiez dès à présent pour moi certaines questions de sécurité, au cas où Pékin perdrait le contrôle d'une partie du pays. J'ai en tête trois problèmes simples. D'abord les forces stratégiques chinoises : comment sont répartis géographiquement les ogives nucléaires et les vecteurs ? Si nous nous retrouvions comme dans les années 1920 avec un pays morcelé entre seigneurs de la guerre détenant chacun un lot de bombes atomiques, ce serait une catastrophe. Ensuite : comment répondre à une attaque chinoise contre Taiwan si une partie de la Chine continentale se soulève pour réclamer la démocratie, comme à Taiwan ? La question est autant politique que militaire. Enfin, vous le savez, Mark, je n'aime pas du tout ces exercices de guerre électronique auxquels se livrent les Chinois depuis quelques années. Je ne veux pas voir une réédition de l'attaque électronique chinoise contre Taiwan en 1999, lorsque le réseau bancaire de Taiwan a été paralysé par des virus informatiques. Il faut monter la garde là-dessus. Je vous demanderai d'être à l'affût de tout ce que vous considérerez comme anormal. Maintenant, j'espère moi aussi que le Premier ministre Hu Ronglian prendra l'avantage à Pékin. J'ai déjà rencontré Hu Ronglian. Il est beaucoup moins provincial et rigide que le secrétaire général Quiao Yi, qui m'a fait l'effet d'un apparatchik militant lorsque je l'ai rencontré l'année dernière, au sommet de Bangkok. Hu Ronglian est plus décontracté, plus ouvert. Il m'a confié qu'il adorait lire Joseph Conrad en anglais. Il cherchait évidemment à me séduire, mais j'ai trouvé l'attention sympathique. Et puis, sa base politique est à Shanghai, chez la nouvelle génération d'entrepreneurs. S'il prenait le pouvoir, cela pourrait effectivement être notre chance.

— Je l'espère également, monsieur le président. Parce que si la crise ne se résout pas rapidement, l'affaiblissement économique de la Chine risque de faire plonger l'ensemble des économies mondiales et de déclencher une dépression durable. Et, sur le plan politique, nous pourrions nous retrouver soit dans une situation de guerre civile et d'anarchie ; soit confrontés à l'établissement d'une nouvelle dictature totalitaire mise en place pour rétablir l'ordre. Il ne s'agirait après tout que de la répétition des fléaux immuables qui ont ravagé la Chine au XXe siècle. »

Les prophéties de Levin ne se fondaient ni sur l'idéologie ni même sur de géniales intuitions mais sur une connaissance détaillée d'un terrain étranger étudié laborieusement depuis des années. C'est ce qui les rendait plus effrayantes encore.

13

10 juillet — Pékin, Zhongnanhai
Réunion du comité permanent du Bureau
politique du Parti communiste chinois

Le défilé de portraits accrochés au mur prenait un tour menaçant. Avec la certitude absolue de condamnés marchant vers l'issue finale, le secrétaire général Quiao Yi suivi de près par son rival le Premier ministre entrèrent les premiers. Les autres pénétrèrent à leur tour dans la petite salle de réunion au parquet de bois grinçant, aussi fraîche qu'a l'accoutumée. Tous savaient qu'un des leurs serait éliminé à la fin de la réunion. L'heure de la bataille finale était venue. On avait aperçu Boda Deng, le confident de Quiao Yi, courir de résidence en résidence dans Zhongnanhai. Des bruits, des rumeurs. Une rencontre peut-être même entre Quiao Yi et un important Aîné de son clan. Plus angoissant que tout, le silence absolu de leurs « Super-Aînés », les deux Chaoji Yuanlao, depuis un ou deux jours.

Le ministre de la Sécurité d'État Jia Gucheng ouvrit la réunion.

« Le désordre règne sur la plupart des grands campus du pays, y compris Canton. Il y a eu des violences avec les forces de la police armée du peuple qui ont essayé d'y rétablir l'ordre mais qui se sont heurtées à une très forte résistance. Les étudiants sont aidés par de nombreux universitaires, parfois même par des recteurs qui laissent faire. Les deux tiers des étudiants dans le pays ont arrêté de suivre les cours. Ils sont rejoints maintenant par de nombreux lycéens. Il y a également eu des violences avec plusieurs groupes patriotes nationalistes. Ces ligues ont émergé sur les campus au cours des derniers jours et elles s'opposent parfois très durement aux leaders contestataires. Elles les accusent de faire le jeu de l'Amérique et de Taiwan. À Zhongguancun, la zone résidentielle étudiante près du campus de l'université de Pékin, un affrontement entre ligues et contestataires a fait un mort et vingt-cinq blessés. » Le fantôme de la Révolution culturelle était là. Ils sentaient son souffle sur leurs nuques. La guerre civile avait commencé. « Dans les campagnes, une centaine de maires de communes rurales ont été exécutés. Des groupes de paysans armés ont pris d'assaut des bureaux du Parti communiste dans la province du Hunan. L'ordre n'a pu être rétabli qu'après d'âpres combats… » Paysans à fourches contre troupes du Guoanbu. Hu Ronglian ne se faisait guère d'illusions sur la justice expéditive que dissimulait la langue de bois du ministère de la Sécurité d'État. « … Sur les champs pétrolifères de Huabei et Songjiang, les ouvriers ont déclenché une grève illimitée, de même que les mineurs de Fushun, qui refusent de reprendre le travail dans la province de Liaoning. À Hong Kong, un comité "Zhu Tianshun" s'est formé avec l'appui de dirigeants contre-révolutionnaires vivant aux États-Unis et en Europe. Il réclame publiquement l'abolition du rôle dirigeant du PCC, l'arrestation des membres du Parti responsables de "massacres" et l'organisation d'élections libres et pluralistes dans toute la Chine. Depuis hier, il organise un rassemblement devant les locaux du Parti communiste à Hong Kong. Ils étaient deux mille ce matin devant les grilles du bâtiment et nous avons également dû mettre en état d'arrestation une journaliste de CCTV qui a parlé à l'antenne de "massacres" pour désigner certaines des actions répressives de la police armée du peuple. »

Le secrétaire général Quiao Yi cogna la table.

« Désordre ! Désordre ! Désordre ! Cette jeunesse qui frappe, casse et dérobe ! qui manifeste un peu, puis à nouveau frappe, casse et dérobe ! Qui injurie l'œuvre du Parti, salit l'honneur de nos camarades et puis à nouveau frappe, casse et dérobe ! Cette jeunesse sans éducation, qui tombe dans le piège des contre-révolutionnaires, elle doit être remise au pas avant qu'il ne soit trop tard, avant qu'elle ne se perde, elle et le pays tout entier avec ! »

— « Casser, frapper, dérober » : le secrétaire général employait la terminologie utilisée pour condamner l'action des Gardes rouges pendant la Révolution culturelle. « Les étudiants sont en train de se faire déborder par de jeunes lycéens. Ils ne savent pas quelle machine infernale ils ont mise en branle. Ils sont jeunes, ils n'ont ni notre expérience ni notre sagesse. Mais nous, l'Histoire nous a enseigné avec quelle rapidité ces désordres anarchiques peuvent déstabiliser la République. » Le vieux Li Xuehe semblait tressaillir à chaque coup de poing de Quiao. Le visage du secrétaire général se gorgeait de sang. « Ces éléments séditieux, ces *dongluan-fenzi*, doivent être mis immédiatement hors d'état de nuire !… Ces mouvements ne peuvent plus être considérés comme spontanés, ce ne sont plus des conflits non antagonistes qui agitent le peuple. Non. La pensée théorique du camarade Mao Zedong est très claire là-dessus : il s'agit de conflits antagonistes que nous devons affronter, nous, le Peuple. Ils ont choisi le camp de l'Ennemi. Et les exemples édifiants des événements de 1919, 1966 et 1989 ne nous laissent guère de doutes sur la marche à suivre. Si nous voulons préserver à terme le choix de la réforme économique décidée lors du 3e Plénum du XIe Comité central, si nous voulons sauver la ligne fondamentale et les acquis du socialisme de marché, alors nous devons agir avec vigueur sans plus tarder. La décision que nous devons prendre paraît désormais claire. En vertu de l'article 89, alinéa 16, de la Constitution de la République populaire de Chine, je demande que soit promulguée par le Conseil d'État présidé par le Premier ministre la loi martiale sur l'ensemble des provinces du pays. »

Quiao Yi bluffait en donnant l'impression qu'il bénéficiait de soutiens en haut lieu. Il était certainement parvenu à la même conclusion que Hu Ronglian : les deux Super-Vieillards, les Chaoji Yuanlao, ne parleraient plus. Trop grabataires, leurs esprits s'étaient éteints, le pouvoir était à prendre. Et tant que Li Xuehe, l'émissaire des deux Super-Aînés, demeurait coi, tout était possible. Il suffisait que Li Xuehe, impressionné par tant de force, et lui-même orphelin de ses deux anciens maîtres, se contente de ne pas réagir. Le secrétaire général Quiao Yi passerait alors sa proposition au vote à main levée, et le destin de Hu Ronglian serait scellé. Ce serait lui qui serait éliminé. La manœuvre était habile.

Or Li Xuehe ne disait rien. Quelques fractions de seconde, le cœur de Hu Ronglian s'emballa. Son sort personnel se jouait maintenant.

« Permettez-moi d'exprimer mon désaccord, camarade Quiao Yi. » C'était quitte ou double désormais. « Si nous déclarons maintenant la loi martiale sur tout le pays, nous passerons pour les réels assassins du journaliste Zhu Tianshun ! Nous obtiendrons alors le calme et l'ordre, peut-être, mais au prix de milliers de morts et de l'établissement d'une commune insurrectionnelle à

Hong Kong que nous devrons écraser !… Un discrédit terrible s'abattra sur l'Armée populaire de libération, qui devra affronter des citoyens de la République sous les caméras du monde entier ! Et si tel est le cas, et si Hong Kong s'effondre, nous perdrons tout crédit auprès des grands bailleurs de fonds internationaux. Dans l'état actuel d'insolvabilité financière de nombreuses de nos institutions d'épargne et de crédit, cela ne voudra dire qu'une seule chose : la banqueroute financière ! » Il se tourna, agacé, vers Li Xuehe. Il fallait tenir. « Le pays a profondément changé depuis 1989, la dernière fois que la loi martiale a été appliquée. Les nouvelles classes entreprenantes et industrieuses, celles qui soutiennent le Parti depuis plus d'une décennie, n'acceptent plus une certaine dérive du Parti dont l'affaire Zhu Tianshun est la meilleure illustration. Écoutez-moi, camarades : ces nouvelles classes sont excédées. Elles n'accepteront jamais la loi martiale. Elles auront trop peur que le pays se coupe de la manne des capitaux et des marchés étrangers qui est critique pour leur survie. Elles rejoindront alors les étudiants, les paysans en colère et les ouvriers en grève. L'armée elle-même sera traversée de tensions contradictoires. Et ce sera la guerre civile. Déclarez aujourd'hui la loi martiale et dans quelques semaines, camarades, c'est Zhongnanhai qui sera à feu et à sang ! » Il reprit sa respiration et regarda Quiao Yi droit dans les yeux. Le secrétaire général était surpris, mais pas désarçonné. Les couteaux étaient tirés.

« Camarade Hu Ronglian, je ne peux accepter vos conclusions ! Vous nous peignez un tableau bien catastrophique. Je vois là vos qualités de spéculation, malheureusement nous ne sommes plus là pour discuter mais pour agir. Or que proposez-vous en échange ? Attendre que les choses se tassent ? Que les étudiants reprennent bien sagement leurs cours ? Que l'on dialogue avec ces paysans qui brûlent leurs livrets, leurs *hukou*, et arrachent la tête de nos représentants ? Que la municipalité de Hong Kong entre en sécession ? Les choses ne s'arrêteront pas d'elles-mêmes, vous le savez, nous le savons, alors agissons ! Il n'est plus temps aujourd'hui pour des élections à plusieurs étages, ou l'envoi de signaux apaisants dans la presse étrangère. Pets de chien ! L'immense majorité du peuple n'a pas encore bougé, alors montrons-leur clairement où se trouvent encore l'ordre et la force ! Il n'y a malheureusement plus rien d'autre à faire, camarades ! »

Les autres membres du comité étaient tétanisés. Orphelins des Chaoji Yuanlao, ils n'osaient plus faire un pas dans le noir. Et ce con de Li Xuehe qui n'ouvrait toujours pas la bouche.

« Non, camarade Quiao Yi, je ne partage pas votre découragement ! rétorqua à nouveau Hu Ronglian, plus combatif que jamais. J'ai un plan simple pour désarçonner le mouvement de contestation. Un plan que je peux engager rapidement si le comité permanent m'en donne l'autorisation… Nous laisserons libre champ aux ligues patriotiques. Ce sont elles qui affronteront les contre-révolutionnaires, sans que nous ayons à salir la réputation de l'Armée populaire de libération. Nous lancerons simultanément une grande campagne de rectification patriotique : "Pour la Nation, contre la Corruption". » Il fallait qu'il sorte son va-tout. « Nous nettoierons les rangs du Parti communiste du Fujian. Et nous exposerons ses liens avec les forces contre-révolutionnaires de Taiwan.

— De quoi parlez-vous, camarade Hu Ronglian ? » s'exclama Quiao Yi. La tension entre les deux hommes était encore montée d'un cran.

« Vous m'avez bien entendu, camarade Quiao Yi. Nous devons être convaincus dès à présent que c'est le bureau de la Sécurité nationale de Taiwan qui est le commanditaire du meurtre de Zhu Tianshun. Nous trouverons les comptes de la Bank of Taiwan. Nous établirons devant le public les preuves du financement de ces assassins par Taiwan ! Je ne doute pas de la qualité des hommes du ministère de la Sécurité d'État pour nous aider à trouver les véritables coupables. » Jia Gucheng, le ministre de la Sécurité d'État, ne cillait pas. Désirait-il faire monter les enjeux ? Découragé par le mutisme obtus de Li Xuehe, Hu Ronglian était résolu à se tourner désormais vers le Guoanbu et à faire du pied à son patron.

« Camarade Hu Ronglian ! bondit à nouveau Quiao Yi, aussi livide que son adversaire, vous rendez-vous compte de ce que vous proposez ? Livrer le pays aux ligues patriotiques ? Est-ce la Révolution culturelle que vous souhaitez ? Peut-être pire encore ! Ces accusations graves contre Taiwan provoqueront la colère des États-Unis d'Amérique ! Est-il besoin de vous rappeler que Taiwan est protégé par les États-Unis depuis 1979 par le Taiwan Relations Act ? Que la Maison Blanche n'a pas hésité à déployer les porte-avions de sa VIIe flotte dans le détroit de Taiwan en 1996 de façon que nous ne l'oubliions pas ? Que la seule raison de l'édification de leur bouclier anti-missiles a été la nécessité de défendre Taiwan sans avoir à risquer une attaque de nos missiles intercontinentaux ? Alors, voyez-vous, camarade Hu Ronglian, vous me parlez de guerre civile, mais moi je vous réponds : guerre internationale ! »

— Voilà pourquoi, camarade Quiao Yi, la politique que je préconise ne peut être menée que par un dirigeant dont le nom n'a pas encore été entaché par les événements intérieurs, et qui conserve de surcroît l'amitié et la confiance de nombreux dirigeants américains ! » Quiao Yi était estomaqué par tant d'arrogance. Hu Ronglian devait forcer la décision. Li Xuehe ne bougerait pas. Le maréchal Gao Xiaoqian qui représentait l'Armée populaire de libération s'éclaircit la voix.

« Il est de mon devoir d'informer le Parti central que, quels que soient les cas de figure, l'Armée populaire de libération remplira ses responsabilités. » Coup de semonce. L'armée ne critiquait pas le plan Ronglian — cela revenait presque à le soutenir. Traditionnellement, les cadres du Parti redoutaient d'avoir à faire de l'armée le juge de paix des affrontements politiques internes. Nul doute cependant que cette fois Hu Ronglian avait envoyé des émissaires à l'état-major. Mais la partie n'était pas terminée.

Tous fixaient désormais le dernier à parler : Jia Gucheng, le ministre de la Sécurité d'État, le Guoanbu. Par le passé, il avait soutenu de nombreuses fois Quiao Yi.

« Camarade Gucheng ! intima presque Hu Ronglian, est-il plausible que le bureau de la Sécurité nationale de Taiwan puisse être à l'origine du meurtre de Zhu Tianshun ? »

L'atmosphère devint d'un coup suffocante. Tous les regards s'étaient tournés vers le patron du Guoanbu, le ministère de la Sécurité d'État. Jia Gucheng ne pouvait plus ignorer l'extraordinaire pouvoir d'arbitrage que venaient de lui conférer les deux caciques. Li Xuehe n'avait plus la force de continuer à jouer le rôle de l'intermédiaire des Chaoji Yuanlao. L'armée affichait une neutralité bienveillante à l'égard de la stratégie risquée proposée par Hu Ronglian. Le représentant du ministère de la Sécurité d'État détermina rapidement où se trouvaient son intérêt et celui de son pays.

« Camarade Ronglian, répondit lentement Jia Gucheng, chaque syllabe distinctement détachée, je ne peux avoir un avis définitif sur la question du meurtre de Zhu Tianshun. Mais l'implication des services secrets taiwanais peut tout à fait être considérée comme plausible. »

C'était le signal que Hu Ronglian attendait. Cette fois, Quiao Yi était atteint. Son visage s'assombrit immédiatement.

« Bien, se reprit Hu Ronglian, cette fois plus sûr de lui. Je propose donc que soit mis aux votes le plan d'action suivant : l'établissement d'un grand programme de rectification national-patriotique, et la poursuite des investigations visant à déterminer si Taiwan est à l'origine de l'assassinat du journaliste Zhu Tianshun. »

Dans le silence le plus absolu, il fut le premier à lever la main.

Quelques secondes plus tard, Jia Gucheng imita son nouvel allié.

Puis ce fut le tour du maréchal Gao Xiaoqian, suivi, à la traîne, par le président Li Xuehe.

« Camarades ! s'exprima le secrétaire général Quiao Yi sur un ton grave, empreint d'une certaine tristesse, Je m'incline devant la décision souveraine du comité permanent du Bureau politique. Mais je continue de penser qu'il s'agit d'une erreur grave. Écoutez-moi bien ! En cherchant la paix à l'intérieur, vous trouverez la guerre à nos frontières. L'Amérique ne restera pas bras croisés face à vos provocations, et ce sont ses missiles qui y répondront. Votre politique nous conduira à la guerre… Peut-être même à une nouvelle guerre mondiale. Je n'ai pour ma part aucun goût pour participer à cette aventure qui risque de nous conduire à la ruine. Dans ces conditions, camarades, je ne peux rester plus longtemps dans mes fonctions actuelles. Je présenterai ma démission dès demain aux membres du Comité central. »

Dans un grand silence funèbre, il se leva et quitta la salle.

Hu Ronglian triomphait.

La guerre civile serait évitée. Enfin, dans l'immédiat en tout cas. Car pour Hu Ronglian, il le savait, les problèmes ne faisaient que commencer. À l'extérieur de ces murs, il y avait cette contestation qu'il fallait maintenant tuer dans l'œuf. À l'intérieur du palais de Zhongnanhai, il y avait tous ces nouveaux courtisans à caresser dans le sens du poil. Et au premier rang de ceux-ci, Jia Gucheng. Le prix de son soutien providentiel demeurait un mystère.

14

Journal de Julia — Berlin, 16 juillet

Berlin. J'ai attendu deux semaines avant de revoir Alberich. J'ai promené mon ombre discrète le long des rives grises de la Spree. J'ai marché, silencieuse et anonyme, au milieu d'une forêt d'immeubles bruissant des rumeurs de l'Histoire. J'ai surpris les stigmates des meurtrissures surgies du passé, au détour d'une rue ou d'un pont. Ici, sur ce mur sali par la pluie, l'impact d'un éclat de balle lors de la bataille de Berlin, il y a soixante-dix ans. Là-bas, au croisement de deux avenues anonymes, les portraits de soldats américains et soviétiques opposés dos à dos : ce carrefour anodin, c'est en réalité Checkpoint Charlie — pendant un demi-siècle, la porte blindée sur la ligne que nulle armée ne peut franchir. Quelques centaines de mètres et deux décennies plus loin, sur Bergstrasse, des pans du Mur sont toujours là. Au milieu de l'ancien no man's land, dans un jardin public « défendu d'entrer », les vestiges enfouis du bunker de Hitler. Derrière, le champ de stèles du mémorial aux juifs européens assassinés par les nazis. Plus loin, dans le quartier de Kreuzberg, sur la façade d'une vieille église luthérienne, un monument aux morts décapité et laissé à l'abandon, œuvre du troisième Reich commémorant les soldats de la première guerre mondiale. Plus j'avance et plus je ressens le murmure de tous ces disparus, victimes ou meurtriers. Ce n'est plus une ville, c'est une nécropole qui patiemment m'enserre dans ses rues sinueuses. Ni les voyageurs de passage ni même les habitants de Berlin, au regard émoussé par l'habitude, ne peuvent discerner l'autre ville, celle que nul ne veut voir. Moi, je suis forcée de la contempler de face : elle est la ville d'Alberich, et peut-être la tombe de ses souvenirs enfouis. Je dois aller à sa rencontre. Je dois connaître mon ennemi. Je prépare l'assaut contre Alberich.

Mon interrogatoire se déroule comme une bataille à l'ancienne : des semaines d'attente et de longue planification pour un dénouement de quelques heures ou quelques journées seulement. Nous avons l'habitude d'agir en trois phases. D'abord l'ouverture — établir un rapport avec la source et la laisser s'exprimer librement. Puis la reconnaissance — dresser méthodiquement la carte des résistances psychologiques de la source. Enfin l'assaut. Dans le meilleur des cas, si l'assaut est réussi, convertir la source. Un interrogatoire dans les règles doit être précédé par un entretien d'évaluation effectué par un officier de renseignement autre que celui qui conduira l'interrogatoire. Après son transfert à l'hôpital américain de Berlin, Alberich a été questionné par un « médecin gérontologue » — un collaborateur que j'ai fait venir de Washington. Son rapport ne me surprend pas. Alberich y est décrit comme un simulateur. Sa « perte de personnalité » ne recoupe aucune des pathologies psychologiques les plus communes. Les évolutions vers la schizophrénie sont progressives, et rarement déclenchées par un accident. Et puis, si Alberich était réellement schizophrène, une narco-analyse le rendrait à son état prépsychotique le temps du traitement. Mon collaborateur a essayé un traitement léger sur Alberich : le « patient » a continué de montrer des signes de schizophrénie. Ses conclusions, que je partage : Alberich simule. Il a refusé à sa manière l'entretien. Dès lors, je ne prends pas de gants. Je l'ai isolé pendant quatorze jours afin d'induire un affaiblissement de ses résistances psychologiques. Un individu abandonné au silence finit par éprouver après un certain temps un besoin irrépressible de se confier à un interlocuteur à l'écoute. La chambre dans laquelle il est alité ne contient ni fenêtres ni télévision : Alberich est confiné entre quatre murs blancs, sans possibilité de distinguer le jour de la nuit. Pas d'horloge ou de réveil non plus. Nous avons fait s'évanouir les aiguilles du temps. La chambre est totalement insonorisée. Nul bruit, nul murmure qui puisse servir de repère. Ample et large, la pièce est un asile désolé, sans meubles ni objets, où flotte comme à la dérive Alberich dans son lit. Une infirmière, une jeune blonde aux yeux marron, corps parfait et mutisme obsédant, accompagne Alberich dans son intimité lorsque celui-ci doit satisfaire ses besoins. Les heures de repas, de sommeil et de visite médicale sont constamment changées, si bien qu'il est impossible à Alberich de s'installer dans le confort d'une quelconque routine. À l'isolement, j'ajoute l'humiliation et la désorientation afin de préparer la source à parler. Il ne s'agit pas non plus de le choquer violemment : Alberich risquerait de sombrer dans l'apathie, l'une des façons les plus efficaces de résister à un interrogatoire. Mon rôle est de doser avec suffisamment de science l'anxiété et le remords que je dois instiller dans ses veines pour qu'il se confronte aux questions qui l'oppriment et dont je peux le délivrer. Et qui elles-mêmes me pourchassent. Quelle est la nature exacte de l'organisation à laquelle appartenait Alberich en Russie ? Quelles y sont ses vraies fonctions ? Qui a-t-il rencontré à Berlin ? Quel était le but de la rencontre ? Et pourquoi maintenant ? Au fur et à mesure que les jours passent, j'éprouve de plus en plus de difficultés à me contenir. Je suis seule, moi aussi, au cœur du vieux Berlin, de ses morts invisibles et de ses questions qui me hantent. Cela suffit. Le quinzième jour, au matin, je pénètre dans la chambre.

C'est la phase un, l'ouverture.

Lumière. La blancheur électrique des néons arrache la chambre à sa torpeur nocturne. Là-bas, dans le fond du lit, le vieillard se redresse. Deux yeux ronds et bleus plus tranchants que l'azur se posent sur moi, d'une méfiance presque animale.

« Bonjour, docteur Alberich. Mon nom est Julia. Julia Tod-Smith. Nous nous sommes rencontrés il y a déjà quinze jours. Vous souvenez-vous de moi, docteur ? »

Je m'approche du lit et tire une chaise métallique.

Il se fige dans sa statue de sel.

« Docteur, je ne sais pas si vous m'entendez. Il se peut que le choc ou le traitement vous aient plongé dans une phase d'apathie dont vous n'arrivez plus à sortir. Nous allons vous aider, docteur.

— Qui êtes-vous ?... Quelle heure est-il ? » Les phrases se détachent lentement, avec peine. Il se défend par des questions mais l'isolement de ces quinze derniers jours a réussi. Il ne parviendra plus à retenir ses mots. Ils vont courir et déborder jusqu'à ses lèvres. Il les laissera filer, je m'en emparerai comme autant de victoires.

Mon tailleur strict, mon chemisier noir et mes escarpins de cuir ne font pas de moi une infirmière. Je dois une explication à Alberich. « Je m'appelle Julia, docteur. Julia Tod-Smith. Nous nous sommes rencontrés il y a une quinzaine de jours.

— Te revoilà donc, Tod. » Il poursuit en allemand. « Tod, chère Mort, tu es venue m'embrasser, n'est-ce pas ? »

Je réplique en russe.

« J'appartiens aux services de l'ambassade des États-Unis d'Amérique, docteur. Vous êtes bien le docteur Alberich, n'est-ce pas ? »

Il laisse passer une pause d'une seconde, le temps peut-être de calculer sa marge de manœuvre.

« Oui, chère Mort, continue-t-il cette fois en russe, je suis bien le docteur Alberich.

— Quel âge avez-vous, docteur ?

— Stupide ! Voilà une question stupide, Tod !... Tu sais lire tes fiches, non ? Qu'est-ce qu'elles te disent, tes fiches ? Qu'est-ce qu'elles te disent ? »

Je garde mon calme. Établir un rapport de force est prématuré.

« Êtes-vous né à Berlin, en 1926, docteur Alberich ?

— Pourquoi voulez-vous le savoir, Tod ?

— Je ne veux pas qu'une erreur administrative soit commise vous regardant. Nos services font parfois des erreurs et je veux vous l'éviter, docteur.

— Pourquoi êtes-vous de l'ambassade des États-Unis, Mort ? Je ne suis pas américain, madame.

— Votre présence sur le sol allemand constitue un problème pour la sécurité de la Russie. Et donc un sujet d'intérêt et d'inquiétude pour la sécurité de notre pays. Vous avez été retrouvé à Berlin il y a plus de deux semaines. Vous nous avez été transféré par les autorités allemandes pour une durée indéterminée.

— Suis-je toujours à Berlin ?

— Je ne suis malheureusement pas autorisée à vous le confirmer. Sachez néanmoins, docteur, qu'une fois que vous aurez répondu à mes questions, nous pourrons envisager de vous exfiltrer là où vous le souhaiterez — dans la mesure du raisonnable, bien sûr. »

Après quinze jours, il a besoin de mots. Je le sais. Je lui offre un gobelet en plastique rempli à moitié d'eau.

« Oui, Mort, avoue-t-il, après avoir vidé son verre, je suis né en 1926. À Berlin. Oui, tu connais mon nom.

— Vous êtes marié ?

— Non, Mort.

— Veuf ?

— Non plus. Sinon, je te l'aurais précisé. »

Son dossier ne précise rien à ce sujet. Savant allemand prisonnier des Soviétiques, il ne devait pas avoir trop la cote auprès des *babas*, les « bonnes femmes ». J'anticipe une plaie mal cautérisée.

« Vous avez encore de la famille en Allemagne ? À Berlin ?

— Que crois-tu, Tod ?... Qu'il me reste encore quelque chose de commun avec l'Allemagne d'aujourd'hui ? Que je pourrais avoir des petits-neveux et des arrière-petits-enfants dans ce pays pasteurisé au Coca-Cola ? Même si j'en avais, je n'en voudrais pas, Mort — je préférerais te les laisser.

— En quoi l'Allemagne d'aujourd'hui est-elle différente de celle que vous avez connue, docteur ?

— Pas l'Allemagne seulement, Tod, Berlin tout entière... Regarde-la aujourd'hui, Mort. Son horizon rogné par cette forêt de nouveaux obélisques dressés à la gloire de la *Gesellschaft mit beschrankter Haftung*... Ces obélisques de verre, avec leurs miroirs sans reflets, sans visages et sans âmes, qu'ont-ils fait de mon horizon ?... Jadis, c'est là que courait le vent de la plaine, lorsque l'horizon était encore libre et la gloire à portée d'épée... Mon père me racontait que du temps de l'empereur Guillaume, Berlin n'était qu'une longue avenue

ouverte sur le ciel, bordée de tilleuls et d'oriflammes
gonflés d'orgueil. Le vent de la plaine était l'âme de
la ville. Il reprenait son souffle sous l'arche, dans la respiration des chevaux du quadrige. Puis, il se mettait à
galoper sous les tilleuls. Branches et feuillages, pliant
sous l'élan, dessinaient sa crinière farouche. Il courait
le long de la ville, toujours plus fougueux, fouettant
les églises et les palais jusqu'à prendre appui sur la
colonne de la victoire, et, d'un bond, jaillir jusqu'au
ciel... Et c'est ainsi que naissaient chaque jour, du temps
de Guillaume, le ciel de l'Allemagne et l'horizon de
l'Empire. Comprends-tu, Tod ? » Il me regarde. J'ai
remarqué qu'avec le grand âge, les hommes deviennent
plus fragiles. La testostérone les a quittés. La vieillesse
les affaiblit. « Mon père est venu au monde du temps
des Prussiens, Tod. C'étaient des gens remarquables. Les
vrais légataires de la mémoire de Frédéric II et de
l'ancien peuple de Berlin. Les seuls à avoir tenté quelque
chose de sérieux contre Hitler. Des Prussiens ! Von
Stauffenberg, Beck, Rommel : des statues de granit,
solides et fières, perdues dans un décor de carton-pâte,
cette lamentable guignolade des Aryens. Et je ne parle
pas de ce qui a suivi... » Il affecte une moue dédai-
gneuse, celle d'un vieillard méprisant tout ce qui s'est
travesti et lui a été retiré. « Les Allemands aujourd'hui !
Des bipèdes émasculés... Des oies qui passent leur vie à
s'engraisser d'une génération à l'autre jusqu'à ce que la
médiocrité les bouffe complètement. Où est le peuple
de mon père, la nation de Guillaume ?... Le respect ?
L'honneur ? Le sens du sacrifice ?... La fidélité à sa
patrie, la solidarité envers ses compatriotes ? Des
mots creux, ringards ou ridicules — bons à s'empous-
siérer dans de vieux manuels scolaires, ceux que l'on
laisse dans le fond du grenier pour se donner bonne
conscience. Voilà ce qu'ils pensent, mes Allemands

d'aujourd'hui, avec leurs gentils écolos et leurs stars d'Hollywood qui ne savent même pas parler anglais, ces Allemands qui ne connaissent pas de cause plus noble que le devenir de leur patrimoine investi à New York ! Frédéric II est définitivement mort. Il n'y a plus de Prusse. Il n'y a plus que des euro-consommateurs qui parlent, mangent, baisent et pensent en Américains. N'est-ce pas, Tod ? » Je ne dis rien, je l'écoute et le laisse continuer. Je veux qu'il le comprenne. Il reprend son souffle, désormais plus tranquille. Il commence à se laisser aller. « ... Le monde de mon père est mort. Les ruines de Berlin sont devenues les ruines de Guillaume et de Frédéric et se sont recouvertes de sables. L'ancien peuple s'est transformé en civilisation antique. Comme l'Empire de Pharaon ou de l'Inca, il n'a pas survécu à l'ultime défaite militaire et a rejoint les salles de musée. Comme les Celtes de Gaule, dix ans après la défaite d'Alésia, j'ai assisté impuissant à l'embaumement de la civilisation de mon père. Et comme Rome avant les Barbares, notre Empire avait déjà entamé sa déchéance avant la chute finale : pour nous les Prussiens, la dégénérescence a commencé avec les cabarets de Weimar et s'est achevée, triomphante, avec l'arrivée lamentable des Aryens. »

Je me méfie de son antinazisme. Né en 1926, Alberich a dû suivre toutes les étapes de l'embrigadement nazi après 1933. Est-ce le fruit de son endoctrinement communiste d'après-guerre ? Ou l'expression authentique d'un esprit critique, brillant dès le plus jeune âge ? Repéré très tôt pour ses aptitudes en mathématiques, Alberich est entré à seize ans au Pers Z, le bureau du chiffre du ministère allemand des Affaires étrangères. Il s'intéressait également à l'époque aux machines de Konrad Zuse — ce que nous appelons aujourd'hui les ordinateurs.

« Est-ce à cause des Aryens que vous avez rejoint les Soviétiques à la fin de la guerre ?

— Oui, Tod. À cause des Aryens et à cause des juifs. Car si les Aryens et leurs stupides obsessions n'avaient pas forcé les juifs à fuir ou être massacrés, les Soviétiques n'auraient peut-être pas gagné la guerre. Et j'aurais fait ma vie en Allemagne plutôt que d'être exfiltré de force vers les Soviets... Je me souviens, en classe de mathématique, qu'il n'y avait guère que deux camarades juifs, Lechter et Klein, pour essayer de me prendre la première place. Ils n'y arrivaient pas, non, mais eux au moins me donnaient du fil à retordre. Le reste, les petits Aryens... c'étaient déjà des oies ! De petits singes musclés, incapables de réciter Goethe ou d'aligner une équation. Je les méprisais, eux et leur culte du corps parfait, blond et toujours en balancement — des homosexuels refoulés, oui ! comme leur Führer, infoutu de féconder sa maîtresse... Les Aryens ont cru pouvoir briser l'image de la médiocrité crasse que leur renvoyaient les juifs en les éliminant. Et c'est à cause de cette obsession que nous les Prussiens avons été défaits. Nous, nous avions toujours protégé nos juifs. Ce sont eux qui nous avaient donné nos gaz de combat pendant la Grande Guerre. Et ce sont eux, les Szilard, Teller ou Einstein, qui auraient dû nous donner l'arme atomique lors de la seconde guerre. » Je le laisse poursuivre sa réflexion, qu'il a dû mûrir de longues années. Plus il parle, plus je l'écoute et plus nous nous rapprochons. « ... Sans te parler des camps de concentration. L'ultime stupidité. Ce n'était pas suffisant de massacrer les juifs qui pouvaient nous servir ! Il nous fallait en plus gaspiller nos ressources stratégiques, trains, énergie, hommes et voies ferrées, au moment où nous en avions le plus besoin, dans l'accomplissement d'un assassinat de masse totalement inutile. Quel cadeau fait aux Anglo-Américains et aux Russes !... Si seulement les Aryens avaient limité leurs obsessions à une cible plus anodine et plus réduite — les tziganes ou les retardés mentaux... Non, les Aryens ne méritaient pas de gagner la guerre. L'Allemagne devait perdre. »

J'essaye maintenant de recadrer un peu la conversation et de reprendre un fil biographique.

« Vous avez discuté de tout cela avec vos interlocuteurs soviétiques après guerre ? »

Alberich sourit, un brin narquois.

« Pas dans ces termes, pas immédiatement après guerre en tout cas. Mais après Staline, nous avons été plus libres dans notre expression. Vu que j'étais allemand, le sujet était difficile à éviter. Tu sais, les Russes considèrent que c'est vraiment leurs sacrifices qui ont permis de gagner la guerre contre les nazis. Ils y ont perdu vingt millions d'hommes. Ils attachent moins d'importance à la bombe atomique, au débarquement ou aux camps.

— Pourquoi avoir collaboré avec les Soviétiques ?

— Et finir en Sibérie ?

— N'avez-vous pas essayé de défendre votre patrie contre les Russes pendant la guerre en rejoignant le Pers Z ?

— J'étais jeune, et le Pers Z, le bureau du chiffre, me proposait un emploi à la hauteur de mes facultés intellectuelles. Et puis, la paie permettrait à mes parents d'améliorer leur quotidien. La vie dans notre maison de Reichskanzlerplatz n'était pas très heureuse... Mes parents ont beaucoup souffert de la mort d'un de mes frères aînés disparu lors de la bataille de Moscou, au début de l'hiver 1941. Ils ont été contents d'apprendre que je resterais près d'eux, à Berlin. J'étais très proche de mes parents, je ne voulais pas qu'ils souffrent.

— Vous étiez très proche de votre frère disparu ? »

Il ne bronche pas.

« J'ai eu trois frères aînés, tous tombés sur le front de l'Est. Mes parents sont morts lors des combats dans Berlin — un obus tombé sur notre maison de Reichskanzlerplatz. Ma famille était très unie. Lorsque les combats ont cessé, il ne restait plus que moi. J'avais à peine dix-neuf ans. Alors j'ai regardé les ruines de ma maison. Je me suis souvenu des discours de propagande de mes trois frères, et du regard sceptique de mon père. Et lorsque les Soviétiques sont venus me chercher, alors que je me cachais dans Selchow, je les ai suivis sans opposition et sans regret. Mes frères ont eu tort. Ils ont fait payer à ma famille et à eux-mêmes le prix de leurs erreurs. Je ne le leur pardonnerai jamais.

— Comment se sont passées vos premières années chez les Russes ? Vous ont-ils traité convenablement

— Au début, cela n'a pas été facile, non… et c'est normal. J'étais toujours un Allemand. J'ai passé plusieurs mois dans une cellule miteuse, quelque part au milieu de la Russie, je n'ai jamais su où. On m'en sortait de temps en temps pour me poser des questions, un peu comme toi, Tod. On m'a frappé quelquefois, mais ce n'était pas bien méchant. Ils voulaient juste me rappeler qui étaient les nouveaux maîtres. J'ai commencé à me mettre au russe. Ils ont fini par comprendre que je n'avais aucune nostalgie pour mes frères aryens et aucune envie de m'échapper. Au bout d'un an je crois, à la mi-1946, on m'a envoyé dans une prison de Leningrad. Le quartier où j'étais assigné était un peu particulier — il n'y avait que des Allemands. Je pense que Staline ne savait pas encore trop quoi faire de nous. Les Russes ont dû se rendre compte qu'en zone américaine, on faisait main basse sur mes collègues nazis — d'autant, je l'ai appris plus tard, que le KGB avait infiltré au plus haut niveau le programme américain Paperclip. Moi, je ne m'en suis pas mêlé. Je me méfiais — j'étais sûr que, parmi les Allemands, il y avait des espions du KGB qui voulaient tester notre loyauté. Et puis, je ne voulais plus rien avoir à faire avec ces gens-là, ces Aryens. Ce sont eux qui ont détruit la maison de la famille, notre Reichskanzlerplatz Heimat… » Il termine la phrase en allemand « … Eux qui en ont fait la tombe de mes parents. » Il s'arrête un instant. Je scrute, fascinée, ses paysages intérieurs, les crevasses abruptes qui s'ouvrent au détour du chemin. Il reprend en russe. « … Alors on m'a laissé tranquille. J'ai perfectionné mon russe, j'ai filé droit, j'ai fait ce que l'on me disait de faire. Je suis sorti rapidement. D'abord en résidence surveillée. Toujours à être interrogé chaque semaine. À devoir apprendre ma vulgate marxiste-léniniste. J'étais assigné au rôle de mécanicien dans un combinat qui fabriquait des hélices pour la navigation commerciale, quelque part dans les terres, à une centaine de kilomètres de Moscou. Je réparais les machines-outils sur la chaîne et préparais les recommandations pour les commandes de pièces de rechange. Les gens ne me parlaient pas. Ils avaient peur, ils savaient que j'étais allemand. Je m'ennuyais à mourir, littéralement… Je faisais les choses sans vraiment réfléchir, je survivais. Mais je savais bien qu'on gardait un œil sur mon dossier. Seulement, la bureaucratie policière, ça ne se bouge que dans l'urgence. Fin 1948, on est revenu me voir. Des hommes d'un autre calibre. De vrais scientifiques, pas des policiers qui parlaient de choses qu'ils ne comprenaient pas eux-mêmes. Cette fois, on a commencé à me poser des questions intelligentes. Cela m'a plu. On m'a demandé ce que le Pers Z savait de Bletchley Park, le siège du Government Communications Headquarters pendant la guerre. Si j'étais familier des travaux fondateurs avant-guerre d'Alan Turing sur les "automates algorithmiques universels" — le concept même d'ordinateur. À quoi ressemblaient les machines de Zuse. Je leur ai dit tout ce que je savais. On m'écoutait, enfin. Ils étaient contents. Ils ont compris que je pouvais les aider. Et on a décidé que je pouvais servir la patrie, ma nouvelle patrie.

— Vous étiez attiré par l'idéal communiste à l'époque ? »

Je m'attends à ce qu'il dénigre avec maladresse un amour de jeunesse. Je l'ai vu tellement de fois avec de vieux militants européens passés à notre cause. Mais il n'en est rien.

« Qui te parle d'idéal communiste, Mort ? Ma patrie, c'était l'Union soviétique. Notre pays n'avait qu'un but : reprendre le combat là où l'avaient laissé les Aryens et battre les Anglo-Américains. Il n'y a jamais eu de "communisme" dans un sens orthodoxe. L'économie soviétique, c'était l'économie de guerre de la France et de l'Angleterre pendant la Grande Guerre. Notre patrie n'avait qu'un idéal et un seul : gagner la guerre froide. Défaire et subjuguer les Anglo-Américains.

— Pourquoi les Anglo-Américains étaient-ils vos ennemis, docteur ?

— Allons, Tod… On ne te l'a jamais enseigné ?… Le véritable ennemi de la Prusse, Tod, ce n'était ni la France ni la Russie. C'était l'Empire britannique. L'empire hypocrite qui sous couvert de libre-échange empêchait la Prusse d'accéder, elle aussi, à la toute-puissance. Pourtant, n'étions-nous pas ses égaux ? N'étaient-ce pas nos cousins du Hanovre qui trônaient de l'autre côté de la Manche ? Pourquoi nous soumettre ? Parce que notre flotte était moins puissante, est-ce là tout ?… Mon père était un vrai Prussien. Nous n'allions pas obéir aux Hanovre. Nous savions ce que voulaient dire défaite et soumission. Les ancêtres officiers de ma famille ont toujours préféré le suicide à l'humiliation — et je dois reconnaître à ce castrat autrichien de Hitler l'honneur de son dernier geste. Mais surtout, nous savions qui étaient nos véritables ennemis… Et cela, Mort, est bien plus important que tout le reste ; car si tu ne sais pas qui est ton véritable ennemi, tu ne peux savoir qui tu es. Et dans ce cas, il n'y a plus rien, plus même ton honneur, qui demeure pour te défendre. »

La filiation perverse qu'il dessine entre l'Empire de Guillaume et celui de Staline ressemble à une construction baroque et fragile, montée pour lui permettre de survivre dans la Russie des soviets. Je découvre un paysage et une histoire auxquels je ne m'attendais pas.

« … Pourtant, docteur, vous deviez être interrogé fréquemment par les commissaires politiques sur votre connaissance du marxisme-léninisme. Vous me l'avez dit vous-même. Comment êtes-vous arrivé à concilier votre vision de l'Union soviétique avec celle des autorités ? N'étiez-vous pas gêné sur le plan intellectuel ?

— Bien au contraire, Tod. Tout le génie des Soviétiques était là. Dans cette contradiction brillante qui s'appelle le mensonge. Je l'ai compris tout de suite, et apprécié la beauté de la manœuvre. Les Aryens étaient naïfs : ils annonçaient ce qu'ils allaient faire. Les Soviétiques étaient plus rusés. Ils chantaient la paix dans le monde alors que les Aryens effrayaient la terre entière. Ils promettaient le paradis à tous les peuples, alors que les Aryens condamnaient tous ceux qui n'étaient pas de leur race. Ils clamaient la grandeur de la Révolution, alors que les Aryens aboyaient leur volonté de puissance. Le mensonge était l'arme absolue de l'Union soviétique. Au sein du KGB, le service A de la première direction principale avait fait du mensonge un concept stratégique : la *maskirovska*. Des défilés antinucléaires en Europe dans les années cinquante jusqu'aux "attentats terroristes tchétchènes" à Moscou, peu avant la prise de pouvoir par Poutine, la *maskirovska* a toujours été le principe conducteur des officiers du KGB. Et plus la contradiction était criante, plus le mensonge était éhonté, et plus l'arme était efficace. Nous avons pris conscience que nous répondions à un besoin essentiel. Dans le camp d'en face, les gens voulaient croire en quelque chose de différent et de meilleur. Nous sommes venus avec ce qu'ils attendaient. Nous les avons bercés de leurs propres illusions. »

Ses propos résonnent comme une malédiction aux multiples échos.

Je lui sers un second verre d'eau.

« Docteur, notre conversation a été très instructive. Je dois maintenant vous quitter. Je vous reverrai demain

— Je le sais, Tod…, répond Alberich, en sirotant son verre, j'ai l'habitude des interrogatoires. »

J'ai la lâcheté de lui laisser le dernier mot.

Demain, Alberich va être un adversaire coriace.

Journal de Julia — Berlin, soirée du 16 juillet

Je suis rentrée dans ma petite chambre de l'hôtel Adlon qui sent fort la citronnade aseptisée d'un produit d'entretien. Le minuscule bureau en bois de chêne m'attend, calé à quelques centimètres à peine du rebord du lit. La règle dans le service est de coucher sur le papier le contenu de l'interrogatoire de la journée. Je classe Alberich dans la catégorie des caractères « ordonnés obstinés », dotés d'un intellect supérieur, imperméables à la violence. Sa condition physiologique après l'infarctus me pousse à la prudence. Je ne connais pas son seuil de tolérance, qui a dû considérablement s'abaisser. Si je le franchis, il y aura un choc traumatique — et il cessera de parler. Et Alberich n'a ni biens ni amants ou enfants que nous pourrions employer contre lui — nous n'avons aucun « point de pression » à notre disposition. La faiblesse infinie de ce vieillard malade et alité m'obsède : sa déchéance physique est devenue sa meilleure armure. Son dénuement le protège de nos puissances. Il n'est plus rien et nous n'avons plus prise sur lui. Voilà comment il espère me dominer.

Allongée sur le lit, déchaussée de mes escarpins, je noctambule à la télécommande parmi les écrans de télévision qui se juxtaposent sous mon regard. La fatigue s'empare lentement de moi. Plusieurs dizaines de minutes s'écoulent dans la confusion des sons et des images. Un moment. Je reconnais une voix. Un visage. Nous sommes sur CNN. Brighton. Le président répond à une conférence de presse. Puis coupure de publicité — et tout se brouille à nouveau. Je suis seule dans mon lit, tout comme Alberich ce soir. Voilà ce qui me reste de toi, Jack. Nous nous le sommes promis : pas de photos encadrées, pas de petits papiers pliés. Rien, pas de preuves, juste nos souvenirs — et maintenant ces images télé, ces icônes électroniques que je dérobe sans que personne, pas même ton staff, puisse s'en rendre compte. Voilà le résultat de ta carrière d'homme public : elle a fait de notre danse secrète un labyrinthe de verre. Dans le reflet des miroirs cathodiques, je lis l'admiration démesurée que j'éprouve pour toi, et que je ne t'avouerai jamais ; la distance infranchissable que mesure la paroi de verre entre toi et moi ; et la force du lien qui nous unit depuis si longtemps et qui s'accroît chaque fois que je touche de mes ongles les contours froids de ton visage pixellisé.

Alberich est-il une menace pour nous, Jack ? Dans la brume montante de mes songes nocturnes, je me fais la promesse de t'apporter la réponse que tu attends.

15

17 juillet — Pékin, Zhongnanhai,
bureau du Premier ministre

Le visage solitaire de Quiao Yi avait brutalement disparu des écrans de CCTV, la première chaîne de télévision. À la radio, les poésies de certains de ses proches étaient interdites d'antenne. Le journal officiel, le *Renmin Ribao*, *Le Quotidien du Peuple*, avait brusquement arrêté la diffusion de la rubrique « Nouvelle pensée pour un monde nouveau », dirigée par Bao Deng — le secrétaire personnel de Quiao Yi. À la place avaient fleuri de nombreux articles sur l'amour de la Patrie, signés par des hommes de la faction de Shanghai. Enfin, trois jours plus tôt, le grand quotidien libéral de Hong Kong, le *South China Morning Post*, avait publié un article faisant état, sans le confirmer, d'un remaniement politique au plus haut niveau de l'appareil d'État chinois. La nouvelle de la démission de Quiao Yi n'avait toujours pas été rendue publique, mais la rumeur de sa disgrâce se propageait avec une vitesse inouïe, et bien au-delà des murs de Zhongnanhai. Pour le simple citoyen, il y avait des signes qui ne trompaient pas. De nombreux sites Internet avaient relayé cette nouvelle exclusive.

Le Premier ministre Hu Ronglian avait organisé ces fuites avec l'espoir qu'elles calment un peu la rue. Il voulait éviter une sortie déshonorante au secrétaire général, mais les événements commandaient. Depuis le massacre de Canton, « Quiao Yi » était devenu synonyme d'injure suprême dans les campus, les campagnes et les marchés. Alors, si la sauvegarde de la République était à ce prix, il mettrait en scène la chute politique de Quiao Yi. Et comme, malgré tous les efforts, rien ne s'arrangeait, Hu Ronglian venait de se résigner à la déchéance publique de son ancien adversaire.

Jia Gucheng, le patron du ministère de la Sécurité d'État, était arrivé dans le bureau du Premier ministre, une pièce spacieuse située dans l'un des immeubles modernes de Zhongnanhai. Jia nota les piles foisonnantes de dossiers qui recouvraient en désordre tout l'espace de travail. Hu Ronglian était désormais au cœur du tumulte.

« Bonjour camarade Ronglian, salua poliment Jia Gucheng, tout en prenant place en face du Premier ministre. Le camarade Quiao Yi vient d'être placé en résidence surveillée. Il demeurera dans l'une de nos villas privées, ici même, à Zhongnanhai… Pour autant, la contestation se poursuit dans les campus, les campagnes et les usines. Certes, la mobilisation des ligues patriotiques a permis de poser un contre-feu. Nous avons eu des heurts très violents entre ligues patriotiques et contre-révolutionnaires. Cela a fourni un prétexte à la police armée du peuple pour pénétrer et "nettoyer" les campus… mais la démission du secrétaire général Quiao Yi a été à double tranchant. La majorité des contestataires s'est sentie renforcée. Elle est en voie de radicalisation. Des ouvriers dans le Hubei ont mis le feu à leurs usines, des "Murs de la démocratie" sont apparus à Pékin, des groupes paramilitaires se sont constitués à l'université normale de Pékin. Ils ont réussi à tenir une manifestation improvisée il y a une heure, ici même, devant l'enceinte de Zhongnanhai, en se rassemblant devant la porte de Xinhua.

— Pourquoi ne m'a-t-on pas prévenu qu'une manifestation se préparait ici même, camarade Jia Gucheng ?

— Nous avons été surpris par leur mode de coordination. Les contre-révolutionnaires communiquent entre eux via des messages cryptés sur Internet en utilisant PC, portables à connexion sans fil, téléphonie mobile de troisième génération… Nous sommes incapables de lire leur message et d'éviter les rassemblements "surprise". La technologie est dans le camp des manifestants. La masse d'informations qui transitent par nos "tuyaux" modernes de communication est un fleuve au débit gigantesque et au fond duquel les manifestants se dissimulent avec une aisance extrême.

— Mais il est impossible d'arrêter le fleuve ! camarade Jia Gucheng. Nous avons plus de foyers et de petites entreprises connectées en haut débit à Internet que l'Amérique. C'est là le moteur de notre croissance, l'informatique et les télécommunications. Que ce fleuve se tarisse — et comme dans l'antique Égypte avec le Nil, c'est toute la Chine qui dépérira. Et le Parti communiste le premier.

— Camarade Ronglian, il existe une solution au problème que je viens d'évoquer et qui ne remet pas en cause le développement de notre pays. Après l'attaque du 11 septembre, l'Amérique s'est rendu compte que les terroristes avaient dissimulé leurs communications dans la masse des informations circulant sur Internet. La National Security Agency a fini par développer les outils adéquats en matière de surveillance et de décryptage de l'information : ce sont les supercalculateurs et les logiciels dont nous aurions besoin. Mais, comme vous le savez, depuis la loi d'interdiction votée par le Congrès américain en février 1990, dans la foulée de nos actions de rectification contre l'insurrection étudiante contre-révolutionnaire de Tienanmen de juin 1989, l'exportation de ces types de technologies est devenue très délicate. Et puis, les Américains entretiennent encore un certain idéalisme par rapport aux dissidents contre-révolution-naires. Le malheur, camarade Ronglian, c'est qu'ils nous surestiment. Ces dissidents constituent une menace mor-telle pour notre République.

— Et les ingénieurs russes dont vous m'avez déjà parlé ? Ce centre de recherche russe, basé en Sibérie, avec lequel nous coopérons et qui semble avoir rem-porté certains succès contre les réseaux sécurisés amé-ricains ?

— Ils nous sont d'une aide précieuse pour l'élabora-tion des virus informatiques. Mais là s'arrête le champ de leurs compétences. Ils développent des systèmes d'attaque. Nous avons besoin de tout autre chose : cas-ser en masse les messages cryptés des dissidents.

— Camarade Gucheng, les Américains ne nous céde-ront jamais leur matériel de surveillance antiterroriste. Rappelez-vous toutes les difficultés que nous avons eues en 1995 pour récupérer les systèmes de vidéosurveillance anglais afin officiellement de contrôler la "circulation automobile" au Tibet…

— Vous avez raison, camarade Ronglian. Cela sera difficile. Mais nous n'avons pas le choix. Voilà mainte-nant plusieurs années, comme vous le savez, que nous développons le programme Bouclier d'or, notre système de surveillance de dernière génération. Bouclier d'or pourra identifier dans le fleuve d'information électro-nique les replis où se propage la parole contre-révolu-tionnaire. Bouclier d'or pourra observer nos villes avec ses yeux électroniques, tisser un lien avec les messages émis par les dissidents et pointer du doigt à la police armée du peuple les caches où se terrent nos ennemis. Seul Bouclier d'or nous permettra de réprimer la contestation d'une façon chirurgicale et sans risques de contagion. Seul Bouclier d'or préservera l'omnipotence du Parti central. Mais seuls les Américains détiennent la technologie qui nous est nécessaire pour achever Bouclier d'or. Ils ne nous la livreront pas de gré. Il faut donc leur forcer la main.

— Comment ?

— En les effrayant avec leur pire cauchemar : être contraints de nous attaquer ! Nous provoquerons Taiwan. L'Amérique devra riposter pour défendre son allié, ce qu'elle n'osera pas faire. Lors des négociations, nous laisserons l'hégémonie du Pacifique aux Américains. En échange nous demanderons et nous recevrons les technologies nécessaires au Bouclier d'or. »

Surprenant Jia Gucheng, songeait Hu Ronglian. Le ministre de la Sécurité d'État cachait derrière son allure de technocrate un vrai profil de politique. Il appartenait à la faction des fils des dignitaires : sa mère avait dirigé jadis le jardin d'enfants « Chine de l'Est » qui accueillait les rejetons des princes du Parti, et c'est ainsi que le petit Gucheng avait tissé des liens d'amitié qui lui serviraient plus tard. Il pouvait ressembler à un bureaucrate, mais il n'en était pas un. Hu Ronglian venait de démasquer un allié aussi habile manœuvrier que stratège audacieux.

La confrontation avec Taiwan et les États-Unis comme moyen de sortie de la crise par le haut ?

Hu Ronglian l'avait déjà envisagée, sans pour autant en faire une priorité. Il sentait bien cependant que le mouvement de rectification nationale ne suffirait pas. Les étudiants étaient chauffés à blanc. Le pays n'en pouvait plus. Il fallait un coup de tonnerre. Un électrochoc national. L'attaque. Il fallait affronter Taiwan. Mobiliser. Payer l'Armée populaire de libération. Effrayer les États-Unis. Puis, une fois la rue apaisée, discuter avec les Américains. Négocier les moyens technologiques qui permettraient au Parti central de contrôler efficacement le pays sans avoir à tirer de coups de feu. Et peut-être laisser l'Amérique reprendre le contrôle de la région du Pacifique pour encore dix ou vingt ans — ce qui aurait été de toute façon hors de portée d'une Chine frappée d'anarchie. Quelles étaient les alternatives ? Une solution interne, la loi martiale ou la mise en place d'élections démocratiques, et ce serait le désordre immédiat. Il fallait tenter la solution externe. Mais pour cela, il avait besoin d'un ultime mandat.

« Beaucoup de choses peuvent être possibles, camarade Gucheng. Votre démarche est très sensée. Mais pour agir de façon décisive, il faudra que je prenne la tête de la commission militaire centrale.

— Je suis prêt à proposer votre candidature à la prochaine réunion du comité permanent du Bureau politique, camarade Ronglian. »

Cette fois, le pacte était scellé. Diable, songeait Hu Ronglian. Et si Zhu Tianshun n'avait pas été assassiné… Et si Quiao Yi avait vu juste ? La guerre mondiale ?… Non, non — juste une très vive tension. Un coup de chaleur, au début de l'été. Une guerre mondiale — cela n'était pas possible.

16

Journal de Julia — Berlin, 17 juillet

Chambre 101. À nouveau. Il doit être trois heures du matin. Ma tenue est légèrement différente de la veille : tailleur strict mais beige, chemisier blanc, escarpins de cuir surmontés de bouclettes. Hier, je m'étais présentée à Alberich. Ce matin, j'entre en reconnaissance au cœur des terres de mon adversaire, à la recherche des failles de son âme.

L'infirmière vient d'entrer. Elle embrase les néons, secoue gentiment Alberich et pose le plateau-repas composé de compote et de thé sur la petite table de chevet au bord du lit. Le patient s'est réveillé.

« Madame l'infirmière… Quelle heure est-il ?

— Il est l'heure de vous réveiller, docteur. Votre petit déjeuner est prêt. Vous voulez d'abord aller faire pipi ? »

L'infirmière le laisse entamer son petit déjeuner et quitte la chambre. Je le laisse quinze minutes et entre à la fin de son repas.

« Bonjour, docteur. Comment allez-vous ce matin ?

— Tu es revenue me voir, Mort ? J'ai beaucoup pensé à toi cette nuit.

— On m'a dit que vous avez fait un mauvais rêve, docteur. Est-ce vrai ?

— L'infirmière t'a parlé ?

— L'infirmière est une amie. »

Sa bouche est sèche.

« Oui, j'ai fait un mauvais rêve. J'ai repensé à notre conversation d'hier, Mort.

— L'infirmière m'a dit que vous lui avez beaucoup parlé des nazis. Je suis surprise. Vous m'avez dit hier que vous n'aimiez pas les nazis.

— Non… non, te souviens-tu hier de ce que je t'ai dit, Tod ?… Je t'ai dit : L'Allemagne devait perdre la guerre. Ils n'avaient aucune chance. Ils devaient passer le flambeau à l'Union soviétique.

— Eh bien ? »

Il se met à rire.

« Dans mon rêve, cette nuit, Mort, j'avais tort. L'Allemagne gagnait la guerre.

— Pourquoi l'Allemagne aurait-elle gagné la guerre, docteur ?

— Hitler ne se prenait pas pour Bonaparte car Hitler méprise les Français. Il décide d'envahir la Russie un mois et demi avant le 22 juin 1941, la date anniversaire de l'invasion par l'empereur Napoléon. Il écoute Guderian et le reste de l'état-major : il oublie l'Ukraine et fonce directement vers Moscou. La capitale est prise avant les neiges. La tête est décapitée, le régime de terreur de Staline s'effondre d'un bloc. Les Aryens font la jonction avec les Japonais six mois plus tard. L'Inde est menacée, Churchill remplacé. Les Anglais signent une paix séparée. Il n'y a pas de débarquement — ni en Afrique du Nord, ni en Italie, ni en Normandie. Il n'y a plus que les Américains, seuls, contre le reste du monde. Les Anglais ne peuvent pas rembourser l'effort de guerre américain. Le Reichsmark est la nouvelle monnaie de référence. Le vieux Joe Kennedy, accompagné de sa clique germanophile, devient président…

— Vous oubliez les juifs, docteur. Les juifs fabriquent la bombe qui détruira les Aryens. Vous-même me l'avez dit.

— Mais non, Mort. Je m'étais trompé. J'étais sûr de ce qui était écrit — mais rien n'est écrit, jamais. Imagine que le monde soit mon rêve de ce soir… Sans les Anglais, comment détruire les Aryens ? Sans les Anglais, il n'y a plus de pistes de décollage pour Berlin. Il n'y a plus d'endroit pour faire partir un groupe de bombardiers et la chasse qui l'accompagne. Et les missiles qui franchissent les continents sont développés en Allemagne par von Braun. Sans von Braun, les Américains ne peuvent construire ni missiles ni fusées… Si Hitler déclenche son invasion un mois et demi avant le 22 juin, Joe Kennedy devient président en 1944… »

Il cherche à me déstabiliser. Pourtant, je le sens fébrile, plus perturbé encore que je ne le suis par la chaîne d'arguments qu'il vient de mettre bout à bout et qui fait étrangement sens. Brusquement, sa face se vide de sang. Je le sens près de la rupture.

« … et tu sais, Mort, ce que cela veut dire, si Joe Kennedy devient président ? Tu le sais, Mort ? » Je ne sais plus s'il m'adresse une menace ou une prière. Il me regarde, les yeux embués.

« Cela veut dire, Mort, que le destin n'existe pas et que l'Histoire n'est qu'une longue suite d'accidents. Cela veut dire que nous nous sommes trompés, nous nous trompons et nous nous tromperons toujours — et pourtant cela est impossible, Mort. Impossible. Car si nous étions une erreur, nous n'existerions pas. N'est-ce pas ? »

Le vieil homme s'effondre en pleurant. Il a peur. Une odeur d'urine flotte dans la pièce. J'appelle l'infirmière. Elle lui donne un tranquillisant et change ses draps. De quoi a-t-il peur ? Son esprit se voile d'ombres immenses. La nuit semble s'être levée sur la citadelle d'Alberich.

Je quitte la pièce.

Cela va trop vite. Les minutes et les heures se dérobent. Je dois reprendre calmement mon travail méticuleux. Nous sommes toujours en phase de reconnaissance.

De l'autre côté, dans la chambre du patient, il doit être cinq heures et demie du matin. Au bout d'une minute j'entends une grande clameur.

Alberich a agrippé par les bras l'infirmière et plante ses ongles dans la peau de la jeune femme.

« Infirmière ! Appelez-moi l'inspectrice. Tod. La Mort. Je dois la voir. Je dois lui parler de toute urgence. Dépêchez-vous ! »

Je décide de saisir l'instant et d'apparaître devant mon prisonnier.

« Très heureuse de vous revoir, docteur. J'ai eu des rendez-vous toute la journée, je n'ai pu venir que maintenant après votre petite crise, ce matin.

— Quelle heure est-il, Mort ?

— Il est cinq heures de l'après-midi, docteur. »

Il n'a pas l'air satisfait par la réponse.

« De quel jour ?

— Lundi, bien sûr, docteur. » J'ai répondu au hasard.

« De quelle année ?

— Allons, docteur, ne me dites pas que vous ne savez pas en quelle année nous sommes. »

Aurait-il vraiment perdu la mesure du temps ? Ses yeux sont à nouveaux humides. Je lui sers immédiatement un verre d'eau en espérant prévenir une nouvelle crise. Il va mieux. C'est le moment ou jamais. Je veux attaquer sur un point laissé délibérément dans l'ombre lors de la conversation d'hier. Un point de pression sur lequel je pourrai jouer lorsque nous aborderons la phase critique de l'interrogatoire.

« Docteur, vous m'avez parlé de vos débuts en Union soviétique, hier. Vous avez laissé de la famille en Russie ?

— Non, madame.

— Vous n'avez jamais été marié ?

— Pourquoi l'aurais-je été, Mort ?

— Pourquoi ne l'auriez-vous pas été, docteur ?

— Mort, les femmes que j'ai aimées étaient soit des actrices, soit des prostituées. Est-ce clair ?... Quand j'étais jeune, je rêvais d'un baiser de Zarah Leander. Comme tous les jeunes de mon âge, j'aurais tout donné pour dompter son corps de femme fatale. Et me prouver que j'en étais capable. » Il me sourit, pour la première fois complice. « Aimer une idole, c'est ce qu'il y a de plus facile. On la recueille entre ses mains lorsqu'on en a besoin. On la jette au fond de sa poche lorsqu'on ne veut plus la voir. Comme les prostituées. Mais en Russie, qui aurait voulu d'un Allemand ? Même des années après la guerre, il ne s'est pas trouvé une seule guenon slave pour vouloir de mon corps. Je n'étais pas laid, pourtant. Mais les femelles en Russie, comme partout dans le monde, sont liquéfiées de peur. Quand elles peuvent choisir, elles agissent par conformisme. C'est pour cela que les hommes doivent prendre sans demander. Sinon, il n'y aurait pas de diversité. Notre espèce crèverait de marasme congénital.

— Le Parti a-t-il essayé de vous marier, docteur ?

— Oui, Mort... Une femme sans importance.

— Les Soviétiques se sentaient-ils rassurés de vous voir entre les mains d'une vraie patriote ?

— Oui, fait-il, gêné, il y a de cela. Ils m'ont présenté

une femme allemande. Une descendante des colons mennonites allemands de la Volga.

— Le KGB voulait s'assurer de votre loyauté ?… Ils voulaient vous surveiller de près ?

— Ils pensaient que j'avouerais tous mes péchés à une Allemande qui saurait écarter les jambes. Ils m'ont payé une pute pendant dix ans. Une fille qui s'appelait Katerina. Je ne pouvais pas refuser. J'ai vécu avec pour leur faire plaisir. Quand ils se sont rendu compte que j'étais sincèrement dans leur camp, ils m'ont délivré de la petite espionne. Elle est partie du jour au lendemain, et je n'ai jamais su ce qu'elle est devenue. Bon débarras. J'en avais assez de jouer la comédie, et peut-être elle aussi. Enfin, au moins, elle baisait divinement. Le KGB l'avait bien éduquée.

— Pourquoi vous n'avez pas voulu avoir d'enfants ?

— Pas avec cette femme, Tod. Pas avec une pute.

— Alors avec qui, docteur ?

— Je ne sais pas. Avec quelqu'un que j'aime.

— Et il y a une personne que vous avez aimée, docteur ?

— Non, Mort. Personne. Sauf les actrices et les prostituées. Je te l'ai déjà dit. »

Je suis convaincue qu'il ment, et il a dû s'en apercevoir. Sa bouche est toujours aussi sèche. Je m'approche de lui, en décroisant les jambes. Ma voix se fait douce.

« Vous m'avez parlé d'une déesse, la première fois que nous nous sommes vus. » Je sors un petit carnet de notes et lis. « La "Déesse de la Bandaison", docteur. Vous vous souvenez ?… Qui est-elle, cette déesse ? L'avez-vous connue ?…

— Quel jour sommes-nous, Mort ?

— Répondez à ma question, s'il vous plaît, docteur.

— Pourquoi me posez-vous toutes ces questions, madame ?

— Je veux vous épargner des problèmes plus graves avec mes autorités de tutelle. J'ai plaisir à discuter avec vous, docteur. Notre conversation sur la seconde guerre mondiale était très stimulante. J'apprends beaucoup en vous écoutant. »

Je veux savoir quel amour disparu il dissimule derrière la Déesse.

« À quoi ressemble-t-elle, docteur ? »

Il n'a pas à me donner son nom — pas dans un premier temps. Je veux simplement pas à pas installer l'inconnue dans la parole du vieillard. Il est en train de se perdre dans ses pensées.

« C'est à Berlin que je l'ai vue la première fois, Mort. Il y a très longtemps. Avant la guerre. Elle était habillée de blanc, de rouge et de noir. Elle était belle. Tellement séduisante. Et j'étais tellement jeune.

— Comment avez-vous fait connaissance ?

— Elle est venue à moi, tout naturellement. Nous étions au milieu d'une grande cérémonie des Hitlerjugend de Berlin, qui récompensait les élèves les plus brillants du Reich. Et c'est elle qui m'a abordé. Au moment où l'on m'a fait porter le drapeau. Nous chantions des hymnes de guerre. J'ai senti son regard. J'ai compris plus tard que c'est à ce moment-là qu'elle m'avait choisi.

— Une Aryenne ? »

Il me sourit.

« Non, Tod. Tu ne comprends pas. Elle n'est pas aryenne. Pas elle.

— Quel âge avait-elle ? »

Il explose d'un grand rire méprisant. Je suis en train de perdre toute autorité sur lui.

« Comment veux-tu que je le sache, Tod ? Je te l'ai dit : c'est une déesse !... Quel âge peut avoir une déesse ? Cinq, six mille ans ?... Peut-être est-elle là depuis toujours. La Déesse est éternelle et transcendante. Elle m'attendait depuis des siècles. Elle nous attendait depuis des siècles. Elle est une loi. Elle ne peut se révéler que lorsque certaines conditions technologiques sont réunies. Le Dieu des juifs n'existe que par l'écriture et le Livre. La Déesse, elle, a des besoins plus sophistiqués. Elle se révèle dans le calcul, l'électricité et le transistor. »

Je garde mon sang-froid. Il est encore trop tôt pour briser son élan de délire.

« A-t-elle disparu pendant la guerre ?

— J'ai perdu sa trace lors de la défaite des Aryens. On m'a dit qu'elle a rejoint les Anglais, qu'elle était à Bletchley Park. Mais je crois qu'elle les a trahis. Je l'ai revue, bien plus tard. Elle avait trouvé refuge en Union soviétique. »

Il y a une explication simple à tout ce galimatias : Alberich protège quelqu'un. Une technique maladroite mais classique pour dissimuler son secret. Alberich parsème son mensonge de quelques vérités et enrobe le tout d'un voile de folie avec l'espoir vain de satisfaire, qui sait ? mon goût caché pour l'occulte et le secret. Une *maskirovska* pour espionne.

« Pourquoi la Déesse est-elle revenue vous voir, docteur ?

— Pourquoi penses-tu que c'est elle qui est revenue me voir, Mort ? »

Je décide d'opérer une courte intrusion dans son rêve éveillé.

« N'est-elle pas une déesse, docteur ? N'est-elle pas toute-puissante et omnisciente ?

— Oui, c'est elle qui est revenue me voir… Elle est revenue me voir car elle savait que je pourrais l'aider. Elle l'avait toujours su. J'étais l'instrument de son pouvoir. » De qui parle-t-il ? Qui est la Déesse ?

« Pourquoi la Déesse avait-elle besoin de votre aide, docteur ? »

Ses yeux étincellent d'orgueil.

« Elle était comme un animal qui se débat dans une cage. Elle était prisonnière d'un problème qu'elle ne pouvait résoudre. Alors elle s'est souvenue de moi.

— Pourquoi de vous, docteur ? »

Il ne répond pas, ivre de vanité. L'orgueil est son péché capital.

« Était-ce l'étudiant brillant d'avant la guerre qu'elle voulait revoir ?… Vous étiez un élève brillant en mathématiques, docteur. Est-ce pour cela qu'elle voulait vous revoir ? Parce que vous pouviez résoudre son problème ? Parce que vous aviez la Solution ? Vous avez trouvé la Solution, n'est-ce pas, docteur ? »

Je sens les battements fous de son cœur.

« Comment avez-vous trouvé la Solution ?

— Quel jour sommes-nous ?

— La Déesse est-elle toujours en vie, docteur ?

— Quel jour sommes-nous, Mort ? » Sa voix se fait plus dure.

« Pourquoi m'appelez-vous "Mort", docteur ?

— N'est-ce pas toi qui peux mettre fin à ma vie en un claquement de doigts, Tod ?

— La Déesse est-elle morte récemment ?

— Ne sais-tu pas que la Déesse est immortelle, Mort ? Tu es bien décevante. Elle, elle le sait. Elle contemple de haut le cercle de fer que tu fauches chaque soir et que nous nommons "vie" chaque matin. Quand tu arraches les plants, à l'aurore, et les jettes à terre — ne vois-tu pas que tu donnes la vie ? Que l'humus nourricier est un résidu de décomposition ? Que toute naissance dans notre sphère ne procède que par destruction ? Que c'est dans la mort des étoiles que se fabrique la matière de la vie ? Que c'est dans la

collision des comètes que s'invente l'évolution des
espèces ? Que c'est le père qui doit disparaître avant le
fils — car, sinon, l'ordre du monde s'effondrerait ?…
Mais peut-être, Mort, crois-tu avoir atteint le stade
ultime de la Création. Que le cercle de fer s'arrête avec
toi… Les animaux qui se croient parfaits et immortels
ont un nom : ils s'appellent les adolescents. Ils s'imaginent que, depuis l'enfantement, le monde poursuit
une tranquille progression linéaire. Ils ont tort. Ils
ignorent encore tout des accidents qui les attendent…
Moi, je suis vieux. Qui te dit que le monde ne leur
ressemble pas, qu'il est adolescent et qu'il finira à mon
image : malade et condamné à mourir ? Moi aussi,
quand j'étais jeune, je ne voulais pas voir ce qui est
évident. Moi aussi, j'ai été adolescent. Mais j'ai eu
de la chance. Mon adolescence a été de courte durée.
Elle a pris fin le jour où la demeure de ma famille s'est
écroulée. J'ai beaucoup vieilli depuis. Et mon monde
avec moi. Alors, Mort, pourquoi te raccroches-tu
encore à une pensée de la jeunesse ?

— Il est tard, docteur. Nous reprendrons cette
conversation demain. »

Brusquement, il me prend la main comme s'il voulait y déposer un baiser. Il a peur de se retrouver seul à
nouveau.

« Ne me quitte pas, Mort, implore-t-il presque. Il y a
trop de mauvais rêves dans ma tête. J'ai besoin de ton
aide. Dis-moi quel jour nous sommes. Dis-moi à qui
appartiennent mes rêves… Je sais que tu es là pour moi,
Mort. Je sais maintenant que tu m'attends — depuis toujours. Je ne suis pas de ces gamins qui se protègent derrière un père éternel. Du plus loin que je me souvienne,
bénie soit la mémoire de ma famille, j'ai toujours eu
conscience de ton existence. Mais ne me laisse pas partir
sans m'expliquer, Mort. Il le faut. Tu dois m'écouter… »

Je ne bouge pas, les doigts prisonniers de ses membres fragiles et noueux. J'abandonne le russe et m'adresse à lui en allemand, sa langue maternelle.

« Je peux vous aider, docteur. Dites-moi simplement qui est la Déesse.

— Mais... ne comprends-tu pas qu'elle n'a pas de nom, Mort ? »

J'ai fini de jouer. Je quitte la chambre sans me retourner. Pourtant, curieusement, un instant, je l'ai cru sincère.

17

Journal de Julia — Berlin, 17 juillet au soir

Quand je quitte Alberich et l'hôpital américain, il est aux alentours de midi. Je suis frappée des éclairs de lucidité d'Alberich. Mais si je l'exfiltre et le remets entre les mains d'interrogateurs plus curieux ou plus maladroits à Langley, il ne survivra pas longtemps. Son seuil de tolérance est trop bas. Oui, je peux décider de le laisser en vie ou non. Il avait raison — je suis sa Mort. Il m'a fallu deux jours pour le comprendre, alors qu'il me le répétait sans arrêt. Quelles autres évidences dissimule-t-il dans le fatras de ses propos délirants ?

Une piste se fait jour : l'existence de la « Déesse », probablement un opérateur du KGB qui a été à la fois l'agent traitant d'Alberich et son amant — ou sa maîtresse. Il m'est impossible de discerner l'identité sexuelle d'Alberich. Dans un vieux rapport, établi lors d'une prise de contact en 1992, nos enquêteurs à Moscou avaient retrouvé une prostituée ukrainienne qui prétendait être une de ses habituées. Mais il peut très bien avoir dissimulé son homosexualité. Je n'en sais rien. Cela me laisse démunie. Je peux flatter son orgueil, essayer de devenir son amie. Mais je le crois trop fin ou trop obstiné pour se laisser apprivoiser. Je ne peux pousser plus loin l'interrogatoire. La seule possibilité de continuer et de garder en main une alternative coercitive à la manière douce, c'est de le confronter à l'un de ses collaborateurs. Ou de retrouver la « Déesse » elle-même. Mais cela me demandera un nouveau travail d'investigation. Le temps m'est désormais compté. Je cherche, moi aussi, la Solution.

J'ai besoin de prendre l'air. D'humeur vagabonde, j'ai quitté l'hôtel Adlon et me promène le long d'Unter den Linden. Au premier café, j'achète un petit paquet de Philip Morris avec filtre — un vieux plaisir d'adolescente. Après une ou deux bouffées libératrices, je prends le métro, un exemplaire du journal *Die Zeit* sous le bras. Les stations défilent discrètement derrière mon épaule tandis que j'essaie de m'absorber dans la lecture d'un édito sur un conflit oublié d'Afrique. Trop tard. Station Alexanderplatz — je descends. À une dizaine de mètres de la bouche de sortie, au milieu de la place, se trouve la Galerie Kaufhof, et au second étage, le vaste « café Internet » bon marché, avec connexions haut débit et écrans plats. Pour dix euros, je prends place dans l'une des centaines de box. Je termine une seconde cigarette. Connexion « Adult-Date. com », un site de rencontre. Amusons-nous un peu. J'ouvre mon profil, « Stormylove_666 ». Quelques messages de mecs qui me montrent des bouts de leur corps, leur pénis le plus souvent, accompagnés de deux ou trois lignes concises et explicites. Également un romantique égaré dont la longueur du message doit être à la mesure de son désir frustré. Pauvre bête. Il y a aussi « Nastyboy2000 ». Il vient de répondre à un message que « Stormylove_666 » lui avait envoyé la veille. À mon tour. J'écris : « Votre profil est très intéressant.

Je n'aime pas perdre mon temps et je ne recherche que du réel. Je continue si vous avez une photo, OK ? » J'appuie sur la touche « Enter ». Le service électronique me confirme que le message a bien été envoyé. J'écrase ma cigarette, satisfaite.

Nikolaï N., un ancien contact russe à Paris, vient d'être réactivé.

Nikolaï nous a toujours été très utile. Un roc solide et épais d'un mètre quatre-vingts, percé de deux yeux bleus d'une clarté extrême, il s'occupait de la sécurité des communications électroniques de l'ambassade de Russie à Paris dans les années qui suivirent la chute du Mur. Il n'avait pas l'habitude de beaucoup parler et, à vingt-huit ans, il cachait une certaine suffisance derrière ce qui pouvait être pris pour de la timidité. Expatrié à Paris, Nikolaï était un homme seul, et c'était là sa principale faiblesse. Lors d'une soirée Tolstoï organisée par les services culturels de l'ambassade durant l'été 1993, il rencontra Stéphane, un jeune Français aux lèvres fines et à la peau très blanche. Ils se découvrirent le même intérêt pour Edgar Allan Poe et The Cure, et leur passion commune devint vite charnelle. Stéphane était un artiste peintre qui vivait sur un grand pied. Nikolaï essaya de suivre et accumula rapidement les dettes. Après une franche discussion, Stéphane proposa à Nikolaï de rencontrer Julia. C'était une ancienne amie de Stéphane, une jeune Américaine excentrique qui s'amusait à dilapider la fortune de la famille en Europe, et qui avait soutenu financièrement Stéphane dans ses « travaux artistiques » par le passé. Je pense que Nikolaï n'était pas dupe. À l'époque, la Russie d'Eltsine était un bateau ivre dont nul ne savait vraiment quelle serait la course. Nikolaï accepta de rencontrer Julia et de contracter un prêt personnel auprès de l'amie américaine. C'est ainsi qu'il commença à travailler pour mon compte.

Par la suite, lorsque s'affirma notre confiance réciproque, Nikolaï m'avoua que Stéphane n'avait pas été sa première expérience homosexuelle, mais qu'il avait toujours été attiré par les deux sexes. Il tenta de me le prouver des années plus tard en épousant une jeune blonde ukrainienne aux joues roses après l'avoir mise enceinte. Mais cela ne fit que rendre plus pénible encore pour Nikolaï le secret que nous partagions. Parallèlement, et avec notre aide, Nikolaï poursuivit une carrière brillante au sein du FAPSI, ancien nom de l'organisme en charge de la sécurité électronique en Russie. Au milieu des années 2000, les autorités russes constatèrent leur retard en matière cryptologique. Ils renvoyèrent Nikolaï à Paris créer une petite société d'informatique afin de recruter de jeunes talents européens. Nikolaï se prit au jeu et s'installa avec femme et enfants dans un bel appartement bourgeois de trois cents mètres carrés au nord du seizième arrondissement de Paris, avenue Foch. Il commença à développer des logiciels de traitement d'images et de création d'effets spéciaux pour des studios de cinéma français et européens. Sa tutelle russe s'agaça — l'essor de ses activités commerciales s'éloignait de l'esprit initial de sa mission. Cependant il eut le trait de génie d'inclure dans son tour de table un cousin de Poutine, et bientôt le Centre fut forcé de le laisser à ses bénéfices imposables et à ses dessins animés retouchés. Du même coup, son éloignement de Moscou réduisit notre intérêt pour lui. Nikolaï avait réussi à prendre discrètement la clé des champs : il quittait pas à pas les territoires de l'ombre organisés selon Notre Jeu, adversaires américains ou russes. Je voulais comprendre ce qui l'avait poussé à agir et à risquer de déclencher la colère de maîtres terriblement méfiants et susceptibles. Je découvris que Stéphane était mort quelques années plus tôt. Il était âgé de trente-neuf ans à son décès.

J'envoyai aussitôt un e-mail sécurisé à Nikolaï. « Pourquoi ne m'as-tu jamais dit que notre ami Stéphane était décédé ? » Il répondit, en utilisant notre méthode de communication : « Pardonne-moi. Je pensais que tu savais. » Il avait compris que je pourrais continuer à l'utiliser à tout moment. Désolé, Nikolaï. Moi aussi, parfois, je me demande si je ne devrais pas prendre la fuite, abandonner mon bureau et me mettre à mon compte. Je ne fais pas tout cela pour mon plaisir. Mais c'est mon métier. Je sers ma patrie. Je sers Jack.

II

L'ultimatum

23-27 juillet

« Lorsque les envoyés de l'ennemi tiennent des discours pleins d'humilité, mais qu'il continue ses préparatifs, il va avancer. [...] Lorsque, sans entente préalable, l'ennemi demande une trêve, il complote. »

Sun Tzu, *L'Art de la guerre,*
livre X, versets 25 et 28

18

23 juillet — République populaire de Chine,
Pékin, Zhongnanhai
Réunion du cabinet restreint de la Commission
militaire centrale

Le maréchal Gao Xiaoqian regardait fixement
l'ampoule rouge fixée au seuil de la porte blindée. Le
filament était inerte. Tant qu'il ne s'enflammerait pas,
toute parole demeurerait interdite. Hu Ronglian, Jia
Gucheng et même Li Xuehe suspendaient à leur tour son
et souffle. Ils attendaient le miracle de la lampe. À leurs
côtés, dans la même pose silencieuse, les accompagnait
le maréchal Yu'en, l'autre militaire de la commission, en
charge de l'armée de terre. Toutes lèvres scellées. Tel était
le règlement immuable de la salle du Conseil de guerre.
Un petit blockhaus, entièrement ceint de parois bétonnées, construit plusieurs dizaines de mètres sous terre
sous Zhongnanhai. Les premiers travaux avaient débuté
lors des escarmouches avec les gardes-frontières soviétiques le long du fleuve Amour, dans les années 1960. À
l'époque, l'Union soviétique et la Chine communiste,
deux puissances nucléaires, s'étaient engagées dans une
dangereuse escalade. Depuis, l'abri atomique s'était étoffé

pour devenir le Centre stratégique numéro un. Les Américains avaient leur Air Force One. La tête de l'Empire préférait tenir le pays depuis les fondations souterraines de Zhongnanhai.

Le filament s'illumina soudain. Le maréchal Gao Xiaoqian abandonna ses pensées, échouées le long des murs blancs immaculés de la salle. Ces murs lui rappelaient les nombreux séjours à l'hôpital 301 pour sa chimio. Les crampes, les embarras, les sourires de compromis — toutes ses petites défaites quotidiennes avec son propre corps, le Parti, les cliques de l'état-major —, tout cela rentrait dans le rang aujourd'hui même. À l'instant précis où il avait fait passer les trois pochettes estampillées *Ultra-confidentiel* aux membres de la commission des affaires militaires. Le nouveau chef de l'exécutif, le Premier ministre Hu Ronglian, ainsi que le ministre de la Sécurité d'État Jia Gucheng et le président Li Xuehe se penchèrent avec gravité sur les documents.

Le visage traversé par l'ombre rougeâtre de la lampe de sécurité, Hu Ronglian commença à feuilleter. Ses doigts ne tremblaient pas. Il s'était préparé à ce moment. Voilà comment l'idée était devenue réalité. C'était son plan, le plan Ronglian, qui prenait naissance sous ses yeux. Alors, le buste droit, pénétré de la gravité de l'instant, il prit la parole.

« Je déclare ouverte la première session du cabinet restreint de la commission militaire centrale. À l'ordre du jour : le plan "Fleuve jaune". Maréchal Gao Xiaoqian, je vous prie, récapitulez-moi, devant les nouveaux membres de la commission, quelles sont les étapes du plan de l'état-major général.

— Le plan Fleuve jaune a pour objectif de verrouiller le détroit de Formose et de s'assurer une maîtrise partielle du détroit de Luzon entre Formose et les Philippines en moins de vingt-quatre heures. Ensuite, nous pourrons nous concentrer sur nos objectifs militaires à Taiwan. Nous installerons au cœur de ce quadrilatère maritime le groupe de combat du porte-avions *Deng Xiaoping*, notre porte-avions de classe Kouznetsov acheté aux Ukrainiens. La protection du *Deng Xiaoping* sera assurée par nos trois sous-marins les plus perfectionnés, les classe Kilo achetés aux Russes. Nous sortirons également nos deux destroyers russes de classe Sovremmeny, toujours en appui au *Deng Xiaoping*. Enfin, une rotation de dix-huit chasseurs intercepteurs aériens J-9 — les Sukhoï-30 russes modifiés — nous permettra d'assurer la maîtrise aérienne de la zone. Ils seront épaulés par notre flottille de drones de surveillance et d'attaque Wuzhen-10. Ce sera la première fois que nous les déploierons en masse. L'ennemi sera stupéfait.

— Quelle résistance opposeront les forces navales taïwanaises en patrouille ? demanda Hu Ronglian.

— Elles se réduisent à deux frégates de sortie dans les prochaines vingt-quatre heures… Elles seront totalement surclassées. Évidemment, la VIIe flotte américaine aurait, elle, les moyens de réagir. Mais il s'agit d'une question politique. »

Hu Ronglian poursuivit, le nez toujours dans les plans d'attaque.

« … Effectivement, maréchal Gao, lorsque les Américains interviendront, nous convoquerons le comité permanent et déciderons de la suite à donner à cette intervention militaire… Pour le reste, ajouta-t-il sur le même ton, sans un regard pour ses pairs, la commission militaire centrale adopte à l'unanimité le plan Fleuve jaune et va le soumettre au comité permanent du Bureau politique du Parti communiste chinois. Je demanderai maintenant au maréchal Yu'en, qui vous accompagne, de bien vouloir quitter la salle de réunion. »

Le maréchal Yu'en, qui ne comprenait plus ce qui se tramait, ramassa en silence sa serviette, et quitta immédiatement la pièce. La lampe de sécurité s'éteignit — puis se remit à rougeoyer.

Alors seulement Hu Ronglian reprit la parole.

« Le comité permanent du Bureau politique du Parti communiste chinois, instance suprême du Parti, propose l'adoption du plan Fleuve jaune. Y a-t-il une voix qui s'y oppose ? »

Hu Ronglian se sentait obligé de donner une apparence de constitutionnalité aux décisions sans appel du comité. Mais rien ne pouvait plus empêcher l'accomplissement du plan Fleuve jaune. Li Xuehe regardait avec docilité le nouveau maître. On pouvait croire Hu Ronglian investi du pouvoir mystérieux des Chaoji Yuanlao. Depuis que Quiao Yi avait été placé en résidence surveillée et que Hu Ronglian régnait sans rival, un sens nouveau de la gravité de ses fonctions s'était emparé de lui. Sa chevelure argentée aux volumes lissés avec soin n'avait pas changé. Mais ses gestes et sa diction étaient plus empesés. C'était lui, et lui seul, qui désormais battait la mesure.

« Bien, reprit Hu Ronglian, puisque nul ne s'y oppose, je déclare l'adoption du plan Fleuve jaune à l'unanimité du cabinet restreint. Par ordre du Parti communiste de la République populaire de Chine, il devra prendre effet dans les prochaines vingt-quatre heures. L'heure exacte de son déclenchement sera laissée à la discrétion des autorités militaires compétentes, représentées par l'état-major général de l'Armée populaire de libération. Camarades… » Li Xuehe, Jia Gucheng et Gao Xiaoqian regardaient, comme lui, droit devant eux, vers un horizon invisible. Hu Ronglian cherchait ses mots. Il fut surpris un instant par sa propre émotion. Mais, rapidement, la solennité du moment reprit le dessus. La métamorphose s'achevait. Il était devenu le chef de guerre. « Camarades, nous avons choisi une voie étroite et difficile. Nous l'avons choisie car il n'y avait pas d'autres issues pour le pays et pour le Parti. Plutôt que d'attendre que la tempête s'abatte sur nos têtes, nous avons choisi de déclencher nous-même les éléments. À nous maintenant de conserver cet avantage crucial : garder l'initiative. Le Parti demeurera la main qui noircit la page et écrit l'histoire de la Chine — et non plus celle qui agit sous la dictée. »

Le président Li Xuehe acquiesça d'un vague mouvement du cou qui tenait plus de la déglutition que de l'approbation. Jia Gucheng, lui, écoutait attentivement, le regard concentré sur un point invisible de la grande table de conférence en acajou. Il pensait à sa propre mission. Dans le premier acte qui s'ouvrait, Jia Gucheng serait l'instrument essentiel du nouveau maître qu'il s'était choisi.

« Nous allons maintenant passer à l'évocation des autres aspects non militaires de l'opération, poursuivit Hu Ronglian. Camarade Gucheng, quelles seront les phases de guerre informatique qui accompagneront le plan Fleuve jaune ?

— Dans la lancée de la coopération réussie entre la quatrième section du Guoanbu, les forces cybernétiques de l'Armée populaire de libération et l'équipe de recherche sibérienne du docteur Alberich avec laquelle nous collaborons depuis trois ans, nous avons défini une nouvelle méthode d'attaque informatique. Nous avons créé plusieurs milliers de sites Internet, la plupart à contenu pornographique, afin d'entrer rapidement en contact avec une population cible d'internautes nationaux et étrangers. Notre objectif est d'infecter puis d'utiliser à notre profit la puissance informatique de chacun des ordinateurs de nos "clients". À chaque connexion, nous forçons les ordinateurs PC d'accueil à télécharger, en même temps que certaines images, tout un éventail de virus "communicants". Ces virus n'endommagent pas l'ordinateur; simplement, ils établissent des ponts invisibles avec nos différents serveurs. Un peu à la façon du programme SETI de recherche de vies intelligentes dans l'espace qui permet à chaque particulier d'utiliser son ordinateur pour traiter certains calculs pour le compte du SETI, nous utilisons chacun des ordinateurs infectés pour développer la puissance de calcul de notre "créature". Chaque PC infecté en Occident deviendra un ordinateur « zombi » dont nous aurons pris le contrôle à distance : à partir de ces ordinateurs, nous relançons d'autres virus, très nocifs ceux-là, contre des cibles informatiques de Taiwan. Ainsi nous attaquons sans pouvoir être démasqués. C'est le concept de "guerre populaire" informatique que l'unité 8341 de l'Armée populaire de libération avec laquelle nous collaborons a développé depuis la fin des années 1990. Comme les "paysans soldats" du camarade Mao Zedong, chaque utilisateur d'ordinateur personnel devient un combattant. Dans le schéma originel de l'unité 8341, nous utilisions un grand nombre de réservistes, jusqu'à deux à trois millions. Ces millions de réservistes, depuis leurs propres ordinateurs personnels, pouvaient prendre part à la guerre informatique. Dans notre nouveau protocole, nous utiliserons seulement trente mille informaticiens triés sur le volet, au patriotisme au-dessus de tout soupçon, qui seront activés dès les premières heures de l'offensive. La « zombification » de centaines de millions d'ordinateurs dans le monde fournira une puissance de calcul inégalable, dont nous prendrons le contrôle en quelques dizaines d'heures de manière parfaitement indétectable. Et nous inaugurerons cette zombification avec l'équipement informatique de notre pays. Je ne rappellerai pas aux membres du cabinet restreint qu'avec cent dix millions de foyers connectés à l'Internet haut débit, la

Chine est aujourd'hui loin devant les États-Unis et l'Europe en matière de parc informatique connecté. Cette récente supériorité constituera le cœur de notre force de frappe de guerre informatique.

— Avons-nous déjà obtenu des résultats en utilisant cette nouvelle doctrine ? » Hu Ronglian demeurait circonspect.

« Camarade Ronglian, réagit Jia Gucheng avec une extrême déférence, je vous rappelle que nous avons pu au cours des derniers mois infliger des revers informatiques très graves aux États-Unis d'Amérique. Notre doctrine a été validée sur le champ de bataille. »

L'arme avait déjà été secrètement testée. De nombreuses fois, des systèmes de contrôle des satellites GPS avaient pu être infiltrés — un véritable exploit en tant que tel. Mais quelque chose tracassait Hu Ronglian. Il y avait ce centre de recherche, là-bas, en Sibérie, dirigé par un russe, ce docteur Alberich. Jusqu'où se poursuivrait la coopération entre la quatrième section du Guoanbu, l'Armée populaire de libération et l'institut de recherche du docteur Alberich ? Hu Ronglian l'ignorait. Mais il sentait instinctivement que Jia Gucheng et son docteur Alberich devaient être étroitement contrôlés. La maison devrait rester en ordre à l'heure de la grande bataille. L'offensive contre Taiwan et les Américains allait commencer. Le plan Fleuve jaune et l'attaque informatique allaient être déclenchés simultanément. Le rêve de sa femme Chan prenait corps. Luttant pour sa survie, la Chine n'avait plus d'autre choix que de lancer un incroyable défi aux États-Unis d'Amérique. La crise la plus grave depuis la fin de la guerre froide allait éclater. Dans quelques heures, la Chine allait poser son ultimatum à Taiwan.

Les jours et les semaines à venir, la lampe rouge ne s'éteindrait plus.

19

Journal de Julia — Berlin, 23 juillet

Alberich est toujours à l'isolement, et comme moi à Berlin. J'ai mis à contribution mon contact russe à Paris, Nikolaï. Il y a quelques jours, « StormyLove_666 » a envoyé à « Nastyboy2000 » une photo d'elle prise par webcam — une vue brouillée de ses seins aux tétons turgescents. Utilisant un algorithme de sténographie, un message codé a été disséminé sur l'image au format jpeg. Nikolaï, qui a le logiciel et les clés nécessaires pour décoder l'image des seins de « StormyLove_666 », m'a répondu en envoyant une photo de son buste coupé au niveau de la tête. Le message a bien été reçu. J'ai demandé à Nikolaï ce qu'il savait au sujet d'Alberich et de ses fonctions éventuelles au SSSI — le Service spécial de communication et de sécurité informatique récemment intégré au FSB, après avoir appartenu au service de la Protection fédérale. Nikolaï m'a demandé quelques jours. Je suis retournée ce matin au café Internet. La réponse de « Nastyboy2000 » était la suivante : « Merci pour les photos. Mais je ne recherche que du réel, OK ? » Sa réponse m'a mise en colère. La première partie du message signifiait qu'il avait des informations qui pourraient m'intéresser. La deuxième partie me demandait un rendez-vous en tête à tête à Paris — une procédure exceptionnelle. Je sors une nouvelle cigarette. À quoi joue Nikolaï? S'agit-il d'un piège? Tant pis.

Je réponds : « Moi aussi. Je connais un café rue de Rivoli, Le Dôme. Donnons-nous rendez-vous à dix heures demain, OK ? » Après avoir envoyé ma réponse, j'attends une heure à surfer sur le web, entre le site du *New York Times* et mes sites de cul favoris sur Internet, où j'ai d'autres profils dormants. Je me reconnecte sur « Adult-Date.com ». Une réponse m'attend. « Nasty-boy2000 » m'écrit simplement : « Ça marche. »

Je partirai pour Paris demain.

20

*23 juillet — République fédérale allemande,
Berlin. Deuxième journée de la conférence
du G8 sur « Le partenariat dans l'information
économique »*

Officiellement, le sommet du G8 avait lieu à Berlin
et devait traiter de « l'information économique » — un
thème fourre-tout qui servirait d'écran de fumée. Américains et Européens devaient discuter de choses plus
graves et plus sérieuses. La Chine, bien sûr, dont les
soubresauts risquaient de faire trembler toutes les économies mondiales. Mais aussi ce problème devenu
insupportable depuis le dérapage en Arabie Saoudite
sur le dossier Airbus : le rôle des services de renseignement nationaux dans la guerre économique. Le sommet
s'était déplacé dans la banlieue chic et résidentielle de
Grunewald où bois et forêts hermétiquement scellés
protégeaient les dirigeants élus des manifestants du
peuple. Sans en noter l'ironie, Européens et Américains
s'étaient donné rendez-vous au Regent Schlosshotel,
un ancien hôtel particulier datant de 1914, achevé alors
que la guerre n'était plus qu'à quelques semaines de
submerger le monde. Il s'était reconverti depuis en petit

palace avec son parc privé, sa piscine intérieure et son sauna de style romain. Le passé avait été étouffé sous les plâtres et les dorures. Au milieu des jardins, on avait dressé plusieurs grandes tables rondes à côté d'un petit chapiteau blanc étincelant, coquettement surmonté de lierres et de fleurs brillantes de rosée. L'herbe respirait encore la brume fraîche du matin. Cornelius avait décidé d'arriver légèrement en avance et attendit l'arrivée du président Vernon avant de prendre place. Ce petit déjeuner avec le président français constituait une rencontre préparatoire de toute première importance.

Vernon avait insisté. Il connaissait l'importance de Jon Cornelius dans le petit cercle des intimes de Jack Brighton. Diplômé de la faculté de droit de Stanford, ancien assistant à la Cour suprême, ancien vice-procureur général, Jon Cornelius avait été et demeurait le *consigliere* du clan Brighton. Son cabinet d'avocats avait un temps défendu les intérêts de George O'Brien, un proche de Jack Brighton. Par la suite, Cornelius avait rejoint plus directement les affaires — d'abord en supervisant la campagne électorale de Brighton, puis, après la victoire de Jack, en devenant le nouveau secrétaire d'État. Il était le grand intendant de la maison Brighton, et savait se transformer en pompier de service lorsqu'un début de feu se déclarait. Cornelius avait le goût du secret et préférait garder ses avis pour lui-même. Sur l'échiquier international, il n'était ni « faucon » ni vraiment « colombe ». Si dans sa jeunesse, à Stanford, il avait adhéré à Amnesty International, l'expérience du pouvoir en avait fait un réaliste convaincu. C'était précisément pour son aride lucidité qu'il avait toute la confiance de Brighton.

Mais Vernon se faisait attendre. Sur le rebord d'une des tables, Cornelius se laissa surprendre par l'odeur chaude des paniers de croissants et brioches déposés à profusion, et qui tranchait avec la fraîcheur de cette matinée claire de juillet.

En réalité, Cornelius n'avait pas d'opinion arrêtée sur les Français en général et sur Vernon en particulier. Jack, qui connaissait bien François, avait prévenu Cornelius : François Vernon était un homme attentionné, un vrai séducteur, mais il adorait polémiquer. Il n'hésiterait pas à mettre les pieds dans le plat pour le plaisir de la controverse, « c'est un des travers de leur aristocratie parisienne : ils veulent toujours démontrer qu'ils ont raison, même lorsque c'est probablement le cas ! » — ce qui faisait hausser les épaules de Cornelius. En observateur aiguisé, il analysait les gestes et les manœuvres du président français. Vernon et Brighton avaient à peu près la même taille — mais les similitudes s'arrêtaient là. Il adorait donner de la tape dans le dos et maîtrisait avec une maladresse touchante la signalétique des mains enseignée par ses conseillers médiatiques. Il parlait avec tout son corps — une chair en mouvement aimant toucher, caresser ou frapper. En cela, il tranchait avec les politiciens américains que côtoyait Cornelius. Eux aussi avaient la séduction facile mais se donnaient moins physiquement. Et toujours cette imprévisibilité caractéristique de Vernon, que le Français utilisait à dessein afin de surprendre son interlocuteur.

Après l'arrivée de Vernon, qui débarqua sanglé dans un impeccable costume anthracite, le petit déjeuner débuta par d'aimables échanges ponctués par la dégustation des pâtisseries. Cornelius venait d'achever un excellent croissant aux amandes alors même que les deux dirigeants échangeaient en termes savamment pesés leurs inquiétudes sur les « manifestations en Chine » et « leurs répercussions importantes sur l'économie mondiale » — quand Vernon décida d'un coup de passer à la manœuvre.

« Il y a un autre sujet qui m'inquiète, monsieur le secrétaire d'État. La France et l'Allemagne, qui sont des alliées de longue date de votre pays, n'acceptent pas cette affaire Airbus. Un homme est mort. Nous souhaitons un règlement à l'amiable d'État à État de cette question… »

Cornelius était choqué. Jack avait raison : Vernon voulait avoir le dernier mot.

« … Monsieur le secrétaire d'État, j'ai pour maxime de croire que la politique n'est pas affaire de but mais de manière. Et, de notre point de vue, utiliser la CIA ou la NSA ou n'importe laquelle de vos agences fédérales ayant en charge la sécurité de la nation américaine, tout cela pour régler des litiges commerciaux, ce sont là de bien mauvaises manières… Les États doivent réguler la guerre économique. Ils ne peuvent pas y prendre une part directe. Ils ne le doivent pas. »

La mauvaise foi du président français horripila le secrétaire d'État. « L'hôpital qui se moque de la charité ! », pour reprendre une expression française qu'il connaissait, justement. Cornelius aurait pu lui envoyer à la figure tous ses rapports sur la manière pas très glorieuse, elle non plus, qu'avait eu la DGSE française — et le BND, puisque l'Allemagne était dans le même bateau — de fourrer son nez dans les secrets technologiques des entreprises aéronautiques et informatiques américaines. Évidemment, cela aurait donné un tour nettement plus acrimonieux à cette réunion du G8, ce qui n'était pas dans l'idée du président Brighton. Brighton voulait un accord avec les alliés européens. Mais la France insistait lourdement. Tant pis. On irait à l'affrontement… Il faudrait penser à se mettre les Japonais dans la poche. Le sujet allait tourner au vinaigre — mais avant toute argutie diplomatique, il fallait remettre le camp américain en ordre de bataille. Donc, pour le moment, temporiser, préparer la riposte, et penser à sortir ses propres cadavres des placards.

« Monsieur le président, à ma connaissance, il n'y a pas plus d'implications de la NSA dans l'affaire de l'Airbus qu'il n'y aurait aujourd'hui d'opérations du Service 7 de votre DGSE française contre les principaux fournisseurs de nos satellites de communication militaire. Tout cela appartient au passé. »

À son tour, Vernon, surpris, resta coi, les lèvres pincées. Cornelius se foutait de sa gueule. Peut-être aurait-il dû trancher l'affaire en tête à tête avec Jack. Il fallait être direct, désormais. Les Américains ne comprenaient plus qu'à force de rogner sur les règles, c'est le jeu lui-même qui allait disparaître. Après l'OTAN, était-ce l'OMC que l'on cherchait à contourner afin de la rendre inutile ? Jusqu'où le parasitage du commerce international par les officines d'État s'arrêterait-il ? Jusqu'à ce que les règles de libre-échange édictées par les grandes institutions se réduisent à donner l'illusion de l'ordre et de l'équité ?

Cependant, Cornelius, lui aussi, bouillait de colère. Les Français étaient des hypocrites. L'espionnage économique existait depuis toujours. Et les Français pratiquaient avec un art consommé cette vieille tradition de la grivèlerie sur gros contrats, depuis bien plus longtemps que le peuple américain ! Alors, songeait Cornelius, pourquoi donc les Européens voulaient-ils changer les règles du jeu ? Était-ce la bonne résistance actuelle du cours de l'euro qui leur faisait pousser des ailes — ou bien possédaient-ils une carte secrète qui leur permettait d'afficher si ouvertement leur morgue ? La guerre économique euro-américaine allait-elle déraper ?

Ils n'avaient même pas eu le temps de conclure sur la Chine. Avaient-ils seulement eu le pressentiment que la conjonction des menaces métamorphoserait la tempête grondant à l'horizon ?

21

23 juillet — République populaire de Chine,
Pékin, Zhongnanhai
Session extraordinaire du Comité central
du Parti

La nuit venait de tomber sur Pékin. L'histoire allait s'écrire en cet instant. Celle de la Chine — et celle du monde. La grande salle du congrès pavoisait, chargée d'oriflammes grenat et doré, gonflées par un vent qui aurait suspendu éternellement son souffle. Les membres du Comité central, venus de toutes les régions du pays, convoqués à la hâte dans les dernières vingt-quatre heures, cherchaient encore pour la plupart leurs sièges. Dans la tribune, les vingt membres du Bureau politique et, au centre, les membres du comité permanent du Bureau politique — excepté Quiao Yi. Le secrétaire général avait disparu. Ainsi d'ailleurs, dans la salle, que certains des membres éminents de la faction de la Ligue de la jeunesse communiste. Les trois cents représentants du Comité central avaient compris le message. En courtisan initié, le président Li Xuehe observait les tribulations des officiels du premier cercle, perturbés par tous ces sièges des premiers rangs laissés vacants. Une foule

bien moins bigarrée que lors des grands plénums du Parti
— ici pas d'enturbannés du Xinjiang, ni de cols bleus
des campagnes. Non — seulement le cénacle policé des
habitués de Zhongnanhai. Tous étaient le Parti central.
Avec quand même quelques déviants du Sud reconnais-
sables à leurs costumes cravate trop bien coupés, achetés
à Hong Kong et importés de Londres ou de Milan. Le
président Li Xuehe s'inclina légèrement vers une vieille
connaissance qui filait à un mètre du pupitre — un partenaire de mah-jong, dont le prénom lui échappait pour le
moment. Comme tous ces autres prénoms qui se déro-
baient avec de plus en plus de liberté. Et puis, après tout,
quelle importance ? Les temps avaient changé. Il était
vieux et au-dessus de toutes ces contingences partisanes.
Un sentiment nouveau l'habitait. Il s'était affranchi de
la tutelle des Chaoji Yuanlao, les Super-Aînés. Et maintenant, la providence le faisait monter sur la tribune.
Le véritable maître, Hu Ronglian, voulait que ce soit lui,
le président Li Xuehe, qui s'exprime en premier. Li
Xuehe accédait ainsi provisoirement au rang d'Aîné.
Il n'était plus le courtisan de personne. Alors, à la surprise de ceux du parterre, familiers depuis des lustres de
la silhouette à la démarche mal assurée du « Vieux », le
président Li Xuehe s'agrippa fermement au pupitre. Les
diodes rouges de la dizaine de caméras de télévision
qui l'entouraient venaient de se mettre à briller. Et tout
commença par son verbe.

« Camarades !… Camarades ! » L'assemblée cessa
sur-le-champ le clappement des dossiers se rabattant.

« Camarades ! reprit-il comme s'il brassait de l'encens,
les plus hautes instances du Parti ont convoqué en session extraordinaire le Comité central du Parti aujourd'hui
même pour annoncer à la nation qu'un cours nouveau
guiderait désormais le Parti et le pays !… Le Parti
communiste de Chine s'est levé, avec le peuple tout

entier, car il est le Peuple tout entier, et… » fixant le fond de la salle, à moitié vide — les caméras de télévision avaient reçu la directive de ne cadrer que les cinq premiers rangs —, « … aujourd'hui, camarades, nous allons faire la démonstration au reste du monde de la puissance retrouvée de notre patrie ! »

Les représentants se regardaient, de plus en plus inquiets. Afin de ménager un effet de surprise, peu de membres du Comité central avaient été au préalable mis au courant. L'échelon suprême du Parti avait-il perdu la raison ?

Le visage de Li Xuehe se gorgeait de sang. Il pointa l'ennemi à l'horizon.

« Taiwan veut prendre sa revanche ! Taiwan et sa clique bourgeoise attendent le jour où ils pourront reprendre pied sur le continent !… »

La salle applaudissait. Pas d'autre choix que d'accompagner la mélodie guerrière mise en musique par les plus hautes instances du Parti.

« Je vais vous le dire clairement, chers camarades : la province fomente sa petite contre-révolution fasciste. Elle dissémine ses espions et son argent pourri aux quatre coins du pays, en pensant qu'ils pourront le corrompre comme l'opium des Anglais a corrompu l'Empire, comme les canonnières des Européens ont détruit la République ! Et ils font pire. Ils s'en prennent à nos citoyens les plus honnêtes. Nous avons aujourd'hui entre nos mains les preuves irréfutables que ce sont les fascistes de Taiwan qui sont à l'origine du meurtre du regretté journaliste Zhu Tianshun ! »

Les trois cents membres du Comité central se figèrent en statues de sel. Ils comprenaient ce que toute cette mise en scène signifiait. On n'invoquait pas impunément l'assassinat qui avait mis le feu aux poudres.

« Mais soyez certains, chers camarades, que ce crime

ne demeurera pas impuni ! Les contre-révolutionnaires de Taiwan oublient qui nous sommes ! Ils ont la mémoire courte ! Nous allons le leur rappeler ! Nous sommes le Parti communiste de Chine ! Nous sommes les éradicateurs de l'opium, les pourfendeurs des colonies européennes, les triomphateurs des armées du Mikado, les législateurs d'un nouveau règne où la terre a été partagée, les privilèges féodaux abolis et par-dessus tout, l'ordre légal universel, restauré ! Nous sommes le Parti communiste de Chine ! Et nous disons aux indépendantistes du MinJinDang et au Néo-Kuomintang, aux Chinois de Taiwan : vous voulez nous poignarder dans le dos, par surprise, un soir de demi-lune ? Laisser vos terroristes agir, comme ils l'ont fait avec le regretté camarade Zhu Tianshun ? — Nous riposterons ! Avec toute notre colère. Avec la force du droit dans notre camp. Armés du poing de la Justice. Face à face. Et en pleine lumière !... »

Dire que la rhétorique enflammée de Li Xuehe avait électrisé les trois cents hauts dignitaires du comité aurait été exagéré. Cependant, quelque chose était passé. Les membres du comité se levèrent. Ils applaudissaient maintenant à tout rompre le vieux président. L'heure était grave. Par respect pour les autorités suprêmes de l'État, ils obéiraient.

« ... Et laissez-moi dire aux nations qui souhaiteraient défendre à n'importe quel prix les fascistes de Taiwan, qu'en agissant de la sorte elles s'excluront du cercle de la justice ! Le Parti communiste de Chine n'obéira à l'injonction d'aucune puissance étrangère. Pourquoi nous soumettre ? Parce que notre flotte est moins puissante ou notre armée moins nombreuse ?... Que les naïfs caressant le rêve criminel et impérialiste d'un retour à la *pax britannica* craignent de déclencher contre nous une nouvelle guerre de l'Opium : nous ne sommes plus la nation déliquescente des empereurs mandchous ! La Chine s'est éveillée, et cette fois, elle est prête à livrer bataille ! »

Une nouvelle salve d'applaudissements vint couvrir la fin du discours. Mais les corps s'étaient raidis. La Chine menaçait directement les États-Unis en cas d'intervention américaine dans le détroit.

Le vieux président Li Xuehe aurait voulu figer l'instant, entendre frapper dans leurs mains pendant des siècles et des siècles toutes ces hautes notabilités de Chine.

« Camarades ! Je vais céder la parole au camarade Ronglian, qui, en ces heures graves, vous annoncera ce dont le pays a besoin ! »

Les membres du Comité central savaient maintenant qui tenait le Parti central.

Hu Ronglian descendit de la tribune, serra chaleureusement la main de Li Xuehe et prit possession du pupitre.

Son costume sombre piqué d'une cravate rouge, Hu Ronglian commença par s'éclaircir la voix. Le parterre du Comité central le buvait des yeux. Au commencement n'était pas le verbe — mais l'attente du verbe.

Cependant Hu Ronglian n'avait pas le goût de jouer au tribun. Il serait bref.

« Camarades !... Le Parti a décidé de mettre définitivement fin aux troubles qui ont secoué le sud du pays en portant le fer directement contre ses inspirateurs, les meurtriers de Zhu Tianshun : la clique contre-révolutionnaire qui se terre à Taiwan. C'est un cordon sanitaire que nous allons tirer entre nous et les nationalistes et leurs alliés indépendantistes. Un cordon actif. Nous déclarons aux dirigeants de Taiwan : abandonnez toute prétention en Chine continentale ! Nous savons qu'il y a des espions de Taiwan ici même. Nous vous réclamons la liste secrète de ces espions. Nous l'exigeons dans les plus brefs délais. Dans le cas contraire et si Taiwan s'obstine à s'ingérer dans nos affaires, nous nous ingérerons dans les leurs. Nous prendrons les mesures militaires qui s'imposent tant en mer de Chine que là où devra s'exécuter notre volonté. D'ici là, et à dater de ce jour, tout échange commercial entre Taiwan et le continent sera proscrit. Le territoire chinois sera interdit à tout détenteur de passeport taïwanais. Les actifs privés ou publics de Taiwan sur le continent seront provisoirement gelés et placés sous la tutelle de l'État. Les étrangers possédant un passeport taïwanais devront se rendre dans les plus brefs délais au bureau des douanes de leur lieu de résidence actuel en Chine pour se voir signifier l'expiration immédiate de leur visa de tourisme ou de leur permis de séjour. Ils se mettront à la disposition des autorités policières compétentes qui régleront les détails de leur expulsion du territoire chinois. Ceux d'entre eux qui désireront acquérir la nationalité chinoise afin de rester parmi les vrais patriotes auront la possibilité de le faire sur-le-champ… Camarades, il est temps d'en finir une bonne fois pour toutes avec les rodomontades, les mensonges et les conspirations de toute sorte que fomentent dans l'ombre Taiwan et ses agents. Nous faisons aujourd'hui le choix de rétablir la lumière et la vérité, fût-ce au prix ultime de notre propre sang !… »

L'ultimatum avait été lancé. Un feu nourri d'applaudissements embrasait la forêt d'hommes qui s'étaient levés pour acclamer le nouveau numéro un du régime, le Premier ministre Hu Ronglian. Le président Li Xuehe murmura pour lui-même, comme s'il ne comprenait que maintenant les paroles qu'il venait de prononcer : « La Chine s'est éveillée et cette fois elle est prête à livrer bataille. »

22

23 juillet — Océan Atlantique nord
(route Washington-Berlin), Air Force One/
appartements privés du président

Le Boeing présidentiel flottait dans un azur sans nuage, bercé par le ronflement des moteurs, à quarante mille pieds au-dessus de l'océan. Sa trajectoire rectiligne longeait la courbure de la terre en direction de Berlin où devait se tenir la réunion du G8. Les rayons du soleil éclairaient d'une lumière dorée la moquette ocre du bureau du président et les différentes commodes, armoires et bureaux en bois précieux aux patines laquées. Après une rapide douche et une heure de lecture de dossiers, le président Brighton s'était accordé une petite sieste de vingt minutes dans son bureau privé. Installé au milieu de la pièce, là où se dessinait le sceau présidentiel sur la moquette fine, il s'était calé dans son fauteuil, la tête retombant sur la poitrine. Ses jambes reposaient sur une des chaises en acajou. Brighton dormait peu et compensait son hyperactivité par la pratique de courtes siestes réparatrices. Il lui était impossible de trouver le silence dans sa résidence d'été de Camp David — la famille et les conseillers n'étaient jamais loin. Mais au cœur de la cellule du Boeing surplombant la terre à des milliers de mètres d'altitude, il goûtait le répit et la sérénité que seul pouvait lui offrir le bourdonnement cadencé des moteurs. Ses conseillers avaient compris — on ne le dérangeait qu'en cas de situation grave.

Au large des côtes d'Islande, une voix ferme vint le rappeler à l'ordre.

« Monsieur le président ? Nous avons une situation grave qui réclame votre attention. »

Mark Levin était dans le bureau privé du président.

Brighton fit un effort surhumain et toisa du regard son conseiller pour la Sécurité nationale.

« Mark !... Que se passe-t-il ?

— La Chine, monsieur le président. Nous avons reçu des informations au sujet d'un ultimatum imminent de la Chine contre Taiwan. Et les derniers relevés satellites que nous venons d'obtenir sont très préoccupants.

— Les photos ont pu nous être transmises ? »

Les procédures lourdes de décryptage des communications gérées depuis le pont supérieur du Boeing pouvaient parfois compliquer la transmission des données en cours de vol. Mais, par chance, les photos avaient pu être reproduites correctement. Mark remit à Brighton un épais dossier contenant les clichés. On y voyait de minuscules briques grises flottant sur un océan de chrome.

« Ces photos ont été prises par nos satellites d'observation Keyhole il y a de cela cinq heures. Il s'agit du port chinois de Xiamen, dans la province du Fujian qui fait face à Taiwan. Xiamen se situe à environ une dizaine de kilomètres de l'archipel de Quemoy, qui est sous administration de Taiwan. Quemoy a toujours constitué le territoire de Taiwan le plus propice à une invasion communiste... Or, la photo montre une concentration impressionnante et récente de petits rectangles gris alignés en rangs d'oignons près des bâtiments de combats : ce sont des barges de débarquement. Le renseignement de notre VIIe flotte vient également de nous informer que le porte-avions *Deng Xiaoping* accompagné de tout un groupe de combat a été déployé dans la zone. Monsieur le président... quelque chose de très sérieux se prépare. »

Brighton se taisait. Il jaugeait la qualité des photos avec l'exigence d'un expert devant une toile. Ayant appartenu à la commission du Sénat pour le renseignement, il avait l'habitude de ce type de clichés.

« Le ministre de la Défense est à votre disposition sur la ligne spéciale, ainsi que le secrétaire d'État Cornelius depuis une ligne sécurisée à notre ambassade de Berlin. Je pense qu'une conférence...

— Oui, oui, bien sûr », reprit Brighton, chassant un mauvais rêve.

Levin pianota sur la console d'un des téléphones sécurisés du bureau, et brancha le haut-parleur.

« Bonjour, monsieur le président... — Oui, bonjour, Jon. — Bonjour, Mark... » Le haut-parleur répercutait en échos confus les salutations des autres membres du cabinet restés à Washington.

« Messieurs, démarra le président Brighton. Je serai bref. À quoi joue la Chine ?

— Nos services considèrent que la Chine prépare une offensive navale de grande envergure, monsieur le président..., débuta le ministère de la Défense Grant, la voix déformée par le haut-parleur. L'objectif serait de verrouiller le détroit de Taiwan et peut-être même le détroit de Luzon entre Taiwan et les Philippines. Peut-être aussi une opération d'invasion. La Defense Intelligence Agency a détecté un pic d'activités sur la base aérienne militaire de la ville de Zhangzhou. Elle abrite la division aéroportée de la force de frappe "coup de poing" de l'Armée populaire de libération. C'est elle qui constituerait la première vague d'attaque en cas de débarquement… Tout contribue à faire penser que les communistes chinois vont intervenir dans les vingt-quatre à quarante-huit heures.

— Je le crois également, s'interposa de sa voix nasillarde Jon Cornelius, d'ailleurs, monsieur le président, je ne sais pas si vous avez été informé de la déclaration du Premier ministre Hu Ronglian, il y a dix minutes, auprès du Comité central du Parti communiste chinois ?

— Notre ami du clan réformateur ? fit le président.

— Il se pourrait que les choses soient en fait plus compliquées, monsieur le président, répondit avec embarras Levin, qui, à la différence de Cornelius, avait une vue très nuancée de la situation chinoise. Nous venons juste de recevoir un fax de traduction de ce discours. J'allais vous le communiquer… » Il était de notoriété publique à Washington que les deux hommes ne s'entendaient pas.

Au même moment, un des officiers des services secrets entra dans la chambre de Brighton en lui tendant le fax en question.

« Je suis très surpris par la tonalité agressive du discours du président Li Xuehe, commenta Jon Cornelius, à l'autre bout de la ligne, alors que Brighton parcourait rapidement le fax. C'est une menace claire adressée tant à Taiwan qu'à notre pays, monsieur le président.

— Le secrétaire d'État a raison d'insister sur la tonalité du document, monsieur le président…, répliqua Mark Levin, qui n'allait pas se laisser mener aux points. Mais il faut se concentrer sur ce que dit Hu Ronglian, aujourd'hui le vrai détenteur du pouvoir à Pékin… Il adopte une position très agressive à l'égard de Taiwan, ce qui ne manquera pas d'enflammer l'opinion… mais à côté de cela, il semble avoir ménagé une possible sortie de crise. Le règlement passerait "simplement", si j'ose dire, par une communication d'État à État de noms secrets de prétendus espions de Taiwan. Il s'agit peut-être d'une invitation à mener une action de diplomatie secrète. Enfin, si je regarde leur dispositif aéronaval qui s'étend jusqu'aux Philippines, les Chinois cherchent la crise internationale… C'est une façon d'impliquer mécaniquement la VIIe flotte. Et peut-être de nous utiliser comme médiateurs avec Taiwan.

— L'analyse de Jack est intéressante, coupa le secrétaire à la Défense Henry Grant. Mais il y a un risque très important d'emballement militaire. Comment Taiwan va réagir à tout cela ?

— Oui, bien sûr Henry…, reprit Levin. Nous devons montrer à Taiwan que nous sommes à leurs côtés afin de les rassurer et éviter ainsi que la situation ne dérape de provocation en provocation…

— Bien, bien, coupa le président Brighton. Je prends en compte ce que vous dites, Mark. Pour l'instant nous allons nous contenter d'observer activement la situation. Je ne crois pas que notre ami Hu Ronglian, si c'est bien lui qui dirige les opérations, veuille réellement l'affrontement. Un ou deux îlots ? Non, je n'en suis même pas sûr. Hu doit donner le change, voilà tout… S'il cherche à affirmer un pouvoir qu'il vient à peine de conquérir, montrons-nous bienveillants… mais mettons tout de même en alerte la VIIe flotte avec toutes les dispositions nécessaires en matière de renseignement. Il nous faut une photographie complète de la situation militaire. » Il se rapprocha du haut-parleur. « Monsieur le secrétaire d'État, je vous demande de contacter votre homologue chinois pour lui faire part de notre décision de mettre dès maintenant en alerte la VIIe flotte, et pour protester contre l'ultimatum. Nous prenons évidemment la chose très au sérieux… Mais avant d'avoir à menacer directement la Chine, nous pourrions profiter d'avoir à Berlin suffisamment de chefs d'État sous la main pour rédiger une résolution commune ayant une vraie force diplomatique. Du style du communiqué Chevarnadze-Baker lorsque l'Irak a envahi le Koweït… Contactez vos collègues du G8 de façon à introduire le sujet à l'ordre du jour dès cet après-midi. Nous essayerons d'établir une position commune. Au moins, grâce à cette histoire-là, les Européens nous laisseront enfin tranquilles avec leur maudit Airbus saoudien !… »

23

*24 juillet — Fort Meade (Maryland), National
Security Agency, bâtiment Ops-2/
Direction générale*

Il était six heures trente du matin. Le lieutenant général Richard Engleton circulait à bord de sa vieille
Chrysler noire à travers les larges allées bordées de
sycomores de la ville forteresse de Fort Meade.
« Crypto City », comme la surnommaient les seize
mille fonctionnaires qui y vivaient et travaillaient pour
lui, se réveillait lentement. Des hommes de la Military
Police continuaient leur faction aux abords des fortifications qui cerclaient le périmètre de la ville. Derrière
son enceinte s'étendaient plus de deux mille hectares et
vivaient plus de six mille familles. « Crypto City » disposait de son centre commercial, de son bowling et
même d'un parcours de golf. Hormis les patrouilles, les
multiples gardes-barrière, et l'existence connue de tous
d'une unité d'élite spéciale dédiée à la protection de
la ville et surnommée les « Men in Black » pour leurs
tenues paramilitaires couleur de nuit, « Crypto City »
ressemblait à n'importe laquelle des banlieues résidentielles des grandes villes américaines. Seule peut-être la

trop grande standardisation des modèles de pavillon
dans certaines aires de logement pouvait troubler
le regard à force d'étude — mais on pouvait toujours
mettre cela sur le compte du calcul économique d'un
promoteur immobilier. À l'imitation des grandes banlieues résidentielles, la ville forteresse paraissait de loin
avoir attiré à elle les immeubles de bureau de taille
moyenne, installés en son centre. C'était bien sûr une
illusion. En réalité, elle n'existait que pour son cœur
névralgique, le complexe occupé par le principal
employeur de la cité, la NSA. Directeur général
de la National Security Agency, Richard Engleton
reconnaissait de loin ses bâtiments clés : le Tordella
Supercomputer Building dont les murs sans fenêtres
renfermaient l'une des plus grandes concentrations de
supercalculateurs au monde ; le bâtiment Ops-1, le premier bâtiment de Fort Meade, pas plus haut que deux
étages, qui abritait la salle des opérations de la NSA ;
enfin, interconnectée aux autres bâtiments, la tour Ops-
2, un bâtiment de taille moyenne, aux allures de grand
cube et aux parois de verre bleuté aussi réfléchissantes
qu'un miroir sans tain. C'est au septième étage, au bout
de l'étage de la direction générale, que se trouvait le
vaste bureau d'Engleton, sur l'angle sud-ouest. Arrivé
devant l'immeuble, il fonça vers son ascenseur privé
et déboula dans le bureau, un dossier épais à la main
remis par sa secrétaire. Il voulait préparer quelques
minutes en avance sa conférence téléphonique avec
Paul Adam, le directeur de la communauté du renseignement et son patron direct. Il avait été « bipé » une
heure avant par un responsable du Groupe S, le bureau
de la sécurité informatique de la NSA. Ses hommes
avaient passé une nuit blanche, et Engleton devait prévenir Paul Adam de ce qui était en train de se passer.
Peut-être même l'insérer d'urgence dans le « President's

Daily Brief» de ce matin. Le directeur du Groupe S avait informé Engleton à six heures, heure de la côte Est, qu'une attaque informatique de grande ampleur avait été déclenchée contre la plupart des services civils américains d'accès à Internet.

Engleton avait à peine eu le temps de faire sa toilette. Il s'était dirigé vers la petite salle de bain cachée au fond de son large bureau, derrière la sombre table de conférence. Il se passa quelques rasades d'eau fraîche sur le visage et ajusta sa cravate gris anthracite. Ses grosses lunettes cerclées d'argent encadraient des yeux noirs à l'affût derrière de lourdes paupières. Sa petite cinquantaine, son crâne presque totalement dégarni et l'ovale de son visage — tout cela lui donnait un faux air bonhomme. Rien n'était plus illusoire. Engleton n'était pas un nerveux mais il pouvait s'agacer si l'un de ses collaborateurs se montrait incapable de s'élever à l'exigeante discipline de travail à laquelle lui-même s'était astreint. Engleton était un mystique. Il avait toujours servi l'État, depuis son grade de second lieutenant et ses premières missions d'analyste au sein de l'US Air Force jusqu'aux fonctions éminentes qu'il occupait aujourd'hui. Et il ne pouvait y avoir de plus noble cause que le service de la République et de la Constitution.

Il rejoignit son bureau et prit place dans un confortable siège en cuir. Sur la table de travail se trouvait toute une série de téléphones — un combiné STU-V permettant les appels sécurisés vers l'extérieur, un téléphone pour les communications internes, enfin un combiné blanc qui le mettait en contact directement avec les anciens patrons de la NSA, le Pentagone, ainsi qu'avec la nouvelle institution à laquelle l'agence était aujourd'hui rattachée, à savoir la communauté du renseignement au travers de son directeur, Paul Adam. Paul n'était pas un inconnu. Des années plus tôt, Richard avait brièvement participé à des travaux de réflexion menés par ce dernier pour un centre de recherche rattaché à l'université de Pennsylvanie. Les deux hommes avaient sympathisé et Paul avait envoyé une carte de félicitations très amicale lorsque Richard Engleton avait été nommé à la tête de la NSA. Engleton n'ignorait pas que Paul Adam était un proche du président Brighton. Cela ne le dérangeait pas outre mesure — il considérait que Brighton était un politicien compétent en matière d'affaires étrangères et de sécurité nationale, un constat rafraîchissant au regard du personnel élu de Washington. Dans le secret de l'isoloir, il avait voté pour lui.

Il se dirigea vers le combiné blanc et appuya sur la touche de Paul Adam.

Après un long silence ponctué de quelques bips, il entendit résonner la voix du directeur de la communauté du renseignement.

« Bonjour Richard. J'ai bien eu votre message. Le conseiller Levin est également avec nous sur une autre ligne… »

Marc venait de les rejoindre par téléconférence.

« Bonjour, messieurs, fit Levin, je viens simplement aux nouvelles. Je vous laisse continuer, Paul.

— Merci, Marc. Alors, Richard, dites-moi, quels sont nos problèmes ? Avez-vous reçu de nouvelles informations qui réclament d'être communiquées directement ce matin au président et à notre ami Marc ? »

Engleton serra les dents. Ni Paul ni Marc n'avaient envie de modifier le « President's Daily Brief ».

« C'est à vous de juger, messieurs. Nos équipes du Groupe S ont détecté une attaque virale de grande ampleur dans le réseau du fournisseur de services Internet grand public Globe On Line, ainsi que dans ceux des huit grands réseaux d'accès au câble.

— Les réseaux sont interrompus ? questionna Paul.

— Non. Tout continue de fonctionner correctement. Mais nous avons les traces informatiques que quelque chose est passé à certains endroits. Ce quelque chose s'est transformé depuis — car nous n'arrivons plus à le décrypter. C'est un peu comme si nous avions conservé la peau d'un serpent avant sa mue. Nous savons à quoi ressemblait le serpent il y a une semaine ; mais aujourd'hui, nous l'ignorons totalement. » Engleton faisait référence à un document de recherche détaillant un virus « à mimétisme biologique », capable d'évoluer par lui-même selon les aléas de la nature afin de donner naissance à une souche plus résistante — une sorte de darwinisme informatique. Il n'était pas sûr que Paul ou Marc aient pu lire la note.

« Intéressant, reprit Paul Adam. Donc nous avons en face de nous un virus mutant. Est-ce suffisant pour que je prévienne le président ? »

Engleton allait finir par trouver Paul Adam présomptueux.

« Écoutez, Paul, je vais vous dire le fond de ma pensée. Ce qu'il y a d'inquiétant, ce n'est pas que le virus se soit brutalement manifesté. Au contraire. Ce qui me préoccupe le plus, c'est sa discrétion actuelle. Il n'y a eu ni destruction de mémoire ni re-routage… En réalité, nous savons que quelque chose a infesté Globe On Line — et peut-être même la totalité du réseau Internet. Cela occupe de l'espace — beaucoup d'espace — et ralentit certaines connexions. Mais nous ne savons toujours pas de quoi il s'agit. Et nous attendons que cette entité se manifeste de façon concrète. Ce que je viens de vous décrire ne constitue pas le comportement type d'un virus écrit par un groupe de hackers. Les gens qui nous attaquent — et ils sont très capables car ils ont pénétré neuf grands réseaux dans la même heure — ne sont pas des informaticiens désœuvrés qui veulent faire parler d'eux. »

Paul Adam devint subitement songeur.

« À quand remontent selon vos labos les débuts de l'infection, Richard ?

— Douze heures, tout au plus.

— Et, évidemment, personne chez Globe On Line ne nous a prévenus ? Pas même certains de nos agents ?

— Non. Et pas même les groupes informatiques d'alerte de l'université Carnegie Mellon. Il n'y a pour l'instant que notre Groupe S qui ait identifié correctement l'attaque. Nous sommes les seuls sur le coup. »

À l'autre bout de la ligne, Paul Adam demeurait perplexe. Levin, qui découvrait l'univers de la guerre informatique, ne disait mot. Paul finit par rompre le silence.

« Vos équipes ont fait un travail magnifique, Richard… N'hésitez pas à me prévenir si la situation évoluait. Mark, vous recevrez également une copie, bien sûr. Pour l'instant, je ne suis pas sûr qu'il faille faire intervenir les équipes civiles de Carnegie Mellon. Il y a un contexte international qui pourrait expliquer ces attaques. » Paul faisait une référence oblique aux menaces chinoises. « Je vais consulter le Pentagone… Et si jamais le contexte international est effectivement à l'origine des attaques, vous vous mettrez en rapport direct avec le Strategic Command. » Depuis 2001 et l'absorption de l'US Space Command par l'US Strategic Command, l'ancienne direction des forces stratégiques américaines incorporant toutes ses composantes nucléaires s'était retrouvée à la tête de la défense électronique des réseaux stratégiques du pays. Si l'attaque informatique provenait d'un ennemi des États-Unis, l'US StratCom prendrait le relais.

Engleton était embarrassé. Adam ne ferait pas monter l'information jusqu'au président. Levin, lui, était intrigué. Un virus qui ne cherchait pour l'instant qu'à infester discrètement le réseau, cela méritait-il l'attention du commandeur en chef ? Mais pour lui qui naviguait entre la lumière de la Maison Blanche et les recoins obscurs du renseignement, il s'agissait de bien autre chose : le professionnel reconnaissait là la pratique d'un autre membre du « milieu », un espion fait ni de chair ni de sang — mais tout simplement de paquets d'électrons. Un espion qui tissait son réseau dans le réseau. Un espion automate qui partageait peut-être les mêmes objectifs que ses frères de chair et de sang, à savoir infiltrer pour corrompre, corrompre pour pourrir, pourrir pour détruire.

Un duel était en train de s'engager. La situation en Chine ?… Levin connaissait mal le patron du Guoanbu, Jia Gucheng — juste une longue notice biographique, il y a quelques mois. Mais si Jia Gucheng voulait affronter la Maison Blanche, et Richard Engleton le patron de la NSA en particulier, tout le monde serait prêt à relever le gant. Œil pour œil, dent pour dent, main pour main, pied pour pied. Levin connaissait la réputation d'Engleton. Richard n'avait jamais eu de crises d'athéisme — il défendrait chaque pouce de ses terres, sa « Crypto City » qui protégeait la République et ses innocents et s'éveillait maintenant aux rayons du soleil naissant. Un duel sans pitié pourrait opposer, dans le secret ballet des électrons, les deux combattants séparés par des milliers de kilomètres et enfermés chacun dans sa bulle de verre et de béton. Jia Gucheng allait être dans la ligne de mire.

24

24 juillet — Pékin, Zhongnanhai
Réunion du cabinet restreint
de la commission militaire centrale

La lampe rouge qui garantissait l'absolue confidentialité des conditions s'enflamma lentement. Le nouveau cœur du Parti central se retrouvait dans l'étroite pièce blanche de la salle spéciale d'état-major. Au cœur de ce bunker, Hu Ronglian se sentait désormais prêt à imposer son point de vue au petit cénacle sous sa coupe — Jia Gucheng à ses côtés. Nul ne pouvait plus ignorer le patron du Guoanbu : il était en charge de la répression politique et de la guerre informatique. La quatrième section du Guoanbu était l'unique maître d'œuvre du Bouclier d'or. Les appareils policiers sous le contrôle de Jia Gucheng formaient la colonne vertébrale du pouvoir de Hu, nouveau maître du pays.

« Camarades ! Cela fait maintenant vingt-quatre heures que nous avons mis en route l'opération militaire Fleuve jaune. Les Américains ont été avertis. Ils ne semblent pas avoir beaucoup bougé, mis à part la protestation officielle du secrétaire d'État. La proposition de position commune des membres du G8 a fait long feu et ils se sont montrés incapables de se coordonner avec leurs anciens alliés. Nous ne sommes pas surpris de cet échec de la diplomatie américaine qui s'ajoute à de nombreux autres. Malgré les efforts du président Brighton, le passif de l'Amérique est encore trop important. Cela confirme nos analyses et nous permet d'envisager la suite, telle que nous l'avions conçue dans notre plan Fleuve jaune. *Shuai* Gao — la formule de politesse s'adressait au maréchal Gao Xiaoqian —, je souhaiterais, après un compte rendu de la situation actuelle, que vous puissiez nous dire où en sont les Américains sur le plan militaire. »

Deux pans de bois plaqués au mur glissèrent lentement, faisant apparaître un écran plat numérique. De petites briques noires accompagnées de leurs noms clignotaient sur une carte luminescente présentant la mer de Chine enchâssée dans les côtes de la Chine continentale et verrouillée au sud-ouest et au nord-est par l'archipel des Paracels et l'île de Formose.

« …Voilà où nous en sommes, débuta le maréchal Gao Xiaoqian. Ce matin à cinq heures, heure de Pékin, nous avons déclenché le bombardement des archipels de Matsu et Quemoy. » Deux archipels de formes dissemblables, l'un centré sur une grosse île en forme de patate, et l'autre rassemblant de petits confettis, tous deux situés à quelques kilomètres des côtes de la Chine continentale dans le détroit de Taiwan, se mirent à clignoter avec un vif éclat rougeâtre, comme sur un écran de jeux d'arcade. Sur la même carte, de multiples triangles rouge carmin se multipliaient au large des côtes de Formose.

« Posture défensive de l'ennemi, reprit Gao Xiaoqian. Un groupe de cinq destroyers taiwanais s'est engagé dans le détroit, appuyé par des Mirage 2000-5… Mais le déploiement ne nous impressionne pas. Nous pouvons continuer le plan Fleuve jaune et passer maintenant à la phase offensive...

— Pourriez-vous nous donner les détails opérationnels du plan Fleuve jaune, *Shuai* Gao, demanda Hu Ronglian, rappelant son autorité.

— ... la coalition du parti indépendantiste MinJin-Dang et du Néo-Kuomintang au pouvoir à Taiwan s'imagine que nous allons rééditer la crise de 1954 et 1958 et limiter notre action au bombardement des archipels de Quemoy et Matsu. Nous allons mettre à profit cette erreur d'appréciation : le tapis actuel de bombes y prépare en réalité un débarquement surprise de nos troupes amphibies... Dès que la commission militaire centrale en aura donné l'ordre, un blocus naval de l'île principale de Quemoy qui a été fortifiée et abrite environ cinquante mille civils et militaires sera mis en place avec l'aide de nos sous-marins d'attaque. Puis, les chalands de débarquement des unités "coup de poing" se mettront en action, appuyés par nos destroyers de la flotte du Sud. Pour la première vague, nous enverrons par chalands cinq mille hommes et quatre cents chars. Simultanément, nous lancerons notre brigade aéroportée à l'assaut de l'île principale de Quemoy, soit environ trois mille hommes et quatre-vingt-dix avions Y-8. En seconde vague, nous déploierons le reste de la 1re division d'infanterie "coup de poing" sur Quemoy, plus de quinze mille hommes ! Quemoy pourrait tenir le siège deux à trois semaines maximum. Mais nous remporterons l'affaire en quelques heures : nous avons plus d'un millier d'agents dormants sur l'île, principalement des responsables et officiers ayant de la famille ou des intérêts commerciaux de l'autre côté du détroit et dont nous avons battu le rappel ces derniers jours. Ils ont été retournés, tout comme les généraux en charge de la défense de Bagdad lors de l'invasion américaine de l'Irak en 2003. Ils donneront l'ordre de la retraite quand nous le leur demanderons. Parallèlement, nous lance-rons une opération de psy-op, *psychological operation*, comme disent les Américains, afin de montrer claire-ment aux officiers et soldats de l'île de Quemoy que le déploiement de notre arsenal, dix fois supérieur à leur force et qui emploie des armes cybernétiques brouillant leurs systèmes d'armement et de communication, est si impressionnant qu'il est inutile de résister — mais qu'ils peuvent rentrer sains et saufs vers Taiwan via des lignes de navigation que nous leur aurons aménagées. Une opération similaire aura lieu sur Matsu. Nous prendrons d'abord l'aéroport de Tatao, détruirons le site de missiles de Tungyin et réduirons rapidement les quinze mille hommes qui protègent Matsu.

— Quelles seront les pertes ? » C'était Hu Ronglian.

« Dans le pire scénario, estimées à dix pour cent.

— Et les Américains ? Comment pourraient-ils réagir ? s'inquiéta le président Li Xuehe.

— Si nous prenons la décision maintenant de déclen-cher le débarquement, ils n'auront pas le temps d'inter-venir. Et après… » Devant la mine contrariée de Li Xuehe, Hu Ronglian prit la peine de conclure pour le maréchal Gao.

« Il s'agit d'un problème d'ordre politique. Les Améri-cains n'ont pas inclus les archipels de Quemoy et Matsu dans le Taiwan Relations Act de 1979, où ils garan-tissent la sécurité de l'île de Taiwan. Ils n'interviendront pas pour sauver ces deux petites îles trop proches de nos côtes. D'ailleurs, Eisenhower et Nixon avaient en leur temps mis en garde Tchang Kaï-chek sur l'impossibilité de les défendre et lui avaient conseillé de s'en débarras-ser. Ni ce vieux réactionnaire ni évidemment la Chambre des représentants n'ont eu la sagesse de les écouter… Mais le président Brighton n'est pas un idiot et il sait tout cela. En prenant les deux îles, nous ne condamnons pas les Américains à nous attaquer au risque de perdre la face. En même temps, nous signalons que cette fois les enjeux sont différents. Si nous ne sommes pas écoutés, nous sommes prêts à l'escalade.

— Je comprends la justesse de l'analyse… mais cependant… », bredouilla Li Xuehe, qui avait cru que ses vociférations rhétoriques de la veille ne se traduiraient pas dans les faits — et s'était embarqué dans une aventure dont il n'avait pas mesuré les conséquences, « … et si malgré tout, la VIIe flotte s'en mêle ?

— Je pense que le camarade Ronglian sera d'accord avec moi pour dire que l'intervention des Américains ne doit pas être crainte, avança prudemment Jia Gucheng. Bien au contraire. Elle est souhaitée. » Li Xuehe déglutissait sa salive à coup de lourdes lampées sonores.

« Notre objectif fondamental n'est bien sûr pas d'écraser Taiwan ! coupa sèchement Hu Ronglian à l'adresse du président Li Xuehe. Il est inutile de rappeler que nous avons besoin des Américains. Nous avons besoin d'eux pour tenir le pays. De leur soutien, de leur argent, de leur technologie… Nous n'oublions pas l'exemple des fascistes japonais qui ont eu besoin des Américains pour changer de costumes de scène, se métamorphoser en supposés démocrates et régner encore cinquante ans sur le Japon d'après guerre. Nous devons condamner bien sûr l'idéologie militariste du Japon mais leur reconnaître une certaine habileté dans la défaite. Ils ont eu une vision sur le très long terme et nous devons nous astreindre à la même discipline intellectuelle. Blâmer Taiwan pour le désordre qui règne dans notre maison nous donne un prétexte pour calmer les esprits, mais il s'agit d'une solution de court terme. Notre vrai problème, c'est de trouver un équilibre entre la libre circulation de l'information permise par les réseaux électroniques qui sont nécessaires à une économie moderne — et le maintien du rôle dirigeant du Parti communiste chinois qui lui seul garantit l'ordre dans le pays. L'Histoire du siècle dernier nous a enseigné à de trop nombreuses reprises la propension de notre peuple immense à sombrer dans la guerre civile. Or, la seule solution à long terme, c'est celle d'un Singapour, une dictature harmonieuse qui se transforme lentement en Japon, démocratie elle-même harmonieuse… Un système politique d'élites sélectionnées s'ouvrant peu à peu à une démocratie plus large et vivant en coopération avec les Américains. Et pour cela, nous aurons besoin de la technologie américaine. » Hu Ronglian allait loin, mais il se sentait les coudées franches. Nul ne s'oppose au sabre du chef des armées quand il est sur le point de charger.

— Voyez-vous, *lao* Li…, ajouta Jia Gucheng, pour attirer l'attention des Américains et pour qu'ils traitent exclusivement avec nous, nous aurons besoin d'une vive tension. Nous sommes précisément en train de la provoquer. Kim Il-Sung et Kim Jung-Il ont obtenu la bénédiction des Américains dans les années 1990 en exerçant un chantage nucléaire. Nous n'irons jamais aussi loin. Je partage entièrement l'avis du camarade Ronglian. Nous avons besoin de certaines technologies de communication nécessaires à l'apaisement de nos tensions internes, et seuls aujourd'hui les Américains peuvent nous les fournir. Évidemment, après les événements de Canton, l'exportation de technologies sensibles ne peut être possible en l'état. Le camarade Ronglian est donc avisé de passer par une étape utilisant la force dans sa négociation avec les Américains, car nous savons bien qu'ils doivent être un peu déstabilisés dans leurs certitudes pour qu'ils commencent à nous traiter en égaux et discuter de bonne foi avec nous. C'est la raison pour laquelle je souscris pleinement au plan d'invasion des archipels Matsu et Quemoy, tel que présenté par l'état-major de l'Armée populaire de libération dans le cadre de la stratégie politique énoncée par le camarade Ronglian. »

Après l'ultimatum, l'attaque surprise. Chaque étape du plan venait à la vie. Nul ne pouvait arrêter la prophétie.

25

Journal de Julia — Paris, 24 juillet

Mon avion se pose en fin de journée à Roissy. Cela faisait tellement longtemps que je n'avais pas revu Paris. Mes souvenirs convoquent un ciel de grisaille compact et moutonneux, toujours sur le point de pleurer mais qui ne cède jamais ; des ruelles étroites et méfiantes, aux trottoirs bordés de pavés irréguliers et de crottes de chien, célébrant l'esprit rebelle du peuple de Paris ; des immeubles bourgeois en pierre de taille, édifiés dans le style impérial du baron Haussmann, imposant de leurs quatre ou cinq étages la grandeur d'un passé à laquelle n'accéderont jamais les gratte-ciel de mon continent. Paris, c'est la cour de Versailles à l'échelle d'une ville, la couronne d'un royaume républicain et méritocratique. Banquier d'affaires globe-trotters, jeunes espoirs politiques ou penseurs « essentiels », tous montent faire leurs études, s'établissent et meurent dans un rayon de dix kilomètres autour du palais de l'Élysée et de l'Assemblée nationale. Rien à voir avec ma provinciale Washington, balançant entre nonchalance sudiste et velléités fédérales.

Je suis venue plusieurs fois à Paris pour le travail.
J'y ai laissé des trophées, des blessures — et la brûlure
douce, infinie, d'un premier baiser échangé il y a longtemps, dans une suite d'hôtel à quelques pas du
Champ-de-Mars. Jack, à l'époque, était un jeune séna-
teur de l'Illinois fraîchement élu. Il venait d'avoir quarante ans. Il cherchait à marquer son territoire face aux
éléphants du Parti et faisait de l'entrisme à la commission sénatoriale pour les affaires étrangères. Il avait
fini par présider le groupe d'amitié franco-américain.
Moi, j'étais à Yale, terminant ma deuxième année.
J'optai pour une majeure en relations internationales.
Pour faire plaisir à mon père, Jack m'obtint un stage à
l'ambassade de Paris, pour l'été. Il préparait une petite
mission de rencontre parlementaire sur place et je
devais l'aider. Nous étions à quelques mois de la chute
du Mur, mais nous ne le savions pas encore. Il faisait
chaud cet été-là. Les Français fêtaient le bicentenaire
de leur Révolution. Avec d'autres étudiantes américaines, en accord d'échange dans la capitale française,
nous avions participé aux festivités du 14 Juillet
— une grande kermesse ludique et maniérée sans rapport aucun avec l'événement traumatique qui avait eu
lieu deux siècles plus tôt. Jack est arrivé quelques
jours plus tard avec sa femme. Il profitait de l'occasion
pour prendre ses vacances à Paris pendant trois
semaines, puis se mettre à l'ouvrage. Il me fit l'impression d'un homme courtois à l'humeur légère, à l'unisson de la ville au cœur du mois de juillet. Il me
taquinait de quelques plaisanteries amicales. Il ne me
prenait pas au sérieux. Moi, je gardais en mémoire cet
homme imposant et lointain qu'admirait mon père,
qui arrivait à l'improviste à la maison pour des discussions qui m'étaient interdites et en repartait gratifié
des sourires affectés de mes parents. Je voulais percer

le mystère de cet homme, le secret de sa grâce. Je voulais pénétrer le halo ardent qui occupait depuis si longtemps mes souvenirs de jeune fille aimable et réservée.

Il fallait le surprendre. Je pris l'initiative de préparer des petites fiches sur chacun des interlocuteurs français de Jack. Il n'y avait pas d'Internet à l'époque, je fis une investigation de terrain. J'épluchai le *Who's who* local et les coupures de presse des journaux nationaux, *Le Figaro*, *Le Monde* et *Le Quotidien de Paris*. Je prétextai ma carte de journaliste junior du *Yale Daily News* pour aller interviewer d'obscurs représentants des deux plus grands partis de l'époque, le PS et le RPR, rue de Solférino et rue de Lille. J'étais séduisante et fière de mon allure. Mes longs cheveux d'ébène, gracieux et lisses, glissaient jusque sur ma poitrine à peine dissimulée par la collection de tee-shirts couleurs pastel que je portais à l'époque. Sanglée de jeans délavés et de tongs, j'étais la petite étudiante américaine. Les portes s'ouvraient devant mon ingénuité et moi je prenais note. Le soir, j'accompagnais Jack, sa femme Katherine et leurs amis américains dans leur tournée des bistrots parisiens de la porte d'Auteuil à la place de la Bastille. Tant que Katherine était là, je me contentais de tenir compagnie aux filles et fils de leurs amis. J'observais, silencieuse.

Au bout de trois semaines, Katherine repartit dans leur demeure d'Evanston, banlieue chic de Chicago. Je déposai mon dossier dans la suite des Brighton, à l'Hilton de l'avenue de Suffren, à deux pas de la tour Eiffel. J'avais préparé vingt-deux fiches cartonnées, des suggestions de rencontre et quelques notes sur la situation politique en France. Le surlendemain, Jack m'appela à l'ambassade. Il voulait m'inviter à déjeuner dans un café de la rue de la Fédération, à deux pas du Hilton. J'étais déçue. La salle était petite, bruyante, l'atmosphère puait la cigarette. La bouffe quelconque — je me souvins avoir pris un croque-monsieur et un Coca. Nous étions constamment interrompus par un garçon en tenue blanche dans la quarantaine, dont la familiarité n'eut plus de limites lorsqu'il eut détecté mon accent yankee. Jack ne faisait pas attention. Il me regardait droit dans les yeux, du haut de son mètre quatre-vingt-dix et de son impeccable costume sombre de chez Brooks Brothers. Je ne le savais pas, mais il était déjà entre deux âges — le prétendant aguerri allait devenir le patricien vénérable. Sa chevelure d'ébène, son front altier gravé de quelques rides, le teint cuivré de son visage, l'éclat brun de son regard qui fondait sur moi — tout brillait en lui. Il était surpris de mon travail. Il me posa beaucoup de questions sur mes sources. Il se voulait amical mais professionnel. J'essayais de répondre du mieux que je pouvais. Il me demanda d'approfondir une note générale sur la France. J'avais compris qu'il avait décidé de me tester. J'atteignais mon but. Un jour, il me demanderait d'entrer dans sa lumière — et je lui obéirais.

Je suis descendue au même hôtel — le Hilton Suffren. J'ai senti le besoin de me placer sous l'aile de souvenirs anciens et protecteurs. Je range mon passeport dans le coffre — je suis toujours Julia Tod-Smith, consultante —, mon entrée en Europe ayant été validée lors de mon arrivée à Berlin, je n'ai pas été contrôlée à Paris. Les dernières nouvelles d'Alberich n'annoncent rien de bon. Le vieil homme apparaît de plus en plus tourmenté. Il demande à chaque fois qu'il voit l'infirmière quel jour il est et quand reviendra « l'inspectrice Tod », prononcé en allemand. Attend-il que la Mort revienne le chercher ?

L'infirmière est inquiète. Chaque fois qu'Alberich demande quel jour il est, il augmente en agressivité. Elle n'est pas autorisée à lui répondre et se sent enfermée

dans un cercle vicieux. Elle a peur de perdre le contrôle
du patient. À contrecœur, j'accepte une de ses propositions. Alberich sera puni s'il se montre trop agressif. S'il
pose à nouveau avec trop d'insistance son étrange question — quel jour est-il ? —, il sera mis à l'isolement et
laissé dans l'obscurité. À son âge, c'est suffisant. La
menace de subir un nouvel excès d'angoisse le forcera à
se montrer à l'écoute.

L'ombre de la Déesse demeure insaisissable. S'agit-il
de Katerina, sa femme descendant des colons allemands
de la Volga, que le KGB lui a imposée pendant dix ans ?
J'en doute — elle ne semble pas avoir l'envergure intellectuelle justifiant la fascination d'Alberich. Je crois plutôt à un opérateur communiste infiltré dans le Reich,
peut-être même au Pers Z, et qui aurait poussé Alberich
à le rejoindre après guerre. Mais je n'ai aucune information à ce sujet. J'ai demandé une vérification sur certains
dossiers du NKVD et du KGB cachés dans la forteresse
de Lefortovo à Moscou et déclassifiés au cours des vingt
dernières années. Cela n'a rien donné. Le NKVD n'avait
pas réussi à pénétrer le Pers Z. Tous les spectres qui
hantent Alberich me pourchassent à mon tour.

26

24 juillet — Mer d'Irlande
(route Berlin-Washington),
Air Force One/salle de réunion

Calé dans un large fauteuil de cuir beige clair au dossier surélevé, le président Brighton fit appeler Cornelius et Levin qui préparaient chacun la télé-conférence dans leurs quartiers respectifs. La salle de réunion du Boeing 747 présidentiel se composait d'une large table sombre d'acajou à la marqueterie élégante mais sobre. Pour le reste, il n'y avait aucun luxe superflu — mis à part l'ovale du fuselage de l'avion, la pièce ressemblait à une petite salle de réunion fonctionnelle au siège d'une direction générale d'entreprise. Seule touche de coquetterie, les sceaux présidentiels qui marquaient systématiquement les volets mi-clos des hublots. Il faisait sombre dehors, et on avait allumé en grand l'éclairage intérieur.

Brighton était d'humeur noire. Le sommet de Berlin avait été un échec calamiteux, en partie à cause de la situation chinoise. Jon Cornelius n'était pas parvenu à établir une position commune entre les alliés, et la Russie s'était montrée particulièrement obstinée à faire échouer la rencontre internationale. Lors d'une brève entrevue, Brighton avait concédé au chancelier alle-mand Daniel König qu'il était ouvert à une discussion sur l'utilisation des services de renseignement dans la négociation des grands contrats. Mais on n'avait pu aller plus loin en raison de l'actualité de la Chine. Jack n'avait pas même eu le temps de discuter avec François Vernon. À regret, il avait décidé d'écourter son séjour à Berlin et de faire décoller au plus vite le Boeing 747 présidentiel. Seul Air Force One lui assurait les garanties nécessaires de confidentialité lui permettant de se connecter par téléconférence à tous les membres du Conseil national de sécurité qu'il avait convoqués dans l'heure. Levin et Cornelius entrèrent dans la salle et prirent place auprès du président en avançant à pas prudents — l'avion était secoué de violents tremblements dus à une vaste zone de turbulence au-dessus de l'Irlande. Sur les hublots, de minces filets de pluie glissaient au ralenti. Brighton n'était pas content de son équipe. Ils avaient subi un échec. Maintenant la situation en Chine risquait de se transformer en camouflet pour l'Amérique. Brighton gardait toute sa confiance en Cornelius qui avait été le confident de sa campagne et l'un de ses hommes clés pendant plus de vingt ans… mais quand même, le secré-taire d'État avait failli et Jack était décidé à le prendre en aparté après la réunion. Jack connaissait bien également le directeur du renseignement Paul Adam, ce Texan à la calvitie avancée passé par Oxford dans sa jeunesse grâce à une prestigieuse bourse d'études. Il avait servi comme liaison auprès de la commission du Sénat pour le renseignement avant d'occuper son poste actuel. C'est à ce moment que Jack s'était lié d'amitié avec Paul. Il appréciait sa franchise et sa précision intellectuelle. Il avait fini par rejoindre le reste du clan. Mais Paul l'avait déçu en tant que gestionnaire de l'ensemble nébuleux

que constituait la communauté du renseignement américain. Brighton soupçonnait maintenant une erreur systémique dans l'appréciation des événements en mer de
Chine. Jack était par contre moins proche du chef d'état-
major Dörner, l'ancien commandeur en chef de l'US
Strategic Command. Un « Rhodes Scholar » de West
Point au physique athlétique, il avait croisé Paul Adam
à Oxford. Par la suite, il avait fait toute sa carrière dans
l'US Air Force. Jusqu'à ce qu'il parvienne au sommet de
la hiérarchie de l'armée, il avait été un quasi-inconnu
pour Brighton. Il contrastait avec l'affable ministre de la
Défense Henry Grant, un pur politique, ancien représentant de l'Illinois puis gouverneur du Wisconsin voisin,
dont la loyauté envers Jack le disputait à l'effacement.
Brighton voulait garder la haute main sur la Défense et
n'avait pas voulu d'une forte tête façon Donald Rum-
sfeld à ce poste.

Le général Dörner était apparu sur une seconde
fenêtre vidéo à gauche de l'écran.

« Monsieur le président, je vous retransmets à l'écran
une prise de vue en temps réel depuis un de nos drones
de reconnaissance Global Hawk C au-dessus de l'île de
Quemoy… Comme vous le constatez, la plage qui suit
— il déroula l'image sur l'écran comme si elle était des-
sinée sur un long rouleau — est aux mains des unités de
relais de l'Armée populaire de libération… Il s'agit déjà
de la seconde vague des troupes "coup de poing" des
communistes chinois. Ils ne rencontrent plus aucune
résistance. Leurs troupes ont réussi leur débarquement
et leur invasion éclair de l'île principale de Quemoy. Il y
a deux minutes, notre réseau J-STARS embarqué sur les
Awacs de la VIIe flotte a capté le message de reddition
inconditionnel des forces de défense taïwanaises. La
situation est similaire sur Matsu, qui était encore moins
bien défendue. Les archipels de Quemoy et Matsu sont

passés sous l'autorité de la Chine communiste, monsieur le président. »

Le président Brighton, réfugié derrière son bureau en bois contreplaqué, se tenait aux accoudoirs du fauteuil. L'appareil vibrait fortement.

« Où en est le reste des forces aéronavales taïwanaises ? interrogea Brighton. Son potentiel a-t-il été sévèrement affecté ?

— Non, absolument pas, monsieur le président. En réalité, ils n'ont pas eu le temps de déployer leurs troupes. L'attaque surprise chinoise a été foudroyante. Les Mirage 2000-5 et quelques F-16 de Taiwan sont sortis, mais ils n'ont rien pu faire contre le débarquement. Le site de missiles de Tungyin sur l'archipel de Matsu a été détruit sans pouvoir riposter. Les communistes ont de leur côté déployé leur J-10 et leur J-11 — les Sukhoï-27 modifiés. Il y a eu un engagement au-dessus du détroit. Deux appareils communistes ont été abattus. Mais les Taïwanais n'ont pas poursuivi. »

Un silence glacial régnait sur la petite audience. Tous étaient abasourdis par la nouvelle de l'extraordinaire victoire de l'Armée populaire de libération, obtenue en un laps de temps si court.

« Je ne comprends pas, général…, poursuivit le président Brighton, comment se fait-il que l'Armée populaire de libération ait pu vaincre les positions fortifiées taïwanaises aussi vite ? De tous les rapports que j'ai reçus ces derniers jours, jamais un seul n'a mentionné la capacité des Chinois à anéantir les défenses de Quemoy et Matsu en à peine quelques heures ! Expliquez-moi cela ! »

La question résonnait comme un avertissement. Des têtes dans le renseignement militaire allaient tomber.

« Monsieur le président, poursuivit le général Dörner, il semble que face au déploiement massif de Pékin, les

troupes taïwanaises aient lâché prise presque aussitôt.
Les services du Defense Intelligence Agency estiment
que le travail psychologique des forces communistes et
l'utilisation de contacts potentiels au sein de la petite
population de l'archipel de Quemoy et Matsu ont contribué à l'effondrement immédiat de la résistance taïwanaise. Plus que d'une belle manœuvre militaire, l'état-
major de l'Armée populaire de libération a bénéficié
d'un excellent travail de préparation du terrain. »

Certes. Mais, surtout, il y avait eu la terrible erreur
de jugement de Jack Brighton — une erreur stratégique que nul n'oserait admettre devant le président.
Or, Jack n'était pas idiot. Il s'était fait berner. L'« ami »
Hu Ronglian l'avait poignardé dans le dos. Parce qu'il
avait confiance en Hu Ronglian, Jack Brighton n'avait
pas anticipé l'invasion des forces « coup de poing ».
Il n'avait pas demandé à sa flotte de s'interposer tout
de suite dans le détroit lorsque l'agitation militaire des
Chinois avait pris un tour inquiétant, il y avait de cela
plus de six heures. Et le réformateur qui citait en
anglais Adam Smith venait de perpétrer ce que nul
autre auparavant, pas même Mao Zedong, n'avait osé
commettre. Alors pourquoi lui, notre meilleur allié à
Pékin ?

Brighton commençait maintenant à soupçonner
quelques puissants membres occultes du Parti ou de
l'armée de tirer les ficelles à Pékin. C'était peut-être
— non, c'était certainement pour induire en erreur les
Américains qu'on avait mis à la tête du Parti Hu Ronglian. Les ennemis de Brighton étaient bien plus puissants et bien plus malins qu'il ne l'avait craint.

« Quelle sera la riposte de Taiwan ? » poursuivit
Brighton. Dörner gardait un calme stoïque.

« Monsieur le président, le Pentagone estime que
sans l'appui d'une force extérieure, Taiwan n'a pas la

capacité de lancer une contre-attaque afin de récupérer les archipels de Matsu et de Quemoy. Les îles sont trop éloignées de leurs bases et trop proches du continent. Taiwan va riposter contre d'autres objectifs militaires. Probablement la flotte chinoise du Sud et du Centre ainsi que le porte-avions communiste acheté aux Ukrainiens. Fixer l'escalade sur des cibles navales répond à trois objectifs pour Taiwan : supprimer le risque de blocus maritime ; entraîner notre VIIe flotte dans l'engagement militaire à ses côtés ; enfin, pousser le reste des pays de la région à se retourner contre la Chine communiste en bloquant toute navigation dans cette voie commerciale qui est vitale pour la région… et le reste du monde. »

Brighton bifurqua. Il avait quelque chose en tête.

« Taiwan voudrait la VIIe flotte à ses côtés. Mais sommes-nous forcés de précipiter les choses ? J'ai une question théorique mais je demande que nous y réfléchissions. Sur le plan du droit, le traité de 1979 promulgué par le Congrès nous lie-t-il les mains et nous oblige-t-il à reconquérir Matsu et Quemoy ? »

Le secrétaire d'État Cornelius avait immédiatement compris la suggestion de son président.

« Le Taiwan Relations Act de 1979 est très clair, monsieur le président. Il n'inclut ni Quemoy ni Matsu. Nous et nos prédécesseurs avons toujours prévenu Taiwan que les archipels étaient indéfendables. S'agissant du reste des autres menaces possibles — de l'embargo à l'invasion pure et simple —, le traité est par contre explicite : il s'agit pour nous d'une menace contre la paix.

— Vous voulez dire, monsieur le secrétaire d'État, qu'en l'état actuel des choses, nous ne sommes pas contraints à une opération militaire ?

— Du point de vue du droit, non, monsieur le président.

— Et d'un point de vue politique, monsieur le secrétaire d'État ? Pensez-vous que c'est une ligne de défense
qui pourrait être tenable ? J'aimerais avoir votre avis le
plus franc.

— Eh bien, je crois que nous sommes sur la corde
raide, monsieur le président. Nous pouvons ne rien faire
pour un temps. C'est une option. Nous pouvons essayer
de demeurer neutres si les Chinois stoppent leur avance,
et tenter une médiation diplomatique. Mais je voudrais
bien comprendre alors ce qui pousserait les Chinois à
nous rendre Matsu et Quemoy. Nous avons également
une contrainte de temps, car je pense que Taiwan
n'attendra pas longtemps avant d'attaquer un bâtiment
de guerre chinois. Tout cela constitue un environnement
très, très volatil. Au final, si nous souhaitons prendre
part à une médiation — et je pense qu'au regard de notre
prééminence dans la région, il s'agit d'une obligation
pour nous — nous devrons d'abord montrer notre force
avant de déclencher un round de négociations. »

L'avion continuait à être secoué par les vents violents
au-dessus de l'Irlande.

« Avez-vous un commentaire à ajouter, Mark ? »

Levin observait comment le président essayait d'ins-
trumentaliser sa rivalité avec Cornelius, se prêtant de
bonne grâce à ses jeux politiques. Brighton voulait éviter à tout prix les consensus mous qui conduisaient aux
catastrophes collectives. Le Boeing était en train de
monter en altitude afin de sortir des turbulences. On
entendait les moteurs monter en puissance.

« Je suis d'accord dans les grandes lignes avec ce que
vient de dire le secrétaire d'État, monsieur le président.
Nous allons devoir montrer notre force. Il y a une raison
supplémentaire à notre intervention. Il existe un risque
d'escalade nucléaire. Voyez-vous, pour Taiwan, le
détroit, c'est le front : il n'y a pas de base arrière. Si

Taiwan se retrouvait seul face à la Chine et si sa riposte aéronavale échouait, alors son intégrité territoriale serait immédiatement mise en danger. J'ajoute d'ailleurs, monsieur le président, que la victoire éclair de la Chine communiste risque d'aggraver la tension entre le continent et l'île plus que ne l'avait envisagé Pékin. Taiwan a été surpris, comme Pékin. Cela n'est jamais bon. Une nouvelle situation stratégique s'est créée… »

Le leadership de l'Amérique était désormais contesté dans la zone économique la plus importante de la planète — le Pacifique.

« Afin de combler le déficit stratégique qui vient de s'ouvrir avec la victoire chinoise, reprit Mark, les dirigeants de Taiwan vont probablement demander dans les jours qui viennent la réactivation du programme nucléaire. Je pense d'ailleurs qu'ils le feront même si nous intervenons, afin de détenir une alternative militaire indépendante de notre action. Cela constitue un très grave risque d'escalade.

— Je suis votre raisonnement, Mark. Mais pourquoi devrions-nous craindre que Taiwan développe ses propres capacités stratégiques ? Ne serions-nous pas en situation de dissuasion mutuelle ?

— Nous savons que l'Institut scientifique Chungshan de Taoyuan, à Taiwan, demeure très actif. En outre, l'île possède quatre réacteurs civils ainsi qu'un possible vecteur depuis 1988 — le fameux missile "Cheval du ciel". Elle maîtrise donc la technologie et, si l'ordre était donné en haut lieu, elle pourrait rapidement disposer d'un embryon d'arsenal stratégique. Mais, d'un autre côté, elle manque de crédibilité. Taiwan est signataire du traité de non-prolifération et l'île n'a pas procédé à des essais nucléaires depuis l'intervention de la CIA en 1982. Dès lors, la seule façon pour elle de faire la

démonstration de sa nouvelle capacité stratégique…
serait de procéder à un essai nucléaire atmosphérique.

— Votre conclusion, Mark ?

— Très simple, monsieur le président : si nous
n'intervenons pas maintenant et si la riposte aéronavale
taïwanaise, qui est inévitable, vient à échouer, alors Taiwan adoptera une stratégie de prise de risque maximum.
Elle rétablira sa crédibilité nucléaire de la manière la
plus brutale. Par un essai nucléaire atmosphérique, en
énonçant une doctrine de dissuasion comparable à la
"stratégie du faible au fou" des Français pendant la
guerre froide : une doctrine anticité ciblant exclusivement quelques grandes villes de la côte — Shanghai et
Canton par exemple — au détriment des objectifs militaires chinois. Dans le contexte d'un affrontement
conventionnel direct dans le détroit, ce qui n'a jamais
existé entre la France et l'Union soviétique bien sûr,
cela signifie ni plus ni moins un chantage nucléaire bien
plus dangereux que celui qui opposa l'Inde et le Pakistan en 1985. Cette fois, les risques d'une utilisation de
l'arme atomique seront très importants. »

Malgré sa nouvelle altitude, l'avion continuait de
trembler. La trajectoire de l'appareil rejoignait le grand
large de l'Atlantique nord.

« Le conseiller Levin a raison, monsieur le président. » Paul Adam, le regard grave à travers l'écran
plasma, semblait sous le coup d'une antique fatalité.
« Taiwan possède les différentes pièces pour monter un
Meccano nucléaire — nous avons eu plusieurs fuites de
militaires taïwanais allant dans ce sens. Je considère
pour ma part que le scénario de Mark est très plausible.
Si la situation s'aggrave, Taiwan procédera à un essai
atmosphérique.

— Monsieur le président — Cornelius cherchait à
faire entendre sa voix —, je souscris à ce qui a été dit.

J'ajoute que la fenêtre d'action pour une médiation diplomatique ne durera pas. Plus nous attendrons, plus nous laisserons se dresser les unes contre les autres des forces que nous n'aurons plus le pouvoir de séparer. Il nous faudra alors prendre parti. Et nous serons dans l'obligation soit de commettre une injustice déshonorante, soit de risquer une nouvelle guerre mondiale. »

Dans le regard tourmenté de Cornelius, Brighton entr'aperçut les reflets de l'ombre immense qui l'écrasait. Il se rappelait les tourments de Truman, qui, du jour au lendemain, s'était retrouvé dans le fauteuil d'Atlas tandis que faisait rage le plus grand conflit que le monde ait connu et que des conseillers personnels dont il ignorait tout lui dévoilaient tout à trac le pouvoir effrayant d'une arme radicalement nouvelle, la bombe atomique. Brighton s'était attendu à de telles pressions mais il était surpris du poids physique, réel, qu'elles pouvaient exercer sur le corps. Était-il réellement assis à la verticale du monde ?... L'appareil braquait sur la gauche, poursuivant sa trajectoire au-dessus des mers glacées de l'Atlantique nord. Les vents, toujours remuants, s'étaient calmés quelque peu. Le président s'acclimatait lentement à l'idée d'une nécessaire intervention militaire afin d'imposer une médiation entre Taiwan et les communistes chinois.

« Messieurs, reprit Brighton, nous oublions une question fondamentale : avec qui négocier ? J'ai devant moi l'exemplaire que j'ai reçu ce matin du "President's Daily Brief"... Quiao Yi ne dirige plus le Parti communiste chinois... Alors qui le dirige ? Est-ce vraiment Hu Ronglian ? Cette offensive fait-elle l'unanimité parmi les cadres du Parti ? Est-elle l'expression de la crise politique ? Un enjeu de la lutte pour le pouvoir à Pékin ? Paul ? »

Le directeur du renseignement était à nouveau sur la sellette. La question, qu'il savait critique, ne cessait de le tarauder depuis les dernières vingt-quatre heures. Toutes les communications téléphoniques des dirigeants communistes chinois — en particulier celles passées depuis leurs portables, leur péché mignon — avaient été analysées et disséquées par les stations d'écoute de la National Security Agency dans la région. Paul Adam avait mis en état d'alerte, par le biais du National SIGINT Operations Center de la NSA, l'ensemble des stations d'écoute de la zone asiatique — entre autres celles du consulat britannique à Hong Kong, de Shu Lin Kuo à Taiwan, de Diego Garcia et d'Okinawa au Japon — afin de décrypter la situation en Chine.

« Très honnêtement, monsieur le président, nous ne savons pas. Nous avons encore du mal à définir le nouveau noyau dirigeant. En particulier, nous ignorons si les Super-Aînés, les Chaoji Yuanlao, sont à l'origine de ces renversements. Cependant, l'éviction de Quiao Yi et des membres clés de sa faction hors du cercle du pouvoir suprême ne fait plus de doute.

— Hu Ronglian est-il manipulé ? » demanda Brighton, cherchant une excuse à son erreur de jugement sur l'ami Ronglian.

Mark Levin se targuait d'une bonne connaissance du personnel politique chinois. Il se sentit dans l'obligation d'intervenir.

« C'est une possibilité, monsieur le président. » Et Brighton d'apprécier à quel point ses collaborateurs essayaient de le dédouaner. Mais il savait bien qu'il avait merdé. Lui seul. « De façon générale, Hu a besoin des militaires. Il joue leur jeu pour mieux les amadouer. Et depuis l'essai antisatellite du 11 janvier 2007, l'Armée populaire de libération a été coutumière de provocations mettant devant le fait accompli le reste du

Parti communiste chinois. Mais il s'agit ici d'une opération d'une bien plus grande envergure. Elle a dû être agréée par l'ensemble des élites dirigeantes du Parti. Au demeurant, cette distinction entre réformateurs et conservateurs… » Il fit un signe évasif de la main, qui faisait allusion à une ancienne controverse dont il avait déjà débattu avec ce même auditoire.

« Le bureau permanent du Comité central a été supplanté par une nouvelle structure où n'apparaît plus Quiao Yi, poursuivit Paul Adam. Au sein de cette nouvelle structure qui se nomme le "Comité de salut public" du Comité central du Parti communiste chinois, Hu Ronglian domine ; puis viennent le maréchal Gao Xiaoqian, le chef du Guoanbu Jia Gucheng, le président de l'État, Li Xuehe, et enfin le chef des forces de l'armée de terre de l'APL. Nous l'avons appris grâce à une conversation téléphonique captée cet après-midi entre deux dignitaires du Comité central. L'armée, le ministère de la Sécurité d'État, le tout dirigé par un réformateur… C'est un bien curieux attelage. Mais il semble que ce soit l'entité avec laquelle nous devrons mener les négociations. Si jamais nous décidons de les mener.

— Bien, reprit le président Brighton. Nous allons contacter Hu Ronglian. Mais, au préalable, nous prendrons position dans le détroit. Général Dörner, vous pouvez dire à vos gars de chauffer les moteurs et de mettre en route le groupe aéronaval du porte-avions *Nimitz*. Plus que jamais nous avons besoin de faire la démonstration de nos capacités conventionnelles de dissuasion. Comme nous l'a fait comprendre Mark, l'équilibre est trop délicat pour que nous puissions nous engager dans une sorte de diplomatie nucléaire. Nous placerons nos sous-marins de classe Los Angeles au nord de l'île de Taiwan. Les Chinois y réfléchiront à deux fois s'ils veulent mettre en place un blocus efficace de Taiwan. Et puis… nous allons être obligés de mettre en état d'alerte DEFCON 2 le système de défense anti-missiles. C'est précisément pour ce type de situation que nos prédécesseurs l'ont développé. »

Son visage était fermé. Le système de défense anti-missiles n'avait jamais été autre chose qu'un élément de pression diplomatique sur les Chinois. Voilà maintenant qu'il risquait d'être testé en situation réelle. Alors que l'avion continuait toujours d'être tiraillé à droite et à gauche, Brighton sentait bien que l'heure de vérité approchait. Après l'extraordinaire victoire chinoise, l'Amérique ne pouvait plus se permettre d'être ridiculisée une deuxième fois. Elle devait se montrer forte — afin d'éviter que Taiwan ne prenne peur et s'engage dans une escalade nucléaire avec la Chine communiste. Le président Brighton devrait appeler son homologue de Taiwan, le président Victor Teng.

27

24 juillet — Taipeh, palais présidentiel
de la République de Chine (Taiwan)

Le président Victor Teng accusait le coup. De haute taille, l'homme qui avait l'habitude d'impressionner ses interlocuteurs par son charisme naturel n'était plus que l'ombre de lui-même. Il avait croisé ses mains sur le front comme s'il était agenouillé sur un prie-dieu et avait demandé à ce qu'on le laisse seul quelques minutes dans son bureau présidentiel, un vaste ensemble aux reflets d'ivoire, du marbre sur le sol aux murs blancs d'albâtre. Les portes-fenêtres de la terrasse, ouvertes sur le parc du palais présidentiel, ses allées verdoyantes colorées d'orchidées et de fleurs tropicales, laissaient filtrer un mince filet d'air frais. En face de sa longue table d'acajou, de l'autre côté de la salle, près de l'entrée, un grand portrait sombre du fondateur de la première république chinoise, le président Sun Yat-sen, en costume bleu gris et col Mao, semblait le fixer avec gravité. Inscrite à l'encre indélébile de l'Histoire dans la mémoire immuable du peuple de Chine, ce n'était rien de moins que la postérité de son nom, la gloire de son pays et l'honneur de sa famille qui étaient désormais en jeu. Victor Teng était protestant méthodiste, et il avait l'habitude de prier pour les siens aux grandes occasions. Mais c'étaient les ombres de ses ancêtres qu'il tentait en ce moment de convoquer.

Sur son ordre, le Premier ministre accompagné du ministre des Affaires étrangères, du ministre de la Défense nationale et du chef d'état-major furent finalement autorisés à entrer. Le bureau se situait au cinquième étage du palais — une vaste construction de brique rouge qui datait de l'époque coloniale japonaise, dominée en son centre par une tour ronde au chapiteau blanc et qui s'ouvrait sur de vastes jardins publics. Les hommes du Conseil de sécurité du président pénétrèrent avec précaution dans le bureau, inclinant inconsciemment l'échine devant le portrait sévère de Sun Yat-sen.

« Asseyez-vous, messieurs ! » invita d'une voix ferme le président qui semblait avoir récupéré de sa vigueur. Il avait levé le front. Victor Teng était consumé de rage. Les officiels, eux-mêmes pâles et sous le choc, prirent place silencieusement autour de la table du commandeur en chef.

« Monsieur le président, fit solennellement le Premier ministre, nous avons perdu les archipels de Matsu et de Quemoy.

— Quel est le bilan des victimes ?

— Au dernier décompte, trois cent cinquante-sept morts et environ mille deux cents blessés militaires. Nous n'avons pas d'estimation pour la population civile… Nos forces ont été complètement submergées. Et nous avons été trahis. Certains officiers ont été payés par les communistes. Nous soupçonnons une cinquième colonne sous la forme d'agents dormants. Peut-être même parmi certains de nos officiers qui tenaient les éléments fortifiés. Mais, plus encore, nos systèmes informatiques de combat ont été corrompus. Des ordres électroniques d'évacuation ont été envoyés de façon subversive par les éléments de guerre informatique des forces communistes. Voilà pourquoi nous avons perdu. Nous avons été totalement dupés par notre informatique.

— Mais comment cela pourrait-il être possible ! explosa Victor Teng, coupant son Premier ministre. Nous utilisons le meilleur matériel américain ! Cela n'a pas de sens ! »

La situation était encore plus dramatique qu'il ne l'avait envisagé. Les communistes avaient fendu l'armure électronique qui protégeait les forces de Taiwan. Le protecteur américain était lui-même peut-être devenu vulnérable aux armes chinoises. Mais, si tel était le cas, le désordre s'emparerait bientôt de la zone Pacifique et l'ordre du monde serait bouleversé. Ainsi la déesse de la guerre s'était-elle réveillée. Elle était venue réclamer son tribut de chair et de sang, frappant à la porte, mendiant son dû. Longtemps, le président Teng s'était interrogé sur les qualités personnelles qui permettent à un chef d'État de passer à la postérité ou de s'évanouir comme poussière de sable sous le vent. Il détenait désormais la réponse à sa question : il n'y en avait aucune, car tout ne tenait qu'au hasard des circonstances. Pour son malheur, la déesse avait choisi de venir frapper à sa porte afin de subjuguer l'ordre du monde. Le président Teng était mis au défi — mais il lui manquait encore quelques réponses avant d'imaginer une contre-attaque. Il se tourna vers le chef d'état-major.

« Sans la VIIe flotte dans la région, les communistes ont-ils la capacité aéronavale de mener une seconde action d'envergure ?

— Monsieur le président, les communistes ne peuvent mener de débarquement contre Taiwan. Un blocus de l'île est impossible avec la VIIe flotte dans la zone. Par contre, ils peuvent nous mettre sous le chantage de leurs forces nucléaires. Et ils peuvent tenter une frappe de décapitation en utilisant leurs missiles de croisière Dong Hai. »

Le président Teng demeura silencieux. Il se concentra un instant, puis exposa aux membres de son Conseil de sécurité la stratégie à laquelle il avait réfléchi quelques moments plus tôt, dans la solitude de son bureau.

« Messieurs, les communistes chinois ont essayé de nous porter un coup fatal. Mais nous obtiendrons justice. Les soldats qui ont défendu ce pays ne seront pas tombés en vain. Le sang versé sera payé au centuple. Nous allons répondre à cette agression à plusieurs niveaux. D'abord, nous allons déclencher immédiatement une riposte contre un objectif de la flotte chinoise. Ensuite, nous allons réclamer une intervention de la VIIe flotte américaine — et dans le secret, demander que les Américains ouvrent un canal de négociation avec les Chinois. Enfin, nous allons procéder à la réinitialisation rapide de notre programme nucléaire en vue de convertir certains de nos missiles. Les Chinois ont franchi une ligne rouge, nous sommes obligés de faire de même. Nous devons frapper d'abord pour mieux négocier après. S'agissant de doctrine, nous sommes plus faibles qu'eux et donc contraints à nous montrer plus agressifs. Même si cela nous mène aux limites d'une conduite rationnelle. »

Le chef d'état-major rebondit sur la première initiative.

« Nous avons réfléchi à une attaque sur le porte-avions Kouznetsov, monsieur le président. Si nous l'endommageons gravement, alors au moins aurons-nous remporté une importante victoire psychologique. Cela préparerait le terrain à une intervention de la VIIe flotte, qui limiterait toute contre-riposte chinoise. »

Le président Teng se tournait maintenant vers le Premier ministre. Ce dernier avait été associé par le passé à différentes réflexions sur les forces stratégiques du pays.

« En matière nucléaire, monsieur le Premier ministre, sur quelles bases démarrer ?

— Nous n'avons jamais vraiment arrêté notre programme nucléaire "Cheval de feu" : certaines ogives produites avant 1982 sont conservées secrètement. Périodiquement, nous avons procédé aux réglages nécessaires afin d'adapter ces ogives à de nouveaux vecteurs. Mais il nous faudra encore un peu de temps pour parfaire ces réglages. Peut-être deux à trois semaines.

— Bien, la décision est prise. Je propose d'attaquer dès demain le Kouznetsov », conclut solennellement le président Teng.

Les ministres quittèrent aussitôt la pièce, laissant Victor Teng à nouveau seul face au portrait de Sun Yat-sen.

28

24 juillet
République de Chine (Taiwan) — Taipeh
Palais présidentiel de la République de Chine

Victor Teng s'était levé pour aller se rafraîchir l'esprit sur la grande terrasse de marbre blanc. Il regardait loin dans le ciel, derrière l'horizon. À l'ouest se cachaient les côtes chinoises, terre de ses ancêtres et aujourd'hui de ses cousins ennemis. C'est de là-bas, dans la ligne bleue entre terre et ciel, que pourrait surgir à tout instant en quelques secondes la salve de centaines de missiles Dong Hai dont le seul et unique objectif serait son assassinat. Il respirait jour et nuit la tête posée sur le billot. Il le savait. Il était prêt. Il regardait l'horizon pour le défier.

Un aide de camp surgit dans le bureau. Le président américain Brighton était en ligne. Il appelait depuis le Boeing présidentiel en vol et la conversation serait peut-être malaisée en raison des contraintes de cryptage.

« Monsieur le président Teng ! Je suis ravi de pouvoir vous parler au téléphone, en ces heures si difficiles pour votre pays. »

La voix du président américain passait sans trop de difficultés malgré un léger parasitage de fond. Teng avait prévenu au préalable les services diplomatiques de la Maison Blanche : l'échange pourrait se dérouler directement en anglais et sans traducteurs. Lui aussi avait reçu son éducation dans une université américaine de la Ivy League : ils étaient du même monde.

« Monsieur le président Brighton, votre soutien personnel est le plus grand réconfort que puisse recevoir le peuple de Taiwan.

— La solidarité du peuple américain envers l'île de Taiwan est indéfectible. Elle repose sur notre engagement solennel à défendre et faire respecter l'inviolabilité de l'île de Formose, en vertu de l'accord du Taiwan Relations Act de 1979.

— Merci pour ces mots importants, monsieur le président. Recevez ici, à votre tour, la gratitude du peuple chinois, qui jamais ne laissera impunie une agression à son endroit. Nous traversons une épreuve difficile mais nous sommes rassurés d'avoir à nos côtés nos alliés américains.

— Président Teng, il nous faut tracer au plus vite un chemin équitable afin de rétablir la paix dans le détroit et, partant, dans toute la région. Votre pays a été agressé de la façon la plus injuste et la plus gratuite qui soit — mais nous devons garder notre sang-froid. Nous allons déployer la VIIe flotte dans le détroit afin de servir de force d'interposition. Nous pensons également qu'avant d'obtenir réparation par la force, une médiation diplomatique doit être tentée qui puisse ramener les dirigeants communistes à la raison. Nous sommes prêts à organiser cette médiation, président Teng. »

C'était inacceptable pour Teng. Taiwan venait de perdre la face. Négocier maintenant serait un aveu de faiblesse. En face de lui, le portrait de Sun Yat-sen continuait à le fixer sévèrement.

« Président Brighton, nous apprécions les efforts déployés par votre gouvernement afin de préserver les vies de mes concitoyens. Pour autant, il est totalement exclu que nous négociions quoi que ce soit avec l'agresseur. Il existe un droit inaliénable au fondement même de la souveraineté de chaque nation : le droit de riposter en cas de légitime défense. J'invoque ce droit. Et j'entends la voix de tout mon peuple, meurtri, qui me dit qu'il ne s'agit plus d'un droit à défendre mais d'un devoir à exercer. Le peuple de Taiwan a été injustement entraîné dans une situation qui ne nous permet plus de déroger à ce devoir sacré. La Chine communiste devra subir le prix de notre colère pour son agression avant que nous puissions entamer quoi que ce soit.

— Monsieur le président Teng, je comprends parfaitement votre point de vue. Nul ne pourrait en dernier ressort vous retirer ce droit, et certainement pas mon pays. Cependant, je pense que nous devrions faire preuve d'optimisme, et c'est ce qui motive ma volonté d'aller vers l'option diplomatique avant toute chose. L'agression communiste est flagrante et devrait être condamnée par une très large partie de la communauté internationale. Cela représentera un succès diplomatique considérable pour votre pays. Taiwan peut se saisir de cette occasion pour obtenir des gains très importants. D'un autre côté, si nous laissons passer cette chance, alors nous risquons d'être entraînés dans une escalade militaire qui sera catastrophique pour tous les pays riverains du Pacifique. »

Teng n'était pas convaincu. Il allait faire monter les enchères.

« J'apprécie la sagesse de vos vues, président Brighton, mais cela n'y peut rien changer. Nous avons été agressés. Nous allons riposter. Nous sommes déterminés à torpiller l'un des navires de la flotte chinoise ayant participé à l'invasion de Quemoy et Matsu. »

À l'autre bout du fil, Brighton, toujours sur Air Force One, serrait les poings.

« J'apprécie que vous nous teniez informés, mais… il s'agit d'une escalade inutile, président Teng. Je vous demande donc de faire preuve de retenue. Au demeurant, seul notre parapluie antimissiles peut protéger Taiwan d'une attaque surprise des Chinois. Nous assurerons la défense de l'île de Formose. Je vous le répète et vous en donne ma garantie personnelle. »

Teng bouillait de colère. Brighton se contentait de répéter sa position initiale tout en envoyant des menaces voilées au président de Taiwan. Il décida d'adopter un ton plus personnel.

« Président Brighton, je ne vais pas rester les bras croisés en attendant que votre bouclier antimissiles fasse la démonstration de son efficacité !… Laissez-moi vous dire d'ailleurs que le matériel de votre pays n'a pas permis de protéger Quemoy et Matsu. Il s'agit d'une information confidentielle que nous allions vous faire parvenir, mais je suis dans le devoir de vous la délivrer dès maintenant : Quemoy et Matsu sont tombés aussi rapidement parce que les communistes ont réussi à défaire la sécurité de vos équipements de communication, que nous utilisons. Ils ont transmis des ordres électroniques erronés aux forces qui défendaient les archipels. Nous n'avons pas plus de garantie que votre bouclier antimissiles puisse nous aider. Nous devons attaquer la flotte chinoise au plus tôt. »

Brighton était sous le choc. Il ne s'était pas attendu à l'information que venait de lui communiquer le président Teng. Si les communistes chinois avaient été capables de casser certains codes utilisés dans l'équipe-

ment militaire américain de Taiwan, alors, effectivement, la puissance de nuisance des Chinois serait bien
plus importante qu'envisagée initialement. L'information était tellement grave qu'il ne pouvait imaginer
que Victor Teng puisse mentir. Taiwan avait besoin de
garanties supplémentaires. La doctrine américaine
devrait évoluer. Les précautions diplomatiques per-
mises par le bouclier antimissiles étaient devenues
obsolètes.

À des dizaines de milliers de mètres au-dessus de
l'océan, alors que le Boeing présidentiel approchait des
côtes canadiennes du Labrador, le président Brighton
décida de proposer une nouvelle donne à son homologue de Taiwan. En même temps, il l'assortirait d'une
menace sans détour. Teng devrait mesurer le prix de sa
demande. Brighton s'approcha du combiné.

« Président Teng, je comprends l'étendue de vos
craintes. Je voudrais vous dire que mon interprétation
personnelle du traité de 1979 est très claire au sujet de la
défense de Taiwan. Une attaque contre l'île de Formose
équivaut à une attaque contre le territoire américain.
C'est aussi simple que cela. En conséquence, nous allons
procéder à un reciblage de certains des missiles appartenant à nos forces stratégiques. » Brighton proposait de
faire plus clairement passer Taiwan sous le parapluie
américain. Une attaque nucléaire contre Taiwan entraînerait une riposte américaine contre la Chine. « En outre,
poursuivit Brighton, la résolution de cette crise devra
permettre à Taiwan d'obtenir enfin un réexamen de sa
situation diplomatique par la communauté internationale… » Il s'agissait d'une ouverture importante vers la
reconnaissance officielle de Taiwan. « … Cependant, je
voudrais exprimer de la façon la plus claire possible que
toute escalade militaire dans le détroit sera nuisible à
l'action diplomatique américaine et traitée comme telle

par nos forces armées, sans le moindre état d'âme et avec la plus extrême rigueur. Les États-Unis d'Amérique sont prêts à prendre toutes les mesures pour protéger la paix dans la région, à l'instar de nos engagements passés en Europe ou dans le Moyen-Orient, par exemple pendant la première guerre du Golfe de 1991. Je me rappelle qu'à l'époque Israël avait été injustement frappé par plusieurs attaques de missiles Scud irakiens. Grâce à la persuasion de notre diplomatie appuyée par les garanties de nos forces armées, Israël a eu la sagesse de ne pas réagir à chaud. Sa position n'en a été que plus forte par la suite, lorsque s'est tenue la conférence de paix de Madrid. Je demande à votre pays de suivre l'exemple d'Israël, président Teng. »

Victor Teng demeurait interdit. D'un côté, Brighton avait formulé des propositions audacieuses : une doctrine claire au sujet du parapluie nucléaire américain et une évolution possible sur la reconnaissance officielle de Taiwan et son accession à l'indépendance. Teng conservait également en main la carte de son propre programme nucléaire, Brighton n'ayant rien évoqué à ce sujet. Mais, d'un autre côté, l'allusion du président américain à l'allié israélien était lourde de menaces. Lors de la première guerre du Golfe, l'US Air Force avait intimé très fermement à l'aviation israélienne de ne pas s'aventurer en Irak. Au risque d'être abattue par le feu ami. Le message était clair : Brighton lui interdisait de riposter aux Chinois. Dans le cas contraire, les Américains étaient prêts à intercepter eux-mêmes les chasseurs taïwanais. Teng prit quelques secondes de réflexion avant de répondre à Brighton.

« Je vais réunir d'ici à deux jours l'ensemble des membres de mon cabinet pour débattre de vos nouvelles propositions et arrêter une position définitive sur ces questions, président Brighton. Mais si la Chine communiste poursuit ses opérations belliqueuses durant ce laps de temps, nous agirons comme nous vous l'avons déclaré. »

Les deux jours de répit constituaient le gage de bonne volonté de Victor Teng. Passé ce délai, en l'absence de percée diplomatique, une et une seule conclusion logique s'imposerait à tous : la guerre.

29

25 juillet
Fédération de Russie — Moscou
Immeuble du Sénat (Unité numéro un)/Kremlin

Le ministre de l'Intérieur Akhripov avançait d'une marche décidée à travers les multiples couloirs de l'Unité numéro un. Tête baissée, accaparé par la préparation de sa réunion, il prêtait à peine attention aux détails et à l'architecture harmonieuse du palais, depuis Lénine la résidence du maître de toutes les Russies. L'édifice néo-classique à la composition élégante, aux teintes ocre sou-lignées de lignes horizontales blanches et de colonnades écarlates, constituait le cœur véritable de l'ensemble d'édifices formant le Kremlin. En habitué des allées du pouvoir, Akhripov connaissait le chemin par cœur. Il avait rendez-vous en tête à tête dans le bureau particulier du président de la Fédération de Russie.

Cela faisait plus de trente ans qu'il sillonnait l'espace triangulaire et clos du Kremlin. Jeune économiste, il avait appartenu à l'équipe d'Alexandre Iakovlev, le bras droit de Gorbatchev, du temps de la *perestroïka*. Par la suite, il s'était retrouvé dans le staff d'Anatoli Tchoubaïs, le conseiller économique d'Eltsine, avant de rejoindre la direction générale de Gazprom, la bureaucratie géante en charge de l'exploitation du gaz naturel de la Fédération. Devenu un notable, il avait acquis ses lettres de noblesse au moyen d'un siège à la Douma offert par ses protecteurs du lobby du gaz naturel. Bombardé chef de file de l'un des partis nationalistes, il était revenu hanter le palais du Sénat et les différents gouvernements qui s'étaient succédé au gré des difficultés présidentielles, choisissant invariablement les maroquins ministériels ayant trait aux questions de défense et de sécurité. Il se voulait un rouage incontournable de toute administration présidentielle, et il l'était devenu. De taille moyenne et le regard faussement absent, il donnait de loin l'impression d'un apparatchik installé dans sa routine. Mais Evgueni Dimitrievitch Akhripov détenait une arme secrète : une patience à toute épreuve. Il gravissait la montagne en prenant son temps, en agissant méticuleusement, avec la conviction qu'un beau jour, en toute logique, son heure viendrait.

Par contraste, l'ascension de son président avait été fulgurante. Peu connu il y a encore dix ans, le président Boris Nembaïtsov, la quarantaine robuste et encore fraîche, avait débuté sa carrière dans la région de Nijni-Novgorod. Jeune gouverneur, il y avait rétabli l'autorité de l'État, battu en brèche les mafias locales et contribué à un réveil économique qui avait surpris les autres provinces. Et puis, le candidat Nembaïtsov passait bien à la télévision. Il parlait avec une voix douce et ferme, savait réconforter les babouchkas et semblait toujours très maître de lui-même tout en maintenant un visage humain — ce qui changeait de l'ancien président Vladimir Poutine. Il s'était également prononcé pour une solution négociée au traumatisme tchétchène sur la base des accords conclus par

feu le général Lebed en 1996. Avec sa mèche rebelle,
son teint toujours hâlé et son sourire faussement
humble, il offrait ainsi une version russe de Robert F.
Kennedy. Le soutien des industriels de l'aéronautique,
du nucléaire et de la classe naissante des petits entrepreneurs privés, tous ces groupes qui en avaient assez
de la domination des gens du pétrole et du gaz, avait
contribué également à consolider son pouvoir. Cependant, si ses qualités de gestionnaire étaient reconnues
par ses adversaires, il était encore mal assuré en
matière de politique étrangère et compensait son
manque d'expérience par une certaine impulsivité
doublée d'une défense étroite des intérêts russes. Sa
position pacifiste sur la Tchétchénie avait également
réduit sa marge de manœuvre : le peuple russe voulait
un dirigeant fort et respecté. Voilà pourquoi les négociations de désarmement nucléaire avec les Américains continuaient de patiner. L'arsenal russe de dix-
huit mille têtes nucléaires n'avait pas été significative-
ment réduit depuis la fin de la guerre froide, il y avait
presque une génération. Mais pourquoi supprimer
l'option de la folie nucléaire quand en face les Américains ne pouvaient se résoudre, eux non plus, à abandonner l'arme singulière ?

　　Akhripov était arrivé au seuil du bureau de Nembaïts-
sov. Le jeune président était seul, isolé à sa table de
travail, dans l'espace roux et chaud de la petite pièce.
Les murs, revêtus par endroits de grands panneaux de
chêne, le parquet de bois habillé de petits tapis de salon,
le mobilier de style art déco qui n'avait pas beaucoup
évolué depuis que Lénine avait pris possession de
l'endroit dans les années vingt, tout cela évoquait un
parfum suranné plein de déférence pour le siècle précédent. Hors l'écran plat large d'ordinateur dominant la
partie gauche de la table de travail, Nembaïtsov avait

laissé la décoration en l'état. Il se sentait étrangement à l'aise dans cette atmosphère sans fioriture aucune, toute de bois et de reflets bruns, qui lui rappelait le cabinet de travail de son grand-père, un général du temps de l'Armée rouge. En même temps, il ne se sentait pas la force de bouger les meubles au risque de réveiller les ombres centenaires qui y sommeillaient.

Boris Nembaïtsov fit asseoir le ministre Akhripov en face de lui. Le ministre de l'Intérieur avait l'air sombre. Nembaïtsov n'avait qu'une vague idée de l'objet de la réunion demandée à la hâte dans la matinée par Akhripov. Il y avait un problème au SSSI, le département du FSB en charge des communications gouvernementales et de la sécurité informatique, lointain ancêtre de la 8e et de la 16e direction principale de l'ex-KGB et qui avait fini sous Nembaïtsov par se retrouver logé au FSB, après plus de deux décennies de tortueux mécano bureaucratique entre Eltsine et Poutine. Le SSSI était devenu sous Nembaïtsov l'équivalent russe de la NSA. Sur le papier, il n'avait pas les moyens de sa consœur américaine, mais l'argent du pétrole et du gaz naturel ainsi que l'excellence des mathématiciens russes avaient permis de rattraper un peu le retard. En plus du SSSI, le ministre de l'Intérieur Akhripov avait également sous sa tutelle le FSB, le service fédéral de sécurité, héritier du KGB : d'une certaine façon, Akhripov était l'alter ego russe de Richard Engleton, le directeur de la NSA en charge également du Department of Homeland Security. Son relatif manque de moyens était compensé par une plus grande concentration de pouvoirs entre ses mains, ce qui faisait d'Akhripov l'homme incontournable du gouvernement actuel — et un acteur bien plus puissant qu'Engleton ne l'était aux États-Unis.

« Monsieur le président, commença Akhripov, avec solennité, une partie du réseau de communication militaire

Alpha a été infecté par un virus au cours des dernières soixante-douze heures. L'infection semble originaire d'Asie et s'est propagée depuis dans notre réseau : nous avons trouvé sa trace dans certains codes de notre station de communication de Balashikha. Cette infection s'est manifestée par l'adjonction de trois caractères à la fin de chaque phrase : LEV. Ces symptômes ont disparu sauf que nos équipes du laboratoire de recherche de Kountsevo pensent que le virus n'a pas disparu, mais qu'il a muté. Il est devenu indétectable. »

Le président Nembaïtsov faisait la moue. Il n'était pas sûr de comprendre. Il passa la paume de sa main sous le menton, dubitatif.

« Que voulez-vous dire par "muter" ?...

— Le signal du virus, mesuré par nos calculateurs, ne cesse de s'affaiblir et de se modifier, comme s'il parvenait génération après génération à mieux se rendre indiscernable. Nous ne pouvons mesurer l'ampleur de sa prolifération sur le réseau : certaines signatures du virus ont perdu leur caractéristique initiale, à savoir l'adjonction des trois lettres. »

Nembaïtsov massa nerveusement sa crinière noir de jais, savamment lustrée.

« Tout cela est très intéressant, ministre Akhripov. Mais en quoi ces problèmes techniques me concernent-ils ? Je ne suis pas là pour réparer des ordinateurs !...

— Monsieur le président, si un virus s'est introduit dans notre réseau de communication militaire, nous risquons de perdre le contrôle d'unités de l'armée. L'introduction d'un virus dans nos systèmes de défense peut constituer la première étape d'une attaque contre la Russie. Voilà pourquoi il est de mon devoir de vous notifier cette nuisance informatique, monsieur le président. »

Nembaïtsov était surpris de l'importance de l'affaire.

Jusqu'à maintenant, les problèmes de virus se limitaient dans son esprit aux petits tracas de son PC familial.

« Je comprends…, fit-il lentement. Mais cela pourrait être aussi un dérèglement technique, non ? Je ne vais pas mettre l'armée en alerte pour un transistor grillé quelque part dans nos machines !

— Monsieur le président, le SSSI est convaincu qu'il s'agit d'un virus. Et qu'il a été implanté par un des nôtres. Il y a là une connaissance par trop intime du fonctionnement de notre réseau. Je vais vous dire le fond de ma pensée : je n'écarterais pas un scénario comparable à celui du terrorisme à l'anthrax qu'ont connu les Américains en octobre 2001. L'ennemi est parmi nous. »

Nembaïtsov s'était toujours identifié au tsar libérateur Alexandre II, assassiné par des anarchistes de la haute société pétersbourgeoise. Depuis un attentat manqué contre sa personne six mois plus tôt, il avait développé une crainte aiguë du terrorisme et de ce qu'il appelait l'ennemi interne — le regroupement des communistes staliniens et de national-fascistes grand-russes, surnommés les Rodinatchiks par les modérés du Kremlin. Les paroles du ministre de l'Intérieur résonnèrent avec la gravité de celles d'un oracle.

« Si tel est le cas, répondit prudemment Nembaïtsov, comment comptez-vous débusquer cette "taupe" ?

— Nous venons de débuter une enquête interne, monsieur le président. Nous avons établi la liste des chercheurs ou groupes de chercheurs qui ont participé à l'élaboration du réseau et qui ne seraient plus étroitement sous notre contrôle. Nous ne pensons pas qu'il puisse s'agir de l'acte d'un individu isolé, il s'agit d'une action trop sophistiquée. En particulier, nous avons orienté notre investigation vers le groupe de scientifiques appartenant à l'une de nos cités secrètes,

Arzamas-84, qui a signé il y a quelques années un accord de développement avec la quatrième section du ministère chinois de la Sécurité d'État.

— Je ne comprends pas ! fit Nembaïtsov, qui était sur le point de se mettre en colère, qu'est-ce que c'est que cette ville secrète ? Et qu'est-ce que font les Chinois dans cette histoire-là ? »

Akhripov était embarrassé — il allait devoir exposer les lacunes encore importantes de son propre président sur les questions de sécurité nationale.

« Eh bien, monsieur le président, il y a trois ans, l'administration précédente a signé un protocole d'échanges de savoir-faire concernant la guerre informatique dans le cadre d'un accord bilatéral sino-russe de coopération militaire. Dans cet accord, il était précisé qu'une de nos unités de guerre informatique, celle basée dans la cité sibérienne d'Arzamas-84, dans l'*oblast* de Tomsk, serait mise à la disposition de la structure chinoise correspondante, à savoir la quatrième section du ministère chinois de la Sécurité d'État. À l'époque, la quatrième section avait un très grand retard dans ce domaine. La philosophie de ces accords était de développer conjointement des systèmes de défense contre une agression informatique. De notre côté, nous considérions Arzamas-84 bien trop éloigné de nos centres de Saint-Pétersbourg ou Moscou pour nous être d'une quelconque utilité. Mais nous ne souhaitions pas le faire disparaître car certaines idées intéressantes y avaient été développées.

— Bon, et alors…, maugréa le président Nembaïtsov, vous accusez les Chinois ?

— Non, monsieur le président. Pas encore. Mais nous nourrissions depuis quelques mois certains doutes quant à la loyauté des savants d'Arzamas. Nous étions sur le point de déclencher une enquête interne. Cette enquête va être avancée dans les plus brefs délais. »

Akhripov songea également à cet ancien savant allemand exfiltré après guerre et qui avait fini par diriger le centre d'Arzamas-84. Un certain Alberich. Un homme au parcours trop compliqué. Quelle pouvait être sa part de responsabilité ?

« Bien, conclut Nembaïtsov. Tirez cette affaire au clair, Evgueni Dimitrievitch. Je ne réunirai pas le Conseil fédéral de sécurité tant que je n'en saurai pas plus. Il est hors de question pour l'instant de mettre l'armée en état d'alerte. Par contre, je veux un rapport détaillé sur la progression de ce virus et les risques encourus par nos systèmes de défense, sur ma table, toutes les douze heures. Le SSSI est en état d'alerte. Il s'agit d'une situation qui est nouvelle pour moi et je prendrai donc toutes les précautions nécessaires. »

Akhripov acquiesça de la tête. Le président Nembaïtsov n'avait pas beaucoup d'expérience, mais, en temps de crise, il pouvait parfois montrer les bons réflexes.

30

Journal de Julia — Paris, 25 juillet

Mon rendez-vous avec Nikolaï doit se dérouler au
« Dôme à dix heures du matin ». Dans notre langage
commun, cela signifie onze heures du matin dans une
de nos « planques » — un petit deux-pièces cuisine
confortablement installé au 234 de la rue du Faubourg-
Saint-Honoré. La maîtresse de maison est une amie
américaine qui ignore tout de mes activités — une sty-
liste de mon âge, divorcée et installée depuis dix ans à
Paris à la poursuite d'un rêve d'enfance. Elle m'a laissé
les clés de son appartement pendant qu'elle prenait ses
quartiers d'été sur la côte andalouse. Juste après son
départ, un collègue équipé de notre boîte à « outils » est
venu vérifier que l'appartement était sécurisé.

Je suis arrivée en avance et m'installe dans le canapé
de cuir noir du petit salon, derrière une grande bibliothèque vitrée peuplée de livres d'art aux reflets brillants
et de best-sellers américains au dos strié et aux coins
cornés. En face de moi, par-delà la petite table basse de
verre, une fausse cheminée surmontée d'une série de cro-
quis de style, nerveux ou colorés, créations de grands
couturiers parisiens de l'après-guerre, Carven, Givenchy

et Saint Laurent. J'ai pris soin de dissimuler toutes les photos de famille de la maîtresse de maison. J'abaisse les stores vénitiens qui couvrent les fenêtres donnant sur la cour intérieure. Rapide coup d'œil discret à l'extérieur depuis mon troisième étage. On sonne à la porte. C'est Nikolaï.

Il me salue de la tête dans l'entrebâillement. Il me sourit, l'air navré.

« Bonjour, Julia. Contente de revoir un vieux camarade ? »

Il a vieilli. Toujours aussi grand, la même carrure imposante, les mêmes yeux bleu de Prusse — mais des rides profondes ont sculpté son visage. Ses cheveux blanchis sont coiffés en brosse. Toujours son regard calme et hautain — mais comme adouci d'un soupçon de faiblesse. Je l'ai connu tendu à l'extrême, embusqué derrière une fausse sérénité. Il paraît aujourd'hui plus en paix avec lui-même.

Nous nous asseyons côte à côte sur le canapé de cuir autour de deux cafés expressos. C'est lui qui attaque le premier. Il parle lentement, détachant distinctement chaque mot de son français accidenté, parfumé d'un lointain accent slave.

« J'ai été surpris par ton mail, Julia. Ton docteur Ernst Alberich…, c'est un sacré personnage. Je l'ai rencontré une ou deux fois. C'était l'ami d'un de mes professeurs, lorsque j'étais étudiant à l'Akademgorodok de Novossibirsk… »

Il décroise les jambes, façon de se décontracter. Il est habillé *casual*, pantalon beige et chemise Ralph Lauren bleu clair. Un vrai *bizniesmien*.

« … Et les deux fois où je l'ai rencontré, il m'a fait une drôle d'impression. Je me souviens d'un homme d'une soixantaine d'années, de petite taille. Très austère, plutôt hautain et assez musclé. Il racontait qu'il faisait

beaucoup d'exercice physique. Je l'ai vu courir de nombreux matins dans le bois près de l'Akademgorodok.
On le voyait aussi parfois au lac artificiel, la mer d'Ob,
faire pas mal de longueurs en brasse coulée. Nous,
l'été, on était tout le temps en maillot de bain les cours
finis, c'était normal — mais un vieux professeur aussi
sportif, par contre, ça nous surprenait. Cela correspond
à la personne ? »

Je suis moi-même surprise de la description.

« Peut-être…

— C'était il y a longtemps, juste avant la chute du
Mur. Le bonhomme est encore en vie ? »

Pour sa propre sécurité, Nikolaï n'a pas besoin de trop
en savoir.

« Je l'ignore. Quelle impression t'a-t-il faite à l'époque,
quand tu l'as rencontré ? »

Il avale d'un trait son café expresso.

« Pour être franc… à mi-chemin entre un fou et un
prophète. Je n'ai pas compris sur le coup comment il
avait pu arriver aussi haut à l'université. Et puis son
accent allemand, ça n'aidait pas à me le rendre sympathique… ou crédible. Cependant, je dois admettre qu'il
y avait des accents de vérité dans ce qu'il disait. Il y a eu
une discussion… j'y ai repensé des semaines plus tard,
j'ai fait quelques recherches et je me suis dit : peut-être
que le vieux avait raison, finalement.

— Quelle discussion ?

— J'avais été invité à prendre le thé dans la petite
datcha réservée à mon ami le professeur Sergueï Vassilievitch Ponomarenko. J'étais un de ses meilleurs étudiants et j'avais travaillé un peu pour lui. Il y avait
également sa femme Elena, et donc, Ernst Alberich.

— Il était seul ?

— Oui. J'ai cru comprendre que sa femme était décé-
dée. Bref, on commence à discuter — on était en pleine

perestroïka, même à Novossibirsk ! —, et je me mets à faire quelques commentaires critiques sur notre informatique et l'avance des impérialistes américains en la matière. Et d'un coup, j'entends un rire méprisant, si fort qu'il résonne dans tout le salon. À me glacer le sang. » Il secoue la tête en souriant comme pour se débarrasser d'un mauvais rêve. « C'était Alberich. J'avais touché un nerf sensible !… Le vieux se lève et me regarde : "Jeune homme, vous n'y connaissez rien ! Comme notre ami le professeur Ponomarenko est trop aimable pour vous déniaiser à ce sujet, laissez-moi vous raconter un conte merveilleux qu'ignorent totalement nos ennemis à l'Ouest : celui du programme informatique de l'Union soviétique ! »

Je pourrais presque entendre les échos de la voix d'Alberich dans celle de Nikolaï.

« Continue, Nikolaï. Raconte-moi tout ce qu'il t'a dit. Dans les détails… nous pourrions peut-être avoir des surprises. »

Nikolaï paraît inquiet.

« Si tu insistes, Julia… Mais ce n'est pas un très bon souvenir pour moi ! Il a continué sur le même ton, me prenant de très haut, et moi, je me sentais assez intimidé — pour ne pas dire idiot. Et puis je ne connaissais pas ses accointances politiques et on était à Novossibirsk, pas à Leningrad — donc *perestroïka* ou pas, j'ai fermé ma gueule. Pour Alberich, les Occidentaux étaient passés à côté de l'essentiel. Plus importante que la conquête spatiale ou la course aux missiles balistiques intercontinentaux, la révolution informatique en URSS avait permis de tenir tête aux impérialistes plus de quarante ans. Sans elle, nous aurions été un géant sans cervelle. Un dinosaure bon pour l'abattoir, selon son expression. Sans système d'alerte informatisé ou calculateurs pour les systèmes de navigation de nos missiles et de nos sous-marins atomiques en immersion longue, nos forces stratégiques n'auraient jamais pu organiser une riposte coordonnée à une première frappe américaine. La guerre froide se serait probablement achevée vers la fin des années cinquante. En tout cas, elle n'aurait jamais duré quarante ans.

— Et quelle part Alberich a-t-il pris à cette révolution informatique ?

— Il s'est montré assez modeste là-dessus, ce qui m'a un peu surpris. Je m'attendais à plus de fanfaronnade de sa part. Par contre, il était plein d'admiration pour ses collègues soviétiques. Il a continué à me tancer avec d'insupportables bouffées d'orgueil, comme si j'étais un petit écolier ! "Jeune homme, sachez que j'ai participé dès 1951 à la création du premier ordinateur soviétique, le MESM. Il s'agit d'une date que peu de gens ici et de l'autre côté du mur connaissent, mais croyez-moi, et je parle sous l'autorité experte de mon ami Sergueï Vassilievitch, il s'agit d'une date aussi importante que celle du premier essai nucléaire soviétique en 1949. Le véritable miracle de la science soviétique est là ! À la différence de nos confrères et camarades des départements d'astronautique, nous sommes partis de rien après la grande guerre patriotique. Jusque-là, il n'y avait jamais eu de faculté de cybernétique en URSS ! Turing, von Neumann, Zuse : anglais, américain, allemand. Pas un Russe ! Et pourtant — vingt-cinq après la fin de la guerre, en 1970, qui aurait pu croire que le plus puissant superordinateur au monde ne se trouvait ni en Amérique ni en Europe de l'Ouest, mais bien chez nous, en Union soviétique, développé par le camarade Mikhaïl Kartsev, l'un des pères de notre science ? Et si Khrouchtchev n'avait pas été destitué, la cité secrète de Zelenograd aurait enfoncé la Silicon Valley en matière de microélectronique ! »

J'avais déjà lu ailleurs ce type d'affirmations que je trouvais exagérées. Les Soviétiques n'auraient jamais pu rattraper les Américains. Cependant, s'ils étaient derrière, ils parvenaient toujours à se maintenir dans la course — ce qui n'était déjà pas un mince exploit.

« Il a parlé de quelqu'un d'autre, à part Kartsev ?

— Il est resté très général. Il a également mentionné Sergueï Alexeevitch Lebedev et ajouté que lui, Kartsev et Staros avaient compté plus pour le maintien et la puissance de l'Union soviétique que tous les Gagarine de la Russie. Et puis, il a fini par s'égarer dans d'étranges considérations philosophiques — sur la réalité de la guerre, Wagner, et les problèmes qui n'avaient pas de solution. »

Je sursaute.

« C'est-à-dire ? »

Nikolaï est surpris de mon insistance.

« Eh bien, il a continué en disant quelque chose comme : le commun des mortels ne se souvient des guerres que par leurs moments les plus spectaculaires — les grandes batailles où s'affrontent dans la montée aux extrêmes soldats, roquettes, chars, pour le contrôle d'un pont ou d'une ville. Mais cela, c'est de "la fiction pour films populaires, bonne pour les masses abêties" — c'était son expression. Dans la guerre moderne, ce n'est plus sur le champ de bataille que se décide le sort des combattants, mais en amont, dans les laboratoires des scientifiques et des ingénieurs militaires. Depuis la seconde guerre mondiale, la guerre se résume à une grande course technologique. Les hommes de science sont devenus les véritables capitaines de cavalerie et les acteurs de l'Histoire de leur peuple. Et c'est précisément parce que leur combat relève de l'importance stratégique la plus haute qu'il est caché au regard du public. Et puis, je ne sais pas pourquoi, il m'a parlé de

Wagner et des Aryens, ce que j'ai trouvé très déplacé
pour un Allemand vivant en Russie. Il a essayé de dresser une analogie avec la *Tétralogie* et ce qu'il appelait
"tous les dieux des Aryens". Malgré leurs brames et
leurs vociférations, les dieux n'étaient que des pantins
fascinés par l'Anneau. Et l'Anneau n'existait que par la
grâce des forgerons du Rhin. Ce sont eux qui donnaient
naissance à l'Histoire. Ce sont eux, au final, qui met-
taient en marche les passions infernales dont sont prisonniers dieux et déesses. »

Deuxième sursaut. Nikolaï l'ignore, mais il avance
peut-être vers la solution.

« Il a nommé les dieux et les déesses en question ?

— Non, fait Nikolaï, surpris par ma question. À vrai
dire, je ne lui en ai pas laissé le temps. J'ai essayé de
faire le malin. À ce moment, j'en avais assez de ravaler
ma fierté. Un peu par réflexe, je lui ai demandé s'il se
voyait dans la peau de l'un de ces nains forgerons du
Rhin dans la *Tétralogie* — Alberich, je crois, puisqu'il y
avait cette homonymie amusante avec son propre nom.
Je m'attendais à ce qu'il m'écharpe, et espérais inconsciemment qu'on finisse là la conversation. À ma grande
surprise, il n'en a rien fait et m'a souri. Après un temps
suffisamment long pour que je me repente intérieurement de ma témérité mal placée, il m'a dit à peu près
ceci : "Jeune homme, ne croyez pas que tout ce que
vous dites est idiot. Parfois, lorsque vous arrêtez de trop
réfléchir, vous dites des choses sensées. Peut-être suis-
je effectivement le nain forgeron du Rhin, qui sait…
Il arrive que certains mensonges, à force de les rêver,
deviennent réalité." Il m'a cité en exemple le programme
informatique soviétique. "Au début, ce n'était qu'un
mensonge. Nous devions faire croire aux impérialistes
anglo-américains que nous possédions quelque chose
lorsqu'en réalité nous ne possédions rien — ou pas

grand-chose. Mais ce mensonge, nous y avons cru tellement fort, nous l'avons tellement rêvé, qu'à la fin il s'est réalisé. Il a suffi d'y mettre le courage. Parfois certains problèmes compliqués ont en réalité des solutions très simples. Pour transformer la réalité, il suffit d'avoir le courage d'en faire un mensonge. Mais ce n'est pas donné à tout le monde — surtout pour nous scientifiques ! Et croyez bien, jeune homme, que je vous parle ici en scientifique, pas en vulgaire démagogue. Je vous parle d'une solution scientifique. Une vraie solution. "Alors, m'a-t-il finalement demandé, jeune homme, croyez-vous avoir le courage de fabriquer un mensonge ? un mensonge scientifique ?… et ainsi de transformer la réalité ?"… Tu vois, Julia, je me souviens particulièrement bien de la fin de cet échange, parce que c'est à ce moment que j'ai compris pourquoi j'avais été invité ce jour-là par mon ami Sergueï Ponomarenko à prendre le thé avec Alberich. Alberich recrutait pour un centre de recherches qu'il voulait créer dans la région — nous en avions très vaguement entendu parler à l'Akademgorodok. Sergueï lui avait suggéré mon nom. Alberich me faisait passer son premier test. Mais moi, je n'avais aucune envie de me retrouver à travailler avec cet Allemand assez tordu. Je me souviens lui avoir répondu : "Camarade, je n'ai pas le courage de vous mentir — je ne sais pas comment répondre à votre question." Il m'a donné une tape sur l'épaule assortie d'un grand sourire. "Ce n'est pas grave — vous avez encore tout le temps pour me répondre !" La discussion a bifurqué — je ne sais plus de quoi on a parlé, probablement de choses sans importance. J'ai senti Alberich, et plus encore Ponomarenko, très déçus par ma réponse. Je n'ai plus eu de nouvelles par la suite d'Alberich, et mes relations avec Ponomarenko ont pris un coup de froid pendant quelques mois.

— Tu penses qu'Alberich et ton ami le professeur Ponomarenko étaient très proches ? »

Nikolaï hausse les épaules.

« Ils étaient amis, c'est certain. Ils avaient l'habitude de prendre souvent le thé ensemble à l'Akademgorodok, à discuter de questions philosophiques. On les voyait jouer fréquemment tous les deux aux échecs dans le parc près de leur centre de recherche à l'Akademgorodok — mais ça, c'était assez courant dans le coin !… J'ai reparlé bien plus tard de tout cela avec Sergueï, après que nous nous sommes réconciliés. Il avait beaucoup d'admiration intellectuelle pour Alberich et, d'après lui, c'était réciproque. Ponomarenko, avec qui je jouais moi-même parfois aux échecs, adorait finir la partie non par un vainqueur, mais par un "pat", sans possibilité de gagnant. Il appelait cela le jeu d'échecs appliqué à la guerre froide et admettait en rigolant que c'était Alberich qui lui avait enseigné la méthode pour toujours finir "pat" — "la tactique Alberich pour le pat de guerre froide !" —, Sergueï en était très fier, et très redevable à Alberich !… Mais bon, sinon, je crois que leurs caractères étaient très différents. Ponomarenko était un homme placide, très analytique et parfois effacé. Alberich avait l'air, lui, plus nerveux, plus mordant, avec un goût pour l'excès d'imagination. »

Je me ressers une tasse de café. La Déesse demeure insaisissable. Je doute qu'il s'agisse de Ponomarenko.

« Tu m'as dit qu'Alberich finissait par sonner juste lorsque l'on y réfléchissait un peu. Qu'est-ce qui t'a paru crédible dans son discours ? »

Nikolaï prend le temps de la réflexion.

« Vois-tu, Julia, lorsqu'il m'a parlé du programme informatique de l'Union soviétique et de sa réussite, j'ai eu au début du mal à en être vraiment convaincu. Je ne le disais pas, mais dans mon for intérieur, j'étais persuadé que si nous étions à niveau, c'est parce que nous avions de bons espions industriels à l'Ouest. La bombe, la plupart de nos avions civils, certains de nos avions militaires, notre navette spatiale — tout cela, nous l'avons volé dans vos cartons. Alors, probablement, nos ordinateurs également... J'ai commencé à remettre en cause mon "paradigme" après la chute du Mur. J'étais à Paris, tu t'en souviens, mais j'avais encore gardé beaucoup de contacts parmi mes amis universitaires restés au pays. Et j'ai assisté à l'exode massif de nos ingénieurs et scientifiques, rachetés à prix d'or par les hommes de la Silicon Valley ou de la National Security Agency. Tu ne peux imaginer le nombre d'anciens de l'Akademgorodok qui ont atterri chez Sun Microsystems, Microsoft ou Hewlett Packard pour citer des Fortune 500. Nos étudiants sont devenus professeurs à Stanford ou à Harvard, et aujourd'hui l'Akademgorodok a un accord d'échange avec l'École polytechnique, la faculté de sciences réservée à l'élite des *Franzouski* !... Même les fabricants de microprocesseurs se sont mis de la partie. Combien d'utilisateurs de la puce Pentium d'Intel savent-ils qu'elle a été développée en partie grâce à l'aide d'un ancien employé de l'Institut de mécanique de précision et de systèmes informatiques de l'Académie des sciences de l'Union soviétique ? Que cet ingénieur a apporté dans ses bagages les connaissances technologiques développées dans le cadre du programme d'ordinateurs vectoriels Elbrus à usage militaire ? Que le nom de cette puce qui fait tourner des millions de machines domestiques, professionnelles ou militaires reflète en partie le patronyme de son créateur ex-soviétique ? Alors, oui, j'ai commencé à réviser mon jugement sur Alberich. Il n'était peut-être pas fou. Peut-être bien que dans certains domaines, nous avions une informatique à la pointe. En tout cas, nous avions les cerveaux. »

Rien ne me surprend dans ce que me raconte Nikolaï. J'ai moi-même participé à l'exfiltration de nombreux talents formés à l'Akademgorodok.

« As-tu déjà entendu parler du centre d'Arzamas-84 ?

— Non, désolé, Julia. Pas d'informations à ce sujet.

— Tu as une idée des gens que fréquentait Alberich ? »

Nikolaï fait non de la tête.

« *Niet, Lioubimaïa*. La seule personne que je connaisse, c'est Ponomarenko. » Nikolaï avait l'habitude de se montrer affectueux lorsqu'il se sentait décevoir. « … Mais Sergueï est encore en vie. Il est toujours professeur à Novossibirsk. C'est encore ma meilleure piste si tu veux des informations sur l'Allemand.

— Tu me proposes d'aller le voir ? »

Nikolaï n'a aucune conscience des risques qu'il veut me faire prendre.

« Moi, je n'irai pas, *Lioubimaïa*. Ou alors il faudra que tu me racontes tout. Mais j'ai l'impression que tu veux laisser beaucoup de choses dans l'ombre. N'est-ce pas ? »

Décidément, Nikolaï est bien décidé à prendre sa retraite. Il ne faudrait pas quand même que le succès de sa PME lui monte à la tête.

« Nikolaï, j'ai l'impression que tu oublies que je suis toujours l'amie proche de l'un des partenaires de l'Atlantic Investment Group. Quand est-ce que l'obligation de vingt millions d'euros que tu as contractée auprès de mes amis arrive à échéance ? »

Nikolaï vire au rouge sanguin.

« *Izvini ?* Excuse-moi ? Est-ce comme cela que tu traites un vieil ami, Julia ? »

Je demeure calme, sans élever le ton.

« Nikolaï, tu as toujours été loyal, mais tu n'as jamais vraiment compris les risques de ce métier. Tu as été très chanceux jusqu'ici, à ma propre surprise. Mais ne pousse pas le bouchon trop loin. As-tu conscience par exemple que ma visite à Paris n'était pas nécessaire ? Nous aurions pu discuter de cela par e-mail. Tu nous as fait à nouveau prendre des risques inconsidérés. »

J'imagine que Nikolaï essaie d'augmenter le prix de chaque rencontre afin de rendre peu à peu inacceptable le coût de son utilisation comme source d'information.

Il est arrivé à ses fins. Il se calme et baisse la tête, en signe de soumission.

« *Prosti*, *Lioubimaïa*. Je pensais que tu aurais pu mieux m'exploiter en discutant en tête à tête avec moi. Que veux-tu que je fasse concernant Ponomarenko ?

— Je n'ai pas encore décidé. Je te recontacterai à ce sujet.

— Bien. Excuse-moi à nouveau pour ton embarras, Julia. »

Je me sens obligée de répondre à son excessive génu-flexion.

« Non, *prosti*, à mon tour, Nikolaï. J'ai été moi-même incorrecte. Tes affaires n'ont nul besoin de moi. Je suis sûre que l'Atlantic Investment Group n'a pas besoin de mon opinion pour comprendre les bénéfices qu'ils tire-ront en continuant à te soutenir. »

Même si la motivation initiale d'une source n'est pas l'argent, il est important que cela le devienne, afin d'éta-blir une mesure de la qualité de la relation. C'est parti-culièrement vrai avec Nikolaï.

Nous nous levons et nous serrons dans les bras de manière à marquer notre « amitié ». Nikolaï quitte le premier l'appartement en jetant un coup d'œil méfiant.

Ce qu'il me suggère est terriblement risqué. La Déesse se cache-t-elle à Novossibirsk ? Ou se prénomme-t-elle, en fait, Ponomarenko ?

31

25 juillet
États-Unis d'Amérique — Washington
Harry S. Truman Building —
Département d'État/salle spéciale de réunion

La salle de réunion se voulait parfaitement conventionnelle — grande table en contreplaqué teinté merisier, sièges en revêtement vachette noir mais sans luxe ostentatoire, murs aveugles sans décoration aucune. La délégation chinoise ne méritait aucune attention protocolaire. Le secrétaire d'État Cornelius, à peine remis de sa défaite de Berlin, commençait à s'impatienter. Il avait convoqué l'ambassadeur chinois dans l'austère et massif immeuble principal du Département d'État afin de lui signifier la condamnation officielle des États-Unis contre la Chine dans son action d'invasion des archipels de Matsu et Quemoy. Surprise. L'ambassadeur avait prévenu Cornelius que l'émissaire spécial du Comité de salut public serait là pour recevoir directement la protestation officielle de l'Amérique.

Il venait d'entrer. Il faisait dans les un mètre cinquante-cinq-soixante. Des verres à double foyer montés sur une épaisse armature d'écaille noire amenuisaient son regard. Cornelius le reconnut d'après une photo de la CIA : Luo Fenglai, l'un des hommes de confiance de Hu Ronglian.

Luo Fenglai s'installa en face de Cornelius sans lui tendre la main — juste une petite inclination polie de la tête de part et d'autre.

« Monsieur le secrétaire d'État, nous n'avons jamais eu le plaisir de nous rencontrer. Je m'appelle Luo Fenglai, et je représente ici même le Comité de salut public du Parti communiste chinois.

— Enchanté, répondit Cornelius, glacé. Avant toute chose, monsieur Luo Fenglai, j'aimerais que vous puissiez m'éclairer sur la nature de ce Comité de salut public. Vous ne représentez pas le comité permanent du Bureau politique du Parti communiste chinois ?

— Après le retrait du secrétaire général Quiao Yi, le Bureau politique a élu provisoirement un Comité de salut public à sa tête. Le Comité de salut public est en charge de la direction suprême du Parti communiste chinois avec pour mission première de résoudre la crise grave qui oppose la Chine au pouvoir séditieux de Taiwan.

— Le camarade Quiao Yi est un grand ami des États-Unis d'Amérique. Nous aimerions savoir s'il est toujours secrétaire général du Parti communiste, ou si son retrait a un caractère plus… définitif. »

Le secrétaire d'État insistait.

« La question de l'utilité fonctionnelle du poste de secrétaire général dans le cadre de la structure de direction collégiale que constitue le Comité de salut public n'a aucune importance et se trouve en voie de résolution. »

Cornelius griffonna quelques notes sur un bout de papier pour l'un de ses conseillers : « Charabia ! Quiao Yi out ? »

« Monsieur Luo Fenglai…, reprit Cornelius, qui venait de sortir une longue feuille dactylographiée. Le gouvernement américain condamne avec la plus extrême fermeté la conquête des archipels de Matsu et de Quemoy par l'Armée populaire de libération de la République populaire de Chine. Il s'agit d'un acte parfaitement illégal, contraire en tout point au droit international. Le gouvernement américain ne reconnaît en aucun cas l'autorité de la Chine continentale sur les archipels de Matsu et de Quemoy. Celles-ci demeurent la possession légitime du gouvernement de Taiwan. Nous demandons donc que le gouvernement de la République populaire de Chine évacue dans les plus brefs délais les archipels de Matsu et Quemoy… En outre, le gouvernement américain condamne l'interdiction prononcée par la République populaire à tous les navires marchands de pénétrer dans le détroit de Formose en raison des manœuvres militaires actuelles. Le gouvernement américain y voit une tentative déguisée de blocus de Taiwan. Le gouvernement américain demande à la République populaire de Chine de lever cette interdiction et, suite à son retrait des archipels Matsu et Quemoy, de rétablir la libre circulation maritime dans la zone du détroit. Dans le cas contraire, le gouvernement des États-Unis d'Amérique se réserve le droit d'utiliser tous les moyens à sa disposition dans le but de mettre fin, si besoin est par la force, à la situation actuelle dans le détroit. Le gouvernement des États-Unis d'Amérique rappelle qu'en vertu du traité de 1979 le liant avec Taiwan, il défendra l'intégrité territoriale de l'île de Formose. Toute attaque contre l'île de Formose sera considérée comme une attaque contre le territoire des États-Unis d'Amérique. En particulier, toute agression non conventionnelle contre le territoire de l'île de Formose sera considérée comme une agression non conventionnelle contre le sanctuaire constitué par le territoire des États-Unis d'Amérique. Dans ce cas de figure, le gouvernement de mon pays se réserve le droit de riposter avec ses propres forces stratégiques. »

Cornelius rangea soigneusement la déclaration dans un dossier posé près de lui. L'émissaire spécial Luo Fenglai ne cillait pas. Il avait noté à la fois le flou concernant les opérations aéronavales dans le détroit, et en même temps, les précisions stratégiques apportées à la lecture du traité de 1979. Les Américains menaçaient d'utiliser leurs forces nucléaires.

« Il n'est nullement question d'un chantage atomique, monsieur le secrétaire d'État. Le gouvernement américain doit comprendre qu'il se retrouve, j'imagine bien malgré lui, partie prenante du conflit qui oppose la République populaire au régime de Taiwan. Nous considérons que le gouvernement des États-Unis d'Amérique est la seule puissance capable de résoudre cette crise. »

Le but secret des Chinois semblait être la médiation américaine elle-même.

« … Les ingérences séditieuses menées par Taiwan sur le sol même de la République populaire utilisent largement la technologie américaine, monsieur le secrétaire d'État… Nous tenons en notre possession la preuve que les contre-révolutionnaires utilisent le réseau Internet pour communiquer entre eux et avec Taiwan. C'est ainsi qu'ils organisent leurs actions insurrectionnelles. Nous avons essayé par nos propres moyens de mettre fin à cette utilisation de l'Internet. Mais, comme vous le savez, la majorité des informations sur Internet transitent par les dorsales américaines, qui sont devenues du même coup la cible de nos investigations informatiques. C'est pourquoi, en même temps que nous admo-

nestons le gouvernement taiwanais de nous livrer secrètement la liste des espions taiwanais qui tentent de renverser la République populaire, nous demandons au
gouvernement américain de faire cesser l'activité insurrectionnelle antichinoise sur le réseau Internet. Au vu
de la longue histoire de coopération entre nos deux
pays, amis depuis le dernier quart du siècle dernier, je
ne doute pas que votre président soit sensible à notre
requête. »

Que venait faire là le réseau Internet ? Les Chinois se
moquaient-ils de lui ? En même temps, il craignait
d'ignorer certains messages qu'il n'aurait pas compris. Il
se fit donc prudent, se recentrant sur sa mission initiale.

« Je prends note des problèmes causés par certains
réseaux informatiques. Je ne comprends pas le lien que
vous établissez avec l'équipement informatique de mon
pays. Je réitère la protestation officielle des États-Unis
d'Amérique et la demande que les archipels de Matsu et
de Quemoy retournent sous l'autorité de Taiwan. Peut-
être pourrions-nous mieux nous comprendre si au préalable nous obtenions l'assurance que nos interlocuteurs
du Comité de salut public sont bien les seules autorités
représentatives de la République populaire de Chine. »

Luo Fenglai s'attendait à cette question.

« Monsieur le secrétaire d'État, vos satellites d'observation pourront constater dans douze heures un exercice
militaire sur la base de Tai Hang appartenant à la Brigade 404 de la seconde division d'artillerie de l'Armée
populaire de libération. Trois missiles balistiques intercontinentaux à charge nucléaire Dong Feng-31 seront
déployés sur leurs systèmes mobiles de lancement. Ils
seront prêts au décollage. Aucun, évidemment, ne
décollera de l'aire de lancement. »

La démonstration se voulait la plus claire possible.
Qui contrôle les forces stratégiques contrôle le pays.

32

25 juillet
République populaire de Chine — Pékin
Réunion du Comité de salut public/
Zhongnanhai — Huairentang

Toute récente et encore fraîchement peinte, la salle de réunion était décorée aux armes rouge et or du Parti communiste chinois. Elle respirait une puissance récemment acquise : décorée de tapisseries commandées aux manufactures françaises d'Aubusson qui présentaient des scènes de la vie civile et militaire dans le style naïf du réalisme socialiste, elle était parcourue de frises d'or à la gloire du Parti. Hu Ronglian avait choisi la salle afin de célébrer le moment : elle appartenait à l'aile nouvelle du Huairentang, le « Palais rempli de compassion », où jadis Deng Xiaoping avait pris la décision de faire tirer sur les étudiants lors des événements de Tienanmen, en 1989. Présidant la longue table en bois d'acajou, à la patine brillante, Hu Ronglian se leva pour faire sa déclaration, encadré par les échines courbées du président Li Xuehe, encore plus ratatiné qu'à l'ordinaire, et du ministre de la Sécurité d'État Jia Gucheng, faussement las. Les deux militaires en face, le maréchal Gao Xiaoqian et le maréchal Yu'en, prenaient crânement la pose. Ils avaient l'impatience de deux bons élèves s'attendant à monter sur l'estrade pour recevoir leur part d'honneur.

« Camarades ! claironna Hu Ronglian, le Comité de salut public du Parti communiste chinois salue à travers moi les soldats de l'Armée populaire de libération pour leurs exploits héroïques en mer de Chine. »

Les politiques autour de la table ne purent s'empêcher de partager le bref frisson d'exaltation de Hu Ronglian. Cela ne lui ressemblait guère, lui qui avait si longtemps composé une image de technocrate libéral. Mais les nouveaux habits de l'Empereur continuaient de déteindre sur lui. Quant aux deux militaires, leurs fiers sourires trahissaient les démangeaisons d'une arrogance naissante.

« Ne nous reposons cependant pas sur nos lauriers…, reprit aussitôt Hu Ronglian. Camarade Gucheng : quelle est la situation dans les provinces du sud et dans le reste du pays ?

— L'annonce de la prise des deux îles a agi comme un électrochoc sur la population. Une foule de jeunes gens vient spontanément s'enregistrer sur les listes de conscription… Les leaders étudiants n'osent plus organiser de manifestations, de peur de passer pour des traîtres. Les patrons d'affaires refusent de soutenir les contestataires, de peur de voir nationaliser de force leurs usines. Enfin, la mobilisation ouvrière s'est subitement arrêtée : les ouvriers sont tout à notre grande victoire militaire… Je peux vous affirmer, aujourd'hui, que nous avons brisé l'élan contre-révolutionnaire. Il n'y aura pas de nouveau Tienanmen. »

Ils pouvaient respirer. Comme dans bien des pays, le réflexe patriotique avait permis de réunir le peuple sous la bannière du pouvoir et d'asphyxier toute contestation radicale. L'établissement des États est fondé d'abord et avant tout sur la garantie de la sécurité de chacun de ses membres. Qu'une peur soudaine remette en cause cette garantie première et ce sont tous les citoyens de l'État qui de frayeur se rallient au drapeau.

Hu Ronglian croisa ses mains. Le plan Ronglian triomphait.

« Comment sont déployées nos forces aéronavales, maréchal Gao Xiaoqian ?

— Le groupe autour du porte-avions Kouznetsov est à mi-chemin de Quemoy et Matsu. Dès qu'il pourra être relevé de ces deux îles, d'ici vingt-quatre heures, l'ensemble des forces "coup de poing", soit trois cent mille hommes, sera à nouveau entièrement opération-nel. Nous pouvons continuer à nous déployer dans le détroit… Les forces de Taiwan semblent de toute façon rester sur la défensive. Et la VIIe flotte met du temps à se déployer. »

Hu Ronglian reprit la parole. Il avait pris l'habitude de clore la discussion.

« Dans l'état actuel de la situation, il faut nous concentrer sur la médiation américaine. Il faut arriver à la table des négociations le front haut et toutes les cartes en main. Éviter la provocation gratuite, mais montrer que nous sommes forts. Je propose que nous sortions de sa cale et armions sans plus attendre la "surprise" que nous avons conservée dans le port de Dinghai. Les Américains seront très étonnés de voir apparaître sur leurs photos satellites notre deuxième porte-avions de classe Kouznetsov. »

33

26 juillet
États-Unis d'Amérique — Washington
Maison Blanche/Réunion du Special
Situations Group

Le Bureau ovale — les fenêtres donnaient en plein sur la pelouse fraîche du Rose Garden — reflétait la lumière grise et incertaine de l'extérieur. Le ciel s'assombrissait maintenant. De grands orages colériques nés dans les plaines du Midwest allaient mourir essoufflés sur les bords du Potomac. De fines gouttelettes glissaient le long des vitres. Nerveux, alarmé d'un pressentiment, Brighton avait quitté son bureau de chêne. Debout, solitaire, il tournait autour du tapis ocre marqué du sceau du président. Il avait besoin de marcher pour réfléchir. Il finit par trouver un point d'équilibre sur le rebord du bureau du Resolute quand on le prévint de l'arrivée des membres du Special Situations Group.

Brighton avait créé un comité *ad hoc*, vaguement modelé sur l'ExCom mis en place par Kennedy lors de la crise des missiles de Cuba. La Maison Blanche est un terrain mouvant. Chaque conseiller, ministre ou directeur, en l'absence d'un domaine d'influence gravé dans le marbre, y joue des coudes afin de se placer au plus près du foyer principal de la demeure — la personne du président. Mais si le moment devient périlleux, cette compétition quotidienne peut se transformer en nuisance. C'est pourquoi Brighton avait décidé de fixer les règles et mettre en place ce Special Situations Group : une équipe de sept personnes qui était en train de prendre place sur les deux canapés blanc crème du Bureau ovale, petite pièce semblable au bureau confortablement meublé du directeur d'une grosse banque régionale.

Dörner, en grande tenue d'officier, ouvrit les débats :

« Monsieur le président, comme l'émissaire Luo Fenglai nous l'avait annoncé, le Pentagone a identifié les missiles Dong Feng-31 déployés sur des lanceurs mobiles biélorusses MAZ et placés dans la zone sud-est de la base de Hai Tang. Ils ont une charge nucléaire d'une mégatonne et peuvent atteindre la côte Ouest et la région des montagnes Rocheuses. »

La démonstration des communistes chinois n'avait qu'un point rassurant : elle confirmait le Comité de salut public de Hu Ronglian comme unique interlocuteur pour la suite de la crise.

« Les Chinois nous ont également réservé une surprise, poursuivit le général Dörner. Un deuxième porte-avions de classe Kouznetsov mouille dans la base navale de Dinghai, située dans la province de Shangdong, entre Pékin et Shanghai. Le navire est armé. Il y a sur son pont une douzaine de Su-27. »

Un deuxième porte-avions ! La suprématie de la VIIe flotte en Asie pouvait être remise en cause.

« Je crois malheureusement qu'il y a un autre front, monsieur le président. » C'était le lieutenant général Engleton, le directeur de la NSA et du Department of

Homeland Security. En uniforme civil, il n'avait pu maintenir le silence plus longtemps. « Depuis six heures ce matin, le flux d'informations s'est considérablement ralenti sur le réseau Internet avec une décélération constante. Le réseau Intelink qu'utilise notre communauté du renseignement est également atteint.

— Et pourquoi me parlez-vous de second front, lieutenant général Engleton ?

— Monsieur le président, tout semble indiquer que le ralentissement est causé par la pénétration d'un virus informatique. Intelink est un réseau à l'intérieur du réseau. Il est, vous vous en doutez, ultra-protégé. Le taux actuel d'erreur lors des connexions est bien trop élevé pour être d'origine strictement technique. On a voulu pénétrer Intelink. Il existe un risque qu'on y soit arrivé. Un risque sur lequel nous ne pouvons nous prononcer catégoriquement. Mais portant sur la structure même de notre réseau de renseignement dans sa composante tant technique qu'humaine. Potentiellement, ce sont les couvertures, informations, contacts… de nombreuses opérations qui pourraient être compromises. »

Engleton n'avait pas parlé directement de la Chine mais l'initiateur du second front ne faisait aucun doute dans l'esprit des participants — et en particulier dans celui du président depuis sa conversation avec Victor Teng. Jack demeurait la mine sombre.

« Le président de Taiwan, Victor Teng, m'a personnellement confié que la clé de la victoire des communistes à Quemoy et Matsu avait résidé dans la subversion du matériel de communication militaire de Taiwan. Les communistes ont cassé leurs codes de communication et transmis des ordres de bataille erronés. Le matériel de communication de Taiwan était de fabrication américaine. Je veux savoir si notre système de communication a également une faille. Paul, lieutenant général Engleton, débrouillez-vous, travaillez avec l'US Strategic Command s'il le faut… » — à ces mots, le chef d'état-major Abe Dörner comprit que le message s'adressait également à lui — « … mettez-vous en contact avec l'armée taïwanaise. Nous devons savoir au plus vite si nos systèmes sont également vulnérables. Cette question est capitale. Et vérifiez s'il existe un rapport avec ce qui se passe sur notre Intelink. »

Cornelius s'éclaircit la voix, sachant son heure arriver.

« Monsieur le président, je voudrais faire le lien entre les problèmes que nous venons d'évoquer et les déclarations de l'émissaire spécial du Comité de salut public, Luo Fenglai. Les Chinois pourraient très bien être à l'origine de l'attaque informatique contre Internet et Intelink dont a parlé le lieutenant général Engleton. »

Cornelius avait mis les points sur les « i ».

« Je pense que les Chinois attaquent nos systèmes informatiques parce qu'ils veulent négocier avec nous. » C'était Levin qui avait maintenant jailli dans le débat. « D'après les informations résumées dans le "President's Daily Brief" d'aujourd'hui, c'est Jia Gucheng, le ministre de la Sécurité d'État, tout autant que Hu Ronglian, qui tient les rênes aujourd'hui. Or, nous ne sommes pas sans savoir que par le passé le ministère de la Sécurité d'État a cherché à récupérer du matériel occidental perfectionné de surveillance. Je vous rappelle par exemple les efforts récompensés de la société de télécommunications canadienne Nortel en Chine, qui s'est positionnée sur le programme chinois Bouclier d'or et qui a signé un accord de partenariat avec l'université Tsinghua pour développer des logiciels d'identification automatique des visages ! Récemment, les Chinois nous ont directement fait du pied afin que nous leur fournissions les moyens technologiques d'écouter de façon plus précise leurs concitoyens, au téléphone ou sur les réseaux informatiques… Le lieutenant général Engleton se souvient peut-être de l'affaire de la constellation de drones et de détecteurs Superkeyhole, ces microdétecteurs et caméras cachés dans le mobilier urbain permettant de détecter des conversations orales "subversives" dans les rues de grandes zones métropolitaines et d'identifier leurs auteurs ? Une proposition d'une unité de recherche de l'université Tsinghua dans le cadre de Bouclier d'or. Ce projet a été refusé par l'une des commissions de contrôle du Congrès… C'était il y a trois ans. Nous avions refusé pour deux raisons : la première, c'est le transfert de technologies militaires employées dans la lutte contre l'hyperterrorisme, ce qui aurait contredit notre engagement de livrer des technologies duales après le massacre de Tienanmen en juin 1989 et le passage par le Congrès de la Public Law 101-246 en février 1990 qui interdit la vente d'armes à la Chine… ; la seconde, c'était le problème politique : comment promouvoir les droits de l'homme en Chine, et, dans le même temps offrir au pouvoir de Pékin les armes lui permettant d'interdire à tout jamais la liberté de parole ? Mais, en temps de guerre, il faut se montrer plus flexible. Et parfois même en temps de paix, afin d'anticiper la guerre elle-même.

— Que voulez-vous dire, Mark ? » Le président comprenait parfaitement où Mark souhaitait l'emmener. Mais Brighton avait quelques précautions constitutionnelles à prendre. Il laisserait à son conseiller le soin de formuler de la façon la plus acceptable l'option politique en train de se dessiner.

« Je pense, monsieur le président, que nous devons nous mettre à la place des hommes au pouvoir à Pékin afin de réfléchir à la meilleure décision pour nous. L'opération de Quemoy et de Matsu n'a pas été décidée sur un coup de tête. Or, que se passe-t-il depuis un mois en Chine, depuis l'assassinat du journaliste Zhu Tianshun ? Une crise politique sans précédent. Le pays risque la dislocation. Par le passé, ce type de mouvement était réprimé par la violence. Après un moment d'ouverture, qui enflait en début de rébellion, une chape de plomb s'abattait brutalement sur la Chine. Cette solution n'est plus possible aujourd'hui. Si les dirigeants de Zhongnanhai l'emploient, ils risquent de renforcer la contestation, pas de la réduire. Après vingt ans de développement économique sans précédent, il existe désormais une classe moyenne, une classe possédante, une confiance forte du capital étranger et un embryon de société civile. Tous ces groupes sont les piliers véritables du pouvoir du Parti aujourd'hui. Si le Parti adopte la solution du passé, il perdra leur soutien et la Chine courra le risque d'une nouvelle guerre civile un demi-siècle après la Révolution culturelle.

— Quelle est votre conclusion, Mark ? » Mark dissertait trop longuement — les mauvaises habitudes héritées de ses années de professeur d'université.

« Monsieur le président, je peux vous dire ce que des hommes comme Hu Ronglian ou Jia Gucheng ont aujourd'hui en tête. Je suis convaincu que ce n'est pas Taiwan et encore moins les archipels de Matsu et de Quemoy. Aujourd'hui, la préoccupation la plus fondamentale des hommes de Zhongnanhai, c'est de demeurer au pouvoir à Pékin. En même temps, ils ne peuvent casser la machine technologique qu'ils ont contribué à bâtir, cette Chine moderne qui a plus de chercheurs, plus d'ordinateurs connectés à l'Internet haut débit et plus de téléphones portables que ne compte aujourd'hui l'Amérique du Nord. Alors que faire ? C'est la question qu'ont dû se poser, j'imagine, les gens du ministère de la Sécurité d'État. Ces gens-là, monsieur le président, n'ont que faire des conquêtes militaires. À mon avis, ce qui les intéresse en réalité, ce sont les moyens technologiques d'augmenter leur contrôle sur la population chinoise afin de les rendre définitivement indispensables au reste des dirigeants du Parti. Cette technologie, Pékin ne la maîtrise pas — sinon, il n'y aurait jamais eu de manifestations surprises pour commencer. C'est notre pays, contraint par le risque terroriste, qui a investi le plus dans la surveillance antiterroriste. Nous pouvons donc imaginer ce que cherchent vraiment Jia Gucheng et son ministère de la Sécurité d'État. De plus, à la faveur des événements, Jia Gucheng a réussi à accroître son influence. Si j'en crois nos renseignements, le ministre de la Sécurité d'État occupe une position très favorable. Il a d'un côté un réformateur nationaliste, Hu Ronglian, qui offre des perspectives d'avenir au pays, car lui seul peut inspirer suffisamment de confiance aux investisseurs occidentaux pour financer la suite des réformes économiques. De l'autre côté, il y a l'épouvantail des militaires aux dents longues. Et lui, Jia Gucheng, a su se retrouver au milieu, jouant de l'un contre l'autre, en particulier après l'élimination du seul politicien qui tenait la position médiane et possédait l'oreille des conservateurs : Quiao Yi. Jia Gucheng a entre ses mains les deux fléaux de la balance — mais il sait qu'il doit se dépêcher car sa situation privilégiée ne durera pas longtemps : du fait des troubles sociaux, la balance finira par pencher d'un côté ou de l'autre. Demain en faveur des militaires si une vraie guerre éclate, ou après-demain en faveur de vrais réformateurs libéraux si la guerre se fait attendre. À moins que nous n'acceptions la proposition déguisée de l'émissaire Luo Fenglai. »

Levin marqua un temps d'arrêt. Il savait que s'il continuait, il allait avancer en territoire dangereux, pour ne pas dire radioactif. Dans l'esprit des sept membres du Special Situations Group ainsi que dans celui du président, la proposition déguisée de l'émissaire Luo Fenglai était devenue très claire. La Chine demandait à l'Amérique de lui fournir la technologie de surveillance lui permettant d'écraser dans l'œuf toute contestation future. En échange, probablement, la Chine abandonnerait Quemoy et Matsu et, *de facto*, toute velléité d'utiliser la force pour régler la question de Taiwan. L'Amérique demeurerait le gendarme de la zone d'échange la plus importante du monde. Le risque lié à la transaction ? Si une fuite d'un des hommes présents en ce moment dans le Bureau ovale en informait le *New York Times* ou le *Washington Post*, le président Brighton encourrait une procédure d'*impeachment* pour avoir offert à l'adversaire chinois un Big Brother électronique permettant d'écouter et d'envoyer avec efficacité les dissidents pro-occidentaux dans le bagne du Laogai. Rien de moins qu'un Watergate planétaire. Le président attendait donc de voir comment Levin allait formuler la proposition de Luo Fenglai. Si Mark manquait de tact et rendait l'opération trop évidente, Jack n'aurait pas d'autre alternative que de virer à terme son conseiller pour la Sécurité nationale. D'ailleurs, le visage de Levin s'était crispé. Il venait de comprendre qu'il allait jouer sa réputation et sa carrière dans les quelques phrases à venir. Cornelius observait de près son rival.

« Monsieur le président, continua Levin après s'être à nouveau éclairci la voix, la Chine subit depuis maintenant plus de vingt ans un problème grave de terrorisme. Les fondamentalistes islamistes ouïgours, dans la province occidentale du Xinjiang, n'ont jamais réellement cessé leur campagne terroriste. Une fois que la Chine aura arrêté ses opérations dans le détroit et que les relations entre nos deux pays seront redevenues sereines, je pense qu'il sera de notre devoir d'aider la Chine à combattre la menace terroriste. Dans le cadre de la coopération antiterroriste, par nature secrète et qui doit rester dissimulée du grand public pour demeurer efficace, nous pourrions mettre en place des équipes sino-américaines. Un des aspects importants de cette coopération antiterroriste devra être l'identification des communications terroristes sur Internet, sur tous les points du réseau, de la boucle locale en Chine aux dorsales Internet aux États-Unis. »

Il suffisait de remplacer les mots « terroristes islamistes » par « dissidents pro-occidentaux » pour comprendre la portée véritable de cette coopération sino-américaine. Cependant, sans trop d'éléments de contexte, la formulation de Mark Levin pouvait passer. Officiellement, le calme revenu, l'Amérique aiderait activement la Chine dans « sa lutte antiterroriste contre le fondamentalisme islamique ».

Brighton était relativement satisfait. Mark avait sauvé sa tête. Dans l'univers de Brighton, Levin était cet intellectuel à l'esprit indépendant qui avait eu le courage de confronter ses idées à la gestion courante des affaires internationales : avant de prendre une retraite prématurée auprès du Centre d'études sur les relations internationales à l'université de Harvard, l'actuel conseiller du président pour les affaires de sécurité nationale avait tout de même été Deputy Director of Central Intelligence pendant cinq ans. Il animait également depuis des années le Council On Foreign Relations, le « club privé » établi à New York qui réunissait parmi les hommes les plus influents que comptait le pays afin que le monde des affaires et celui de l'administration puissent convenir des mêmes intérêts en matière de politique étrangère. Nul doute que l'entregent de Levin et son influence étaient au moins aussi redoutables que la profondeur de ses vues. Levin venait de faire la démonstration qu'il pouvait également formuler un nouveau cours politique sans faire porter trop de risques au président.

« Mark, fit le président, je suis intéressé par les nombreux points que vous venez de soulever. Je partage votre avis que toute coopération antiterroriste doit demeurer confidentielle. Notre négociation éventuelle sur les conditions d'une telle coopération devra donc s'inscrire dans le cadre d'une diplomatie discrète. » Brighton n'avait pas choisi l'expression « diplomatie secrète » à dessein : les négociations sur une réduction de la tension militaire dans le détroit de Taiwan allaient offrir de toute façon la couverture adéquate.

« Les propositions antiterroristes de Mark sont très audacieuses…, tança à voix basse Cornelius, mais qu'allons-nous gagner à nous compromettre avec le gouvernement chinois ? »

L'animosité entre les deux hommes ne surprit personne. Levin devait répondre à cette attaque personnelle.

« Trois choses, monsieur le secrétaire d'État. Primo, s'ils acceptent nos conditions — et il faudra les discuter ici même —, nous restons maîtres du Pacifique. D'une façon ou d'une autre, la Chine accepte que nous soyons la seule garantie en dernier recours en matière de sécurité dans la région. Secundo, et toujours selon les termes à venir de notre négociation, nous réglons définitivement le problème de Taiwan. À cela s'ajoute un tertio — une opportunité que nous pouvons saisir et à laquelle les dirigeants de Zhongnanhai n'ont peut-être pas songé. Nous pourrions rééditer une opération de type Promis. »

Brighton intervint.

« De quoi s'agissait-il déjà ? Soyez plus précis… »

Paul Adam, le directeur du renseignement, décida de prendre la parole, estimant que Mark en avait trop dit.

« Monsieur le président, fit Paul d'un ton plein de précaution, souvenez-vous, Mark fait référence à un programme à ce jour très controversé évoqué par certains journalistes français et américains… Promis est un logiciel de base de données très puissant qui a été distribué via notre gouvernement et le gouvernement israélien à de nombreuses administrations civiles et militaires étrangères tels que les services de sécurité du royaume de Jordanie, de l'Irak — du temps où nous étions alliés —, l'informatique de grandes banques françaises, et même celle du renseignement militaire soviétique, le GRU. Ce que tous ces gouvernements et administrations ignoraient cependant, c'était que le logiciel était piégé : l'information contenue dans les bases de données pouvait être discrètement transmise vers nos propres ordinateurs grâce à un système de *back door*, une sorte de porte informatique dérobée, matérialisée, dans les ordinateurs vendus avec le logiciel, sous la forme d'un microprocesseur pouvant émettre vers certains de nos satellites d'écoute. Nous pouvions ainsi connaître la liste entière des terroristes palestiniens mis sur écoute par la Jordanie et même l'état d'avancement des simulations nucléaires soviétiques. »

Une fois de plus — contrainte formelle imposée par le respect de la Constitution et des principes démocratiques —, tout était dans le non-dit. En s'occupant de mettre en place la nouvelle infrastructure de surveillance, les Américains pouvaient gagner un accès direct aux bases de données des communistes chinois s'ils agissaient avec suffisamment de dissimulation — tout comme avec le programme Promis. Ils pourraient alors déterminer l'identité et la localisation des dissidents pro-occidentaux les plus importants et éventuellement les prévenir afin de les protéger. Ce pouvoir de nuisance vis-à-vis de l'appareil de répression communiste pourrait même être utilisé dans des négociations ultérieures avec la Chine. À nouveau, tous les membres du Special Situations Group avaient compris la référence à Promis et ses implications potentielles. Maintenant, Brighton voulait s'assurer qu'une telle transaction serait acceptée par toutes les forces en présence à Pékin. Un rejet, puis une dénonciation chinoise pouvaient avoir un effet aussi désastreux qu'une fuite dans la presse d'un des membres du Special Situations Group. Brighton reprit les rênes de la conversation. Les perspectives étaient vertigineuses.

« Comment réagira l'Armée populaire de libération ? Et la faction de l'ex-secrétaire général Quiao Yi ? Mark, vous avez une idée ? »

Levin avait retrouvé ses couleurs. Il avait sauvé sa place.

« L'Armée populaire de libération devrait accepter. La répression sans l'information, cela signifie tirer dans la foule, et les militaires ne le veulent plus. Ils préféreront laisser le ministère de la Sécurité d'État s'occuper d'une répression à la précision "chirurgicale". Les ultra-libéraux du Parti communiste quitteront un temps le devant de la scène. D'ailleurs, à plus long terme, je pense que Hu Ronglian cherche une transition démocratique dont il puisse contrôler la dynamique. Les communistes de Pékin veulent réussir là où Gorbatchev, en son temps, a complètement échoué, mais où paradoxalement de nombreux pays d'Europe centrale sont parvenus : opérer une transition politique pseudo-démocratique qui permette le maintien au pouvoir des anciens cadres du Parti communiste. Avec toute la complexité et le doigté que cette transition requiert pour un empire d'un milliard et demi d'âmes. Car il ne s'agit pas ici de la Pologne ou de la Roumanie — et le démembrement chaotique de l'ex-empire soviétique est un cauchemar qui hante les dirigeants du Parti communiste chinois. Pékin fera tout, absolument tout, pour éviter le destin du voisin ex-soviétique. »

Il y eut un long silence.

Le président continuait à prendre des notes. Il se tourna vers le lieutenant général Engleton.

« Richard, si je suis l'idée de Mark — que pourrions-nous offrir aux Chinois en matière de coopération anti-terroriste ?

— Proposer les éléments de base de nos systèmes Super-Cyberknight et Super-Talentkeyhole, mis en place par nos services et le FBI au cours des dernières années pour renforcer notre arsenal antiterroriste sur le sol américain…

— Si je puis me permettre un commentaire, mon-sieur le président, poursuivit Levin, plus la coopé-ration sera étroite, plus la pénétration des bases de données chinoises par les logiciels espions de la NSA sera profonde. Si nous décidons d'explorer les possibi-lités d'une coopération antiterroriste avec la Chine, la négociation ne prendra pas la forme d'un marchandage classique. Nous ferons croire aux Chinois que nous ne céderons pas facilement nos technologies de sur-veillance — alors qu'en réalité c'est ce que nous dési-rons. Ce mensonge tactique nous permettra d'obtenir plus de gages sur la situation internationale. Nous obtiendrons des avancées militaires et diplomatiques sur Taiwan en échange de concessions technologiques que nous sommes en vérité prêts à accepter. »

Le président Brighton fronçait les sourcils. Levin sen-tait sa gêne. Il y avait de quoi. Le plan chinois revenait à faire des Américains les auxiliaires de la répression du Parti communiste chinois. Jack ne parvenait pas à se déterminer. Il savait précisément ce que tout cela voulait dire. Des hommes, en Chine, allaient être emprisonnés, torturés, certains mêmes condamnés à mort, en raison uniquement de leur conscience politique. Les États-Unis allaient aider cette entreprise de répression. Mais y avait-il une alternative possible ? Traîner des pieds ou refuser, et le conflit entre la Chine et Taiwan pouvait prendre une ampleur incontrôlable. D'autres hommes, ailleurs, allaient également mourir, et probablement en plus grand nombre encore si le conflit dégénérait en escalade nucléaire. Et la Maison Blanche serait forcée de prendre parti et d'assister l'un des camps dans ce qui deviendrait une guerre, c'est-à-dire rien d'autre qu'un massacre sanglant recouvert du voile pudique de la raison d'État. En adoptant la proposition de Luo Fenglai, les Américains limiteraient le nombre de morts. Leur prestige sortirait renforcé, et ils continueraient de garantir la paix et la stabilité dans la région. Peut-être même la coopération, en rétablissant le calme interne, autoriserait-elle les hommes de Hu Ronglian à montrer plus d'audace dans la démocratisation de la Chine. Par le passé, d'autres alliances établies par des prédécesseurs illustres s'étaient avérées encore plus nauséabondes sans que cela choque outre mesure. Roosevelt avait bien soutenu Staline, l'un des plus grands psychopathes du siècle dernier. Pendant la guerre froide, les États-Unis et les alliés européens avaient aidé une longue liste de dictatures criminelles, de l'Argentine de Pinochet à l'Indonésie génocidaire de Suharto, en passant par les roitelets pilleurs et assassins de l'Afrique et des Caraïbes, et des deux côtés de l'Atlantique personne n'y avait trouvé sujet à contestation. Et même les conservateurs américains, si prompts à faire la leçon, ne trouvaient rien à redire des lubies moyenâgeuses de la famille Al-Saoud d'Arabie Saoudite. Et puis, la Chine de Hu Ronglian, ce n'était ni la Russie de Staline ni le royaume dégénérescent de la famille Al-Saoud. Si Jack cherchait sincèrement à épargner le plus de vies possible et à offrir un nouveau cadre de stabilité à l'Asie et au reste du monde, il n'avait pas énormément de choix. Il se tourna vers Levin.

« Mark, je veux que vous participiez à la prochaine rencontre avec Luo Fenglai et Jon Cornelius. Jon et vous-même mènerez désormais les négociations secrètes en vue de rétablir le calme dans le détroit et d'établir une coopération antiterroriste avec le gouvernement de Hu Ronglian. Nos lignes rouges politiques sont très claires. Primo, la libre circulation maritime doit être rétablie immédiatement dans la zone. Il s'agit d'une condition préalable à tout le reste et nous devons poser une limite dans le temps pour son obtention. Dès que la circulation maritime sera rétablie, les risques d'élargissement du conflit seront considérablement réduits. Secundo, nous devons obtenir un plan de retrait des archipels de Matsu et de Quemoy par la Chine communiste. Tertio, la coopération technologique ne sera possible que si nous assurons nous-mêmes la gestion et la maintenance des infrastructures informatiques mises en place avec les Chinois. Évidemment, si les Chinois procèdent à d'autres exercices d'alerte sur la base nucléaire, il n'y a plus de négociations. Nous mettrons en état d'alerte nos propres forces stratégiques. Nous devrons dans le même temps préparer nos autres options au cas où les négociations échouent. » Brighton se tourna vers le général Dörner. « Général, il faut actualiser les plans d'intervention selon les lignes suivantes : quels types d'opérations conventionnelles dans le détroit ? En Chine continentale ? Et sur Matsu et Quemoy ? Je souhaite également dès à présent une coopération entre la NSA et l'US Strategic Command. Si les Chinois décident de lancer une attaque informatique de grande échelle contre nous, je veux savoir *a minima* quelles sont les options de riposte à notre disposition. »

Levin jubilait intérieurement. Brighton lui donnait son feu vert. Cornelius devrait partager la première loge avec l'ancien professeur.

34

27 juillet
États-Unis d'Amérique —
Fort George C. Meade (Maryland)
National Security Agency — Bâtiment Ops-2

On était en milieu de matinée. Le lieutenant général Engleton avait quitté son bureau de travail et prenait cinq minutes pour respirer et contempler la vue panoramique de sa petite ville de banlieue — sa « Crypto City ». Un de ses téléphones se mit à sonner. Il s'agissait du combiné blanc — le téléphone qui le mettait directement en contact avec les membres les plus importants du gouvernement et du Pentagone. Au même moment, depuis son bureau, Levin se connectait à la communication. Il n'était là qu'en tant qu'observateur de la Maison Blanche.

« Lieutenant général Engleton ? Mark ?... » — c'était le général Dörner. « Messieurs, nous avons reçu de nouvelles analyses de l'US Strategic Command provenant des équipes de la base de Peterson au Colorado et de Lackland au Texas. Comme l'a indiqué le président, je souhaitais partager avec vous ces informations — et savoir ce que vous aviez de votre côté au sujet de la nouvelle infection virale. »

Le lieutenant général Engleton se cala confortablement dans son fauteuil. Ses rapports avec Abe Dörner s'étaient compliqués en raison de nouvelles donnes hiérarchiques. Pendant des décennies, la NSA avait été directement sous le contrôle du Pentagone. Mais, à la suite des réformes entreprises dans la foulée de la commission sur le 11 septembre, le directeur de la NSA avait fini par se mettre sous la tutelle du directeur du renseignement, Paul Adam. En s'adressant à Abe Dörner, Engleton maintenait une déférence pour le grade, mais s'attendait à une relation d'égal à égal. Le vrai patron d'Engleton était désormais Paul Adam.

« Général Dörner, je peux vous dire qu'en ce moment notre Groupe S, responsable de la sécurité informatique et des communications, travaille avec les équipes civiles du centre de coordination du Computer Emergency Response Team de l'université Carnegie Mellon et le Watch Operation Center du FBI. Eux-mêmes ont établi des contacts avec plusieurs compagnies de téléphonie régionales, des Baby Bells, ainsi que Globe On Line, le fournisseur d'accès et de services Internet. La situation est encore difficile à cerner, général. Très difficile. Les symptômes prouvant l'existence d'un virus sur Intelink ont disparu. Les connexions sont redevenues normales. Et aucun des pièges que nous avons installés n'a révélé quoi que ce soit. Mais… les équipes de Carnegie Mellon, en coopération avec une équipe de chercheurs de MIT, ont mis en évidence la présence d'un virus sur plusieurs fichiers fournis par Globe On Line. Nous sommes arrivés à la conclusion suivante : il existe bel et bien un virus ou plutôt une classe nouvelle de virus, que nous avons baptisée "classe Léviathan" pour leur omnipotence — la capacité à infiltrer des réseaux de nature très différente. Nous avons fait le choix de la désignation d'une classe de virus car nous estimons qu'il y a déjà plusieurs générations différentes de virus qui se sont infiltrées. Ainsi, la souche du virus qui aurait infiltré les serveurs des sociétés Netserve et Infoline, filiales de Globe On Line, constituerait un spécimen ancien que nous avons nommé Léviathan I. Les équipes de Carnegie Mellon ont pu y identifier un mécanisme de déclenchement fixé à cinq jours après l'infection. Léviathan I est notre "aïeul" — et l'un des serveurs de Netserve pourrait donc constituer notre "patient zéro". L'un de ses "descendants" après mutation s'est peut-être propagé à l'ensemble des applications civiles sur le World Wide Web — en particulier chez les fournisseurs de contenus de Globe On Line et l'européen GlobalCom. Par la suite, un autre "descendant" s'est peut-être infiltré sur le DefenseLink et sur Intelink où il se serait contenté de rendre malaisées les connexions. Ce dernier serait plus sophistiqué que ses "aïeuls". Dissimulé sur certains de nos serveurs, il pourrait, tout comme certains des autres membres de sa "classe" virale, constituer une vraie menace d'infection supplémentaire dans le cadre d'un déclenchement retardé. Mais tant que nous ne l'aurons pas isolé, nous ne pourrons avoir de certitude absolue.

— Mais alors, interrompit le général Dörner, un peu dérouté par ce mystère technologique… l'avons-nous oui ou non détecté, ce virus ?

— Cette classe de virus mute constamment, général. Il s'agit d'un nouveau type d'infection. Imaginez un serpent dont la peau ne cesserait de muer… C'est exactement le cas ici : nous récoltons des bouts de peau sur certains fichiers, mais le serpent, lui, ne cesse de nous glisser entre les doigts. Je pense qu'il s'agit d'un programme très intelligent : il existe peut-être à la base une matrice mère centralisant l'ensemble des expériences d'infiltration, échecs ou succès, de sa "progéniture". Sur cette base, on pourrait parfaitement imaginer un processus darwinien de sélection des meilleurs "descendants". On pourrait également concevoir un processus décentralisé où il n'y aurait pas une matrice mère, mais plusieurs cascadant de génération en génération, également selon un processus darwinien. Ainsi la population de "virus" se perfectionnerait de génération en génération par un mécanisme quasi biologique. Cette classe de virus montre également une caractéristique remarquable qui expliquerait notre difficulté à les isoler. Nous estimons en effet que dès qu'ils franchissent une porte ou pénètrent un piège, ces virus pourraient garder en mémoire la configuration du lieu qu'ils ont pénétré et effacer leurs traces en rétablissant les anciennes configurations. Je vais vous donner mon avis personnel, général. » Il prit son inspiration. « Le nombre d'infractions que nous pourrions inférer d'après les problèmes de connexion rend improbable que ce soit là l'œuvre d'un hacker isolé... voire même d'une armée de hackers. La puissance de calcul nécessaire, la mémoire des sites traversés... tout cela dépasse de très loin les capacités d'un groupe d'hommes. Il y a là derrière un programme surpuissant, général. Probablement une armée de PC "zombifiés", mais par une intelligence automatique sophistiquée. Nos Cray se battent contre un ennemi au moins aussi puissant qu'eux. Ce qui limite à mon sens la gamme possible de nos adversaires. »

Le général Dörner comprenait bien ce que cela voulait dire. Il ne pouvait s'agir que d'un État. Engleton venait de confirmer l'origine chinoise de l'agression.

« Je vous remercie de toutes ces informations, Richard. Vos équipes ont fait un travail extraordinaire. » Dörner allait mettre à son tour Engleton dans la confidence. Avec le soutien, l'information constituait la seconde monnaie d'échange la plus importante à

Washington. Au vu de l'importance du sujet, Abe Dörner avait décidé de faire d'Engleton l'un de ses principaux partenaires de jeu.

« Tout cela est confidentiel, Richard, bien entendu. Dans les codes que nous avons analysés de notre côté, nos équipes de l'US Strategic Command ont découvert une sorte d'horloge interne.

— Comment cela, une horloge ? »

C'était Engleton, mais Levin depuis son bureau de la Maison Blanche était tout aussi déconcerté.

« Il y aurait un programme de compte à rebours. Si j'interprète ce que vous m'avez dit, Richard, il s'agit peut-être d'un programme de cycle de mutation de votre "serpent". D'après mes analystes, chaque cycle aurait lieu toutes les quatre heures.

— Savez-vous quand aura lieu le dernier cycle, Abe ? »

« Si nous considérons que l'horloge interne s'est arrêtée lorsque le virus a été isolé et le programme qu'il parasitait stoppé, nous avons déduit que le dernier cycle aurait lieu dans une semaine. Le 4 août, à 06:00 GMT. Soit 0 heure à Washington. »

Levin pouvait presque entendre au téléphone le désarroi du lieutenant général Engleton. Il y avait de quoi. Existait-il un deuxième ultimatum chinois ? Quelles étaient les visées secrètes du nouvel ennemi du lieutenant général Engleton, l'énigmatique Jia Gucheng ?

35

27 juillet
États-Unis d'Amérique — Washington
Chambre verte, Maison Blanche

C'était inusuel. George O'Brien avait réclamé un second entretien à Jack. Ce dernier se doutait que cela était lié aux activités de son vieil ami devenu l'un des directeurs du China Normalization Initiative peu après la présidentielle. Le CNI était un lobby regroupant les intérêts de nombreux industriels américains ayant investi en Chine. Jack comprit que son ami George était en train de justifier son salaire auprès de ses associés. Après s'être installé dans un confortable fauteuil de style Chippendale, surveillé par le regard immobile de Mme Adams, il décida d'aller droit au but.

« Je sais à quoi tu penses, George. Alors dis-moi plutôt, toi, ce que tu as sur le cœur. »

George ne parut pas surpris.

« D'accord, Jack. Puisque tu sais pourquoi je suis là, dis-moi ce que je dois dire à mes amis. Doivent-ils s'inquiéter ? Parce que les bruits que j'entends ici ou là ne sont pas bons. J'ouvre la télévision, je regarde Fox ou CNN, et je vois les mêmes présentateurs feignant la même panique, parlant du conflit entre la Chine et Taiwan comme si la troisième guerre mondiale venait de commencer. Tout d'un coup, la Chine est le nouvel Empire du Mal… Je discute avec d'autres personnes de nos connaissances à la RAND ou au Brookings Institute, et, là encore, je vois les mêmes visages fermés. C'est comme si la fin du monde avait déjà commencé !…

— George, tu sais ce que je pense de ces journaleux. La presse se fait encore manipuler par quelques ayatollahs extrémistes du Parti républicain. Eux, ils ont compris un truc fondamental : les gens adorent avoir peur. Surtout quand on leur dit de quoi avoir peur — ça les rassure ! Mais, bon, tu ne vas pas te laisser conditionner toi aussi ! » Et Jack partit d'un grand rire sonore dans l'espoir d'y entraîner ce pauvre George. Mais George ne souriait pas.

« Crois-tu que nous allons partir en guerre contre la Chine ?

— Ne dis pas de conneries, s'il te plaît ! » Jack continuait de sourire. « … Le sénateur Tower du Colorado est le seul au Sénat à réclamer la guerre. Et il est isolé chez nos ennemis républicains. Il passe beaucoup à la télévision, il a pas mal de relais dans le *Washington Post* et bien sûr le *Wall Street Journal*. Mais il ne représente que lui-même… et l'envie des médias d'information continue de faire plus d'audience. »

Mais George n'avait pas l'air rassuré.

« Je préfère l'entendre, Jack… Parce que s'il devait arriver que notre mésentente avec la Chine concernant Taiwan se prolonge, je ne pense pas qu'envoyer nos fantassins soit la meilleure des solutions. Tu as entendu le dernier sondage NBC/Gallup ? Soixante-trois pour cent des Américains sont opposés à une guerre contre la Chine pour défendre Taiwan. »

Brighton était au courant de ce sondage. La Maison Blanche avait fait ses propres estimations, qui donnaient des résultats encore plus tranchés en faveur de la non-intervention.

« … Le peuple américain ne veut pas d'une troisième guerre mondiale, Jack. Ni mes amis non plus. Ni d'ailleurs l'ensemble de la communauté des affaires aux États-Unis. Sais-tu toutes les sommes que nous avons investies dans ce pays depuis quinze, vingt ans ? Des milliards de dollars, Jack !… Attaquer la Chine aujourd'hui serait comme retourner les armes contre une part de nous-mêmes. Cela reviendrait à un suicide économique, tout simplement. Cela aussi fait partie de la sécurité du pays. La protection de nos investissements en Chine doit être considérée comme un objectif de sécurité nationale, Jack. »

La moutarde commençait à monter au nez de Brighton. O'Brien surjouait. Et puis, il avait beau être son plus fidèle compagnon, il s'adressait tout de même au président. Pas à Jack Brighton. C'était bien pour ça d'ailleurs qu'il était venu le voir.

« Écoute, je comprends ton inquiétude, George. Moi-même je la partage. Tu me demandes une réponse franche ? Je vais te la donner. » Jack arrêta de sourire. « Primo : pour l'instant, il n'est nullement question de partir en guerre contre Taiwan. Je peux te dire que Cornelius et toute son équipe avancent bien. Il y a de fortes chances pour que nous aboutissions rapidement à un résultat qui satisfasse toutes les parties. Cela étant, et c'est mon secundo, si notre médiation devait échouer et si la Chine communiste décidait de débarquer à Taiwan, nous n'aurions pas d'autre solution que de prendre la défense de Taiwan. Avec tout ce que cela implique. Parce que la Chine est peut-être un grand marché, George… mais le Japon, la Corée, l'Inde, les

Philippines, l'Indonésie, la Thaïlande, la Malaisie, Singapour, le Pakistan, l'Australie et, bien sûr, la Fédération russe — tous ces pays-là représentent un marché au moins deux fois plus important que celui de la Chine. Et ces pays comptent en dernier ressort sur les États-Unis d'Amérique pour assurer leur sécurité contre les Chinois.

— Excuse-moi, Jack… J'ai peut-être été maladroit. Je ne veux pas évacuer ces problèmes de sécurité. Mais je te demande juste de prendre en considération ceci : la Chine est une puissance commerciale et financière qui n'a rien à voir avec la Chine de 1989 et du massacre de Tienanmen. Aujourd'hui, c'est presque comme si nous nous attaquions à un partenaire équivalent au Japon ou à une petite moitié de l'Europe. Un yuan dévalué pourrait entraîner le dollar. Une crise d'hyperinflation en Chine nous ferait plonger également. Je me pose simplement la question : tous ces risques nous forcent-ils à prendre la position la plus dure et la plus extrême lorsque nous négocierons l'avenir de Taiwan ? »

Son vieil ami George était en train de franchir toutes les lignes rouges.

« George, je vais être très clair. Je t'ai rappelé nos devoirs en matière de sécurité par rapport à nos nations amies. Tant que je serai aux commandes, tous ces pays continueront à nous faire confiance pour garantir sans compromission aucune leur sécurité. C'est notre obligation. Ce n'est même pas une question de morale, mais de respect de notre autorité. Nous ne remettrons pas en cause notre loyauté et nos engagements. C'est ce que nous avons appris tous les deux au Vietnam, non ?

— Écoute, Jack, je crois que nous nous sommes vraiment mal compris.

— Oui, et j'en suis désolé, George. »

Il leur était déjà arrivé de se fâcher. Mais ils ne s'étaient jamais vraiment brouillés. Ils ne le pouvaient pas. Il y avait trop de liens entre eux. Cependant quelque chose de plus amer bouillait maintenant dans le cœur des deux hommes. Il ne le lui avait jamais dit, mais Jack n'avait pas accepté que George vende leur amitié à un lobby. Pas lui. Et George, de son côté, avait ses propres griefs, tout aussi personnels.

« Écoute, George, poursuivit Jack, je te l'ai déjà dit une fois — quand tu as pris tes fonctions au CNI. N'attends rien de moi en tant que président. J'ai fait campagne contre les grands intérêts privés. Mes électeurs m'ont élu en partie pour nettoyer Washington et renforcer notre législation fédérale. Je ne céderai pas à quelques industriels qui ont investi en Chine. On tremble dans certaines villas de Long Island ou d'Orange County ? Je n'y peux rien. Mais si ces gens-là croient qu'il leur sera plus facile de faire des affaires le jour où la crédibilité de leur pays se sera évanouie ; le jour où nos amis russes, européens, sud-américains ou asiatiques ne pourront plus nous faire confiance ; le jour où le bon fonctionnement de l'OMC et du FMI dépendra du bon vouloir d'un mandarin communiste de Pékin qu'il faudra grassement payer — eh bien ! plaise à Dieu, mais tu peux leur dire qu'ils font une erreur monumentale, et… tu peux aussi leur dire que tant que je serai au pouvoir, ce jour-là n'arrivera pas ! »

Brighton ne parlait plus politique. Jack n'accepterait jamais d'être trahi. Ni sur le plan personnel ni même sur le plan des idées — ce qui revenait au même pour lui. Il savait qu'à Washington les alliances et les amitiés vont et viennent au gré des saisons et des sondages. Mais il réclamait une confiance absolue de la part de ceux qu'il avait choisis pour intimes, surtout en temps de crise. La position de son ami George l'avait blessé profondément. Et Brighton avait répondu à la limite de l'injure.

« Tu m'as insulté, Jack.

— Non, George, non… J'ai insulté l'un des directeurs du CNI. De mon vivant, je n'insulterai jamais George O'Brien, mon frère d'armes et mon plus fidèle compagnon depuis un peu plus de quarante ans. »

George trouvait que, cette fois, Jack se foutait de sa gueule. Il avait également son contentieux personnel qu'il tenait jusque-là à distance, non sans difficulté. Mais George était sous pression.

« Vraiment, Jack ?… Vraiment ? »

Le ton devenait agressif. Cela devait être une simple conversation entre deux portes. Jack, dont la colère lentement refluait, ne comprenait plus.

« De quoi veux-tu parler, George ?

— Tu sais très bien de quoi je veux parler. De ce dont nous ne devons jamais parler. Alors ne me parle pas d'honneur, veux-tu. Je suis également un père. Et l'ami de ta femme Katherine. Ne monte pas sur tes grands chevaux avec moi.

— Écoute, George, je ne sais pas de quoi tu parles. Je préfère que nous arrêtions là notre conversation. Nous dirons que nous avons eu tous deux une mauvaise journée. »

Il lui tendit la main. C'était un ordre du président. George la serra, un goût amer dans la bouche.

« Je m'en vais, Jack. Mais tu me dois quand même une réponse. »

Jack vit s'éloigner la silhouette de son ami qui commençait à se voûter. De quoi George se mêlait-il ? Cela faisait maintenant tellement d'années. C'était bien trop tard. D'ailleurs, comment aurait-il pu éviter le regard de la toute jeune adolescente ? Comment aurait-il pu refuser ce corps offert et auquel il s'était donné éperdument ? Et comment faire disparaître la complicité silencieuse qui les liait maintenant et l'évidence de ce murmure qui se cachait dans la pénombre de son cœur ? C'était Julia qui avait choisi, et c'était aussi Jack. Et plus rien ne pourrait venir briser leur pacte.

36

27 juillet
Fédération de Russie — Moscou
Salle de réunion du Conseil de sécurité/
Immeuble du Sénat (Unité numéro un)/ Kremlin

Au bout de la longue table de conférence aux teintes brun et beige trônait le siège du président. Encadré par les étendards de la Fédération, il était surplombé du blason au corps d'or sur fond vermillon de l'aigle à deux têtes de la mère Russie. Les membres du Conseil entrèrent silencieusement dans la grande salle sévère. Les pans d'albâtre étaient interrompus à intervalles réguliers par des colonnes rectangulaires de marbre anthracite aux reflets sombres surmontées de chapiteaux corinthien. La salle de réunion du Conseil de sécurité imposait une solennité grave, nécessaire aux règlements des affaires les plus importantes de l'État.

Le jeune président Boris Nembaïtsov fonça d'une marche rapide vers son siège et ouvrit la séance sans plus attendre.

« Alors, Evgueni Dimitrievitch, quels résultats a donnés votre enquête interne ?

— Des résultats positifs, hélas, monsieur le président. Le SSSI a surveillé le débit de communication informatique provenant d'Arzamas-84. Il est bien trop élevé pour un tel site. Son activité actuelle ne peut correspondre qu'à une utilisation militaire de ses installations. Nous avons appelé les responsables locaux. Aucun ne nous a annoncé un quelconque exercice militaire de guerre informatique en cours. »

Nembaïtsov frappa du poing sur la table.

« Mais alors, ils mentent ! vociférait le président. Ils ont trahi l'administration centrale !

— Oui, monsieur le ministre, concéda Akhripov. Ils mentent. »

Evgueni Dimitrievitch n'aimait pas voir le président perdre le contrôle de lui-même. Cela lui rappelait les mauvais moments de Boris Eltsine.

« Bien, hocha de la tête Nembaïtsov, je voudrais tout de même que vous me rappeliez de quoi est capable ce site d'Arzamas-84. Qui l'a construit ? Comment fonctionne-t-il ? Je vous écoute. »

Le directeur du SSSI, le lieutenant major Platonov, prit la parole. Jusqu'à l'accord russo-chinois, Arzamas-84 était sous son contrôle.

« Monsieur le président, Arzamas-84 était un de nos sites pilotes pour la conduite des stratégies de guerre informatique. Arzamas-84 a été bâti selon les mêmes directives que la plupart des anciennes ZATO, les Zakrytie Administrativno Territorialnye Obrazovanie — ce que les médias occidentaux ont popularisé sous le nom de "cités scientifiques secrètes". Il s'agit d'une petite ville de cinq mille habitants, constituée pour l'essentiel de scientifiques — informaticiens et mathématiciens — et fondée en 1988, à la suite d'une réflexion née cinq ans plus tôt alors que les États-Unis d'Amérique nous menaçaient avec leur projet de "guerre des étoiles". L'idée était la suivante : nous reprenions le modèle de centre de recherches isolé déjà utilisé pour le développement de notre arsenal nucléaire et chimique ; nous y concentrions nos meilleurs mathématiciens pour rattraper ce que le Politburo considérait alors comme un de nos retards stratégiques majeurs : la guerre informatique. Rapidement, grâce à de nombreux informaticiens bulgares spécialistes dans le domaine, Arzamas-84 est devenu l'un de nos meilleurs centres d'expertise militaire en matière de piratage informatique. Ses scientifiques ont en particulier participé à plusieurs opérations de piratage informatique pour le compte de l'ex-Département 8 de la 1re Direction principale du KGB. Arzamas-84 a également opéré avec le groupe des hackers hollandais en contact avec Saddam Hussein lors de la première guerre du Golfe. Arzamas-84 a donc une très vieille histoire. D'autres instituts de ce type existent dans notre Fédération. Mais Arzamas-84 obéissait à une stratégie différente…

— Laquelle, lieutenant major Platonov ?

— Monsieur le président, Arzamas-84 a été conçu pour être un centre opérationnel en cas de guerre informatique contre les États-Unis. L'idée était de contrer le possible réseau de satellites américains de la fameuse "guerre des étoiles" par un système avancé de brouillage des communications entre les satellites et les bases au sol. Avec l'avantage que ce type de contre-mesures coûterait beaucoup moins cher que l'édification d'une constellation satellite antisatellite. Arzamas-84 dispose d'un nœud de communications par câble et satellite qui peut le relier à n'importe quel site russe ou étranger. Le centre a été placé à trois cents kilomètres au nord-est de la ville de Novossibirsk afin de profiter du vivier de scientifiques et de programmeurs informatiques de l'Académie des sciences, ainsi que du réseau de fibres optiques de la ville. Néanmoins, la contrainte d'une préservation du site quel que soit le cas de figure militaire a conduit les autorités militaires à choisir un endroit relativement isolé. Cette localisation loin de toute base militaire stratégique évitait au site, en cas d'attaque de première frappe nucléaire américaine, d'être exposé aux effets de l'"EMP".

— Rappelez-moi la signification de ce sigle EMP, lieutenant major » — Nembaïtsov était facilement agacé par le jargon technique des militaires.

« EMP ou Electric Magnetic Pulse, monsieur le président. La perturbation magnétique survenant après une explosion nucléaire. Cette perturbation endommage souvent de façon irréversible les circuits électroniques qu'elle rencontre. D'où la nécessité de localiser Arzamas-84 loin de tout site faisant l'objet d'un ciblage nucléaire américain.

— Donc, si je comprends bien, reprit Boris Alexandrievitch, vous me dites que l'un des vestiges de la guerre froide, un de nos monstres du temps de l'Union soviétique, a retourné ses armes contre nous... C'est bien cela, lieutenant major Platonov ?

— Oui. Il pourrait bien s'agir de cela, monsieur le président. »

Nembaïtsov se retourna vers son ministre de l'Intérieur.

« Evgueni Dimitrievitch, vous m'avez parlé d'un possible retournement du site par des militaires chinois. Comme vous le savez, j'ai eu en ligne l'actuel numéro un chinois, Hu Ronglian, hier après-midi. Hu Ronglian a formellement démenti toute implication chinoise dans les problèmes informatiques actuels de notre Fédération. Bien sûr, nous ne sommes pas obligés de croire les Chinois... Mais je ne vois aucune raison logique pour une agression de leur part. D'abord, ils sont en ce moment trop occupés avec la crise dans le détroit de Taiwan. Ensuite, je ne vois aucun différend entre la

Fédération et la Chine qui soit si grave qu'il puisse inciter nos partenaires chinois à vouloir nous attaquer. Je voudrais donc que vous réfléchissiez à une autre piste, Evgueni Dimitrievitch. Une piste plus logique.

— Laquelle, monsieur le ministre ?

— Celle d'un ennemi interne. »

La formulation était suffisamment vague pour inclure les terroristes tchétchènes ou les nostalgiques de l'Union soviétique. Mais Boris Alexandrievitch avait une cible plus précise en tête. Akhripov l'ignorait, mais le président Nembaïtsov partageait la même crainte d'une subversion national-communiste que son ministre de l'Intérieur. Il redoutait une forme sournoise de prise de contrôle par les anciens tchékistes.

« Nous aurons des élections municipales dans quelques semaines, reprit Nembaïtsov, et puis bien sûr les législatives à la fin de l'année. Je veux m'assurer que les national-communistes n'essaieront pas de perturber le bon déroulement de ces élections. Si la main des Rodinatchiks est derrière cette opération, ce sera la dernière de leurs provocations ! »

Telle était donc la peur secrète de Boris Alexandrievitch. La coalition d'ex-communistes et de nationalistes extrémistes regroupés dans le mouvement Rodina pouvait-elle s'emparer du pouvoir dans l'ombre ? Ils contrôlaient déjà plus du tiers de la Douma et demeuraient le plus fort parti de la Fédération. Il leur fallait maintenant mettre à genoux le Kremlin.

« Bien, monsieur le président, répondit le ministre Akhripov, lui-même satisfait de la décision, nous enquêterons sur une possible implication des national-communistes du mouvement Rodina dans tout ce sabotage informatique.

— Quant à Arzamas-84, poursuivit le président Nembaïtsov, sur un ton qui ne souffrait aucune contestation, nous devons reprendre le contrôle de la cité. Je vais nommer un nouveau directeur central dans la journée et il prendra ses fonctions immédiatement, escorté d'une compagnie d'inspection. »

Le ministre Akhripov demeura un instant songeur.

« Bien, monsieur le président. Nous allons régler ce problème au plus vite. »

Akhripov demeurait circonspect. Maintenant, il avait des doutes. Comment le SSSPI avait-il réussi à boucler son enquête en moins de quarante-huit heures ? Quelque chose l'intriguait, comme la promesse d'un coup tordu préparé de longue date et qui pendait au nez de toute l'administration du Kremlin.

37

27 juillet
États-Unis d'Amérique — Washington
Ambassade de la République populaire
de Chine/salle spéciale de réunion

La nuit était tombée sur Washington, mais au fond du bocal sécurisé creusé dans le sous-sol de l'ambassade de la République populaire, les membres des équipes chinoise et américaine de négociation l'ignoraient totalement. Dehors, il pouvait être trois heures du matin ou de l'après-midi, nuit glaciale et ventée ou après-midi léger et plein de soleil, l'horizon des négociateurs demeurerait strictement le même. Les mêmes murs blancs de plomb, sans fenêtre, juste décorés des quelques drapeaux rouge et or de la République populaire. Ils étaient là dans un but précis et rien d'autre ne pouvait troubler leur concentration. Une étrange partie d'échecs s'engageait.

Levin avait tergiversé avant d'accepter de venir à l'ambassade. Il aurait préféré choisir un lieu entièrement contrôlé par les Américains. Mais les Chinois avaient insisté — on était à Washington, ils étaient naturellement en position de faiblesse. Il y avait aussi quelques précédents historiques. Au plus fort de la

crise des missiles de Cuba, l'envoyé spécial du président Kennedy, son propre frère Robert, s'était rendu
à l'ambassade de l'Union soviétique pour négocier
avec Dobrynine. Un peu de flexibilité pouvait donc
être tolérée. Levin était arrivé accompagné du secrétaire d'État Cornelius. Ils avaient tenu une rapide
réunion de travail, quelques heures plus tôt, qui n'avait
pas été des plus faciles. Cornelius refusait de croire
que le vrai but des Chinois résidait dans l'acquisition
des technologies américaines de « surveillance antiterroriste ». Mais Jon Cornelius n'avait pas été plus
convaincant. En costume trois pièces bleu marine, toujours aussi pincé, les extrémités du col boutonnées,
les poignets mousquetaires de la chemise piqués de
boutons de manchettes dorés, il s'était contenté de
réexprimer ses doutes, tout en expliquant la réaction
de la Chine par la volonté de créer une diversion. « Et
après ? s'exclama Levin, les manches retroussées, les
pans de sa chemise flottant au-dessus du pantalon
— les dirigeants de Pékin fonctionnent sur des plans
à vingt ou cinquante ans. Vous ne pensez pas qu'ils
ont réfléchi au coup d'après ? » Mais Cornelius ne souhaitait pas rouvrir le débat. À la surprise de Levin, il fit
savoir qu'il se conformerait aux vues du président.
Puisque celui-ci avait décidé de négocier une coopération antiterroriste, il s'y plierait. Les deux hommes
finirent par préparer conjointement la négociation à
venir en se contentant de suivre les méthodologies les
plus élémentaires. Là au moins, ils trouveraient un terrain d'entente. L'une des premières étapes de la planification stratégique d'une négociation était d'identifier
et de construire les alternatives à son échec. Si les
négociateurs américains avaient la possibilité de refuser un accord avec les Chinois, le prix attribué à leur
acceptation n'en serait que plus élevé. Or, Jon et Mark

ignoraient encore le risque et le coût d'une alternative à une solution négociée — c'est-à-dire un conflit conventionnel, électronique ou nucléaire avec la Chine. Les militaires planchaient dessus mais aucune ébauche d'un plan d'attaque n'avait encore été remise au président. Tant que l'alternative militaire ne serait pas en place, Jon et Mark ne pourraient négocier en position de force. Les deux hommes avaient donc l'intention d'imposer un ultimatum à Luo Fenglai afin de gagner du temps. Mark avait, lui, un second but, vital pour le maintien de sa position auprès du président : déterminer au travers de la discussion avec le représentant de Pékin que l'objectif véritable des Chinois était bien celui sur lequel il avait misé sa propre crédibilité — l'acquisition des technologies américaines.

Délibérément en retard, Luo Fenglai entra calmement dans la salle de réunion du sous-sol, éclairée par une série de plafonniers de verre aux reflets blancs lunaires. Les traits de son visage trahissaient une certaine fatigue — peut-être la difficulté de récupérer du décalage horaire. Cornelius tendit son bras avec lenteur et retenue, et Luo Fenglai lui répondit avec un sourire. Levin en fit de même avec l'ambassadeur, réconforté de voir le conseiller personnel du président rejoindre la négociation : Jack Brighton était disposé à écouter les Chinois.

Luo Fenglai ouvrit la conversation. Il opta pour un ton neutre et détaché mais en anglais et sans traducteurs — ce qui se voulait un signe discret d'ouverture.

« Monsieur le secrétaire d'État, monsieur le conseiller du président, recevez par ma personne les salutations du Comité de salut public du Parti communiste de Chine. Nous sommes heureux de vous retrouver dans nos locaux. »

Cornelius répondit froidement.

« Nous sommes heureux que vous puissiez nous accueillir. Néanmoins, nous sommes toujours inquiets de la situation dans le détroit. L'invasion des archipels de Matsu et Quemoy est une manœuvre inexcusable qui doit être réparée dans les plus brefs délais. »

Levin sentit la tension monter très rapidement entre Cornelius et Luo Fenglai. Cependant, il lui était impossible d'intervenir dès à présent : cela aurait pu être interprété comme un désaveu de Cornelius — et présenter un front désuni face aux Chinois aurait été désastreux à ce moment de la partie. Luo Fenglai fronça les sourcils.

« Monsieur le secrétaire d'État, dans un geste de bonne volonté à l'égard de votre pays, le Comité de salut public a décrété un gel partiel de ses activités militaires au cours des dernières vingt-quatre heures.

— Nous apprécions cette décision du gouvernement chinois qui va évidemment dans le bon sens. Cependant, nous attendons d'abord de la part de vos dirigeants un plan de retrait des archipels de Matsu et de Quemoy. Cette invasion est contraire aux normes du droit international, et vous le savez. Si l'occupation des archipels de Quemoy et de Matsu se prolongeait, si aucun plan de retrait n'était annoncé dans les plus brefs délais, nous serions obligés de consulter nos partenaires internationaux afin de réfléchir à des mesures de rétorsion diplomatiques, économiques et, le cas échéant, militaires. »

Cornelius dérivait vers un argumentaire basé sur le rapport de force. En même temps, il dévoilait ses faiblesses car la Chine bloquerait par son veto toute condamnation au Conseil de sécurité de l'ONU. La coopération avec les « partenaires internationaux » n'était pas non plus garantie — l'échec de Berlin était là pour le prouver. La partie chinoise identifierait immédiatement la vulnérabilité américaine et allait répondre avec vigueur. Levin commençait à se demander si, peut-être, Cornelius ne cherchait pas tout simplement la rupture avec Pékin.

« Monsieur le secrétaire d'État, répondit Luo Fenglai, avant de donner des leçons, votre gouvernement devrait balayer devant sa porte ! Votre pays a envahi toutes sortes de nations souveraines, de l'île de Grenade à la république d'Irak, et nous n'avons pas entendu beaucoup de condamnations à ce moment-là ! Quant à agiter le spectre d'une condamnation internationale, je constate que vos partenaires ont pour l'instant réagi avec plus de sagesse et moins d'emportement que vous !

— Monsieur l'émissaire du Comité de salut public, répondit du tac au tac Cornelius, blessé par la dernière remarque, la Chine a également envahi et annexé le Tibet. Nous, nous n'avons jamais eu pour politique d'annexer les pays que vous venez de mentionner. Grenade et l'Irak sont aujourd'hui des républiques libres ! »

On n'allait nulle part. Levin craignait que la réunion ne se termine dans les cinq minutes à venir. Il décida d'intervenir.

« Monsieur l'émissaire du Comité de salut public, comptez-vous également annexer les archipels de Matsu et de Quemoy ? »

Luo Fenglai avait pleinement conscience qu'une voix nouvelle venait de s'ajouter à la conversation — celle du conseiller du président. Il décida de tenter sa chance et d'offrir une concession sous forme de protestation.

« Monsieur le conseiller du président, sérieusement, que pensez-vous que nous puissions faire de l'archipel de Matsu ? »

Avec son port, son aéroport militaire et sa position stratégique, Quemoy serait dure à négocier. Par contre Matsu, ses deux ou trois spas, son festival dédié à la déesse Matsu et ses réserves ornithologiques pouvaient plus facilement être cédés. Levin poursuivit sur sa percée.

« Pourquoi alors ne pas faire un geste de bonne volonté sur Matsu, monsieur l'émissaire du Comité de salut public ?…Nous sommes d'accord pour dire que Matsu représente des enjeux moindres. Nous n'allons tout de même pas déclencher une guerre mondiale pour une destination touristique ? »

Cornelius griffonna nerveusement sur son calepin. Il ne supportait pas de se retrouver mis de côté. Luo Fenglai, quant à lui, s'était légèrement incliné.

« Monsieur le conseiller du président, ce n'est pas d'un rocher qu'il est question. Nous refusons l'ingérence de Taiwan dans les affaires intérieures de la Chine. Nous refusons l'ingérence de votre pays dans nos affaires intérieures. Il est insupportable que des agents contrôlés par Taiwan, aux intentions séditieuses, puissent utiliser vos infrastructures Internet, en particulier vos logiciels et vos dorsales Internet, pour communiquer entre eux. »

La théorie de Levin venait de marquer un point. Levin voulait s'assurer que tel était bien le message que Luo Fenglai voulait transmettre à Jack Brighton.

« Monsieur l'émissaire du Comité de salut public, seriez-vous prêts à faire un geste sur l'île de Matsu si Taiwan cessait son ingérence dans les affaires intérieures de la Chine ? »

Luo Fenglai répondit immédiatement. Il devait avoir la réponse en tête depuis bien longtemps.

« Monsieur le conseiller du président, le président Jack Brighton doit comprendre que si l'ingérence de Taiwan cesse sur nos infrastructures Internet, celles qui utilisent vos dorsales, alors nous ferons un geste sur Matsu. Et nous pourrons aller au-delà de Matsu, si votre gouvernement nous aide à combattre techniquement et activement cette ingérence. »

Levin avait vu juste. L'excitation commençait à le gagner. Il fallait maintenant que les Chinois comprennent la contrainte du gouvernement américain : la nécessité d'une couverture diplomatique à la discrète coopération sino-américaine qui permettrait à Pékin de rétablir son contrôle absolu sur les esprits de ses concitoyens.

« Monsieur l'émissaire du Comité de salut public, je comprends que vous liez la question de l'archipel de Matsu, et je l'espère, de Quemoy, à la question de l'ingérence de Taiwan dans les affaires intérieures chinoises. Je comprends également votre préoccupation toute particulière au sujet des réseaux de communication. Cependant, le Comité de salut public doit admettre que le peuple américain, lui, ne pourra jamais comprendre ce lien. Il s'agit d'une question bien trop technique.

— Toute coopération peut s'établir dans la durée, monsieur le conseiller du président. Plusieurs semaines, voire quelques mois, peuvent s'écouler avant que tous les termes d'une coopération soient concrétisés. Le gouvernement de mon pays a en mémoire qu'au moment de la résolution de la crise des missiles de Cuba, le président Kennedy avait demandé plusieurs mois de distance entre la désinstallation des missiles soviétiques de Cuba et celle des missiles américains en Turquie. Avec le temps, les passions sont retombées, ce qui a permis au président Kennedy de conclure sa part de l'accord. »

Luo Fenglai montrait qu'il avait bien compris les contraintes de la position américaine. Levin était de plus en plus euphorique — tout en essayant, évidemment, de le cacher. Le Comité de salut public avait dépêché un négociateur conciliant et intelligent. Cependant, les promesses de Luo Fenglai n'étaient pas encore suffisantes pour Levin.

« J'apprécie votre compréhension de notre situation. Cependant tel quel, je ne vois malheureusement pas de formulation sur laquelle nous pouvons nous mettre d'accord. Il est hors de question de coopérer contre, je cite, "l'ingérence de Taiwan" dans vos affaires intérieures. Taiwan demeure notre allié, monsieur l'émissaire du Comité de salut public ! Nous n'accepterons jamais de langage publiquement offensant à l'endroit de notre allié ! »

Levin avait monté le ton d'un cran. Il cherchait secrètement à ce que Luo Fenglai parvienne de lui-même à la solution diplomatique. Et puis, des deux côtés, on savait bien que Taiwan n'était qu'un prétexte utilisé par les Chinois. À Luo Fenglai d'accomplir le dernier mètre ! L'émissaire du Comité de salut public avait été un peu bousculé par la réaction de Levin. La surprise passée, il analysa rapidement la situation. La brusque sortie du conseiller du président ne pouvait signifier qu'une seule chose : on touchait à un point crucial pour les Américains. Il n'avait toujours pas répondu. Il était concentré mais le silence commençait à se faire pesant. Levin se demandait s'il n'avait pas été maladroit en provoquant une rupture des négociations. Si le Chinois avait une réaction d'honneur, Levin ne pourrait répondre par une contre-proposition ; il risquait de perdre toute crédibilité.

Luo Fenglai demeurait inflexiblement silencieux, griffonnant quelques notes.

En quelques instants, tout avait basculé. Levin craignait à présent d'avoir tout gâché.

Tout pouvait se jouer à une inflexion de la voix. À un mot mal compris. Ou même — au hasard des caractères. Des minutes au mutisme de plomb défilaient.

Levin ne s'en rendait compte que maintenant — mais, si les négociations échouaient cette nuit, ils ne pourraient peut-être plus temporiser et revenir en arrière.

Ils étaient, déjà, sur le fil de la guerre.

Brusquement, le visage fermé, Luo Fenglai reposa son stylo sur la table.

« Je ne comprends pas la position de votre pays… Nos deux pays ont déjà coopéré ! Nous avons mené ensemble les négociations sur la Corée du Nord. Nous avons poursuivi ensemble la lutte contre le terrorisme musulman fondamentaliste en Asie centrale et dans notre province du Xinjiang. Ces problèmes n'ont pas disparu. Et nous continuons à coopérer dessus. Alors pourquoi voudriez-vous que nous cessions cette coopération-là ?… » Il finit par se radoucir. « … Au contraire, je pense que si le calme revient en mer de Chine, il sera important de montrer que la paix et l'harmonie ont été retrouvées entre nos deux nations. À ce moment-là, il sera tout à fait opportun de renforcer cette vieille coopération, symbole de l'entraide entre nos deux pays. »

Levin savait maintenant qu'il avait un vrai partenaire en face de lui.

« Je salue la sagesse de l'émissaire du Comité de salut public. Il est exact que nous pourrions poursuivre et approfondir notre coopération passée. Vous citez l'exemple de la coopération antiterroriste contre les musulmans fondamentalistes dans le Xinjiang. Je pense que c'est effectivement un dossier important qui nécessite un travail en commun plus approfondi de nos deux pays, répondit Levin avec un large sourire. Je vais soumettre vos idées à mon président. Mais comme vous l'avez souligné vous-même, tout ceci est conditionné à un retour au calme en mer de Chine. » Levin jeta un regard à Cornelius, façon de lui rendre la politesse et de lui faire comprendre que c'était au secrétaire d'État de conclure ce numéro improvisé du gentil et du méchant flic. L'émissaire Luo Fenglai demeura silencieux, et Cornelius poursuivit.

« Monsieur l'émissaire du Comité de salut public, fit Cornelius sur un ton solennel, rien ne pourra être possible s'il n'y a pas de retour à la normale dans la région. La conversation que nous venons d'avoir pourrait servir de base, effectivement, à un règlement de la crise. Au préalable, le gouvernement américain réclame un gel dans les quatre-vingt-seize heures de toute activité aéronavale dans la région ; un retrait des forces chinoises du détroit de Luzon et de l'approche du récif de Pratas ; enfin l'élaboration d'un plan de retrait des archipels de Matsu et de Quemoy.

— Monsieur l'émissaire du Comité de salut public, rajouta Levin pour mieux souligner les paroles du secrétaire d'État, le gouvernement chinois doit comprendre que ces conditions, définies par le président lui-même, ne sont pas négociables. Sans elles, aucune confiance ne pourra s'établir entre nos deux pays. »

Il s'agissait à nouveau de montrer un front uni à la partie chinoise. Luo Fenglai se crispa.

« Messieurs, j'ai bien enregistré vos demandes. Je vais les transmettre immédiatement à mon gouvernement. Je ne vois cependant pas comment nous pourrions annoncer un plan de retrait des archipels de Matsu et de Quemoy avant même que nous ayons élaboré les termes d'une possible coopération. »

Les négociateurs américains préférèrent ne rien répondre. L'objection de Luo Fenglai était logique. Et le silence ambigu de Levin et Cornelius pouvait signifier qu'en réalité l'Amérique se contenterait d'un gel chinois des opérations aéronavales et d'un retrait du détroit de Luzon pour reprendre la négociation.

Luo Fenglai remit le capuchon sur son stylo.

« Messieurs ! »

L'émissaire chinois s'inclina poliment devant ses interlocuteurs et quitta aussitôt la salle de réunion. Il ne voulait plus risquer l'altercation et préférait s'arrêter là. L'échange avait été suffisamment productif. Chaque camp avait pu efficacement délivrer son message. La négociation serait possible.

38

Journal de Julia — Paris, 27 juillet

Je suis restée à l'hôtel toute la journée. L'après-midi touche à sa fin. J'ai repensé à mon entretien d'hier. Nikolaï me met dans une situation difficile. Toujours rien qui puisse m'aider dans mon interrogatoire. La seule piste, c'est Ponomarenko, qui vit à l'Akademgorodok, à Novossibirsk. Suis-je vraiment prête à me jeter dans l'inconnu, au cœur de la Sibérie ?

Derrière la fenêtre vitrée, la journée s'achève précocement. Un ciel gris et orageux chargé de volutes noires menaçantes s'est formé au-dessus de Paris. Bientôt s'abattra sur la ville une nuit zébrée de cicatrices fugitives et électriques, accablée des cris et des larmes de dieux mortellement atteints. C'est la même nuit d'août, celle d'avant ma naissance, qui revient me visiter.

Jack avait l'habitude de rester travailler de longues heures dans sa suite du Hilton, chambre 320. En fin de journée, il m'avait fait appeler. Quelques questions sur mes fiches cartonnées. J'avais quitté immédiatement l'ambassade avenue Gabriel pour venir avenue de Suffren. Il commençait déjà à pleuvoir légèrement et de petites flaques apparaissaient sur le trottoir tacheté de points noirs. À peine entrée dans le hall du Hilton, une ondée forte et drue avait submergé toute la ville. Je montai chambre 320.

« Bravo, tu as évité le déluge », plaisanta Jack.

Il avait commandé un chocolat chaud au room service. Derrière la fenêtre, un rideau épais de fines cordes grises obstruait la vue. Nous étions cachés derrière la pluie. Je me suis approchée de son petit bureau. Je portais un petit tee-shirt rose pastel, à peine effleuré par l'averse. Il voulait me montrer une de mes fiches. Je le sentais fébrile. Il n'y arriverait pas — trop de culpabilité. J'avais compris que lui aussi m'épiait depuis longtemps derrière la porte lorsqu'il venait chez mon père. Nous partagions le même secret. Mon cœur s'est mis à cogner. Katherine était à Evanston. Nous étions trop près et trop proches. Alors, j'ai approché lentement mon visage du sien jusqu'à respirer son souffle — et j'ai déposé silencieusement un baiser sur ses lèvres. Il s'est laissé faire. J'ai déboutonné sa chemise. Il m'a serrée fortement et m'a embrassée vigoureusement comme s'il cherchait à marquer son territoire. Ses yeux étaient humides. Lui aussi avait dissimulé cette brûlure, presque incestueuse, trop d'années. Nous nous sommes assis au bord du lit. J'allais lui obéir. À jamais. Il s'est emparé de moi. Et quand il m'a pénétrée, quand il est venu en moi, quand j'ai senti son souffle sur ma nuque et ses baisers qui me dévoraient, j'ai compris qu'il se donnait autant que moi. J'ai compris ses regards troublés que j'avais surpris à chacune de ses visites chez mon père. J'étais sa proie en même temps que je m'agrippais de tous mes membres à mon unique conquête. Nous nous appartenions. Cette nuit, nous avons signé de nos larmes et de notre sueur ce pacte que la providence nous offrait soudain après si longtemps.

Voilà notre histoire. Je suis ton soldat. J'ai défendu ta liberté. Je t'ai conquis et maintenant je t'appartiens.

Je ne te trahirai jamais, Jack. Je ne te trahirai jamais. La nuit m'en est témoin.

Il a cessé de pleuvoir. Il est peut-être dix heures du soir. Je décide de me rendre dans un café Internet, à Réaumur-Sébastopol. « Nastyboy2000 » m'a envoyé le portrait d'un jeune playmate à moitié nu. Je l'enregistre sur une clé mémoire et le décode, rentrée dans ma chambre d'hôtel. « Confirme Prof. P. est à N. Info par assistant : nombreux séjours longs de P. en jeep dans la région, sans sa femme. Assistant ignore destination. P. visite A-84 ? » Nikolaï insiste. Il continue de croire à la piste Ponomarenko. Peut-être le cher professeur s'est-il rendu récemment à Arzamas-84. Mais ce doute nécessite-t-il que je franchisse des milliers de kilomètres, loin de ma base, sans support local, et prenne un risque supplémentaire ?

Lors de l'une de nos nuits interdites, vers la fin du mois d'août, Jack se décida enfin à me montrer sa face cachée. Il allait me dévoiler l'atlas de ses vulnérabilités et de ses mystères. J'allais découvrir le secret de ce halo chaud et magnétique qui avait charmé mon père depuis que gamine je les observais tous deux. Nous venions de faire l'amour et Jack avait joui quelques minutes après moi. Je demeurais nue, imprégnée d'une sueur douce et salée qui rafraîchissait ma peau. Jack me caressait le dos. Ses mains tâtonnaient le long de mes reins jusque sur mes épaules. Il n'avait peut-être plus l'habitude de donner son affection. « Tu as déjà couché avec d'autres garçons, Julia ? »

Je me retournai et lui souriai. Je caressai à mon tour son visage.

« Avec deux autres garçons, oui. Mais c'était sans intérêt. Juste pour l'expérience. Pourquoi me poses-tu cette question ? »

Il m'embrassa le front. Confusément, nous avions compris tous deux que notre liaison n'était pas normale. Que certains mots essentiels demeureraient à jamais tabous entre nous. Mon père. Ta femme. Les enfants. Il agrippa mes mains.

« Dis-moi, Julia, si tu étais seule, à qui pourrais-tu faire confiance ? Vraiment confiance ? »

Mes yeux s'embuaient de larmes. Je lui souriais, je ne voulais pas le perdre.

« Mais, je le sais, Jack… J'ai déjà choisi. Nous avons ce secret tous les deux, n'est-ce pas ? Tu peux me faire confiance, Jack. Tu peux me faire confiance. »

Il continuait à me tenir fermement les mains. Mais je n'avais plus l'impression qu'il me parlait directement.

« Tu sais, Julia, beaucoup de choses que tu vois ne ressemblent pas à la réalité. C'est drôle… Je suis entouré tout le temps de plein de personnes. Je passe mes journées à rencontrer des gens et à discuter avec eux. Ma journée de travail, c'est rendez-vous sur rendez-vous… Mais, à la fin, je suis seul. Je suis tout seul. Et tout le folklore autour de moi, les gens, la presse, tout ça, c'est du vent.

— Jack, écoute. » Je le coupai. « Tu ne m'as pas séduite le jour où ta photo est apparue sur un journal. » Mes lèvres avaient du mal à trouver les mots. « Je veux que tu saches… Nous nous connaissons depuis plus longtemps que cela, Jack. Depuis bien longtemps… Demande-moi de te suivre où tu veux. Je serai ton ombre. Silencieuse et discrète. Ton ombre, Jack. Je te le promets. »

Il me serra dans ses bras. Une chaleur douce et presque paternelle émanait de son corps. Je séchai mes larmes sur sa poitrine. J'étais lovée dans son halo. J'étais dans le secret. Je venais de comprendre la condition immuable de toute loyauté — celle qui me liait à mon père, mon père à Jack et désormais Jack à moi-même : la loyauté ne peut être qu'absolue. Sinon, elle n'existe pas.

La note générale sur la France que j'avais écrite pour Jack avait été appréciée par ses collaborateurs. J'y écrivais qu'en dépit de la propagande partisane, le président socialiste Mitterrand était un atlantiste qui se rallierait à l'action des États-Unis en cas de conflit majeur. Et que les néogaullistes de Jacques Chirac et d'Alain Juppé étaient prêts à rompre avec la tradition et à rejoindre le commandement militaire unifié de l'OTAN. Lors de mon retour à New Haven, à l'université de Yale, en septembre, l'un de mes professeurs me demanda de faire de la recherche pour lui et certains de ses amis. Puis, l'un de ses amis me proposa un poste d'analyste financière dans une petite boutique d'investissement de New York, spécialisée dans les opérations transfrontalières. Quelques années plus tard, j'acceptai de rejoindre l'une des « fermes » de la CIA cachées en Virginie afin de recevoir mon apprentissage d'espionne « NOC » — « sans couverture officielle ». Je voulais apprendre le métier du secret. Je continuais à voir Jack par intermittence. Plus que jamais, j'allais être son soldat. Tel serait notre lien.

Je me battrai pour lui jusqu'au bout du monde. Et jusqu'en Sibérie, s'il le faut.

La procédure est simple. Dans l'une de nos boîtes aux lettres, près de la gare Saint-Lazare, m'attend un passeport canadien attribué à Ms. Julia Smith, consultante, avec un visa d'un mois pour la Russie. Accompagnant le passeport, un billet Aeroflot aller-retour Paris-Saint-Pétersbourg/Novossibirsk au nom de Ms. Smith. J'atterrirai à l'aéroport de Tolmachovo dans deux jours. Je pars au pays d'Arzamas-84 et de la Déesse. Je pars défendre la patrie de Jack.

III

Mobilisations

28 juillet-3 août

« L'ennemi doit ignorer où je compte
livrer bataille. Car s'il l'ignore, il devra se
tenir prêt en de multiples points. Et s'il se
tient prêt en de multiples points, les opposants que je trouverai en l'un quelconque
de ces points seront peu nombreux. »
Sun Tzu, *L'Art de la guerre*,
livre VI, verset 14

39

28 juillet
République française — Paris
Palais de l'Élysée — Bureau présidentiel

C'était dimanche en fin d'après-midi. Le président, en jeans et chemise Ralph Lauren déboutonnée, continuait à relire au feutre rouge les notes politiques. Le « Château » s'était vidé de la plupart de ses collaborateurs superflus. Derrière la fenêtre, les jardins de l'Élysée brûlaient sous la chaleur caniculaire qui assiégeait Paris depuis deux jours. À l'abri dans la fraîcheur de la pièce aux boiseries claires et harmonieuses, François Vernon bossait. Il avait l'habitude de pratiquer la semaine de soixante-dix heures et aimait se retrouver à la table de son bureau du premier étage, dans le calme du week-end. Selon la volonté de son occupant, le décor composé par l'ancien Salon doré de l'impératrice Eugénie mélangeait les styles et les époques. Pourtant, toute cette brocante hétéroclite reflétait la même permanence : celle de l'État central qui dirigeait la France depuis plusieurs siècles. Aux pieds du bureau de merisier et d'acajou de style Louis XV s'étalait le fragment d'un grand tapis de la salle du Trône de Napoléon Ier. Le chiffre de Louis XVIII imposé à la

Restauration n'avait pas fait disparaître les abeilles, symboles impériaux laissés aux coins du fragment. Et c'est une pendule Louis XVI évoquant les Arts et les Sciences qui rythmait le travail du plus haut magistrat de la Ve République. La pendule, vestige de l'Ancien Régime, n'avait jamais cessé de battre la mesure depuis sa création. Seule intruse dans ce patrimoine bien national, la tête en terre cuite anthracite d'une princesse chinoise du Xe siècle. Legs du président Jacques Chirac, elle occupait le bord du bureau, le visage éclairé de la béatitude d'un sourire de Bouddha. Vernon, lui-même collectionneur de calligraphies de la dynastie Yan, avait insisté pour conserver la princesse Song. Tout comme chaque détail de la pièce, la princesse chinoise avait un sens politique bien précis. Il avait capturé la princesse de l'ancien président. Elle lui appartenait désormais. Si son dédain pour les dorures aristocratiques était grand, comme l'était sa fascination pour la technocratie d'entreprise, il n'ignorait pas pour autant le pouvoir des symboles et leur magie propre.

François préparait l'entretien téléphonique qu'il allait avoir avec le chancelier allemand Daniel König. Sa carrure courte et d'apparence frêle regorgeait d'une énergie vitale qui se déchargeait de son corps à flots continus. Sous le bureau, alors qu'il tournait les pages et griffonnait sur son carnet, les jambes du président battaient nerveusement la mesure. Le geste ne l'avait jamais quitté depuis le temps lointain des bancs de prépa au lycée parisien Henri-IV. Là était sa vraie patrie : dans l'étude et l'action. Le reste — la famille, les grandes réceptions, les vacances à Fort Brégançon —, c'était une perte de temps. La pendule marquait la demi-heure. Ce qu'il allait révéler à son homologue allemand était explosif. Il faudrait bien ça. König était un homme très mesuré, presque trop, d'une nature fortement puritaine. C'était diplomatiquement son allié le plus proche, mais le courant passait beaucoup moins bien qu'avec Brighton. Il n'y avait jamais eu cette chaleur qu'il avait avec Jack. Il fallait toujours tout démontrer à König, en long et en large ! Cela finissait par exaspérer François qui rongeait désespérément son frein.

« Bonjour, Daniel, commença Vernon, dès que la communication fut établie. Mon cher Daniel — les deux manquaient de naturel —, je vous appelle au sujet du désordre boursier qui a agité l'Eurostoxx vendredi dernier, les trois dernières heures précédant la clôture. »

L'indice des Bourses européennes Dow Jones Eurostoxx s'était brutalement effondré de huit pour cent, sans qu'aucune information publique ne puisse justifier de l'ampleur des transactions. Dans la foulée, la position de l'euro avait été sévèrement attaquée. La contagion n'avait heureusement pas atteint Wall Street et une rumeur était née qu'un problème informatique avait affecté WorldNext, la société en charge des Bourses de Paris, New York et Tokyo. Toutes les institutions financières étaient en état d'alerte, en attente de l'ouverture des marchés asiatiques.

« Daniel, je veux partager avec vous les informations strictement confidentielles qui m'ont été communiquées il y a une heure par une unité de nos services de renseignement spécialisée dans les attaques de réseaux informatiques, le 11ᵉ Choc de guerre électronique de la DGSE. La conclusion du rapport est catégorique. Il ne s'agit pas d'une crise d'origine financière mais d'un acte de criminalité informatique exécuté avec une extrême sophistication. »

König restait muet à l'autre bout du fil. Sonné. Vernon poursuivit.

« Le bataillon a procédé à une enquête rapide auprès des détenteurs de comptes Internet qui soldaient leurs positions. La quasi-totalité n'étaient pas au courant des transactions enregistrées ! Elles se sont déroulées à leur insu… Daniel, la sophistication de cette attaque est telle qu'elle ne peut provenir que d'un État.

— Qui aurait intérêt à déstabiliser notre économie et notre monnaie, François ? »

François prenait garde de ne pas choquer son partenaire.

« … Je retiens deux caractéristiques de l'attaque, Daniel. Primo, sa haute technologie. Secundo, ses cibles — les industries européennes de l'aéronautique et la parité euro/dollar. Cela réduit le champ des possibles. L'agresseur est un État puissant. Son objectif est soit de nous déstabiliser politiquement à des fins probables de négociation ; soit de nous entraîner dans une guerre catalytique contre un autre pays ; soit peut-être même de nous obliger à accepter un certain ordre de fait sur le terrain de la guerre économique. »

Vernon avait balayé un spectre large et surprenant d'agresseurs potentiels. König comprenait parfaitement à quels États il faisait référence. Ces phrases clés étaient employées pour raisons diplomatiques afin de se couvrir *a minima* en cas de fuite dans la presse. Mais les références étaient transparentes.

L'attaque pouvait venir d'États de puissance moyenne, aux assises fragiles, cherchant à protéger leur capacité nucléaire — par exemple l'Iran. Le scénario de la « guerre catalytique » était, lui, plus machiavélique : la Chine faisait croire à l'Europe que l'Amérique était en train de l'attaquer. L'Europe retirerait alors son soutien aux actions militaires de l'Amérique dans le Pacifique, ce qui renforcerait la Chine. Enfin, le troisième scénario, celui de la « guerre économique », constituait la réalité la plus amère pour les Européens. L'Amérique, qui n'avait rien donné ni obtenu au sommet de Berlin du G8, cherchait à faire rentrer dans le rang les pays européens récalcitrants alors qu'elle était confrontée à un défi stratégique de première ampleur en mer de Chine. Ce scénario était aujourd'hui plausible. Même du temps de la grande alliance atlantique contre les Russes, les débats monétaires avaient souvent été violents et sans concession ; et puis l'espionnage économique entre pays amis et les coups tordus qui en découlaient n'avaient jamais cessé : une attaque informatique limitée contre les Bourses continentales et la monnaie unique ne constituait qu'un pas supplémentaire dans la guerre économique.

L'idée même d'une trahison américaine répugnait à König, attaché au rétablissement de la vieille alliance avec l'Amérique. Dans son bureau de la chancellerie de Berlin, il fit non de la tête et griffonna en allemand à l'adresse de son ministre sur un bout de Post-it : « Vernon déconne ? » — ce qui demeurait tout de même une question.

« François, François… Vous avez raison de développer toutes ces hypothèses, mais ce ne sont que des hypothèses. Nous avons besoin de preuves. Et si j'engage mon pays, j'aurai besoin de produire devant les membres de ma coalition une enquête réalisée par nos équipes du BND. Ils ne se satisferont pas d'un rapport français. »

König n'était ni roublard ni joueur. Mais il demeurait l'incontournable partenaire allemand.

« Daniel, vous avez raison. Tenons-nous officiellement à une explication économique pour rassurer les marchés. Pour le reste, je vous propose que mes équipes de la DGSE travaillent avec les vôtres et terminent l'investigation. Nous devons savoir qui nous attaque. Je n'ai pour ma part aucune certitude et je suis prêt à n'importe laquelle des éventualités que j'évoquais il y a quelques minutes. »

Les deux hommes demeurèrent muets quelques instants, l'un et l'autre au bout du fil. Vernon regrettait ses dernières paroles. Après tout, à Washington, c'était sa vieille connaissance, Brighton, qui tenait la Maison Blanche. Mais Jack n'était pas tout seul. Et puis, de toute façon, que valent les amitiés face à ces logiques supérieures auxquelles on est soumis corps et âme dès lors que l'on prend ses responsabilités ? Jack, François ou Daniel étaient chacun captifs et comptables de l'intérêt de leur pays.

« Nous n'en sommes pas encore là, François. Du moins, je l'espère. »

L'aveu était de taille. Daniel, lui aussi, s'était mis à douter.

Vernon et son ardeur dévorante l'avait cette fois déstabilisé. Oui, l'attaque des Bourses européennes sortait du jeu habituel. Quelque chose de très grave et d'imminent se préparait.

40

28 juillet
États-Unis d'Amérique — Washington
Maison Blanche/Réunion du Special
Situations Group

Dans l'atmosphère ocre et feutrée du Bureau ovale, l'humeur était studieuse en ce milieu de matinée. Jack voulait tenir les réunions du Special Situations Group dans cette pièce toute symbolique. La Situations Room du sous-sol était laissée aux situations de crise nécessitant une décision militaire urgente ou aux réunions de travail qui ne requéraient pas sa présence. Il voulait même parfois mener lui-même les débats. Le message était sans équivoque : le président devait être un dirigeant compétent, maître des orientations mais également à l'occasion des détails. Il tiendrait directement les rênes s'il le fallait. Il voulait mettre fin à l'illusion de « leaders » inspirés par de profondes intuitions, cachant le plus souvent un amateurisme crasseux. Ces « visionnaires » finissaient par laisser la technocratie agir à leur place, embarbouillant les responsabilités de chacun dans un flou lâche, véritable recette à désastres. Brighton, en costume sombre et cravate rouge, une épinglette représentant le drapeau sur le rebord de sa veste, dominait de sa haute taille la pièce depuis le coin gauche du bureau du Resolute où il s'était adossé. Il s'avança vers le centre du tapis où se tenait le sceau de la République — un aigle agrippant entre ses serres gauches un bouquet mordoré en symbole de paix, et dans ses serres droites les flèches de Mars, le dieu de la Guerre.

« Vous pensez que nous maîtrisons la zone, général ? » demanda Brighton, avec une pointe de provocation.

En uniforme bleu nuit piqué de plusieurs rangées de barrettes d'officier, le chef d'état-major Abe Dörner quitta le large fauteuil blanc crème sans dire un mot. Ménageant ses effets, il se tourna vers un écran plasma installé récemment près de l'âtre, à côté du portrait de Washington, le premier commandeur en chef de la République. Une carte du détroit finit par apparaître. Des dizaines de rectangles bleus, rouges et orange clignotaient entre la Chine continentale et l'île de Taiwan.

« Monsieur le président, fit Dörner, les groupes de porte-avions *Ronald Reagan* et *Nimitz* bloquent les issues du détroit. Le second porte-avions Kouznetsov chinois a appareillé du port de Dinghai. Face à notre dispositif, il n'est pas allé bien loin. Nous connaissons leurs positions. Nous captons leurs communications. Je pense que les Chinois ont compris qu'ils ne pouvaient pas faire grand-chose contre nous. »

Brighton se méfiait des collaborateurs trop sûrs d'eux.

« Général, qu'est-ce qui vous fait croire que les Chinois ne pourront réussir à dévoyer notre matériel de communication avec la même facilité que celui que nous avons fourni à Taiwan ?

— C'est une hypothèse sur laquelle nous travaillons en ce moment, monsieur le président », finit par concéder le général Dörner. Brighton avait tapé dans le mille.

Les militaires montraient plus d'humilité. Levin décida de prendre la parole.

« Les dirigeants de Pékin veulent nous démontrer qu'ils sont prêts à lâcher du lest. Sur les dernières photos satellites classées "KENNAN" de la base de Hai-Tang, les missiles Dong Feng-31 ont été retirés des lanceurs mobiles. Plusieurs unités des forces Quantou — les fameuses divisions "coup de poing" — se sont retirées des archipels de Matsu et de Quemoy. Elles sont retournées au port communiste de Xiamen et dans les bases militaires de la région de Zhangzhou. L'émissaire Luo Fenglai n'a rien promis, mais notre message a peut-être été entendu.

— Certes, Mark, intervint Cornelius, mais nous avons besoin maintenant d'engagements concrets de la part de Pékin !… Sans l'annonce rapide d'un plan de retrait, le président taïwanais Victor Teng perdra patience. À Taipeh, la rue est de plus en plus acquise aux idées indépendantistes. Une manifestation contre Pékin a réuni hier trois cent mille personnes à Kaohsiung, la deuxième ville du pays. Nous demeurons incertains quant à la volonté de Victor Teng de faire démarrer un programme accéléré d'armement nucléaire. Nos garanties de protection nucléaire suffiront-elles ? Victor Teng est un homme peu enclin à faire confiance aux gens qu'il ne connaît pas bien. Mais ce n'est pas un trouillard. »

Richard Engleton décida alors de dire lui aussi ce qu'il avait sur le cœur.

« Monsieur le président, les attaques contre le réseau de renseignement Intelink ont redoublé. Nous avons détecté des tentatives pour pénétrer nos stations les plus protégées. Les attaques sont très sophistiquées et certaines utilisent en les "dévoyant" les serveurs de nos propres centres de recherche, comme celui de Los

Alamos, ou ceux d'instituts universitaires sous contrat avec notre agence. »

Le président gravita autour du sceau de l'aigle sur le tapis.

« D'où proviennent les attaques ? finit par demander Brighton. Existe-t-il une "cinquième colonne" ?

— Historiquement, les attaques ont démarré depuis des serveurs basés en Asie — essentiellement en Chine mais aussi au Japon, en Corée du Sud et de façon surprenante en Russie et au Vietnam. Nous pensons que l'attaque suit un schéma bien précis. Le virus "zombifie" les ordinateurs qu'il attaque : chaque serveur infecté devient un agent opérant pour le compte du virus. Il y a là un phénomène très efficace de conversion par infection. Cela autorise une croissance très rapide des capacités utilisées par l'attaquant. Pour revenir plus précisément à vos deux questions, monsieur le président, je dirais que l'origine des attaques est incertaine mais semble avoir démarré en Chine. Au sujet de la cinquième colonne, elle existe bel et bien : elle est constituée tout simplement de nos serveurs après qu'ils ont été zombifiés. La cinquième colonne est cybernétique. »

Jack Brighton demeurait perplexe.

« Richard, vous ne m'avez toujours pas dit si cette attaque virale constitue pour nous une grippe hivernale ou la pandémie du siècle…, fit Brighton. Je vais donc vous poser trois questions qui sont à mon avis critiques. Je vous demanderai d'y répondre avec la plus grande clarté. Primo, quels sont les dégâts concrets posés par cette attaque ? Secundo, le dommage est-il grave au point qu'il nécessite une action spécifique de notre part ? Tertio, quelles sont à votre avis les lignes rouges qui réclameraient une réponse conventionnelle ou non si elles étaient franchies par une attaque informatique ? »

Tous les regards se tournèrent vers Engleton. Les autres membres du Special Situations Group semblaient tout aussi dubitatifs que le président.

« Monsieur le président, je vais essayer d'être le plus clair possible. Les attaques concernent Intelink pour l'instant, c'est-à-dire pour l'essentiel les réseaux dépositaires de fichiers de nos services de renseignement. Il ne semble pas que les fichiers aient été ouverts. Par contre, nous avons du mal à y avoir accès. Nous avons aussi des difficultés sur des lignes sécurisées de communication entre agences. Pour l'instant, il s'agit d'une nuisance désagréable mais qui ne remet pas en cause l'intégrité de nos structures gouvernementales. Nous n'avons pas à riposter d'une façon plus spécifique. Pour ce qui est des "lignes rouges", j'ai quelques idées, mais j'aimerais passer la parole au directeur central du renseignement Paul Adam qui aura une vue plus générale sur la question. »

Engleton péchait par prudence. Jack n'appréciait pas.

« Je vais poser la question à Paul, répondit Brighton d'un ton très froid, mais je veux d'abord connaître vos idées, Dick. »

Engleton comprit qu'il avait été maladroit vis-à-vis du président.

« Le point le plus critique, c'est au niveau de nos forces nucléaires stratégiques, monsieur le président. En particulier, la détection avancée d'une attaque et l'ordre de lancement d'une riposte nucléaire. Nous avons des systèmes très robustes au niveau de la mise en œuvre de la riposte, donc je ne pense pas que cela puisse poser problème. Mais j'ai des craintes au sujet des systèmes informatiques de DEFSMAC, qui est comme vous le savez le centre d'analyse et de détection avancée des attaques situées dans nos locaux de Fort Meade. Si DEFSMAC ne répond plus, on peut considérer qu'une ligne rouge a été franchie. »

Les regards étaient tendus. Le président et Engleton avaient parlé de « ligne rouge » et non de *casus belli* — mais nul ne savait à quel point les terminologies seraient poreuses en cas d'aggravation de la crise. Brighton se tourna vers le canapé de gauche. .

« Paul ! Je ne vous ai pas encore entendu ce matin… Vous avez des commentaires supplémentaires ?

— Monsieur le président, je suis d'accord avec Richard. Mais il y a deux autres lignes rouges. D'abord, l'intégrité de notre système de communication au plus haut niveau du gouvernement, critique pour la survie de l'État. Ensuite, le bon fonctionnement du système satellitaire de positionnement militaire GPS, utilisé par certains vecteurs de nos forces stratégiques. »

Brighton se tourna à nouveau vers Levin.

« Mark ! Qu'en pensez-vous ? »

Décidément, songeait Levin, Brighton avait décidé de le monter contre tout le monde !

« Monsieur le président, Richard et Paul ont mis le doigt sur l'essentiel. La suppression de notre capacité à détecter une attaque, à la discuter au plus haut niveau ou même à y répondre constitue une ligne rouge car cela signifierait que nous sommes vulnérables à une attaque nucléaire de première frappe. »

Brighton venait de prendre conscience qu'une escalade dans la confrontation informatique entre la Chine et les États-Unis comportait des conséquences aussi effrayantes qu'un affrontement aéronaval direct. Avec de surcroît un risque supplémentaire : la guerre mécanique se pratiquait depuis un siècle et demi. La guerre informatique serait une plongée dans l'inconnu pour les deux adversaires. Jack retourna vers son bureau, l'air brusquement préoccupé. Il griffonna une petite note sur un bout de calepin et se retourna vers les membres du Special Situations Group pour donner ses instructions.

« Messieurs, nous devons continuer à faire pression sur les Chinois. Jon, vous avez raison : c'est maintenant à eux de faire un geste. Ils ont trois jours au maximum pour quitter le détroit de Luzon. Nous allons poursuivre le renforcement de notre activité aéronavale dans le détroit de Taiwan. Général Dörner, vous avez évoqué les nombreuses opérations de reconnaissance effectuées par les drones chinois. Vous avez mon autorisation pour les intercepter systématiquement. Nous devons envoyer un message de fermeté aux dirigeants de Pékin mais nous ne cherchons pas l'escalade : notre objectif est de pousser les Chinois à rouvrir la voie maritime entre Taiwan et les Philippines afin d'accepter une reprise des négociations. Nous maintiendrons également une réponse modérée face aux attaques informatiques. Je sens là des risques d'escalade que nous ne maîtrisons pas encore. De toute façon, nous avons besoin de montrer aux Chinois que nous aussi nous avons pris quelques coups — autrement, ils ne comprendraient pas pourquoi nous pourrions leur offrir notre matériel militaire de surveillance et d'exploitation informatique des données personnelles. Si nous cédons trop facilement, nous éveillerons les soupçons. » Mark Levin acquiesça devant la subtilité de Brighton qui avait bien compris la manœuvre. « … Mais il faut nous préparer également à un échec des négociations. C'est pourquoi, général Dörner, j'attends le plus rapidement possible deux plans d'action. Un premier plan militaire de l'US Pacific Command qui envisage la destruction des forces aéronavales chinoises actuellement déployées. Et un second plan de l'US Strategic Command qui détaille notre riposte informatique et spatiale contre une attaque électronique chinoise… Ainsi qu'un scénario de riposte à une attaque nucléaire de première frappe chinoise. »

Brighton savait que si les Chinois apprenaient d'une façon ou d'une autre que le Pentagone travaillait sur des scénarios de riposte nucléaire, cela renforcerait la pression psychologique sur les dirigeants de Pékin. Le détroit de Luzon devait être évacué et la négociation enfin se poursuivre. Dans le cas contraire, les scénarios qui venaient d'être commandités aux stratèges du Pentagone pourraient bien prendre vie. Les Chinois devaient commencer à avoir peur. Il n'y a qu'en augmentant l'inconfort de l'autre partie que celle-ci prend conscience du prix attaché à chacune de ses actions et parvient à un calcul plus rationnel de ses possibilités et de ses limites. Ce qui manquait cependant à Brighton, c'était l'application du même type de contrainte à l'autre fléau de la balance — le gouvernement de Taiwan.

En temps de guerre, même les calculs les plus rationnels peuvent s'effondrer quand la peur et l'orgueil sont les vainqueurs.

41

28 juillet
République de Chine (Taiwan) — Taipeh
Palais présidentiel de la République de Chine

La nuit était tombée. Au tournant du jour qui s'achevait, le président Victor Teng avait repris la main.

« Messieurs, j'ai eu le rapport de notre état-major… Ainsi, les communistes desserrent leurs mâchoires ?

— Oui, hocha de la tête le ministre de la Défense. Les forces navales chinoises opèrent un repli — ainsi que les unités terrestres "coup de poing" sur Quemoy et Matsu. Le renforcement du dispositif aéronaval américain semble les inciter à la prudence. »

C'était tout ce que Victor Teng voulait entendre. Il n'y aurait plus de discussion.

« Messieurs, les communistes ont montré leurs limites, commença-t-il sur un ton qui ne souffrait aucune interruption. Ils ont faibli trop rapidement. Nous avons là une opportunité unique et pas d'autre choix que de la saisir. À cause de la pression américaine, nous n'avons pu riposter comme nous le désirions en attaquant le porte-avions Kouznetsov des communistes. En conséquence, le peuple de Taiwan se sent aujourd'hui trahi. Les manifestations indépendantistes remplissent les avenues de nos villes, vous savez comme moi ce que donnent les sondages aujourd'hui : une écrasante majorité de sièges au Parlement irait aux factions les plus extrémistes du parti indépendantiste MinJinDang. » Victor Teng semblait s'adresser en particulier à son Premier ministre. Il connaissait sa grande pusillanimité. « Nous devons donc agir. Notre contrainte est la suivante. D'un côté, nous ne pouvons reprendre les hostilités d'un point de vue militaire. Washington y trouverait là un prétexte pour nous mettre sur le même plan que l'agresseur communiste. Washington nous lâcherait. Nous ne pouvons nous fier au président Brighton : il nous menace tout autant qu'il nous soutient. D'un autre côté, si nous ne faisons rien, les Américains ne nous prendront pas au sérieux, et c'est un gouvernement bien plus radical qui s'installera ici même, porté par la clameur de la rue. Voilà pourquoi, messieurs, je vais organiser dans les prochaines vingt-quatre heures une nouvelle initiative politique et stratégique. »

Le Premier ministre se voyait confirmer ses théories les plus sombres. Victor Teng avait arrêté sa décision depuis bien longtemps.

« Messieurs, j'ai entamé une négociation avec les membres des factions les plus indépendantistes de mon parti, le Parti progressiste démocratique. Ma ligne a toujours été celle du pragmatisme dans le nationalisme et par-dessus tout de la modération. Mais aujourd'hui nous devons prendre en compte la colère de la rue — pour essayer de la canaliser et de la tempérer. Avec les représentants de ces factions, nous nous sommes mis d'accord pour former un nouveau gouvernement d'union nationale. Monsieur le Premier ministre, vous dirigez le Néo-Kuomintang, un parti qui a été mon allié jusqu'ici. Nous avons besoin d'une large coalition pour affronter l'agression communiste. Vous serez en charge de mener les négociations en vue de l'établissement de ce nouveau gouvernement. Nous devrons agir avec la plus extrême diligence. Dans les heures qui viennent, sur la base de l'agression avérée contre les archipels de Matsu et de Quemoy, la présidence de la République décrétera l'état d'urgence et convoquera les dirigeants des grands partis. Conformément à la loi sur le référendum de mars 2004, la présidence proposera au Yuan législatif l'adoption d'une loi électorale permettant la tenue d'un référendum sur l'indépendance de Taiwan d'ici trente jours. » Le Premier ministre était abasourdi. Pour se montrer aussi confiant, le président Victor Teng avait dû obtenir l'assentiment de nombreux parlementaires du Parti indépendantiste MinJinDang, mais également du propre parti du Premier ministre, le Néo-Kuomintang. Le Premier ministre se sentait trahi à plus d'un titre. Il était humilié qu'une telle opération se soit déroulée derrière son dos. Il bouillait de rage — mais Victor Teng n'avait pas terminé. « En outre, poursuivit le président, nous devons continuer à marche forcée la réactivation de notre programme d'armement nucléaire. Par la tenue d'élections et la menace voilée que représente notre capacité nucléaire, nous reprendrons l'initiative. Les communistes, déjà poussés à reculer par les Américains, n'auront plus d'autre choix que d'accepter le nouvel état de fait. »

Le Premier ministre se leva de sa chaise. Il allait partir — mais la curiosité de savoir ce qui avait incité Victor Teng à choisir une issue aussi insensée le maintint sur place.

« Monsieur le président, attaqua le Premier ministre d'une voix grave, sauf votre respect, nous allons droit au mur si nous faisons ce que vous proposez. C'est une déclaration de guerre contre Pékin, et vous le savez.

Les Américains, les Européens, les Russes et nos partenaires asiatiques nous lâcheront tous du jour au lendemain. Et le jour d'après, ce seront les missiles chinois qui atterriront sur nos têtes. »

Victor Teng se redressa à son tour, la mâchoire serrée.

« Monsieur le Premier ministre, la Chine ne se permettra jamais d'attaquer un pays en train d'exercer son droit démocratique. Au-delà de notre colère, c'est le courroux du monde libre et de l'Amérique qu'elle attirerait sur elle. Et la Chine a trop besoin des capitaux occidentaux, ou même des capitaux que notre île a investis dans les provinces du sud au cours des dernières décennies, pour se permettre le luxe de nous détruire. Soyez réaliste, monsieur le Premier ministre ! Il n'y aura pas de grands drames ! Vous vous faites peur tout seul ! »

Le ton paternaliste de Victor Teng agaça profondément le Premier ministre.

« Que savez-vous de la paix et de la guerre, monsieur le président ? Il ne s'agit pas d'une crise parlementaire ! Nous risquons de forcer la Chine à entrer en guerre contre nous et de pousser les Américains eux-mêmes à nous lâcher dans le meilleur des cas — dans le pire, à nous lâcher et à être condamnés à entrer en guerre contre la Chine !

— Monsieur le Premier ministre, quand on veut jouer dans la cour des grands, on doit être capable de tout miser sur la table ! Et je vous le dis : ni la Chine ni les États-Unis n'entreront en guerre contre nous. Ils auront bien trop à perdre dans un conflit qui les opposerait. Et pour ce qui est de notre République, je suis prêt à ce que Taiwan soit à nouveau ostracisée. Cela a déjà été le cas les quarante dernières années, je ne vois pas ce que cela changera. Nous continuerons à commercer et investir en Chine et dans le reste du monde. On protestera, et après ? Mieux vaut les jérémiades des diplomates occidentaux qu'une révolution de palais à Taipeh !… »

Le Premier ministre ne laissa pas le temps au président Victor Teng de reprendre son souffle. Tous deux étaient d'anciens parlementaires, habitués aux rencontres musclées dans les allées du Yuan législatif.

« Ce sont des foutaises, monsieur le président. La seule raison pour laquelle vous vous sentez prêt à rompre les amarres et plonger dans l'inconnu, ce sont les résultats positifs qui viennent d'être obtenus à l'Institut de recherche sur l'énergie nucléaire de l'Institut des sciences de Chungshan !… Nos anciennes ogives nucléaires sont toujours opérationnelles, c'est bien cela ? »

Le président Victor Teng demeura muet, comme coupé dans son élan. Le Premier ministre avait vu juste.

« … Monsieur le président, comment allons-nous démontrer aux Chinois que nous avons une capacité de dissuasion nucléaire ? Allons-nous procéder à un essai atmosphérique ? Au beau milieu de la crise ?… Comment croyez-vous que les communistes de Pékin réagiront s'ils perdent la face alors que leur propre rue s'est mobilisée contre eux ? Et comment réagiront les Américains ?

— Monsieur le Premier ministre, c'est précisément parce que nul n'osera se poser toutes ces questions et parce qu'aucune d'entre elles n'a de solution évidente, qu'on nous laissera tranquilles avec notre référendum sur l'indépendance ! »

Teng frappa du plat de la main sur la table. Le Premier ministre demeura inflexible.

« Monsieur le président, il s'agit d'un acte de foi !

— Non, monsieur le Premier ministre. Pas d'un acte de foi. D'une audace réfléchie. Celle que permettent les années d'expérience. »

L'échange était terminé entre les deux hommes.

« Je ne participerai pas à une guerre dont il nous est impossible de connaître l'issue — pas même s'il peut exister un vainqueur, monsieur le président.

— J'attends votre lettre de démission sur mon bureau d'ici une heure, monsieur le Premier ministre. »

42

28 juillet
Fédération de Russie — Moscou
Immeuble du Sénat (Unité numéro un)/Kremlin

La nuit était tombée sur Moscou, et Boris Alexan-drievitch avait légèrement ouvert les fenêtres. La capitale succombait sous une brusque canicule. Nem-baïtsov aimait travailler dans la discrétion du soir, armé d'une large tasse de café noir qui le faisait tenir jusqu'à deux-trois heures du matin. Et depuis la ten-tative ratée d'assassinat six mois plus tôt, la pratique des réunions nocturnes était devenue systématique. Il avançait ainsi dans le silence de la nuit, blotti dans la chaleur familière du bureau présidentiel placardé de boiseries aux reflets familiers brun tabac.

Le ministre Akhripov se présenta dans l'encadrement de la porte d'entrée.

« Evgueni Dimitrievitch ! Prenez place, fit Nembaïts-sov d'un ton poli. Vous m'apportez le rapport sur Arza-mas-84 ?

— Oui, monsieur le président. » Il fit glisser un rap-port d'une dizaine de pages. « C'est très préoccupant. Je crois… que la cité d'Arzamas-84 est entrée en dissidence de la Fédération de Russie, monsieur le président. »

Le président Nembaïtsov avala une gorgée presque brûlante de café noir et se mit à lire.

RAPPORT SPÉCIAL — AGENT Dimitri Sergueïevitch Gorbenkiev

TOP SECRET

Inspection de la ville d'Arzamas-84/
    Latitude : 57° N, longitude : 80° E
Oblast de Tomsk
District militaire de Sibérie

Arzamas-84 n'apparaît sur aucune carte publique. Son accès est strictement réservé au personnel militaire autorisé : prétextant un incident nucléaire fictif survenu en 1988, un périmètre de sécurité a été établi dans la zone de 20 kilomètres autour de la cité. La radioactivité sur la zone est en dessous des seuils de toxicité.

Justifiant d'un message personnel du ministre Akhripov au directeur de la cité, j'ai été héliporté depuis la base militaire de Novorossisk affectée à la 7ᵉ division aéroportée de la garde civile, jusqu'à l'enceinte de la cité, à 230 kilomètres de distance. À mon arrivée, vers midi, le temps était relativement doux, la température avoisinant les 20 degrés, le ciel dégagé, ce qui est habituel pour cette saison en Sibérie occidentale. Un des responsables militaires en charge de mon accueil m'a permis de jeter un coup d'œil rapide sur les lieux dédiés à la population civile. La cité d'Arzamas-84 est constituée en surface de dix-neuf bâtiments de taille moyenne, d'environ cinq étages chacun, représentant près de 600 unités de logement aux normes propres aux ZATO : chaque famille dispose de sa propre unité, certains appartements possédant même de petites terrasses privatives. Au niveau de la rue, les rez-de-chaussée ont été aménagés en espaces marchands. À mon passage, cependant, il semblait n'y avoir aucune activité, tous les commerces demeurant fermés. Je n'ai pas non plus observé de présence d'enfants. L'ensemble m'a donné l'impression d'un endroit qui avait été déserté par la population civile accompagnant d'habitude les scientifiques et militaires vivant dans les ZATO. Sur la place centrale de la cité s'élève une statue en bronze de deux mètres de Lénine. Sur l'un des murs d'un bâtiment, on peut également observer une fresque murale célébrant les réussites scientifiques de l'Union soviétique. Cette place m'a donné l'impression d'être complètement abandonnée et je n'ai aperçu personne aux balcons des immeubles d'habitation. Il n'y a pas non plus de circulation automobile. En surface, la cité demeure très silencieuse. À côté des logements pour les civils, il y a trois baraquements relativement délabrés dont les accès ont été scellés. Il s'agit d'anciens laboratoires déjà présents sur le site lorsque celui-ci a été fondé en 1952, initialement comme centre de recherche nucléaire. Après la reconversion du site en 1988 en unité de guerre informatique, les vieux laboratoires ont été définitivement condamnés pour raison de sécurité.

Le centre de guerre informatique et de recherche cybernétique est situé quinze mètres sous terre. Les parois sont bétonnées et l'on y accède par deux tunnels hautement surveillés situés au nord et au sud de la cité. Le centre s'étend sur environ un kilomètre carré et demi, et sur au moins trois niveaux. Il est relié par plusieurs câbles en fibre optique à des nœuds du réseau téléphonique régional ainsi qu'aux réseaux haut débit du ministère de la Défense. Il possède également trois paraboles émission et réception de plusieurs dizaines de mètres de diamètre camouflées autour de la cité, capables de communiquer avec n'importe quel réseau satellite.

De l'intérieur de la cité, j'ai pu constater l'intense fébrilité qui règne actuellement. Si les rues en surface sont désertes, il n'en va pas de même au cœur du complexe : les travées où sont disposées les consoles informatiques grouillent d'ingénieurs et de militaires. J'ai vu et entendu de nombreux informaticiens courir et crier dans les couloirs. Le personnel semble très nerveux. Je n'ai pas rencontré de membres du personnel chinois.

Après mon arrivée, on m'a informé que le directeur du centre, le docteur Alberich, était actuellement en déplacement et qu'il reviendrait dans une semaine. On m'a alors présenté le vice-directeur adjoint, le professeur Alexeï Dimitrievitch Borenkov. Lorsque j'ai demandé pourquoi les services du GRU n'avaient pas été prévenus de l'absence du docteur Alberich, le professeur Borenkov m'a répondu qu'il était lui-même très surpris. Le directeur était parti pour une mission d'échange de plusieurs semaines chez leurs collaborateurs chinois. Selon le professeur Borenkov, la mission avait été prévue de longue date et les services du GRU avaient été mis au courant. Je n'ai pas insisté sur le sujet, de manière à ne pas mettre en danger l'objet réel de ma mission et éveiller des soupçons. J'ai à mon tour feint la surprise et promis de revoir la coordination de nos différents services en compagnie de mes supérieurs à Moscou.

Le professeur Borenkov m'a ensuite fait visiter les différentes unités du centre souterrain. J'estime à environ 400 le nombre de chercheurs, ingénieurs et militaires qui y travaillent. Le centre est divisé en trois départements : Sécurité du réseau militaire ; Sécurité du réseau de renseignement russe ; Unité d'opération spéciale. Les deux premiers départements agissent en collaboration étroite avec le SSSI et la 6ᵉ Direction du GRU, responsable du renseignement électronique. Ils simulent des attaques sur les réseaux russes afin d'en déceler les premiers les failles. Le troisième département, dit Osobyï Otdiel, du nom de l'ex-Département 8 du KGB, procède à des attaques sur des réseaux étrangers. Sa mission est de fournir des outils de guerre informatique pouvant être mis à la disposition des différents organes de la communauté du renseignement russe selon les besoins. Telle est la description que m'en a faite le professeur Borenkov.

Lorsque j'ai demandé au professeur Borenkov quelle était la raison de l'intense agitation qui semblait régner dans les trois départements, il m'a répondu que le centre menait actuellement un exercice d'attaque informatique au cours duquel les trois départements devaient s'attaquer pour découvrir leurs failles respectives.

Un détail a alors retenu mon attention : je n'ai trouvé nulle part de drapeaux russes. À leur place ont été hissés des drapeaux à fond rouge avec un disque noir en leur centre, cerclé de blanc, ainsi qu'une panoplie de drapeaux divers, venant des cinq continents — j'ai noté par exemple le drapeau de l'Uruguay, du Bénin, de la Roumanie et de l'Indonésie. J'ai également remarqué les drapeaux chinois, américain, français, allemand, pakistanais et syrien. J'en ai fait la remarque au professeur Borenkov, tout en lui demandant la signification du drapeau à disque noir cerclé de blanc sur fond rouge qui semblait avoir une place prédominante. Le professeur Borenkov m'a répondu qu'il s'agissait d'un drapeau du folklore local et que le centre avait pour habitude lors des exercices de guerre informatique de simuler des camps adverses avec ce type de drapeaux. Je lui ai alors à nouveau fait remarquer qu'il n'y avait aucun drapeau russe pour représenter le camp russe. Le professeur Borenkov m'a répondu que lors des exercices de guerre informatique, les informaticiens du centre avaient pour tradition de ne jamais figurer de pays, mais plutôt des camps imaginaires. Comme le sujet m'intriguait, j'ai expliqué au professeur Borenkov que je ne comprenais pas la prédominance du drapeau au disque noir cerclé de blanc sur fond rouge. Le professeur Borenkov a répondu que cela provenait de la victoire certaine du camp ainsi représenté. J'ai alors demandé pourquoi organiser une simulation de guerre si la victoire était certaine. Le professeur Borenkov n'a pas voulu me répondre directement et a simplement ajouté sur le ton de la boutade que pour son centre, au regard de ses moyens limités, l'organisation d'une simulation de guerre était en soi déjà une victoire.

Justifiant de la nécessité de repartir à la base militaire de Novorossisk pour aller prendre de nouvelles instructions auprès du GRU suite à l'absence imprévue du directeur du centre, je suis remonté à la surface pour reprendre l'hélicoptère. J'ai alors remarqué qu'en surface les drapeaux russes avaient également été remplacés par le drapeau au disque noir cerclé de blanc sur fond rouge. J'ai fait demander le directeur adjoint pour qu'il m'explique ce manquement aux règles militaires. Au bout d'un quart d'heure, le professeur Borenkov est venu à ma rencontre. Je lui expliqué que les drapeaux à disque noir sur fond rouge devaient être remplacés sur-le-champ par des drapeaux russes. Il m'a alors dit

que cela lui était impossible tant que l'exercice se poursuivait. Lorsque je lui ai demandé ce qui l'en empêchait, il m'a
répondu qu'il devait d'abord obtenir un ordre écrit du directeur, le docteur Alberich.

À nouveau, pour ne pas alerter mon interlocuteur, je
n'ai pas insisté et suis reparti aussitôt avec l'hélicoptère
Mi-8 qui m'avait servi à l'aller. [...]

À la fin de la lecture, Nembaïtsov demeura perplexe.
Il avala une nouvelle gorgée de café noir, referma le
dossier et le repoussa vers Akhripov.

« Evgueni Dimitrievitch, qu'est-ce que c'est que cette
connerie d'histoire de drapeaux ? »

Le ministre Akhripov haussa les épaules.

« Je n'en sais rien, monsieur le président. Nos services
ont essayé de retrouver ce fameux drapeau dans la base
documentaire que nous possédons sur les peuples et
folklores de la Fédération russe, mais cela n'a rien
donné… »

Nembaïtsov affichait une mine sévère.

« Et pourquoi l'un de nos agents d'infiltration du GRU
nous explique-t-il en long et large sur plusieurs dizaines
de lignes qu'il y a un drapeau qui ne lui revient pas ?

— Monsieur le président, il s'agit, à ma connaissance, de la première fois qu'un établissement militaire
se permet d'abaisser de son propre chef le drapeau
russe. Cela ne peut avoir qu'une seule signification. La
ZATO d'Arzamas-84 a fait sécession avec la Fédération
de Russie. »

Nembaïtsov s'abstint de toute réponse. Silencieux, il
se souvenait des épisodes politiques les plus saillants au
cours des six derniers mois, depuis la tentative d'assassinat. Qui pouvait être derrière ce nouveau désordre ?
Des stalinistes, des nationalistes grand-russes, tous ces
salopards de Rodinatchiks — « l'ennemi de l'intérieur » ?

« Evgueni Dimitrievitch, que savons-nous d'autre sur ce docteur Alberich ?

— Nous sommes en train d'effectuer une enquête approfondie. C'est un ancien professeur à l'Akademgorodok de Novossibirsk. Il a travaillé auparavant pour le programme informatique de l'Union soviétique. »

Nembaïtsov maintenait de longs silences entre ses questions.

« Et pourquoi suggérez-vous en particulier une attaque de la ZATO d'Arzamas-84 par nos troupes d'élite Spetsnatz, monsieur le ministre ?

— Si nous voulons rétablir l'autorité civile de la Fédération de Russie en engageant des troupes dans une opération de maintien de l'ordre en milieu urbain, tout en essayant de limiter les pertes ennemies, il m'apparaît clairement que seules les Spetsnatz pourraient remplir cette mission.

— Dans combien de temps vos troupes du FSB pourront-elles intervenir ?

— Trente-six heures suffiront pour monter mon équipe de Spetsnatz, monsieur le président. »

Nembaïtsov jeta un coup d'œil à la vieille pendule incrustée de malachite cachée derrière le ministre Akhripov. Il devait être deux heures trente du matin. Dehors, la nuit moscovite chaude et silencieuse étouffait sous sa chape de ténèbres avenues et ruelles. Boris Alexandrievitch se tourna lentement vers le directeur du FSB.

« Bien..., finit-il par lâcher, envoyez vos troupes d'élite Spetsnatz et nettoyez-moi la ZATO. Vous recevrez l'ordre d'établir un couvre-feu permanent sur la cité d'Arzamas-84. La cité passera directement sous la direction du ministère de l'Intérieur. Je vous accorde vos trente-six heures, prenant effet à cet instant précis. J'insiste sur un point particulier, Evgueni Dimitrievitch : toute cette opération doit être conduite sous le sceau de la plus absolue discrétion. Il s'agit d'une opération militaire contre une unité militaire. Nul ne doit apprendre, à Moscou ou ailleurs, qu'un centre de recherche de l'armée est entré en sécession. Il s'agit de maintenir la crédibilité de l'autorité de l'État fédéral, Evgueni Dimitrievitch !

— C'est parfaitement clair, monsieur le président.

— Les prisonniers devront être très soigneusement interrogés. Et, pour les raisons que je viens de vous citer, je veux un cordon totalement étanche autour de la ZATO. Nul ne doit s'échapper et répandre je ne sais quel témoignage qui nuirait au prestige de l'État. »

Akhripov acquiesça d'un signe de tête.

« Enfin, conclut Boris Alexandrievitch, je veux que vous retrouviez ce docteur Alberich, ainsi que ses plus proches collaborateurs à l'Akademgorodok de Novossibirsk !… Vous allez dépêcher une équipe d'inspecteurs du FSB sur place. L'endroit doit être quadrillé. Nous devons absolument savoir où se trouve ce bonhomme, s'il est toujours en vie, et pourquoi il a disparu d'un coup. Nous devons comprendre qui se trouve derrière cette opération d'Arzamas-84 ! »

Akhripov comprit où Boris Alexandrievitch voulait en venir.

C'était le complot de l'ennemi de l'intérieur qu'il fallait déjouer. La Russie était redevenue l'ennemie de la Russie. Tout le pays devrait être passé au peigne fin.

43

Journal de Julia — Saint-Pétersbourg, 28 juillet

Je suis arrivée en fin d'après-midi à l'aéroport de Poulkovo-2, en transit vers Novossibirsk. Le passeport canadien semble fonctionner. Mon vol pour Tolmachovo est dans six heures. À l'abri dans le décor anonyme d'un salon VIP partagé par Air France, Lufthansa et Iran Air, je me cale dans un confortable fauteuil de cuir plein, à la surface satinée. Protégée des regards, j'ouvre mon ordinateur portable et me connecte par réseau sécurisé.

L'infirmière à Berlin m'a envoyé un nouveau compte rendu. Je n'aime pas ce que j'y lis. La relation qu'elle entretient avec le patient Alberich prend une tournure contraire à notre méthodologie. L'infirmière devrait agir avec détachement à l'égard du patient. Je crains qu'elle n'abuse du pouvoir que je lui ai conféré en l'autorisant à « punir » Alberich dans la chambre d'isolement.

Les dernières fois où Alberich est à nouveau sorti de son silence et l'a insultée — elle me raconte comment il l'a traitée de *bandorcha*, mère maquerelle en russe, ou parfois même d'expressions imagées telles que « pisseuse du KGB » ou « chienne aryenne » —, elle a retourné le protocole de punition à son insu. Elle lui a demandé : « Quel jour est-il ? » À chaque réponse d'Alberich, quelle qu'elle soit, il est emmené, les membres attachés aux barreaux du lit, dans ce que l'infirmière appelle la « chambre à punitions ». Il y est alors enfermé pour une durée double de celle que j'avais prescrite.

Alberich en ressort dans un état de grand choc émotionnel, trahi par une perte de contrôle de soi, et, systématiquement, des vêtements souillés. Les sessions ont un impact profond sur son comportement. L'infirmière reconnaît les effets du conditionnement psychologique mis en jeu. Elle a observé, après cinq sessions de punitions, la transformation du patient : Alberich a fini par la craindre. La peur a pris possession de lui. Désormais, la question clé, « Quel jour est-il ? », déclenche immédiatement chez lui un état de semi-régression. Il se refuse à répondre. Dans le fond de son cerveau, il a associé la phrase avec la punition. Mais une autre part de lui-même désire ardemment connaître la réponse : elle seule lui permettrait de suspendre son état de désorientation et le mettrait sur le chemin de repères familiers. Il se retrouve dès lors en conflit avec lui-même. Alberich s'enferme dans ses peurs. Il est prisonnier de sa propre chambre de punition, construite dans la chair de son esprit. Et seule l'infirmière peut le libérer. Seule elle, cette jeune femme à la tunique blanche virginale, peut apaiser ses frayeurs et le conduire hors de la pièce obscure, loin, là où le nom du jour n'a plus d'importance, là où les nombres peuvent s'oublier.

Elle tient, entre ses mains, le secret du silence intérieur. Son autorité est toute-puissante. Il lui suffit de jouer avec ces quelques mots — « Quel jour est-il ? »

Je sens dans l'e-mail que l'infirmière exulte. Elle me demande si elle peut étendre l'application de la phrase clé à de nouveaux ordres qu'elle pourrait adresser à Alberich. L'exploitation de la source pourrait être approfondie très efficacement, m'écrit-elle.

Ma réponse est claire.

Ernst Alberich n'est pas un cobaye. Il est hors de question de poursuivre son « conditionnement ». Les sessions de punitions doivent être exceptionnelles et limitées à des écarts graves de sa part.

Quelques heures plus tard, l'infirmière me confirme par e-mail qu'elle a bien compris mon message. Je l'espère. J'ai besoin de ce salopard d'Alberich en pleine possession de ses moyens. Je risque ma vie. Je m'enfonce au cœur de la Sibérie, direction Novossibirsk, au milieu de nulle part, à la recherche de sa vérité. Et ma seule boussole sera l'âme du vieil Allemand.

44

29 juillet
République populaire de China — Pékin
Réunion du Comité de salut public/Zhongnanhai

Hu Ronglian était toujours vêtu d'un élégant costume de flanelle, la crinière argentée pleine de panache, mais les apparences étaient trompeuses. Les hommes du Parti central avaient perdu de leur superbe. Un frisson d'angoisse traversait Zhongnanhai depuis quelques heures. Les Super-Aînés, les Chaoji Yuanlao, ne sortaient plus de leurs résidences. La confrontation avec les Américains commençait à faire peur. Hu Ronglian avait besoin de réponses.

Cette réunion du Comité de salut public au cœur du complexe militaire de Zhongnanhai était cruciale. Quand le filament projeta une ombre écarlate sur les participants tenus au secret de la pièce, Hu Ronglian rompit le silence conspirateur.

« Camarades, nous avons atteint un point critique de notre opération. Nous avons remporté une victoire militaire incontestable avec la prise de Matsu et de Quemoy. Il nous faut maintenant la transformer en succès politique. Ce qui importe aujourd'hui, c'est de cerner les limites de notre action et savoir si nous devons avancer ou reculer pour améliorer notre position vis-à-vis des Américains. »

Le maréchal Gao Xiaoqian fit s'animer les écrans plasma, projetant des cartes électroniques du détroit et de la mer de Chine constellées de rectangles rouges, jaunes et verts.

« Camarade Ronglian, les Américains ont fortement renforcé leur dispositif aéronaval au cours des dernières heures. Ils disposent maintenant de deux groupes de combat aéronaval dans la zone de Formose. Le premier, provenant de la 7ᵉ flotte américaine, est constitué autour du porte-avions nucléaire *Ronald Reagan*, situé à cinquante miles à l'est de Formose. Dans ce premier groupe, nous avons identifié un croiseur de classe Ticonderoga, deux destroyers de classe Arleigh-Burke, ainsi que deux sous-marins d'attaque nucléaire de classe Los Angeles. Le second groupe de combat aéronaval, associé à la 3ᵉ flotte américaine, est localisé plus au sud et progresse rapidement vers la zone des récifs des Pratas. Il est accompagné d'un nombre indéterminé de drones furtifs de combat de dernière génération Predator-III… » Les Américains cherchaient à exercer une pression militaire maximale tout en évitant l'affrontement direct.

Hu Ronglian se tourna vers Jia Gucheng, le directeur du ministère de la Sécurité d'État, le Guoanbu.

« Quels sont les premiers résultats de notre guerre informatique ? »

Jia Gucheng, en costume cravate sombre, affichait une grande assurance.

« Camarade Ronglian, les services de la quatrième section du Guoanbu continuent d'obtenir des succès très importants contre l'infrastructure informatique ennemie. Nous avons pénétré leur réseau sécurisé Intelink utilisé par les services de renseignement américains. Nous sommes prêts à poursuivre l'attaque contre les systèmes de communication gouvernementale et certaines cibles des forces armées. Nous sommes également prêts à neutraliser informatiquement certaines infrastructures à Taiwan. Nous pourrions par exemple à nouveau paralyser leur réseau bancaire de distributeurs automatiques de billets, comme nous y sommes déjà parvenus en juillet 1999. »

Jia Gucheng se sentait pousser des ailes. Mais l'objectif de Hu Ronglian n'était pas la guerre électronique à outrance.

« Camarade Gucheng, savons-nous ce que pensent les Américains de ces attaques informatiques ?

— Nous avons un indice à ce sujet, camarade Ronglian. Nous avons intercepté ce matin un e-mail entre deux responsables de niveau moyen du Conseil de sécurité nationale de la Maison Blanche, tous deux travaillant pour le conseiller Mark Levin. Il apparaît que les Américains, sans certitude absolue, semblent nous attribuer l'origine des attaques informatiques. Ils sont également très troublés par notre connaissance de leur matériel de communication, démontrée par l'opération de Matsu et de Quemoy. Bref, camarade Ronglian, ils craignent sincèrement nos attaques informatiques. »

Inspirer la peur constituait en tant que tel un succès politique. Hu Ronglian pouvait se montrer plus confiant. Grâce aux victoires obtenues dans l'offensive informatique, il était possible de reculer face aux Américains sans trop avouer sa faiblesse.

Hu Ronglian avait décidé d'imposer sa décision.

« Camarades, il faut nous rendre compte de la réalité sur le terrain. Les Américains mettent une pression considérable sur nos épaules. Cependant, leur riposte est encore retenue. C'est un message pour nous. Nous devons poursuivre le redéploiement de notre dispositif naval dans le détroit afin de lui imprimer une posture essentiellement défensive. Nous ne devons plus provoquer les Américains. À ce point de la crise, nous devons nous concentrer sur la réussite des négociations menées par le camarade Fenglai. Qu'en pensez-vous, maréchal Gao Xiaoqian ?

— Camarade Ronglian, je crois en effet qu'il faut calmer le jeu. La prise de Matsu et de Quemoy nous offre suffisamment de marge de manœuvre pour, par exemple, opérer un retrait du détroit de Luzon sans perte de prestige.

— Bien. Je vais appeler personnellement notre émissaire Luo Fenglai et lui annoncer notre retrait à partir de demain du détroit de Luzon, à l'expiration du délai posé par le président Brighton. Si l'analyse du camarade Fenglai est exacte, les Américains répondront par une proposition de reprise des négociations. D'ici là nous poursuivrons les actions de guerre informatique. Nous devons compenser notre passivité dans le détroit par un activisme agressif sur le plan électronique — sinon, les Américains ne nous prendront jamais au sérieux… Nous allons tenter notre chance avec Brighton. »

45

29 juillet
République française — Paris
Palais de l'Élysée — Bureau présidentiel

François ne savait quelle tournure allaient prendre les événements. Seul à sa table de travail, avec pour toute compagnie le sourire de la princesse Song et le murmure métallique de la pendule des Arts et des Sciences, il demeurait pensif. Derrière les grandes fenêtres donnant sur les jardins de l'Élysée, le jour s'éteignait avec douleur sur Paris, brûlant d'ultimes éclats érubescents avant que de sombrer dans l'obscurité. Longtemps, il avait espéré, peut-être naïvement, que sa relation personnelle avec Jack Brighton pourrait se transformer en atout politique. Vernon avait un grand flair pour repérer les personnalités d'avenir. Son intuition avait été la bonne, il y avait plus de vingt-cinq ans, lorsqu'il avait rencontré l'ami Jack. Brighton n'était pas un intime — d'ailleurs, François en avait-il ? —, mais c'était quand même plus qu'une simple connaissance. Leurs femmes s'appréciaient, et cela remontait à bien avant leurs prises de fonctions respectives. Il y avait toujours eu un respect profond entre les deux hommes, basé sur la reconnaissance de la compétence de chacun et aussi une vision commune de nombreux problèmes. François et Jack avaient même un moment joué avec l'idée de la refondation d'un nouveau couple atlantique. Une chimère caressée pendant quelques semaines et vite abandonnée. Les logiques qui séparaient leurs deux pays étaient-elles à ce point irréconciliables ? François était incapable de répondre. Ni dans un sens ni dans un autre. Mais une chose était certaine : il ne pourrait jamais en vouloir personnellement à Jack. Il savait que le jeu politique était par définition cruel. Afin d'accéder à ses premières responsabilités politiques, François avait trahi l'un de ses camarades de promotion de l'ENA. Ce n'était pas la dernière fois — et ceux qui le suivraient feraient de même, tout comme ses prédécesseurs. Et puis, en matière de relations étrangères, les États ne se comportaient pas plus moralement que leurs dirigeants politiques. Entre États alliés, il avait toujours été de coutume de s'espionner et même de jouer de coups tordus sur d'incertains terrains postcoloniaux ou d'obscurs dossiers économiques.

Alors pourquoi donc, cette fois, François se sentait-il personnellement affecté ? Et pourquoi l'idée que les États-Unis d'Amérique avaient tenté d'attaquer informatiquement la monnaie européenne pour l'affaiblir ne lui paraissait pas si absurde que cela ?

Une logique implacable fondait l'hypothèse d'une escalade américaine dans la guerre économique. Une logique qui dépassait la personne de Jack Brighton. Depuis longtemps, François craignait que le pouvoir de l'argent ne prenne le contrôle de l'État. Il avait observé comment le Congrès américain s'était retrouvé ligoté par les lobbies des intérêts privés. Comment l'État fédéral américain avait fini par se mettre à leur service, progressivement, depuis le milieu des années quatre-vingt jusqu'à ce moment. Comment la même marche délétère était en œuvre dans certains pays d'Europe. Il voyait bien la conclusion de ce mouvement : les États se métamorphoseraient en simples éponges absorbant les liquidités de quelques grands groupes industriels finançant des campagnes électorales de plus en plus au-dessus des moyens des militants de base. En retour, le monde occidental foncerait tête baissée vers un nouvel âge mercantiliste. Mais cette fois, plutôt que de voir l'État défendre des champions nationaux afin de protéger l'intérêt de la nation, ce serait les champions nationaux qui prendraient le contrôle de l'État afin de préserver l'intérêt de leurs actionnaires. Telle serait la signification nouvelle de la guerre économique : la compétition entre groupes privés par l'entremise des moyens traditionnels de la contrainte d'État — manipulations fiscales, interventions militaires, espionnage et « opérations spéciales ». L'attaque américaine s'inscrirait dans la suite de cette longue glissade. L'Amérique bénéficiait en outre de son avance dans les technologies de l'information. Si la France en avait eu la possibilité, même si François était au pouvoir, elle aurait agi de même. Peut-être même cela avait-il déjà été le cas.

Le téléphone se mit à sonner. Le chancelier allemand Daniel König était au bout du fil. König était ponctuel à la minute près, comme à son habitude.

« Mon cher Daniel ! s'exclama Vernon avec gravité. Je vous écoute. Avez-vous eu une confirmation par vos services de nos informations ?

— François…, nous avons effectivement un problème. » La voix de König s'abîma dans un long silence embarrassé.

L'entrevue du chancelier avec le coordinateur du renseignement fédéral l'avait ébranlé. Le Bundesamt für Sicherheit in der Informationstechnik, responsable de la sécurité informatique, était arrivé aux mêmes conclusions que les Français. Et ce n'était pas la seule agence fédérale que le Chancelier avait consultée.

« … J'ai discuté avec le directeur de l'unité CompInt, c'est-à-dire "Computer Intelligence", François, de notre BND. Nous sommes d'accord avec vous. Nous pensons que l'attaque monétaire a été déclenchée par des ordres électroniques fictifs. Les appels téléphoniques qui acheminaient ces ordres électroniques proviennent de réseaux universitaires américains. »

Assis à son bureau, François serra les poings. Il se demandait ce qu'il aurait aimé au fond entendre. Oui, il se sentait trahi. Dehors, la nuit était tombée. Vernon, le visage muré, savait qu'ils étaient maintenant condamnés à l'action.

« Nous devons convenir d'une riposte appropriée, Daniel, finit-il par dire. Il ne s'agit plus d'espionnage commercial. Ni même de sabotage de négociations. C'est toute l'économie de l'Euroland qui est attaquée à travers notre monnaie. Nous avons des lignes rouges. Elles ont été franchies. Peut-être serait-il temps de le rappeler ?

— Je suis d'accord avec vous, François. Nous devons réfléchir le plus rapidement possible à une riposte. Je pense justement que l'expertise de l'unité CompInt du BND pourrait être utile. Nous sommes prêts à la partager avec vos équipes de la DGSE, François. »

François savait parfaitement de quoi Daniel parlait. Il était au courant d'un projet développé par les services allemands de soutien artificiel de l'euro par une falsification informatique en cas de crise de la monnaie européenne. Le projet avait été développé dans le cadre d'une réflexion sur les menaces terroristes pesant sur les réseaux électroniques. Il n'avait jamais imaginé que ce serait les Américains qui frapperaient les premiers — et que le projet finirait par être utilisé contre l'ancien grand frère atlantique.

46

Journal de Julia — Novossibirsk, 29 juillet

Aéroport de Tolmachovo. Je suis passée sans problème avec mon passeport canadien. L'aéroport n'a pas
changé depuis mon dernier passage, il y a sept ans. Il
ressemble à un jeu de construction : un grand cube bleu
posé au milieu de deux petits rectangles blancs. Seule
nouveauté : les omniprésentes affiches publicitaires en
cyrillique et en chinois pour des micro-ordinateurs
d'une marque de Shanghai. La chaleur est pesante — il
doit faire plus de trente degrés. Je retrousse légèrement
les manches de mon chemisier. Le ciel est un couvercle
immense, sans trace de nuages, d'un bleu aussi vif que le
regard d'Alberich. Je me décide pour un *marchroutka*,
un van Toyota blanc reconverti en petit bus collectif. Le
chauffeur, un Caucasien petit et trapu en bras de chemise, le visage barré d'une large arcade sourcilière et
protégé de grosses lunettes noires, m'aboie le prix et la
destination. Je paie les neuf cents roubles sans rien dire
et m'assois au fond du van. Pas de chance : quelques
minutes après, un grand Américain de vingt-sept-vingt-
huit ans qui était sur le même vol Aeroflot prend place
à côté de moi. Les cheveux blonds coupés de près, le

regard fixé sur des pensées inaccessibles, John est un missionnaire mormon originaire de Minneapolis. Pendant que nous avalons les vingt kilomètres qui nous séparent du centre-ville, il me raconte son histoire. Cela fait deux ans qu'il est à Novossibirsk, à enseigner l'anglais aux futurs *bizniesmien* et à guider les jeunes orthodoxes sur le chemin de la vérité. Sa communauté n'est pas très grande, et la compétition est intense sur Novossibirsk. Il y a les catholiques, les baptistes, les méthodistes, plusieurs courants bouddhistes, voire « yogiques », même des mouvements animistes comme la secte Anastasia qui vénère l'esprit des forêts. John connaît bien son marché. Les Russes de la région n'ont dû compter que sur eux-mêmes après l'implosion de l'Union soviétique. Moscou et l'Église orthodoxe se débattant dans leurs problèmes internes, ils ont développé leurs propres structures d'entraide — et des mouvements religieux de toutes sortes ont tenté d'occuper la place laissée vacante par le déclin de l'idéologie communiste et les déficiences de l'Église officielle et de l'État. John ne peut voir le parallèle, mais c'est pour des raisons similaires que Joseph Smith a pu créer la secte des mormons dans l'Utah du XIXe siècle. En tout cas, il semble ravi de m'avoir rencontrée. Il m'annonce, navré, que la communauté des expatriés nord-américains sur Novossibirsk n'est pas très grande, une petite centaine de personnes tout au plus pour une ville de deux millions d'habitants. Par contre, il y a pas mal d'Européens et surtout, depuis cinq ans, une arrivée massive de Chinois, bien sûr beaucoup de *shang rén*, des jeunes cadres mis au défi par les grands groupes d'électroménager et d'électronique, mais aussi tout un peuple d'aventuriers malchanceux venus refaire leur vie en Sibérie.

Nous entrons dans la ville. Les avenues s'élargissent. Elles se transforment en artères géantes pouvant aligner dix files. Le secret d'une dictature tient dans l'art d'injecter rapidement des unités blindées au cœur des villes. À peine dissimulées par des bosquets de pins et d'ormes au feuillage épais et touffu, je retrouve le défilé de « Khrouchtchevka », ces barres de béton de cinq étages qui ont fleuri dans toute la Russie pendant les années cinquante. Le pont sur l'Ob, le large fleuve russe qui coupe la ville en deux. Premier stop à la gare centrale, un vaste mausolée turquoise à la grandeur de la mère Russie, auquel l'arche centrale donne de loin l'allure d'une des grandes medersas de Samarkand. John descend, un petit sac à dos en bandoulière. Ses amis ont l'habitude d'aller au New York Times Jazz Club, sur la rue Lénine, qui produit du très bon jazz. Il y a un concert ce soir. J'accepte l'invitation sans être trop sûre de pouvoir m'y rendre. Moi, je m'arrête un peu plus loin, sur la place Lénine. Le centre est resté fidèle à mon souvenir. Malgré les décennies, ce sont toujours les mêmes imposantes statues à la gloire de la Révolution qui trônent au cœur de la capitale de la Sibérie. Du haut de ses cinq mètres, un Lénine au regard d'airain, la vareuse emportée par un souffle éternel, s'avance, décidé, depuis son socle de marbre. Un groupe en retrait de trois farouches hoplites de l'époque soviétique — l'Ouvrier, le Paysan, le Soldat — suit dans le même élan. Tel un bouclier couché posé derrière eux s'élève la coupole anthracite de l'Opéra de Novossibirsk, le plus grand théâtre de Russie. Le monument ceinturé de piliers géants a été construit par les prisonniers de guerre allemands pendant la guerre — Alberich en connaissait-il ? À côté des statues, assis sur un banc caché par un bosquet de pins, de jeunes garçons aux poitrails d'éphèbes s'échangent quelques sourires gracieux. L'endroit est devenu un lieu de rencontre discret pour les couples homosexuels de la ville. Je franchis Krasnyï Prospekt et me promène un peu, guidée par des impressions anciennes. Non, la ville n'a pas beaucoup changé. Je retrouve cette impression de petit bourg de province qui aurait grandi trop vite. Les larges avenues apparaissent d'autant plus imposantes que peu de voitures y circulent — quelques rares Lada, des BMW, des Mercedes et pas mal de voitures chinoises. Le métro est aussi bien entretenu que celui de Moscou avec ses rames bleues et les six postes de télévision par wagon — mais il n'y a que dix stations construites il y a plus de trente ans. Les massifs palais à la gloire du soviétisme se perdent parmi les pins et les ormes. Au milieu des arbres, les bâtiments se disputent une panoplie hétérogène de styles, du néoclassicisme du début du XXe siècle aux immeubles de verre et de béton des années soixante-dix. Les murs sont peints en gris, ocre, rose pastel ou turquoise. Novossibirsk se cherche encore. La ville a à peine plus de cent ans.

Je retourne sur mes pas. J'avale rapidement une pizza près de la place Lénine, chez l'un des franchisés de la chaîne Los Angeles Pizza qui semble avoir pris possession de tous les carrefours stratégiques du quartier. Deux jeunes filles sont assises à côté de moi qui complotent à voix basse autour de deux Cocas — une petite brunette vêtue de noir et de baskets et une rouquine taille mannequin dont le top blanc et le cycliste moulant dévoilent le corps avec une franche générosité. Cela tranche avec les hommes habillés en jeans et en chemises ternes. Elle se lève et me demande poliment du feu. J'ignore s'il s'agit d'un code parmi les lesbiennes du coin mais je décline, et elle se tourne vers d'autres adolescentes assises plus loin. Je sors. Quelques nuages légers moutonnent à l'horizon. J'arrête ma promenade non loin de là, à l'hôtel Sibir — un bloc de béton troué de hublots, mais le seul trois-étoiles de la région. L'intérieur est plus hospitalier, avec de vastes salons meublés de confortables canapés de cuir. Je dépose mes affaires et descends dans la suite occupée par l'American Business Center, histoire d'étoffer ma couverture. J'explique à Mickael, le jeune directeur new-yorkais du centre, que je représente les intérêts du fonds Atlantic Investment Group. Je dois rencontrer demain des scientifiques à l'Akademgorodok, mais si lui-même avait quelques idées... Mickael, très embarrassé, m'explique, désolé, qu'il n'est là qu'en remplacement, et pour l'été seulement, mais me félicite de mon intérêt pour Novossibirsk, la capitale de la Sibérie, la troisième métropole de Russie et une cité bien plus sûre et tranquille que Moscou et Saint-Pétersbourg, bref, excellente pour les affaires. Apparemment, il a plus besoin d'informations que moi et je le quitte avant qu'il ne me demande quels sont les scientifiques que je cherche à rencontrer.

Je marche à nouveau dans la ville. Je trouve un petit banc à l'ombre de deux ormes. Assise dans la fraîcheur des arbres, je sors mon téléphone portable. Message SMS sécurisé, transmis par satellite. C'est Nikolaï, qui m'écrit de Paris : « Confirme contact P. » L'opération est en place. Je vais sauter sans filet. Je compte « intercepter » Ponomarenko dans sa datcha, à l'Akademgorodok et y aller au bluff. Lui dire que son ami Nikolaï l'a mouillé avec les Américains et qu'il n'a pas d'autre choix que de me dire ce qu'il sait sur Alberich et Arzamas-84. Je suis venue avec ma petite boîte à seringue, au cas où Ponomarenko se montrerait récalcitrant. J'aurai très peu de temps pour extraire la vérité. Et aucune marge d'erreur à ma disposition. Si la milice me surprend... Dieu seul sait ce dont je suis capable. J'ai compris il y a longtemps déjà que rien ne pouvait faire obstacle à ma mission. Et Jack le sait.

Ma liaison avec Jack a continué ininterrompue pendant cinq ans, de codes secrets en baisers volés sur le seuil de suites d'hôtel. Mes parents, qui ignoraient mon engagement dans les services de renseignement, finirent par s'inquiéter de mon apparent célibat. Mon père, en particulier, décida de prendre en main ma vie sentimentale sans que je puisse rien dire. Lors d'un dîner à la maison, il me présenta Franck, le fils d'un de ses amis. Franck était un bon parti : méthodiste, étudiant de vingt-huit ans au MBA de Northwestern University près de Chicago, en stage en tant que banquier d'affaires auprès d'un établissement prestigieux, c'était un grand brun, assez musclé, dont la décontraction naturelle reflétait une grande confiance dans l'avenir immédiat. Franck se montra un peu trop prévenant à mon égard — il s'était déjà décidé, ce qui bien sûr était flatteur ; mais surtout, le campus de l'université se trouvait à Evanston, tout comme la demeure de Jack et Katherine. Ce dernier argument finit de me convaincre. Je décidai de l'accompagner un bout de chemin. Il m'offrait une couverture parfaite. Nous nous sommes mariés un an et demi plus tard. Mes rencontres avec Jack se sont espacées pendant un temps, à la demande de Brighton, mal à l'aise avec ma nouvelle condition de jeune mariée et qui avait cessé de coucher avec moi. J'étais installée : Franck et moi avions trouvé un grand appartement lumineux avec vue sur le lac Michigan dans le quartier de Lincoln Park, au nord de Chicago. Mon mari passait ses nuits et ses week-ends dans sa banque d'investissement au cœur du quartier d'affaires du Loop, dans le centre de Chicago — ce qui me laissait amplement le temps de continuer dans la journée mes activités confidentielles pour l'Agence, et parfois pour Jack. Officiellement, je travaillais pour un fonds d'investissement, l'Atlantic Investment Group, dont les bureaux se trouvaient à Chicago, Washington et

Paris, avec deux petites antennes à Prague et à Moscou. Franck fut surpris de ma rapide promotion au sein de ce fonds d'investissement privé, lui qui moquait souvent mes compétences assez limitées en analyse financière. Je crois qu'il était secrètement jaloux de mon ascension — il était en fusion-acquisition et convoitait un poste équivalent au mien. Il ne comprenait pas bien ma réussite, je n'avais jamais fait de MBA, mais évidemment il ne pouvait se douter que ma promotion ne devait rien à mes compétences en finance. Cependant, sa jalousie ne fut pas la raison principale de notre divorce. Au bout de deux ou trois ans, je sentis une certaine méfiance de la part de mes collègues de l'Agence. Franck était *clean*, il faudrait bien un moment lui faire comprendre que je n'exerçais pas « dans le civil ». Mais je m'y refusais. Cela signifiait que ma couverture devait rester permanente. Et je ne voulais pas que Jack doute de ma loyauté. Jamais. Franck était un gentil garçon mais nous ne partagions pas la même ambition. Ma vie n'était pas à Lincoln Park, à finir la journée éreintée en chauffant un plat au micro-ondes pour lui et moi devant un épisode de Seinfeld enregistré sur la Tivo ; à passer le samedi après-midi avec nos collègues jeunes cadres autour de quelques verres de Bud derrière le stade de Wringley's Field, à entendre la clameur de la foule après une nouvelle défaite de l'équipe des Cubs ; à discuter de ma grossesse, puis enfin de l'éducation de mes nouveau-nés de l'école primaire jusqu'à l'université avec les amies proches et lointaines, toutes de passage dans ma vie officielle à Chicago. Cela n'avait jamais fait partie du plan — et j'avais toujours eu une idée très claire de mon objectif final. Je n'allais pas me prendre les pieds dans ma couverture. J'appartenais à Jack, c'était ainsi depuis toujours, et rien ne pourrait changer ma décision. Alors je décidai de prendre les choses en main.

J'avais identifié certaines des failles de mon mari. J'allais les exploiter. J'acceptai les demandes insistantes de Franck qui cherchait depuis longtemps à avoir des enfants et à me mettre enceinte. Les rares week-ends de libre, nous nous engageâmes dans une grande tournée des suites nuptiales des Amériques — îles Keys, retraites du Vermont, plages des Bermudes — à la recherche effrénée de l'instant magique d'où naîtrait notre premier enfant. Mais, en cachette, je continuais à prendre la pilule. Au bout d'un an, Franck commença à fatiguer et à perdre patience. Entre la banque, dont il était devenu l'esclave, et son incapacité à me féconder, un doute autodestructeur était en train de germer en lui et de ronger ses entrailles. Lui, naguère si confiant, se montrait de plus en plus irritable. Je laissais notre relation lentement se dégrader en répondant à chacune de ses sautes d'humeur. Un dimanche matin où son désir défaillit par fatigue ou par nervosité, il devint violent, me gifla pour une remarque déplacée et disparut toute la journée. Il revint au soir, penaud, un bouquet de roses rouges à la main et plein d'excuses aux lèvres. Je lui répondis que nous devions peut-être « réfléchir à l'évolution de notre mariage ». Évidemment, il refusa. Alors, trois semaines plus tard, je lui annonçai qu'après une série de tests, mes médecins avaient découvert que j'étais stérile. Je mentais, bien sûr, et ce fut le coup de grâce — en même temps que l'occasion d'un profond soulagement pour Franck. Ce fut lui qui proposa un peu plus tard un « break » d'une durée indéterminée. Il était relativement traditionaliste et il lui était inconcevable d'adopter. Nous divorcions officiellement deux mois plus tard.

L'Agence accepta la péripétie sans rien dire — les grandes bureaucraties ne peuvent pas tout contrôler, après tout. Jack ne sut pas grand-chose des raisons de mon divorce, j'avais décidé de le préserver. Il me demanda néanmoins pourquoi j'avais quitté Franck. Je lui répondis simplement : pour rester avec toi. Surpris de la mesure de l'offrande, il eut une expression contrariée, passant du remords au goût interdit d'un bonheur maintenant sans limites. Puis son visage retrouva la sérénité. Il acceptait finalement mon choix et m'embrassa tendrement. J'aurais toute sa confiance. Mon père rumina contre moi plusieurs années. Rien ne devait jamais venir briser le lien secret qui m'unissait à Jack et à l'univers de l'ombre. Tant que le lien garderait pour moi l'évidence d'une absolue nécessité, tant qu'il me serait impossible de vivre sans lui, il constituerait ma seule et unique famille. Tout le reste lui serait sacrifié. Voilà ce dont j'étais capable.

Il est vingt-deux heures, et Novossibirsk s'endort lentement dans la chaleur de ce soir d'été. Mais je ne suis pas encore fatiguée. Je décide de suivre les conseils de John, le missionnaire mormon rencontré ce matin, et me rends en taxi au New York Times Jazz Club. L'endroit semble chaleureux et confortable, tout de bois roux. Il y a un peu de monde, la salle s'anime lentement dans le ballet des serveurs du coin jamais pressés. Sur la scène, un quartet entame une version très improvisée de « Lady Be Good » de Gershwin. La trompette éclaire la ligne musicale avec maîtrise et retenue, le son est rond et joliment cuivré. Je reconnais John assis à l'une des tables, accompagné d'un couple. John me fait signe et m'invite à m'asseoir à son côté. Il a déboutonné le col de sa chemise et me présente à ses deux amis — une violoncelliste moscovite dont l'orchestre tourne dans la région pendant l'été et un collègue mormon du même âge que lui. J'imagine que la violoncelliste s'est également ment convertie. John veut me montrer quelque chose dans l'orchestre. Je fouille la pénombre vaguement éclairée de quelques spots. Surprise — à la basse, lunettes noires appliquées sur le bout du nez, le chauffeur caucasien de notre *marchroutka*, toujours en bras de chemise, le front baigné de sueur. À la fin de la *jam-session*, alors que les musiciens ramassent leurs affaires pour laisser place au prochain groupe, John monte sur scène et invite notre chauffeur bassiste à prendre un verre avec nous. Le Caucasien nous reconnaît immédiatement. « Vous êtes les deux gringos que j'ai emmenés en ville aujourd'hui ! » Autant le bonhomme était glacial ce matin, autant il se montre chaleureux et bavard cette nuit — surtout après que nous avons commandé une tournée de vodka « Rousskiï Standart Platinum ». Il s'appelle Igor, et vit à Novossibirsk depuis quinze ans. Il n'est pas caucasien — sa mère était une vraie Kazakhe d'Almaty, près de la frontière chinoise, et son père un contremaître russe qui travaillait dans une usine à Karaganda. Il connaît bien la Sibérie occidentale, il y a fait pas mal de petits boulots et s'est promené dans tout le pays, de Tomsk aux montagnes de l'Altaï. Un jour, il a décidé de poursuivre son rêve d'enfance : être musicien de jazz. Il a acheté le van Toyota en même temps que la basse et s'est installé définitivement à Novossibirsk, « parce que c'est là que l'on trouve le meilleur jazz après Moscou ». À la seconde tournée de Platinum, il s'enhardit et commence à m'interroger — probablement parce qu'il me plaît plus que la violoncelliste. Je récite mon couplet — je suis canadienne, je travaille pour une société américaine d'investissement, je prospecte la région. Il devient tout d'un coup soucieux, affectant une pose exagérée par l'alcool. « Tu es canadienne ? Tu as entendu les dernières nouvelles ? Tu penses qu'il y aura la guerre entre les États-Unis et la Chine ? » John se sent directement visé et dans l'obligation d'intervenir.

« Vous savez Igor, je ne pense pas qu'il y aura la guerre… C'est un bien trop grand risque pour les peuples américain et chinois. » Igor est goguenard. « Vous, les gringos, vous avez toujours le doigt sur la détente, alors !… » Il se reverse un doigt de vodka en attendant ma réponse. « Je crois que John a raison, Igor. Les Américains ont trop d'argent à perdre dans une guerre contre la Chine… *Bizness is bizness*, n'est-ce pas ? » Mais Igor a déjà oublié ma réponse. « De toute façon, fait-il avec un grand sourire, tant que vous êtes avec moi, vous ne risquez rien ! J'ai une petite cabane au milieu de nulle part, loin dans les terres. Eh bien, si un jour tout pète, ou si tout est sur le point de péter, je vous y accueillerai avec les honneurs de la maison, d'accord ? » Je courbe l'échine en souriant. « Merci de votre invitation, Igor. Où se trouve votre charmante datcha ? — Loin, loin…, indique-t-il en agitant la main, à plusieurs centaines de kilomètres de Tomsk. Voyez-vous, j'avais l'habitude de faire pas mal de travaux dans le coin d'Osinniki. À l'est de la ville, il n'y a rien. Absolument rien. Pour qu'un missile tombe dans la région, il faut vraiment qu'il se soit égaré et que l'on manque de pot ! C'est le désert… C'est là que j'ai installé ma base secrète, mademoiselle. Et je suis sûr que vous y serez très à l'aise… » Je lui laisse me faire un baise-main, pendant que le reste de la table se fout de bon cœur de notre gueule. Mais sans le savoir, Igor, le chauffeur bassiste, m'a peut-être mise sur la voie. Dans l'un de ses messages, Nikolaï m'informait que son ami le professeur Ponomarenko prenait la Jeep pour se déplacer plusieurs journées d'affilée dans la région. C'est peut-être à plusieurs centaines de kilomètres, loin de Novossibirsk, au milieu de nulle part, que se cache Arzamas-84.

Perdue dans l'immensité de la Sibérie, elle est à l'abri d'une attaque nucléaire.

47

30 juillet
République de Chine (Taiwan) — Taipeh
Palais présidentiel de la République de Chine

Victor Teng, toujours debout, regardait le jour se lever. Qui pourrait maintenant l'arrêter ? Le voile de la nuit rétrécissait de quart d'heure en quart d'heure. On devinait déjà la chaleur suffocante de ce mois de juillet. Au croisement de l'avenue Ketagelan et de la route sud Chong Qing, le vaste palais présidentiel construit par le colonisateur japonais maintenait toujours le silence, ses briques rouge ponceau dressant une fragile muraille avec le reste de la ville. Mais, dans le bureau de Teng, le soleil avait commencé à envahir l'espace en l'illuminant de grands coups de pinceau rougeoyants. Ces ombres brûlantes glissaient de minute en minute sur le parquet couleur ivoire. Elles se rapprochaient inexorablement de sa table d'acajou. Le président Victor Teng s'écoutait respirer. Il était vieux et allait bientôt mourir. Cette pensée l'avait saisi un matin, alors qu'il s'était levé de bonne heure et savourait l'orgueil qu'il avait à présider et à commander. C'était quelques semaines après son élection. L'analyste d'une ambassade étrangère aurait peut-être diagnostiqué les signes avant-coureurs d'une dépression. La sensation d'abîme après avoir atteint le but ultime pour lequel il s'était consacré toute sa vie. C'était également l'avis confidentiel de son médecin personnel. Peut-être. Mais Victor voyait les choses différemment. Il avait cru si longtemps à la liberté — celle de ses compatriotes du temps de son combat contre la dictature de la famille Tchang Kaï-chek, dans sa jeunesse. Il avait cru qu'on pouvait la reconquérir en se saisissant soi-même du pouvoir. Eh bien, il s'était trompé, toutes ces années. Comme tous les autres, il était lui aussi condamné. Ce n'est qu'après avoir pris ses fonctions qu'il s'en était rendu compte. Il s'était choisi des chaînes plus lourdes et plus exigeantes que toutes celles qu'il avait portées jusque-là. Trois paires d'yeux scruteraient à jamais tout ce qu'il allait accomplir. Il y avait le regard du public, armé par les médias, et toujours plus aigu. Il y avait l'ombre des ancêtres, de sa famille et de ceux appartenant à la grande lignée des serviteurs de l'État et de l'empire de Chine, qui ne le quitteraient plus désormais. Enfin il y avait le regard des descendants futurs, ceux qui n'existaient pas encore mais auxquels sa mémoire appartiendrait dès sa mort. Contre ces étrangers dont il ne connaissait rien et qui s'appropriaient tout de lui, il ne pouvait qu'espérer la clémence et peut-être, dans quelques siècles ou quelques millénaires, l'oubli. Mais, en attendant ce lointain horizon, il serait leur éternel prisonnier. C'étaient eux qui auraient le dernier mot.

Voilà pourquoi il avait failli exploser de rire, tout à l'heure, lorsque, après avoir signé l'accord de gouvernement avec l'opposition, finalement conclu entre trois et quatre heures du matin, l'avocat Martin Wong, le leader radical de la faction de la nouvelle vague du Parti progressiste démocratique, lui avait glissé à l'oreille, avec beaucoup d'émotion : « Nous allons écrire l'Histoire,

monsieur le président. » Et lui de répondre platement :
« J'espère seulement avoir fait le bon choix, Martin. »

Histoire — un mot bien présomptueux, qui perd
toute son humanité dès qu'il gagne une majuscule.
Victor n'avait pas « écrit l'Histoire » de sa propre initiative parce qu'un beau matin il s'était réveillé plein
d'inspiration. Il avait obéi à une implacable logique
politique. Il avait démis le Premier ministre parce
que la rue réclamait sa tête. Son parti, le Parti progressiste démocratique, était maintenant entièrement aux
mains de l'aile de la nouvelle vague, la plus proche
des thèses indépendantistes. La modification du gouvernement reflétait cette nouvelle réalité façonnée par
la rue. La nation refusait viscéralement de se résigner
à la prise de Matsu et de Quemoy et d'accepter le
diktat de Pékin. L'impossibilité de riposter militairement imposée par les Américains avait rajouté à la
colère du peuple de Taiwan. S'en tenir là, et les manifestations nourries d'une toute neuve passion nationale
déborderaient. Et qui sait si, à ce point, les militaires,
humiliés, resteraient tranquilles dans leurs casernes ?
Victor savait la situation volatile. Dans cette fébrilité,
il suffisait d'un geste, d'une orientation claire pour
d'un coup se saisir du moment. Voilà pourquoi l'ordre
et l'initiative devaient rester entre les mains de la
présidence. Une moitié des parlementaires du Néo-
Kuomintang de l'ancien Premier ministre l'avaient
également compris et le soutenaient désormais.

Après avoir promulgué l'état d'urgence, il pourrait
faire voter une loi électorale instituant la tenue d'un
référendum sur l'indépendance de l'île d'ici trente jours.

Lorsque le président américain avait appris la nouvelle,
alors que la nuit tombait sur Washington, il s'était littéralement étranglé au téléphone. « Président Teng ! Déclarer
l'indépendance, c'est de la folie ! Nous sommes au seuil

de conclure un accord avec la Chine communiste ! Votre déclaration est une provocation ! » avait-il sermonné au téléphone. Brighton n'avait pas tout à fait tort. C'était bien une provocation. La seule façon de riposter, puisque l'Américain lui avait interdit d'employer ses propres forces aéronavales. Mais qu'auraient pu faire les communistes chinois ? Le détroit était maintenant verrouillé par la VIIᵉ flotte américaine. Pékin reculait. Le Congrès américain soutenait Taiwan. Le président Brighton aboyait, il ne menaçait plus. Quant au reste de la communauté internationale, elle pouvait protester — et après ? Elle n'allait pas interdire des élections. La crise s'éterniserait peut-être, on camperait sur ses positions de chaque côté du détroit pendant des années encore, peu importe. Taiwan aurait pris date, et la réalité sur le terrain aurait été irrémédiablement changée. Oui, il fallait pousser l'avantage, il n'y avait plus d'autre choix. Dehors, la rue ne cessait plus de manifester. L'avenue Ketagelan ne désemplissait plus, alors que des groupes de manifestants se réunissaient jour et nuit, toujours plus nombreux, devant le Mémorial Tchang Kaï-chek. Le tumulte se faisait grandissant de jour en jour, d'heure en heure, le sang affluait, le cœur se remettait à battre. Dieu, quelle semaine ! Et dire qu'il avait fallu attendre toute une vie pour finalement assister aux déchirements de ces derniers jours.

L'avis de déclaration d'état d'urgence, première étape vers l'indépendance, attendait sur son bureau. La feuille de papier reposait à quelques centimètres de son coude. Il dénoua ses mains, prit son stylo et signa.

Il était huit heures du matin à Taipeh.

48

30 juillet
République populaire de Chine — Pékin
Réunion du Comité de salut public/
Zhongnanhai — Salle des Cartes

Un abattement sans nom écrasait tous les membres du Comité de salut public. La pendule sous verre indiquait neuf heures du matin et la nouvelle de la proclamation de l'état d'urgence à Taiwan venait de tomber, prélude à un référendum sur l'indépendance. Les murs blanc argile aux faces grisâtres de la salle des Cartes reflétaient les éclats garance vif des ampoules témoins. Encore éteints, les écrans plasma formaient de larges miroirs anthracite. La salle des Cartes prenait des airs de caveau. L'air, chargé d'une noire amertume, avait le goût du sang. L'ennemi venait donc de sortir du bois. Victor Teng défiait directement Hu Ronglian. Ainsi que Jack Brighton bien sûr. Le représentant en chef du Comité de salut public avait perdu son sourire poli. Sans le laisser paraître, il écumait de rage contre le président de Taiwan. Cet incompétent avait peut-être tout gâché. Hu Ronglian allait devoir riposter contre son désir. L'escalade était inévitable. Une logique implacable était désormais à l'œuvre à laquelle il ne voyait pas comment soustraire son pays. À moins, peut-être, que les Américains... Mais pouvait-on vraiment compter sur Jack Brighton, alors que la VIIe flotte et la marine chinoise guettaient chacune la faute de l'autre ?

Hu Ronglian se leva et prit le contrôle de la table de réunion. Les trois autres membres du Comité de salut public, tout aussi défaits et conscients de l'extrême gravité de la situation, se taisaient.

« Camarades, le Comité de salut public est confronté à une crise grave... » Hu Ronglian semblait chercher ses mots. « ... Taiwan a franchi la ligne rouge. La déclaration d'état d'urgence signée par le président Teng est une étape vers un référendum d'indépendance. Camarades, nous devons immédiatement riposter. Nous avons toujours dit que l'indépendance de Taiwan constituait un *casus belli* pour la Chine. Nous sommes liés par nos mots. Nous ferons ce que nous avons dit... Certes, il reste peut-être encore une possibilité de sauver la négociation avec les Américains. Voyons comment ils réagiront à la proclamation de Victor Teng. Mais il faut stopper dès maintenant, et pour au moins vingt-quatre heures, notre mouvement de retrait du détroit de Luzon. Et engager une première riposte militaire contre Taiwan qui puisse néanmoins nous permettre de revenir à la table de négociations avec Washington. »

Hu Ronglian avait tenté d'inscrire dans le champ de la raison ce qui restait de marge de manœuvre. Mais la colère grondait de part et d'autre de la table. L'armée réclamerait sa livre de chair. Le maréchal Gao Xiaoqian prit la parole.

« Camarade Ronglian, laissez-moi vous dire ce que je pense. Les Américains nous ont baisés !... Ils nous ont fait miroiter je ne sais quelles chimères pour nous faire reculer dans le détroit. Et maintenant ils nous baisent dans le dos avec Taiwan !... Leurs deux porte-avions nous empêchent d'attaquer directement les frégates taïwanaises. Nous devons envoyer un message à Taiwan et aux Américains. Nous pourrions engager nos Sukhoï-30 contre les appareils américains. Nous pourrions également choisir un navire de taille moyenne. Nous avons identifié trois cibles dont les matériels et les codes de communication sont similaires à ceux utilisés par Taiwan sur l'archipel de Matsu et de Quemoy. »

Hu Ronglian ne se laisserait pas mener par le bout du nez par l'état-major.

« Camarade maréchal, de quelles options militaires disposons-nous qui évitent d'attaquer directement les Américains ?

— Camarade Ronglian, les Américains ont déjà descendu un tiers de nos drones de reconnaissance au-dessus du détroit ! Combien de temps devrons-nous...

— Camarade Xiaoqian, je vous demande de répondre à ma question », coupa net Hu Ronglian.

Le « Comité de salut public » était au fond une structure illégale. S'il n'y faisait pas régner la discipline, le désordre s'installerait rapidement à Zhongnanhai. Le pays serait définitivement perdu.

« Camarade Ronglian, reprit Gao Xiaoqian, un ton plus bas, hormis une attaque aéronavale dans le détroit, il nous reste encore deux options militaires. La première, c'est l'attaque par missiles, combinée à l'utilisation de drones d'attaques Harpy achetés à Israël contre les systèmes de défense radar de Taiwan. Les drones Harpy, volant à basse altitude, peuvent neutraliser les missiles antimissiles Patriot-III de Taiwan. La seconde vague pourra être constituée de nos fusées Dong Feng-11 et Dong Feng-15, ainsi que de nos missiles de croisière Dong Hai. Soit au total environ mille cinq cents missiles. Nous pourrions choisir une riposte limitée sur des cibles militaires, politiques — ou bien même stratégique, comme l'Institut nucléaire de Chungshan. » Un frisson parcourut le petit comité. Subrepticement, à petits pas, l'escalade nucléaire venait d'entrer dans le domaine du possible.

« Quelle est la deuxième option, camarade Xiaoqian ?

— Comme l'a suggéré le camarade Gucheng ici présent, nous pourrions attaquer les réseaux informatiques de Taiwan... nous l'avons déjà fait par le passé. »

Hu Ronglian se tourna vers le patron du Guoanbu.

« Camarade Gucheng ? »

Jia Gucheng se sentait sur la sellette. C'était lui qui s'était porté garant des nouvelles armes informatiques développées en Sibérie. Si les événements dérapaient, il porterait une responsabilité écrasante dans le déclenchement d'une guerre Chine-États-Unis-Taiwan. Il n'avait pas d'autre choix que de croire en sa propre solution.

« Camarade Ronglian, une attaque informatique lancée par notre quatrième section contre les systèmes de communication civile de Taiwan et ses réseaux bancaires peut être organisée dans la journée, si vous m'en donnez l'ordre. Cette initiative aura l'avantage de ne pas provoquer directement les Américains. Je crains par contre qu'une attaque par missiles, même contre Taiwan uniquement, n'entraîne une riposte de Washington. Si nous frappons Taipeh et même s'il n'y a pas de morts civils, nous humilierons Brighton. Nous aurons démontré au reste du monde que le parapluie américain de satellites antimissiles construit à grands frais pendant dix ans ne sert à rien. Et comme vous le soulignez, camarade Ronglian, notre objectif est la conclusion d'un accord avec les Américains. N'oublions pas que seule l'agitation nationale autour de Taiwan a permis de réduire et d'éteindre les manifestations qui risquaient d'entraîner notre pays dans la guerre civile. Mais il s'agit d'un remède à effet limité. Comme vous l'avez rappelé avec sagesse, camarade Ronglian, seuls les Américains peuvent nous obtenir une solution de long terme. »

Hu Ronglian envisageait toujours l'option d'une attaque par missiles — mais il appréciait la déférence du ministre de la Sécurité d'État. Il se tourna vers le président Li Xuehe. Le vieil homme tenta une position de compromis.

« Camarade Ronglian, fit Li Xuehe d'une voix traînante, une attaque électronique contre Taiwan ne doit pas nous empêcher de poursuivre notre effort contre les Américains. Nous avons déjà pénétré leurs réseaux informatiques. Nous devons maintenir la pression, car, effectivement, nous ne pouvons les laisser descendre nos drones de reconnaissance sans leur en faire payer le prix — même léger. Non ? »

Li Xuehe était un vieux courtisan déboussolé et inoffensif. Hu Ronglian ne lui tiendrait pas rigueur de ses louvoiements. La discussion avait suffisamment duré. Le maître de Zhongnanhai commençait à entrevoir la possibilité d'une riposte graduée.

« Camarades, je retiens la proposition de Li *lao*. Nous allons déclencher une attaque informatique contre les réseaux financiers et de communication de Taiwan, tout en maintenant la pression électronique sur les États-Unis. Et nous allons attendre la réponse de Washington. Si Brighton ne fait pas de geste dans notre sens dans les prochaines vingt-quatre heures, nous engagerons une première vague d'attaques de missiles contre Taiwan. Nous commencerons par des objectifs militaires. D'abord les systèmes de reconnaissance et de détection de l'ennemi. Puis ses capacités conventionnelles. Enfin, les structures de contrôle et de commande. À ce stade de la crise, nous n'envisageons aucune frappe contre les établissements de recherche nucléaire de Taiwan, ni même une frappe de décapitation contre le niveau dirigeant. » Il fit une courte pause, presque un soupir étouffé. « Maréchal Xiao-qian, je vous demanderais néanmoins de procéder à une réactualisation de nos plans stratégiques, si jamais nous entrions dans une escalade nucléaire avec Taiwan, le Japon ou les États-Unis. Nous devons maintenant nous préparer à toutes les éventualités. Et même à celle d'une incursion en Enfer. »

49

30 juillet
États-Unis d'Amérique — Washington
Maison Blanche/Réunion du Special
Situations Group — Salle du Cabinet

L'alerte avait été donnée dès confirmation dans la soirée du 29 juillet — quelques minutes après que le soleil se lève de l'autre côté du monde. Victor Teng allait procéder à la proclamation de l'état d'urgence sur l'île de Taiwan. Jack était furieux contre ce « foutu imbécile », comme il avait fini par nommer, en privé, le président de Taiwan. Il avait fait l'impossible, pourtant. Il avait déployé au plus vite frégates et porte-avions dans le détroit. Il avait envoyé ses sous-marins de classe Los Angeles patrouiller au nord de l'île afin de rendre impossible un blocus de Taiwan. Il avait même étendu le parapluie nucléaire américain à l'île de Formose, ce qu'aucun de ses prédécesseurs ne s'était permis de faire. En retour, il obtenait cette gifle incroyable. Victor Teng devait être puni. Et, en même temps, la réaction de la Chine communiste maintenue sous contrôle : derrière Taiwan, c'est le Japon qui commençait à prendre peur. Tokyo, qui disposait probablement de l'arme atomique, ne devait sous aucun prétexte se lancer à son tour dans une escalade nucléaire. Le moment était critique.

Cette nuit-là, malgré les caresses tendres et lointaines de sa femme Katherine, Jack ne trouva pas le sommeil. Il n'accepterait jamais l'affront de Teng. À huit heures du matin, après une courte lecture du « President's Daily Brief » dans le Bureau ovale, il entra dans la salle du Cabinet, de l'autre côté de la porte à droite de son bureau. La grande salle brillait d'un éclat solennel. La lumière blanche du jour l'envahissait à travers les grandes portes-fenêtres donnant sur le Rose Garden. À l'arrivée du président, les membres du Special Situations Group se levèrent au garde-à-vous autour de la table ovale d'acajou. Ils se tenaient chacun droit derrière son fauteuil de cuir brun mordoré, chaque dos de siège marqué d'une plaque à leur nom. Le président prit place au milieu, là où se tenait un fauteuil au dossier plus élevé que tous les autres. Son visage était fermé, sa marche rapide. En face de lui, une peinture à l'huile représentait Franklin Delano Roosevelt vu de trois quarts. Le portrait était éclairé d'un sourire pensif, plein de grâce et de gravité. Mais Jack n'était pas dupe. Le héros du New Deal et de la seconde guerre mondiale le jaugeait. Jack Brighton rompit par une courte déclaration solennelle le silence respectueux dans la grande salle.

« Messieurs, Taiwan a trahi notre confiance. Nous avons désormais face à face deux antagonistes, la Chine et Taiwan, prêts à toutes les audaces. La crédibilité des États-Unis d'Amérique est engagée. Il est de notre devoir d'éviter une escalade qui entraîne les pays riverains de la mer de Chine, en particulier le Japon et les deux Corées. Il n'y a plus un camp du bien qui serait Taiwan et un camp du mal qui serait la Chine. Toutes les options sont ouvertes pour ramener l'ordre. »

Paul Adam prit la parole.

« Pékin réagit pour l'instant avec ambivalence à la provocation de Taiwan. Plusieurs batteries de missiles Dong Feng-15 dans le Fujian, en face de Taiwan, ont été mises en alerte ; un mouvement de retrait des forces aéronavales qui s'esquissait dans le détroit de Luzon a été stoppé. Mais nos contacts en Chine sentent que Pékin veut temporiser. Par contre, nos sources à l'ambassade de Tokyo sont très inquiètes. Le Japon a peur de la Chine. Et il dispose de suffisamment de fusées reconvertibles et de plutonium civil pour réfléchir à son propre programme nucléaire.

— Paul, pourquoi n'ai-je pas été prévenu dans mes "President's Daily Brief" de la possibilité d'une escalade politique à Taipeh ? » Brighton voulait des explications.

« Je pense que nous avons sous-estimé la défiance de l'île à notre égard… Ainsi que son état de préparation en matière de défense stratégique. Si Victor Teng s'engage avec autant d'audace, c'est qu'il doit aujourd'hui posséder au minimum un embryon de capacité de riposte nucléaire. »

Cornelius, assis à la droite du président, se tourna vers Jack, les bras croisés.

« Monsieur le président, Victor Teng est un patriote. Il voulait riposter militairement, même symboliquement. Nous lui avons refusé ce droit-là parce que nous cherchions à geler la situation afin de négocier en tête à tête avec Pékin. Nous avons obtenu ce que nous désirions. Nous avons ouvert un début de négociations avec la Chine. Mais cette temporisation avait un prix que nous payons aujourd'hui. Sur le fond, tant que les Chinois n'annonceront pas un plan de retrait des archipels de Matsu et de Quemoy, l'escalade est inéluctable, monsieur le président, inéluctable, qu'elle soit militaire ou politique ! »

Richard Engleton en grand uniforme bleu nuit se saisit alors de la parole.

« Monsieur le président, il y a un second front sur lequel les Chinois sont beaucoup plus agressifs. Depuis deux heures, les attaques contre nos réseaux d'information Intelink ont redoublé de volume. Nous avons retracé l'origine de nombre de ces attaques sur Hong Kong. Là-dessus, les deux plus grands réseaux de téléphonie mobile à Taiwan sont tombés en panne depuis ce matin. Plus aucune communication sur portable n'est possible dans l'île. L'hypothèse d'une attaque informatique chinoise de grande ampleur se confirme.

— Nous ne riposterons pas sans avoir les preuves certaines d'une agression à notre endroit ! coupa Brighton. Tant que les attaques informatiques ne franchissent pas les lignes rouges que nous avons définies — à savoir la mise hors d'usage de nos systèmes d'alerte avancée, de nos systèmes de communication avec les forces stratégiques et de nos systèmes de communication avec les gouvernements étrangers —, nous ne précipiterons pas l'enquête. Si nous désignons publiquement la Chine comme étant l'agresseur, il nous deviendra impossible de négocier avec elle. Nous n'avons besoin ni de l'agitation du Congrès ni de celle de la presse. Face au risque d'une escalade nucléaire, l'objectif d'une solution négociée demeure notre priorité. » Il se tourna vers Mark Levin. Le conseiller pour la Sécurité nationale n'avait quasiment pas dormi cette nuit-là.

« Monsieur le président, fit Mark, cette nouvelle crise constitue peut-être une opportunité pour accélérer les négociations avec la Chine. Nous pourrions envoyer un signal fort à Pékin. Par exemple, une déclaration officielle de la Maison Blanche ou du Département d'État condamnant l'état d'urgence à Taiwan tout en demandant à Pékin de poursuivre le retrait du détroit de Luzon afin de rétablir la sécurité des voies commerciales. Et rassurer le Japon… Je suis pleinement d'accord avec vous, monsieur le président : Victor Teng doit payer le prix de sa désinvolture. Nous pourrions demander la convocation du Conseil de sécurité de l'ONU d'ici quarante-huit heures. Cela forcera les Chinois à chercher à nouveau le contact avec nous. Ils pourraient obtenir une condamnation internationale de Taiwan.

— C'est une excellente idée, Mark… Il reste une question. Quelles sont les options au cas où les négociations échoueraient ? C'est une éventualité que nous devons maintenant également envisager. »

Le secrétaire à la Défense Henry Grant, assis à la gauche du président, s'éclaircit la voix. Grant, en fin de cinquantaine et son avenir politique derrière lui après quelques scandales dans sa circonscription de l'Illinois, était un fidèle du président, même s'il n'était qu'un acteur de second plan.

« Monsieur le président, l'état-major a préparé deux plans d'attaque contre le dispositif chinois si, par malheur, nous ne pouvions obtenir un accord avec Pékin. Trois logiques soutiennent ces plans. D'abord, la faiblesse de nos forces au sol : nous n'avons pas assez de soldats déployés dans la région pour reconquérir les archipels de Matsu et de Quemoy. Ensuite, la nécessité d'empêcher toute escalade nucléaire et, de façon générale, l'emploi d'armes de destruction massive. Enfin, l'objectif de revenir à un moment donné à la table des négociations avec le leadership chinois existant.

— Nous n'avons effectivement pas la prétention de vouloir changer le régime à Pékin ! » ajouta le président avec un bref sourire ironique adressé aux gouvernements précédents.

En uniforme bleu nuit, le général Dörner prit la parole à la suite de Grant. Le président voulait les grandes lignes des plans de l'état-major.

« Monsieur le président, j'essaierai d'être aussi concis que possible. Le Pentagone vous fournira dans la journée le détail de l'attaque aéronavale UsPaCom/Oplan 2014 produite par l'US Pacific Command et du plan UsStratCom/Oplan 4891 de l'US Strategic Command. UsPaCom/Oplan 2014 a pour objectif l'élimination des deux porte-avions Kouznetsov, ainsi que le bombardement de bases aériennes du sud de la Chine et de batteries de missiles Dong Feng-15 tournées vers Taiwan. Il s'agit à chaque fois de cibles qui n'appartiennent pas aux forces nucléaires stratégiques chinoises. UsStratCom/Oplan 4891 a, lui, pour objectif d'éliminer les capacités de guerre informatique chinoise ainsi que les éléments clés de commande et de contrôle de l'appareil militaire chinois. Si jamais les négociations échouaient, et si la Chine franchissait les lignes rouges que nous avons posées, nous recommandons de mettre en œuvre en priorité UsStratCom/Oplan 4891 avant même Oplan 2014. Pour une raison critique : le risque d'une action préemptive chinoise sur nos propres structures de commandement si les négociations venaient à échouer… Plusieurs logiques poussent les Chinois à prendre l'initiative avant nous. Premièrement, la doctrine militaire chinoise en matière de guerre informatique, depuis qu'elle a émergé dans le courant des années quatre-vint-dix, a toujours été très claire à ce sujet : il y a un avantage à prendre le premier l'offensive. Dans le cadre de ce que les Chinois appellent la "guerre populaire" dans la guerre informatique, en référence aux paysans qui se soulevèrent aux côtés des communistes de Mao Zedong au siècle dernier, des centaines de milliers d'ingénieurs informaticiens, anciens réservistes de l'Armée populaire de libération, peuvent être mobilisés très rapidement afin de participer à une attaque informatique de première frappe contre des infrastructures civiles ennemies. C'est peut-être ce que nous sommes déjà en train de voir dans l'attaque contre les réseaux de télécommunications à Taiwan. La deuxième raison, c'est l'existence de notre bouclier anti-missiles, que nous avons commencé à construire au début des années deux mille. L'objectif du bouclier était de préserver la capacité de projection de nos forces conventionnelles : il nous permettait de ne pas être sous la menace de missiles chinois qui viendraient frapper le sol américain, cela même si nous nous aventurions loin dans le détroit afin de défendre Taiwan. Or, justement, pour rétablir la balance nucléaire et se remettre sur un pied d'égalité, le premier objectif de la Chine sera l'élimination des satellites et des structures de contrôle de notre bouclier antimissiles. La troisième raison, c'est la grande dépendance de l'ensemble de nos forces envers les réseaux de communication satellite qui sont des cibles faciles. Or notre doctrine d'action préventive édictée par le gouvernement Bush Jr. et dont la remise en cause est délicate sans passer pour trop « faible » fait de nous des provocateurs naturels. Nous avons à la fois une posture agressive et un point faible critique — nos réseaux de satellites militaires : cette dualité constitue pour l'ennemi une invitation à frapper le premier... Afin d'anticiper ce grave problème, poursuivit le général, nous devrions mettre en œuvre UsStratCom/Oplan 4891 au plus tôt, dès la constatation d'un échec des négociations et les premiers signes d'une attaque informatique massive franchissant nos lignes rouges. En cas d'une victoire claire et décisive de l'UsStratCom, non seulement l'attaque conventionnelle UsPaCom/Oplan 2014 ne posera aucun problème de réalisation, mais surtout l'ennemi devrait abandonner toute option d'escalade nucléaire, et revenir discuter avec nous. D'autant que les pertes humaines de l'ennemi et les dommages collatéraux seront très très limités. Peut-être même pourrons-nous éviter de faire feu sur les batteries de missiles chinois.

— Général Dörner, poursuivit le président, en quoi consistera précisément Oplan 4891 ?

— Nous mettrons en alerte maximale au sein de l'UsStratCom les bataillons du Global NetOps Center chargés de la défense du réseau mondial d'information. Nous frapperons les centres militaires chinois en charge de la guerre informatique. Enfin, nous effectuerons une attaque offensive antispatiale contre les satellites militaires de communication chinois. À nouveau, nous éviterons soigneusement toute cible parmi les forces nucléaires chinoises ou le niveau politique.

— Si je puis me permettre, monsieur le président, intervint Levin, il s'agit à mon sens d'un plan de bataille assez astucieux, qui nous permettra de revenir négocier avec les Chinois. Il demeure une question, cependant. Si les Chinois semblent prêts à engager une action préemptive contre notre infrastructure de communication, et si nous-mêmes sommes condamnés à l'anticiper, à quel moment intervenons-nous ? Quand pouvons-nous juger que les négociations ne vont pas aboutir ?

— C'est une bonne question, Mark, fit le président avec une lenteur toute réfléchie. Je pense, comme l'a dit le général Dörner, qu'au moment où les communistes franchiront les lignes rouges nous devrons intervenir. Mais nous n'en sommes pas là, Dieu merci. Il ne s'agit pour l'instant que d'estimer s'il existe une alternative à la solution négociée. Nous devons envisager tous les cas de figure. Et, d'après ce que je comprends, j'espère qu'aucun des plans que nous avons évoqués ne sera mis en œuvre. Car ne nous trompons pas : cela signifierait que nous sommes entrés en guerre contre la Chine. Et les expériences des administrations précédentes devraient nous mettre en garde... J'ai personnellement connu le Vietnam. Un conflit qui a démarré sur la pointe des pieds avec légèreté et s'est transformé en bain de sang pour les gens de ma génération. Je me souviens aussi comment nous avons foncé tête baissée contre l'Irak en 2003, parce que l'un des gouvernements précédents pensait qu'il s'agissait d'une cible facile et sans danger. J'en tire une leçon importante sur les illusions de la guerre : il est d'autant plus facile de savoir comment la faire démarrer qu'il est impossible de prédire comment elle se terminera. Je le répète une dernière fois : notre objectif fondamental demeure un accord négocié avec Pékin sur un retrait des archipels de Matsu et de Quemoy. »

50

30 juillet
Fédération de Russie — Moscou
Salle de réunion du Conseil de sécurité/
Immeuble du Sénat (Unité numéro un)/ Kremlin

Dans la grande salle blanche et froide du Conseil de sécurité, un silence mortifiant pesait sur toutes les têtes. Boris Alexandrievitch Nembaïtsov ne décolérait plus.

« J'attends une réponse ! Pourquoi l'opération contre la ZATO d'Arzamas ne s'est-elle pas déroulée comme prévu ? »

Le ministre de l'Intérieur Akhripov tremblait légèrement du poignet gauche. La fatigue des dernières vingt-quatre heures.

« L'opération a simplement été retardée, monsieur le président. Nous avons deux unités de Spetsnatz de cinquante hommes prêtes à agir, postées à deux kilomètres des enceintes de la ville… Mais nous devons être prudents. Nous rencontrons une série de perturbations dans nos communications intergouvernementales et militaires accrues depuis quelques heures. On nous a signalé de multiples problèmes au niveau de la Ligne I, responsable de la sécurité informatique pour chaque ambassade. Notre réseau Glasnet est complètement saturé, pour une raison inconnue. Plusieurs ordinateurs RYAD de la famille ES-1000, employés par notre laboratoire de recherche de renseignement électronique de Kountsevo, sont tombés inexplicablement en panne…

— Et alors ? s'étonna le jeune Boris Alexandrievitch, n'est-ce pas une raison pour foncer et démanteler ce centre ?

— Monsieur le président, la destruction des installations d'Arzamas-84 pourrait se révéler plus risquée que nous ne le pensions. Nous venons d'identifier dans certains fichiers informatiques des "bombes logiques", c'est-à-dire des virus qui ne se déclenchent que lorsqu'ils sont actionnés par la communication de codes particuliers. En détruisant les installations d'Arzamas-84, nous pourrions être sous la menace d'un déclenchement de ces bombes logiques. Même si la ZATO était investie, les combats prendraient un certain temps. Il suffirait que les codes soient activés par un des assiégés pour déclencher ces bombes logiques. Voilà pourquoi, plutôt que d'intervenir au plus tôt, le SSSI aurait besoin encore de quelques jours pour bien évaluer les risques… »

La proposition fit bondir Nembaïtsov. Il voulait une action offensive maintenant et tout de suite. Boris Alexandrievitch craignait par-dessus tout qu'avec le temps l'information finisse par s'ébruiter qu'une petite cité du fin fond de la Sibérie avait décidé de sortir de la Fédération — et puisse tenir en respect les autorités centrales de Moscou.

« Quels sont les risques concrets que nous font courir ces bombes logiques, lieutenant major Platonov ? »

Le patron de la FASPI, Platonov, avait l'air embarrassé.

« Nous ignorons jusqu'à quel point notre informatique militaire pourrait être touchée… Le risque est très grand — simplement, nous ne pouvons pas le déterminer précisément, monsieur le président.

— Cette réponse n'est pas acceptable, lieutenant major », répondit, cinglant, le président.

Nembaïtsov affichait une méfiance profonde pour tout ce qui sortait de la bouche des généraux et des anciens du KGB. Lesquels pourraient participer à un complot tchékiste ? Boris Alexandrievitch était devenu encore plus dur à convaincre après la tentative d'assassinat. Il décida qu'il en avait assez entendu.

« Lieutenant major Platonov, vous ne m'avez pas donné d'arguments convaincants pour repousser l'assaut. Nous n'attendrons pas. » Il pivota vers le ministre Akhripov. « Monsieur le ministre de l'Intérieur, vous pouvez donner l'ordre d'attaquer la ZATO d'Arzamas-84. Je veux que dès demain cette petite cité de rien du tout ait abaissé son drapeau pirate noir et rouge ! Je veux que mon autorité y soit rétablie ! Et je veux qu'un nouvel administrateur ait pris le contrôle du centre de recherche !... »

51

Journal de Julia — Novossibirsk, 30 juillet

Je me suis levée tôt ce matin, prête pour ma rencontre surprise à l'Akademgorodok avec le professeur Ponomarenko, l'ancienne connaissance de Nikolaï. J'ai commencé ma promenade dans Novossibirsk vers les sept heures du matin. Dans l'une de mes « boîtes aux lettres », cachée dans la ville, j'ai discrètement récupéré un revolver, un Makarov 9 millimètres. C'est Irina, la grande rouquine aux allures de mannequin croisée au Los Angeles Pizza de la rue Lénine la veille, qui l'a placé là comme convenu après qu'elle m'a identifiée à la pizzeria. Irina travaille pour la sécurité de l'Atlantic Investment Group, et je lui ai demandé de faire un rapide aller-retour Moscou-Novossibirsk dans la journée d'hier afin de m'apporter le Makarov. Je déteste les armes à feu, mes performances au tir ont toujours été particulièrement médiocres — mais j'aurai peut-être besoin d'un peu plus que ma trousse à seringues pour convaincre Ponomarenko de s'asseoir et m'écouter. Ou, le cas échéant, décider de ma propre élimination. J'y suis entraînée.

Je quitte l'hôtel Sibir et loue une Nissan blanche auprès du concessionnaire Hertz du coin. En sortant de la ville, je prends la direction du sud. La cité universitaire se trouve à une trentaine de kilomètres de Novossibirsk. Je traverse une large forêt de bouleaux et de pins. C'est là que se cache l'Akademgorodok. Je reconnais immédiatement le sceau de la ville — un sigma traversé d'un signal électrique. L'Akademgorodok m'a toujours fascinée. La première fois que je l'ai visité, il y a quinze ans, j'ai été frappée de ses dimensions. Je m'attendais à un grand campus à l'américaine, comparable à ma chère Yale, et peut-être intégrée à une petite ville telle que New Haven ou Evanston. J'ai découvert une cité que seule la volonté de l'Union soviétique avait pu créer : forte de cent mille habitants et de sept cents hectares, traversée de vastes avenues à quatre ou six voies tracées sur plusieurs kilomètres, l'Akademgorodok était la seule cité universitaire au monde à concentrer toutes les branches de la science, de la génétique à la minéralogie, du lycée au centre de recherche postdoctorale. L'un des premiers centres universitaires en Europe, dès les années cinquante, à donner des cours dans certains lycées entièrement en anglais ou en français. L'un des premier campus « à l'américaine » construit en Europe en 1957, mais dont l'inspiration relevait plus, pour moi, du Los Alamos du projet Manhattan, ou mieux encore : de la cité secrète d'Arzamas-16, la zone barbelée de trente kilomètres carrés de laboratoires établie en 1946 par Lavrenti Beria sur les ordres de Staline afin d'y concentrer les meilleurs chercheurs et ingénieurs de l'Union et d'y fabriquer la première bombe atomique soviétique. Les étudiants et scientifiques qui vivaient à l'Akademgorodok, du temps de l'Union, étaient des privilégiés : ils disposaient de magasins, piscines, musées, hôtels, clubs, restaurants, supermarchés convenablement achalandés, cinémas, comme la grande salle de l'Akademia, et même de théâtres de renommée nationale — la Maison des scientifiques, le *Dom Outchionykh* ayant vu se produire les plus grands noms de la musique et du théâtre russes. On pouvait acheter du beurre, du chocolat et du lait sans avoir à faire la queue. Les citoyens de l'Akademgorodok pouvaient loger dans les appartements particuliers des petits immeubles de brique rouge, ou même profiter de datchas individuelles pour les professeurs les plus importants. Quant aux étudiants qui devaient se contenter d'appartements communs dans les immeubles de béton armé cachés par les pins et les bouleaux, ils avaient toujours la mer d'Ob, ce vaste réservoir artificiel de cent kilomètres de long sur vingt de large, dont les plages, bondées dès le mois de mai et baignées d'une eau tiède et douce, offraient une alternative irrésistible aux cours de physique ou de chimie. Eltsine et ses successeurs ont pris grand soin de préserver cet environnement unique. Lors de mes deux visites, il y a sept et quinze ans, mes contacts locaux m'ont assurée que la cité n'avait pas souffert de la chute de l'Empire. Tout était demeuré à l'identique. La seule différence, c'était désormais les nouvelles opportunités de travail avec l'Occident pour les scientifiques de l'Akademgorodok, et la possibilité de trouver des investissements privés pour financer certains projets de recherche. Les Russes de Sibérie ont toujours trouvé la manière de s'adapter.

Ma Nissan blanche roule désormais le long de la grande avenue Lavrentieva, baptisée en l'honneur du fondateur de la cité. Il me reste un arrêt à faire avant d'intercepter Ponomarenko dans sa petite datcha, à l'est de la ville. J'ai demandé à Irina de faire une rapide inspection de sa résidence hier, afin de m'assurer qu'elle n'était pas sous surveillance. Elle m'a laissé un message dans une boîte aux lettres à l'hôtel Gold Valley, le seul établissement international de la cité. Je me gare à deux pas et entre dans l'hôtel. Je récupère le message. Pour

Irina, l'endroit est tranquille. Je peux intercepter Ponomarenko dans sa datcha. Je sors de l'hôtel en vérifiant
que personne ne m'a suivie. Alors que je prends place
dans la Nissan blanche, j'entends un bruit de portière.
Un homme vient de s'asseoir dans la voiture — juste à
mes côtés. Il a un revolver et me tient discrètement en
joue. Il est grand, l'allure forte, le visage couvert de fines
rides, les cheveux blancs coupés en brosse, les yeux
bleus d'une extrême clarté.

C'est Nikolaï.

Pendant un instant, tout s'arrête. La surprise est
totale. Mes mains deviennent froides. Je ne peux croire
que c'est lui.

« Ton flingue. »

J'obéis et tends à Nikolaï mon pistolet Makarov.

« Démarre et roule. »

Je tourne la clé de contact et nous nous mettons
à avancer, muets, au cœur de la cité sibérienne. Je
reprends rapidement mes esprits. Mais je sais ce que
l'apparition de Nikolaï signifie. Je suis tombée dans un
piège. Les services du FSB m'ont mis la main dessus.
Et Nikolaï travaille pour eux. Ce sont vingt ans de carrière, et peut-être plus, qui sont compromis. Je ne veux
pas encore imaginer toutes les conséquences de ce qui
est en train de se passer. Je vis un cauchemar. Une
bouffée d'anxiété me submerge pendant un instant. Ai-
je également compromis Jack — le président Brighton ?

« Tourne à droite. »

Je m'exécute et nous nous enfonçons dans la grande
forêt de bouleaux et de pins qui encercle l'Akademgorodok. Si les opérateurs de Nikolaï veulent m'exécuter, tant
mieux. S'ils veulent m'interroger… j'ai pesé le pour et le
contre, je ne peux risquer de mettre en danger Jack alors
que nul ne sait ce qui va se passer avec la Chine. Je
prendrai ma destinée en main. Il me suffira de récupérer

la troisième seringue de ma trousse, celle marquée d'une étiquette bleue. Le ciel se recouvre des feuillages des bouleaux et des pins. La route se fait plus étroite. Nous sommes au cœur de la forêt. Personne ne pourra nous entendre.

« Arrête-toi sur le bas-côté. »

Je coupe le moteur. Il range son revolver. Je décide de ne pas parler.

« Alors, voilà, *Lioubimaïa*… C'est ici que prend fin notre belle amitié. » Il parle sans me regarder. « … Officiellement, bien entendu. »

Aiguisée par la tension, je ne peux contenir ma curiosité.

« Quand le FSB s'est-il douté que tu travaillais pour nous, Nikolaï ? »

Il ne peut empêcher un petit ricanement.

« Pas le FSB, le KGB ! Chère Julia… tu croyais vraiment que tu me tenais ? Que mes escapades homosexuelles avec Stéphane à Paris, la dette que j'avais contractée auprès de ton agence, que tout cela avait fait de moi un agent double ? Tu n'as jamais trouvé que le retournement de "Nikolaï" avait été un peu facile, non ? Que ta toute première opération se déroulait trop bien, comme dans un exemple pour manuel ? Que mon éloignement progressif du KGB était un peu trop tranquille ? Tu crois vraiment que l'on peut quitter notre profession comme cela, du jour au lendemain, simplement parce que l'on a envie de passer à autre chose, hein ? Et moi qui craignais qu'à un moment vous ayez compris !… Vous êtes quand même un peu naïfs, mes amis américains… »

C'est pire que ce que j'imaginais.

Il sort un paquet de cigarettes, et allume une Philip Morris avec filtre. Après deux bouffées, il se tourne vers moi.

« … Tu vois, tu n'aurais jamais dû me demander des informations sur Alberich, *Lioubimaïa*. Tu ne peux imaginer toutes les sirènes d'alarme que tes e-mails ont déclenchées à Moscou. On m'a demandé de jouer avec toi. De t'amener jusqu'ici. Il y a une équipe de collègues du FSB qui t'attend en ce moment à l'Akademgorodok. Ils ont prévu ton arrivée d'ici une heure, chez le camarade Ponomarenko. C'est là qu'ils comptent t'accueillir. Et ils ont furieusement envie de discuter avec toi. Ils ont leurs propres inquiétudes sur notre ami allemand. En particulier, ils aimeraient bien savoir où il se cache, et s'il est toujours en vie. Et pourquoi il a quitté Arzamas-84. »

Quelque chose détonne. La partition sonne faux.

« Pourquoi tu me donnes toutes ces informations, Nikolaï ? »

Nikolaï tire une grande bouffée. Sa main, elle aussi, tremble légèrement.

« Parce que nous ne retournerons pas à l'Akademgorodok, *Lioubimaïa*. Voilà. Je crois que… Moscou est en train de perdre le contrôle des événements… J'ai reçu l'ordre de rejoindre une unité du renseignement militaire basée à Chaga, à trois cents kilomètres d'ici. C'est la dernière ville avant Arzamas-84. J'arriverai à temps pour l'interrogatoire des prisonniers : dans six heures, des unités des Spetsnatz prendront d'assaut Arzamas… Et je crois que Moscou est en train de faire une connerie monumentale. Alors, j'ai pris ma propre décision. Nous ne retournerons pas à l'Akademgorodok… Je ne sais pas ce que les équipes d'Alberich ont mijoté avec leurs commanditaires chinois, mais je doute qu'ils n'aient pas envisagé le problème. Je crains qu'Alberich ait prévu une attaque contre son centre. C'est un homme trop malin. Méfie-toi de lui, Julia : comme tous les types brillants, il a un côté déroutant que toi et moi, les simples d'esprit, nous prenons pour de la folie. Mais ça n'est pas de la folie. C'est le coup d'après auquel il est déjà en train de réfléchir. »

J'ai du mal à le croire. S'il a vraiment décidé de me rendre ma liberté, c'est probablement pour organiser ma filature et retrouver la trace d'Alberich. Aurait-il vraiment le courage de défier son employeur ? En vingt-cinq ans d'exercice, j'ai rarement vu cela. Peut-être un ou deux cas. La sanction a été suffisamment sévère pour rappeler aux gens du métier certaines règles d'or. J'ai besoin de plus d'informations.

« Où est Ponomarenko ? »

Le visage de Nikolaï s'assombrit.

« Sergueï est mort. Crise cardiaque. Il y a un mois environ. Deux jours avant qu'Alberich ne disparaisse. »

La coïncidence est encore plus troublante pour moi. Nikolaï ne sait pas que nous avons retrouvé Alberich à Berlin, victime lui aussi d'une crise cardiaque.

« Tu penses que c'était la Déesse, Nikolaï ?

— Quoi ? Ponomarenko ?… Non, non. D'ailleurs, Julia, qui te dit qu'il s'agit d'une personne ? Ta Déesse, c'est peut-être une organisation secrète, comme l'Orchestre rouge. Je n'en sais rien. C'est une opinion personnelle. »

Cela expliquerait en effet que la « Déesse » ait pu recruter Alberich sous le Reich, le récupérer après guerre et l'utiliser pendant toute la guerre froide. Mais cela signifie qu'elle agissait à l'identique de l'Orchestre rouge, le réseau d'espions communistes travaillant dans le Reich. Et, en particulier, que la Déesse a ses entrées à Moscou. L'analogie de Nikolaï n'est pas anodine. Elle pourrait expliquer son courage à me révéler tout ce qu'il sait.

« Tu penses que la Déesse est une ancienne opération du KGB… dont les membres sont toujours actifs ?

— Nous spéculons, Julia. Nous spéculons. »

Il écrase sa cigarette sur la console en plastique noir contre-plaqué de la Nissan. Je l'observe. Ses mains sont agitées. Je le sens travaillé par d'intenses émotions. Remords ? Peur ? Doute ?

« Pourquoi me laisses-tu libre ? Pourquoi me ferais-tu confiance, Nikolaï ? »

Il me sourit, navré.

« Mais, je ne te fais pas confiance, Julia. Je n'ai pas le choix, c'est tout : j'ai encore moins confiance en Moscou qu'en toi… Qui est notre ennemi ? Je l'ignore ! Et je ne peux même pas te dire de quelle entité il s'agit : un État ? Une machine ? Une organisation secrète ?… Mais si jamais effectivement les Chinois… et des gens à Moscou… sont derrière tout cela, alors il n'y aura plus que toi et tes amis pour nous sauver la mise. C'est mon message personnel au président Jack Brighton. Le Kremlin ne comprend pas ce qui se passe. Et je connais mes collègues : seuls, nous allons nous enfoncer dans une marée noire de conneries.

— Et pourquoi, moi, devrais-je te faire confiance, Nikolaï ?

— Enfin la vraie question, *Lioubimaïa* !… Oui, c'est vrai, ça, pourquoi devrais-tu me faire confiance ? Après tout, je me suis joué de toi pendant des années et des années… D'un autre côté, je suis devant toi, nu, cet après-midi, et c'est moi qui déchire le rideau !… Oui, mais qui sait ? Je suis peut-être l'ultime machination du FSB ? Ou pis : de la Déesse et de son Orchestre rouge… » Il est songeur et paraît curieusement fatigué. « Tu sais, Julia, il arrive un moment où nos jeux secrets deviennent des nœuds tellement inextricables qu'ils ne font plus grand sens. Par exemple, je me suis toujours demandé à quel point je ne vous ai pas réellement aidés, vous les Américains, à force de vouloir construire ma

crédibilité auprès de tes supérieurs et de vous divulguer
des informations de valeur. Originellement, mon rôle
était de devenir tellement crédible à vos yeux qu'au
moment où les choses sérieuses s'engageraient entre
l'Union soviétique et ton pays, vous seriez capables
d'avaler n'importe quelle connerie que je vous soumet-
trais. Seulement, le moment n'est jamais venu, et au
bout du compte peut-être avez-vous sérieusement bénéficié de mes informations. Et maintenant, savoure l'instant : le fameux "moment" vient d'arriver — sauf que la
confrontation se déroule entre l'Amérique et la Chine,
pas l'Amérique et la Russie. Et moi, plutôt que de te
faire avaler une connerie que tu gobes sans réfléchir,
j'essaie de te soumettre ma vérité, que tu ne peux plus
accepter. Ne trouves-tu pas cela ironique, Julia ? »

Je le sens désespéré. Je ne l'ai jamais vu dans cet
état.

« Comment veux-tu me convaincre, Nikolaï ? »

Il sourit, sans me regarder.

« Je ne peux pas te convaincre, Julia. Je le sais.
Je te connais bien. Nous faisons le même métier. Et
crois-moi, je l'ai aimé, ce métier d'espion, il a fallu du
temps pour m'en rendre compte. Tiens… c'est notre ami
Stéphane qui me l'a fait comprendre, un jour, à Paris,
qu'il s'amusait sur sa toile. Je ne sais pas pourquoi, je
devais trop en faire dans mon rôle, et je lui racontais à
quel point j'étais fier d'être un Soviétique, fier de notre
idéologie communiste. Il a arrêté son pinceau et m'a dit :
"Nikolaï, tous les hommes ont un métier qu'ils exercent
ou rêvent d'exercer et ça, c'est leur vraie patrie. Oublie
les idéologies. Regarde les peintres cubistes. Tu crois
qu'ils se sont mis à peindre par amour du cubisme ?
Bien sûr que non ! Ils se sont mis à peindre par amour de
la peinture. Le cubisme a été une inspiration pour eux,
mais jamais une vocation. Ils seraient nés cinquante ans

plus tôt, ils auraient été, je ne sais pas moi, impression-
nistes et probablement tout aussi accomplis. Ton problème, Nikolaï, c'est que tu te crois communiste, mais
ce ne sera jamais une vocation. Alors, cesse de raisonner. Contente-toi d'obéir à ta logique secrète et tu vivras
en plein accord avec toi-même." C'est grâce à Stéphane
que j'ai compris que ma vraie patrie, c'était l'espionnage.
Et je sais que c'est la même chose pour toi, Julia. Voilà
ce qui nous rapproche. Voilà pourquoi je te dis, de collègue à collègue : je ne sais pas ce qui se passe et je ne
veux pas porter la responsabilité d'une catastrophe qui
me dépasse. Je t'ai laissé sur la banquette arrière les
informations que j'ai pu dupliquer au sujet d'Alberich et
d'Arzamas-84. Il y a un vol Sibir pour Tel-Aviv dans
deux heures au départ de Tolmachevo. Cela devrait suf-
fire pour échapper à mes camarades du FSB. Je vais
retarder la communication de ton avis de recherche. Si
tu franchis la douane sans problème, cela voudra dire
que je t'ai laissée filer et que tu peux exploiter à ta guise
les documents. À toi de tirer toutes les conclusions que
tu souhaites. Mais tu sais, parfois, trahir, c'est aussi servir sa patrie. Et ça, c'est ma conclusion personnelle.

— Que veux-tu dire ?

— Tu m'as parfaitement compris. Parfois, trahir, c'est
aussi servir sa patrie. » Il ouvre la portière et pose un
pied sur le sol. Et puis, brusquement, il se retourne. « Il
y a une dernière chose. Ce n'est pas dans le dossier. Je
ne sais pas ce que cela veut dire. C'est juste une intuition. Mais deux semaines avant de mourir, Sergueï
Ponomarenko m'a appelé. Il voulait m'inviter pour son
anniversaire le 4 août dans une seconde datcha qu'il
possédait très loin, très éloignée de tout, au milieu des
terres, à des centaines de kilomètres à l'ouest de Novossibirsk. Il l'appelait "le Bunker". Il a vraiment insisté
pour que je vienne, le pauvre Sergueï. »

J'ai peur de comprendre. Le bavardage d'Igor, le chauffeur bassiste, me revient en tête. Je me rappelle son invitation dans la petite cabane en bois, protégée du feu nucléaire par l'immensité de la Sibérie. Je décide de couper Nikolaï.

« Oui, mais voilà : l'anniversaire de ton ami Sergueï ne tombe pas le 4 août, n'est-ce pas ? »

Nikolaï acquiesce de la tête.

« C'est exact, Julia. C'est le 14 novembre… Ce qui ne nous laisse pas beaucoup de temps, tu comprends ? »

Nous nous regardons longtemps sans échanger un mot. Oui, cette fois j'ai compris.

« Peut-être n'y aura-t-il pas de 14 novembre cette année, Nikolaï ?

— Dans ce cas, Julia, en souvenir de toutes ces années, laisse-moi te dire adieu. »

Nikolaï incline poliment la tête et disparaît dans l'encadrement de deux bouleaux, à la lisière de la forêt, d'un pas tranquille et assuré. Je sais que je ne le reverrai plus. Je suis seule au milieu de nulle part, à l'ombre de la forêt sibérienne. Une brise légère agite silencieusement la cime des pins.

Il me reste encore les informations de Nikolaï, laissées sur la banquette arrière. Je fais demi-tour et fonce vers l'aéroport.

Je dois retourner à Berlin. L'assaut contre Alberich ne peut plus attendre.

52

30 juillet
États-Unis d'Amérique — Washington
Maison Blanche — Bureau ovale

Il devait être une heure et demie de l'après-midi. Jack picorait un bout de cheddar sur crackers récupéré au rez-de-chaussée, dans le frigo toujours plein du mess des officiers de la Situation Room. À ses pieds s'était collé Puffy, son gros pékinois au poil blanc ébouriffé et aux manières facétieuses, que Brighton ne pouvait faire monter dans le Bureau ovale. Les trois analystes en faction dans la Situation Room, jusque-là occupés devant leur écran à collecter les infos « internes » et publiques les plus récentes au sujet de la crise chinoise, s'étaient immédiatement mis au garde-à-vous. Mais ils étaient loin d'être surpris. Ils avaient l'habitude des descentes à l'improviste du « patron ». Cette fois, Jack n'avait pas eu le temps de discuter avec les jeunes officiers — il adorait les « griller » sur les questions de politique étrangère les plus pointues, ce qui les remplissait de fierté. Après avoir fouillé le frigo et abandonné Puffy au pied de l'un des analystes, il avait dû remonter en vitesse au bureau. Le président français François Vernon cherchait à le joindre. La demande d'appel, venue juste après la réunion dans la salle du Cabinet, était assez inattendue. François n'avait pas réclamé de traducteur. Il ferait la conversation entièrement en anglais. Mark Levin avait essayé d'interroger son homologue français, le conseiller personnel du président Anne Lemonnier, sur l'objet de l'appel. La fonctionnaire de l'Élysée s'était montrée évasive. Ni Mark ni Jack n'aimaient cela. À une heure trente précise — début de soirée à Paris —, l'officier de plus haut grade en faction à la Situation Room demanda au technicien de l'agence de communication de la Maison Blanche, une unité militaire surnommée « Signal » dans le jargon de la maison, de composer le numéro confidentiel du président Vernon à l'Élysée. Dès que François fut en ligne, l'officier de la Situation Room introduisit le président Brighton qui avait attendu jusque-là en terminant rapidement ses crackers, arrosés d'un Coca Diet. Levin, aux aguets, tenait l'écouteur à ses côtés.

« François… je suis heureux de vous entendre ! Vous souhaitiez me joindre aujourd'hui même ?

— Oui, Jack. Je sais que la situation en Chine réclame toute notre attention… Nous sommes d'accord pour considérer que Taiwan n'a pas facilité les choses. Teng est un homme dangereux. Nous soutiendrons pleinement l'initiative américaine au Conseil de sécurité de l'ONU…

— François, j'apprécie le soutien de votre pays. Devant la gravité de la crise, il est crucial que les pays alliés puissent agir de concert. À titre personnel, je n'ai jamais douté un instant de votre soutien, François, et vous le savez. »

À l'autre bout du fil, alors que les ténèbres descendaient lentement sur Paris, François essayait de trouver les mots. Il était saisi d'émotions contradictoires. Mais ce n'était pas avec l'un de ses vieux compagnons de

route qu'il discutait au téléphone. Avec les « grognards »
de ses campagnes politiques précédentes, il pouvait se
permettre de mettre ses tripes sur la table. De les tutoyer.
Mais là, malgré la chaleur ancienne ou la méfiance nouvelle qu'il éprouvait pour sa vieille connaissance de
Washington, c'était d'abord au représentant de la nation
américaine qu'il s'adressait. Son style direct rencontrait
les limites que lui imposait la raison d'État. François
jeta un regard sur le sourire de la princesse Song. Il ne
pouvait tutoyer Jack. Jack était le président du pays le
plus puissant au monde.

« Jack, la France soutiendra toujours l'Amérique sur
l'affaire chinoise. Mais je voulais m'entretenir avec vous
d'un autre sujet d'inquiétude… » Il y eut un court silence
embarrassant pour les deux hommes. « … Jack, nos deux
pays sont alliés et amis de longue date. Nous avons parfois nos différends, mais nous nous sommes toujours
retrouvés au moment des crises les plus dramatiques…
La monnaie européenne subit une très forte pression à la
baisse depuis la session de vendredi dernier. Cette attaque
risque de remettre en cause beaucoup de choses sur les
marchés monétaires, mais pas uniquement. Pas uniquement, Jack. La France et le reste de l'Union européenne
risquent d'être durablement atteints. Et une Europe affai-
blie serait dommageable, je le crains, pour la stabilité
internationale justement en ce moment. »

Jack ne comprenait plus rien au verbiage diplomatique de François — cela ressemblait tellement peu à
son collègue français, souvent extrêmement direct. Où
voulait-il en venir ?

« François, nous suivons les désordres monétaires des
derniers jours. Je vais être franc avec vous : la crise chinoise nous a peut-être trop accaparés, ici. Laissez-moi
vous dire également… que je suis tout de même un peu
surpris de ce que vous me dites. Vous pensez réellement

que nous sommes au bord d'une crise financière internationale ? L'euro et le dollar ont l'habitude de pas mal jouer
au yo-yo ces derniers temps et je ne vois rien de réellement exceptionnel dans les mouvements récents… Peut-
être avez-vous des informations que je ne possède pas,
François. De mon côté, je n'ai rien reçu de la part du
Trésor, de la Fed ou du FMI qui m'ait alerté sur les
risques d'un effondrement imminent des marchés monétaires. »

Il y eut à nouveau un long silence embarrassant
— le deuxième, peut-être, depuis que Jack et François
se connaissaient !… Mais pourquoi diable François ne
lui disait-il pas ce qu'il avait sur le cœur ?

« Jack, ce n'est pas le FMI que vous devriez consulter, mais votre NSA… J'ai reçu un rapport de la DGSE.
Nous avons un bataillon spécialisé dans la guerre économique et les réseaux informatiques. Ses conclusions
sont formelles : l'attaque sur l'euro est artificielle. Elle
ne provient pas d'un mouvement de spéculation, mais
d'un acte de criminalité informatique. On s'est introduit
dans les serveurs de la multinationale des Bourses
financières WorldNext et on a déréglé de manière extrêmement sophistiquée la parité euro/dollar. C'est aussi
simple que cela, Jack. »

Brighton commençait à lentement comprendre. Son
interprétation la plus pessimiste du discours de François était la plus juste.

« D'après vous, François, qui est "on" ? Qui a essayé
de manipuler les marchés monétaires ?

— Je ne sais pas, Jack. Je ne sais vraiment pas…
C'est pour cela que j'aimerais demander l'avis de votre
NSA. Vous avez de nombreux experts très qualifiés sur
ces questions dans vos laboratoires de Virginie, n'est-
ce pas ? Peut-être pourraient-ils nous expliquer deux ou
trois choses ? »

Une menace voilée planait sur la question. Vernon l'accusait presque d'avoir saboté la monnaie européenne. Affaibli par une courte nuit de fatigue, Jack essayait de demeurer égal et de ne pas se laisser déborder par ses émotions. Jack jeta un regard oblique vers Levin, façon de dire : que valait vraiment l'amitié de son vieux « camarade » de Paris ?

« Je vais consulter mon Conseil de sécurité et je vous propose de vous rappeler à ce sujet, François.

— Oui, c'est une bonne idée. Faisons comme cela », répondit François, cruellement déçu de la réaction de Brighton. Jack n'avait pas compris la gravité du problème. Combien de temps Jack et tous ses collègues allaient-ils cloisonner les questions et les amis ? Promouvoir d'un côté les alliances politiques en temps de crise, et, de l'autre, se permettre toutes les libertés, même les plus malveillantes, sur le terrain de la guerre économique ? François en avait assez de ce jeu schizophrénique. S'ils n'avaient pas été deux chefs d'État, ligotés par les intérêts supérieurs de chaque nation, le conflit aurait peut-être pu se résoudre de manière plus simple et naturelle. Il aurait appelé son camarade à déjeuner. On aurait ouvert la discussion sur la famille. Puis, après le plat de résistance, François aurait déballé ses griefs. Ils se seraient engueulés. L'explication aurait été franche. Ils se seraient réconciliés probablement au dessert parce qu'au fond aucun des deux n'allait abandonner la table. Sauf que Jack et François n'étaient pas de vieux potes mais les représentants suprêmes de millions d'âmes. Et l'attaque d'un allié par un autre allié fait partie des sujets que l'on n'aborde pas à table. Comme dans toutes les grandes familles, les rivalités brutales et mesquines entre frères appartiennent au domaine du non-dit. La France et l'Allemagne ne pardonneraient pas le coup de pied américain. Les apparences seraient maintenues, mais ils répondraient avec la même âpreté et la même dissimulation.

Cependant, François Vernon ignorait que de l'autre côté de l'Atlantique, loin d'être ignoré, son appel avait profondément troublé le partenaire américain. Le combiné à peine raccroché, Jack ouvrit immédiatement le débat avec Levin. La question était simple et terrible à la fois : avait-on sous-estimé le pouvoir de nuisance des Chinois ? Ou, pour dire les choses autrement : les Chinois avaient-ils tenté d'attaquer la monnaie européenne afin d'affaiblir la cohésion des alliés ? Le piège était d'autant plus efficace que Jack ne pouvait démontrer à François qu'il n'était pour rien dans l'attaque de l'euro. Si Jack pointait du doigt le pouvoir de Pékin, les négociations avec la Chine portant sur des questions éminemment délicates deviendraient impossibles à conclure.

La guerre contre la Chine serait alors inévitable.

La Chine avait-elle ouvert un troisième front avec l'Europe ?

53

31 juillet
Washington — Département d'État
des États-Unis d'Amérique
Bureau du secrétaire d'État Jon L. Cornelius

Assis dans son grand bureau de l'Avenue C, à quelques encablures de la Maison Blanche, Cornelius était pensif. Sur le coin de sa table ou accrochées aux murs, une multitude de photos encadrées d'or ou d'argent dessinaient une fresque de sourires bienveillants autour du diplomate en chef, la mise impeccable. Sur la commode, quelques photos de chefs d'État rencontrés longtemps avant sa prise de fonction — des poignées de main pleines de non-dit avec Nelson Mandela, le prince Abdallah d'Arabie Saoudite ou l'ancien président français Jacques Chirac. Sur le coin du bureau reposait dans un cadre argenté une épreuve noir et blanc, prise au tout début des années quatre-vingt, de George O'Brien, l'intime de Jack Brighton, la main sur l'épaule de Jon. À l'époque, Jon, trentenaire, venait de se mettre à son compte après l'obtention de son *juris doctor* à la faculté de droit de Chicago University et deux ans dans un grand cabinet de New York. C'est grâce aux affaires de George qu'il avait pu commencer à voler de ses propres ailes. Juste à côté, dans un grand cadre d'or, un cliché datant de 1992 montrait Jon et Jack, souriants, attablés à dîner. Le lien qui l'attachait au service de Jack remontait à bien avant le début de la présidence Brighton. Cornelius était un « historique » du clan. Était-ce alors donc de la jalousie, cette rage qu'il éprouvait envers le conseiller Levin ?

Le ministre des Affaires étrangères de l'État hébreu, Uriel Bar-Ilan, était en ligne. Bar-Ilan avait été nommé trois mois plus tôt. C'était l'un des anciens chefs d'état-major des Forces de défense israéliennes. Cornelius l'avait croisé deux fois — la dernière, il y a six ans, lorsqu'il avait accompagné Brighton dans une tournée en Israël. Jack préparait les élections, et un passage à Tel-Aviv, Jérusalem et dans les villas travaillistes d'Herzliya ne pouvait nuire à sa future campagne. Bar-Ilan, lui, venait de prendre sa retraite de l'armée et faisait du lobbying pour Israeli Aircraft Industries. Cornelius l'avait trouvé un peu rondouillard, mal à l'aise dans son costume cravate — mais toujours extrêmement précis et direct, bien renseigné sur la vie politique à Washington. Bar-Ilan était catalogué à l'époque plutôt « colombe ».

« Cher monsieur le secrétaire d'État, je porte un message personnel de notre Premier ministre Yaacov Friedmann au président Brighton. » Cornelius reconnaissait l'accent de Bar-Ilan, alourdi d'inflexions traînantes. « L'État d'Israël rencontre depuis six heures une situation extrêmement grave. Nous avons perdu le contrôle d'un de nos satellites d'observation Ofeq. Nous sommes également victimes d'un brouillage partiel des transmissions de l'un de nos satellites militaires de communication de type Amos. Notre gouvernement est inquiet. Nous venons de mettre l'armée et la police en état d'alerte. Nous ne pouvons prendre le risque de perdre le contrôle de notre satellite militaire de communication. Nous allons lancer une fusée Shavit dans vingt-quatre heures afin de procéder au remplacement de ce satellite. Nous vous communiquerons le plan de vol de la fusée Shavit afin de limiter tout risque de mésinterprétation par nos voisins régionaux. Néanmoins, si le brouillage continue, nos systèmes de communication militaire et intergouvernementale seront mis en danger. Nous considérerons alors qu'il s'agit d'un *casus belli*, et place-rons l'ensemble de nos forces armées conventionnelles et stratégiques au niveau d'état d'alerte maximum. »

Cornelius était estomaqué. C'était sans détour. Et le secrétaire d'État était furieux : aucun analyste de ses services ou de la Situation Room, à la Maison Blanche, ne l'avait prévenu de la situation en Israël.

« Je comprends la gravité de votre situation, mon-sieur le ministre… Je suis surpris néanmoins qu'Israël puisse mettre en alerte des "forces stratégiques". Vous excluez toute erreur technique ? Quels sont les élé-ments qui vous permettent d'être si catégorique ?

— Monsieur le secrétaire d'État, poursuivit Uriel Bar-Ilan, sur un ton brûlant d'impatience, ce n'est pas une erreur du réseau. Telles sont les conclusions de notre unité d'élite de guerre informatique, nos spécia-listes de l'Unité 8-200 beth… » Bar-Ilan faisait référence à l'unité de guerre électronique spécialisée dans les attaques informatiques virales, fleuron du Mamram, le centre de traitement informatique et de communications des forces israéliennes de défense. Le Mamram consti-tuait une pépinière de jeunes talents triés sur le volet et chargés entre autres de s'occuper des missions les plus délicates de sécurité informatique. L'avis de ces cer-veaux avait valeur d'oracle — leur réputation s'étendait bien au-delà d'Israël. « Nos spécialistes du Mamram

sont catégoriques, monsieur le secrétaire d'État. Cela
ne ressemble pas à une suite de pannes se déclenchant
selon la progression caractéristique d'un accident.
L'attaque a été massive, multiple et synchronisée. On
s'est infiltré dans nos réseaux militaires. On y a planté
des bombes logiques. Et elles viennent d'être activées. Il
s'agit d'une action hostile, monsieur le secrétaire d'État.

— Une action hostile, monsieur le ministre des
Affaires étrangères ? Avez-vous une idée de qui aurait
pu entreprendre une telle opération contre vous ?

— Soit il s'agit d'un groupe terroriste qui n'est pas
lié à un État. Nous avons une piste parmi un groupe
d'informaticiens islamistes radicaux basés à Dubaï. Soit
il s'agit d'un État… les Syriens ont entamé des manœuvres militaires près du Golan depuis la semaine dernière. Peut-être, tout comme l'Égypte avant l'attaque du
Yom Kippour en 1973, la Syrie a-t-elle en réalité
engagé des manœuvres de feinte destinées à masser ses
troupes à nos frontières. Dans ce scénario, une attaque
informatique mettant à genoux nos réseaux de communication militaire constituerait un prélude à une opération militaire de grande envergure. »

Cornelius sentait poindre un soupçon de roublardise
dans ces derniers propos. Les Israéliens pouvaient chercher à effrayer leur allié afin d'obtenir rapidement un
soutien inconditionnel.

Mais l'ancien officier était sincère. Bar-Ilan avait été
marqué dans l'adolescence par la faillite de l'armée
israélienne durant les premiers jours de la guerre de
Kippour. Le choc de cette guerre avait décidé de sa carrière de militaire. Les services de Cornelius avaient
omis de mentionner au secrétaire d'État que le père de
Bar-Ilan était mort lors des combats dans le Sinaï en
1973. L'échec israélien en 1973 avait été le fruit d'une
trop grande assurance de l'armée et d'un effet de surprise

important. Bar-Ilan avait en tête tout cela et ne cessait de faire le rapprochement avec la situation actuelle. Son allusion à 1973 trahissait plus que n'importe quelle justification technique sa conviction intime. D'ailleurs, la Syrie s'était rapprochée récemment de la Chine qui investissait beaucoup dans la région depuis cinq ans. Pouvait-il y avoir un lien avec les dérèglements constatés à Taiwan depuis vingt-quatre heures ?

« Écoutez, répondit Cornelius insensible à l'anxiété de son interlocuteur, je vais essayer de contacter l'ambassadeur de Syrie. Votre message sera immédiatement transmis au président Brighton. »

À l'autre bout de la ligne, Uriel Bar-Ilan avait la désagréable sensation que Cornelius n'avait pas compris que Jérusalem était sur la brèche. Si c'était le cas, les Israéliens mettraient peu de temps à faire sentir aux Américains que leur angoisse était tout à fait sérieuse.

54

31 juillet
République populaire de Chine — Pékin
Bureau du Premier ministre/Zhongnanhai

Hu Ronglian avait convoqué à la mi-journée le Comité de salut public dans son bureau de Premier ministre — bien qu'il fût devenu le maître du pays, il s'agissait encore de son titre officiel. Le décor avait un air vaguement surréel : les suprêmes dirigeants du Parti communiste de Chine allaient se rassembler autour de la petite table de réunion de hêtre contreplaqué en imitation acajou qui tenait le fond du bureau. La pièce, elle-même toute de moquette et de meubles fonctionnels aux reflets brun clair, ne reflétait rien du caractère national chinois. Mais le dessein de Hu Ronglian était évident : le Comité de salut public était dirigé par le Premier ministre. Désormais, c'est dans son bureau que ses membres se réuniraient pour les décisions politiques les plus importantes. Il allait imposer une nouvelle discipline. Il n'avait de toute façon plus de choix. Le Comité de salut public ne pouvait souffrir la moindre dissension.

Il les fit installer autour de la table oblongue en prenant soin de se placer au milieu, occupant un fauteuil

« dirigeant » plus élevé que tous les autres, adossé au mur où avaient été déployés deux drapeaux coquelicot et or. Hu Ronglian était en train de réinventer le protocole. Il agissait non par vanité mais par nécessité : une main ferme et solide devait tenir les destinées du pays. Derrière les grandes baies vitrées donnant sur les jardins de Zhongnanhai, le souffle venu des plaines balayait le ciel, poussant vers l'est et la mer de Chine une nuée de moutons blancs. Sous le jeu changeant du vent, ombres et rais solaires surgissaient par intermittence… fulgurants… sur les murs et les visages de la pièce. Chaque pas, désormais, devrait être minutieusement réfléchi.

Une erreur de jugement…

Et d'un souffle, les abysses leur feraient face.

« Camarades, commença Hu Ronglian, nous sommes à la croisée des chemins. D'un côté, nous avons confirmation que Victor Teng compte faire voter une loi électorale organisant un référendum d'indépendance au cours du mois d'août. Si tel était le cas, nous n'aurions pas d'autre choix que d'attaquer Taiwan. Nous savons ce que cela veut dire : dans les conditions actuelles, la guerre avec l'Amérique. De l'autre côté, nous venons de recevoir tôt cette nuit et ce matin des signaux positifs de Washington. La proclamation par Taiwan de l'état d'urgence a été condamnée par le porte-parole du secrétaire d'État Cornelius… D'après les rapports de l'armée, les Américains ont cessé depuis hier soir de prendre pour cibles nos avions et drones de reconnaissance. Nous avons appris ce matin que l'ambassadeur des États-Unis à l'ONU, de concert avec la France, la Grande-Bretagne et l'Allemagne, réfléchissait au passage d'une résolution au Conseil de sécurité de l'ONU d'ici après-demain. L'Amérique nous tend la main. Je pense que Brighton a été dépassé par la réaction de Victor Teng. Il est sincère. Il s'agit d'une occasion de faire aboutir les négociations au travers de la résolution au Conseil de sécurité. »

Il se tourna vers le patron du Guoanbu, Jia Gucheng, rallié à ses thèses depuis la matinée. En costume sombre, Jia Gucheng demeurait impassible.

« Camarade Ronglian, il s'agit peut-être de notre dernière chance de parvenir à un accord avec Brighton. Nous avons quarante-huit heures devant nous. Je suggère pour ma part, camarade Ronglian, de renvoyer l'émissaire Luo Fenglai devant les Américains. »

Mais le maréchal Gao Xiaoqian avait été transformé par la victoire à Quemoy et Matsu. Il rechignait à faire reculer ses positions.

« Camarade Ronglian, fit le maréchal, l'Amérique semble poser des conditions à la reprise du dialogue. Le porte-parole du secrétaire d'État l'a répété, les Américains veulent que nous évacuions le détroit de Luzon comme signe de bonne volonté. Mais il s'agit d'un stratagème ! Si nous cédons à leur demande, nous perdons définitivement l'option d'un blocus de Taiwan car elle nécessite le contrôle du détroit de Luzon. Les Américains le savent. Si nous quittons Luzon, les sous-marins américains de classe Los Angeles occuperont immédiatement le vide que nous avons laissé. Après, si les négociations échouent, il ne pourra plus y avoir de riposte graduée — ce que permettait l'option intermédiaire d'un blocus naval. Nous passerons directement à un conflit direct, ce qui sera bien plus délicat à mener. En clair, les Américains nous forcent à perdre une option cruciale. Ils réduisent notre marge de manœuvre dans la négociation à venir ! Ils ne nous laissent plus comme choix que la solution négociée ou la guerre — afin de nous forcer à choisir la solution négociée !

— Je comprends votre point de vue, camarade maréchal, répondit tranquillement Hu Ronglian. Les

Américains cherchent à améliorer leurs positions à l'ouverture des négociations. Mais je suis prêt à faire une concession. Nous venons de conquérir Matsu et Quemoy, nous sommes obligés de céder du terrain ailleurs si nous voulons être crédibles et montrer notre bonne volonté. Du reste, l'option du blocus, même aujourd'hui, est difficilement réalisable d'un point de vue politique. Le désordre dans ces voies commerciales risquera d'entraîner le Japon et la Corée du Sud dans le conflit. Les attaques informatiques contre les réseaux de renseignement des Américains et les réseaux de communication militaire et civil de Taiwan doivent être maintenues et renforcées. Avons-nous de toute façon le choix, après le défi que nous a lancé Taiwan ? »

Hu Ronglian, toujours circonspect, se tourna vers le ministre de la Sécurité d'État Jia Gucheng.

« … Je compte sur les hommes de la quatrième section du Guoanbu pour poursuivre ces attaques, ainsi que sur les centres de guerre informatique de l'Armée populaire de libération. Mais n'oublions pas l'essentiel : les négociations. Les paramètres permettant l'obtention de notre accord seront les suivants… » Les autres membres du comité avaient compris qu'il s'agissait d'un diktat de Hu Ronglian. « Premièrement, l'indépendance de Taiwan, même après un vote référendaire, ne pourra jamais être reconnue par la communauté internationale. Deuxièmement, nous devrons recevoir des garanties qu'un accord avec le gouvernement de Jack Brighton devra survivre à l'alternance politique aux États-Unis. Et qu'il se poursuivra dans l'avenir afin d'avoir toujours à disposition les technologies les plus récentes. Troisièmement, l'ensemble de la discussion doit être séparé de tout sujet économique — nous ne discuterons ni de notre monnaie, le yuan, ni de l'ouverture de nos marchés dans le cadre d'une résolution globale. La séparation de l'économique et du politique a été notre ligne depuis trente ans, nous n'allons pas en changer. Enfin, quatrièmement, les moyens que nous devons obtenir des Américains sont les suivants… » Il tira une courte note que lui avait glissée quelques heures plus tôt Jia Gucheng et se mit à lire, dans un silence recueilli. On touchait au cœur des préoccupations de Zhongnanhai.

« … Systèmes miniaturisés et rapides à déployer de collecte vidéo, audio et électronique… Moyens de traitement de masse des données digitales, incluant algorithmes d'identification visages/voix… logiciels de décryptage des communications codées sur Internet… création d'une base de données centralisée des identités… et enfin, le plus important, identification et gestion de tous les événements de vie attachés à chaque individu de la République, de sa naissance à sa mort : analyse des transactions réalisées par tout moyen de paiement ; analyse des formes et contenus de toute communication — écrites ou orales, papier ou électronique, personnelles ou publiques ; développement d'un profil psychologique, ethnique, socioéconomique et familial ; établissement du réseau social de connaissance ; surveillance du comportement antisocial de l'individu ; développement d'un modèle prédictif établissant les risques d'un passage à l'acte antisocial ; et recommandations automatisées d'actions préventives à prendre par le ministère de la Sécurité d'État pour chaque individu. » La liste reprenait et étendait le contenu du programme Bouclier d'or mis en place en novembre 2000, et qui n'avait jamais pu aboutir. L'un des problèmes clés avait été les moyens de surveillance, de traitement et d'analyse, en particulier la possibilité d'obtenir des super-ordinateurs américains — impossible politiquement après le massacre de Tienanmen en 1989, et à nouveau compromis après que l'ancien secrétaire général Quiao Yi a fait tirer sur la foule, à Canton le mois dernier. Si le nouveau Bouclier d'or pouvait être mis en place grâce aux technologies antiterroristes des Américains, Hu Ronglian et Jia Gucheng auraient gagné leur pari. Les activistes pourraient être éliminés de façon « chirurgicale », les mécontents seraient contraints au silence, la masse du pays pourrait se remettre au travail. Le calme rétabli, un jour peut-être, la démocratie pourrait s'installer d'une façon ordonnée. Quand les esprits se seraient calmés et auraient retrouvé le respect nécessaire qu'ils doivent à l'État.

« ... Enfin, nous poserons une cinquième et dernière condition, poursuivit Hu Ronglian : les Américains nous transmettront le matériel, mais c'est nous-mêmes qui le gérerons. Ils devront accepter le transfert de technologie. » Derrière les mots de Hu Ronglian se cachait en réalité l'ambition de Jia Gucheng : contrôler et définir soi-même les futurs standards de communication électronique. Dans un avenir prochain, la Chine accaparerait la plus grosse part des communications mondiales — elle était déjà le pays avec le plus grand nombre d'abonnés en accès haut débit à Internet. En développant soi-même les standards et en y glissant, qui sait, ses propres « portes dérobées », elle pourrait à son tour plonger en toute discrétion dans l'intimité du réseau Internet mondial et de ses informations.

« La négociation sera courte, reprit Hu Ronglian. Nous aurons jusqu'à après-demain pour parvenir à un accord. J'ai bon espoir — mais nous devons envisager toutes les possibilités. Si jamais Brighton refusait de signer avec nous, nous serions forcés de recourir à la force. Nous ne pourrons laisser Taiwan nous défier impunément. Et cela voudra dire également un bras de fer avec l'Amérique... Maréchal Gao Xiaoqian, quels plans militaires avez-vous mis en place ?... »

En uniforme vert olive bardé d'épaulettes rouge et or, le visage strié de rides, Gao Xiaoqian commença l'exposé, d'un ton grave. Enfin. Il y avait eu le « plan Ronglian ». Il y aurait maintenant celui de Gao Xiaoqian et du reste de l'état-major.

« Camarade Ronglian, le plan développé par l'état-major considère le scénario d'une escalade militaire contre les États-Unis et Taiwan avec deux issues possibles : soit une reprise du dialogue, soit une poursuite du conflit via un échange nucléaire, ainsi que vous souhaitiez l'étudier, camarade Ronglian. Pour l'état-major, l'objectif n'est pas de détruire tel ou tel bâtiment de guerre américain ou taïwanais. Il s'agirait d'un gaspillage de moyens qui nous conduirait à la défaite. Nous conduirions une guerre du XXIe siècle avec la mentalité du siècle précédent. Non. La véritable cible de notre intervention doit être la doctrine américaine de défense elle-même. Nous devons mettre en échec la croyance en sa supériorité — et partant, en l'invincibilité de l'Amérique. Si nous démontrons que nous avons dominé leur doctrine, alors seulement nos ennemis du Pentagone recommanderont au président Brighton de revenir négocier... Face à notre pays, la doctrine américaine de défense repose sur trois grands principes : d'abord, la logique de l'attaque préemptive contre nos forces en cas de menace imminente réelle ou supposée telle ; ensuite, le contrôle des espaces cybernétiques et spatiaux qui permettent les communications militaires, via l'utilisation de moyens de guerre informatique et des armes antisatellites — ce que les Américains appellent les "opérations offensives antispatiales" ; enfin, la création d'un déséquilibre stratégique en notre défaveur induit par le bouclier américain de satellites antimissiles, officiellement créé contre la menace de la Corée du Nord mais en réalité destiné à détruire notre flotte réduite de missiles nucléaires intercontinentaux — et qui a également offert le prétexte, via l'abrogation du traité Anti-Ballistic Missile de 1972, d'installer dans l'espace des armes contre nos satellites.

— Camarade maréchal, demanda Hu Ronglian, avec la sensation soudaine d'avoir en face de lui un joueur qui avait plusieurs coups d'avance sur lui, les Américains sont très en pointe dans tous ces domaines. Comment allons-nous les dominer ?

— Camarade Ronglian, nous allons nous en prendre aux piliers de leur doctrine. Un par un. Le premier, c'est la logique de la guerre préventive. Nous pouvons l'éliminer en prenant l'initiative avant les Américains. C'est-à-dire au moment précis où nous considérerons que les négociations ne peuvent aboutir. Le deuxième pilier à éliminer, c'est la suprématie du contrôle américain sur les espaces cybernétiques et spatiaux. Nous utiliserons pour cela les moyens de guerre informatique que nous avons développés avec nos partenaires russes de Sibérie. Nous mènerons des actions de guerre informatique afin de bloquer le réseau de communication qui permet aux bases de l'US Air Force en Californie, au Texas et au Colorado de piloter les satellites militaires de communication. Nous en sommes capables. Parallèlement, nous créerons une diversion en lançant plusieurs attaques informatiques contre les réseaux civils de Taiwan et certains réseaux d'importance secondaire aux États-Unis. L'objectif est de réduire les ressources de l'US Strategic Command qui sont affectées normalement à la protection des infrastructures électroniques militaires. Nous mobiliserons discrètement pour cela nos ingénieurs réservistes. Nous sèmerons la confusion chez les Américains et leurs alliés anglo-saxons protestants. Ensuite, lorsque nous aurons atteint un certain niveau de cécité chez l'ennemi, nous pourrons passer à la destruction du troisième pilier, le bouclier antimissiles. Nous utiliserons l'armement développé depuis le lancement du Projet 863, en mars 1986 — lorsque nous avons commencé à réfléchir à de nouvelles armes spatiales en réaction au projet de guerre des étoiles de Ronald Reagan. Nous disposons depuis plusieurs années d'armes antisatellites lancées par nos fusées Longue Marche et DF-21. Nous en avons d'ailleurs fait une expérimentation publique en janvier 2007. Dès que les observatoires américains de surveillance de l'espace seront rendus inopérants, nous activerons des microsatellites d'attaque, actuellement en état de veille en orbite basse. Depuis le début de la crise, et selon la nouvelle procédure, ils ont déjà été positionnés afin de réduire le temps d'attaque. »

Hu Ronglian se sentait totalement dépassé par ce qu'il venait d'entendre. Était-ce donc à cela que ressemblerait la guerre au XXIe siècle ? Une bataille rangée entre ordinateurs et satellites ? Le maréchal venait de lui exposer les principes fondateurs de toutes les guerres futures.

« Que se passe-t-il si nous ne parvenons pas à nos objectifs, camarade maréchal ?… Que se passe-t-il en cas d'escalade nucléaire ?

— Camarade Ronglian, si la phase électronique échoue, si les communications militaires des deux côtés sont également brouillées, il reste effectivement l'option d'une préemption nucléaire… »

La veille, Hu Ronglian avait évoqué les Enfers. Il allait en avoir une brève description.

« Camarade Ronglian, nous agirons en deux phases. Nous procéderons d'abord à une attaque par missiles Dong Feng-15 sans engins atomiques de l'ensemble des installations nucléaires de recherche de Taiwan. Puis, nous positionnerons nos satellites lanceurs d'engins nucléaires de manière à cibler Tokyo, Taiwan, Washington et Los Angeles. »

Hu Ronglian avait ouvert la note explicative du maréchal Gao Xiaoqian. Quatre satellites en orbite basse avaient été lancés dans les mois précédents — officiellement, des satellites militaires de météorologie. En réalité, chaque satellite contenait plusieurs missiles à tête nucléaire. Tout cela aurait été interdit du temps de la guerre froide — mais depuis le retrait unilatéral des Américains en juin 2002 du traité Anti-Ballistic Missile de 1972, les normes de bon comportement dans l'espace n'existaient plus. L'objectif était de positionner des armes nucléaires hors de portée du bouclier antimissiles américain. Placées juste au-dessus de leurs cibles, ces armes opéreraient directement une phase de rentrée atmosphérique. Elles seraient très difficilement détectables. Le délai de détection et d'alerte chez l'assailli serait raccourci à l'extrême. Une arme nucléaire ainsi placée en orbite pourrait atteindre sa cible en cinq à dix minutes — autant que les missiles Pershing et les SS-20 du temps de la crise des euromissiles, entre 1978 et 1983. Hu Ronglian était pris de vertiges. Cela allait beaucoup trop loin.

« Nous n'allons quand même pas faire sauter Taiwan ! Nous ne sommes pas des criminels. Notre doctrine nucléaire a toujours été d'une grande clarté, camarade maréchal, et cela depuis notre premier essai nucléaire, il y a cinquante ans. Nous n'attaquerons jamais en premier avec une arme nucléaire. Jamais. Nous n'avons jamais eu et nous n'aurons pas de stratégie d'attaque nucléaire de première frappe. J'espère être parfaitement clair. En outre, je resterai dans le droit-fil des huit points exposés par le président Jian Zemin il y a vingt ans, lors de son discours sur la question de Taiwan. Nous n'allons pas massacrer nos compatriotes chinois qui vivent dans l'île de Taiwan. Quelle que soit l'issue de la crise, et même si nous sommes entraînés dans la spirale de la guerre, nous ne conduirons pas d'attaque de masse contre les populations civiles de Taiwan. Il n'y a qu'une seule Chine. Il n'y aura pas de nouvelle guerre civile. » Le visage de Hu Ronglian s'était enflammé. Il savait qu'une vingtaine d'années plus tôt, lors de la crise des missiles de Taiwan en mars 1996, le plus haut niveau de l'état-major de l'Armée populaire de libération avait fait circuler une pétition en faveur d'une escalade militaire contre l'Amérique. Avec l'expérience du passé, Hu Ronglian sentait bien qu'il lui faudrait désormais maintenir un contrôle de tous les instants sur l'armée.

« Camarade Ronglian, il n'a jamais été question de revoir notre doctrine. Ces armes basées dans l'espace constituent une manière de seconde frappe — au cas où nous serions frappés en premier par les Américains. »

Hu Ronglian était convaincu que le maréchal Gao Xiaoqian le trompait.

« Camarade maréchal ! tonna Hu Ronglian. Je suis aussi bien au courant des plans de l'armée que vous-même ! Nous avons déjà des sous-marins lanceurs d'engins qui nous garantissent une capacité de seconde frappe. Alors, camarade maréchal, à quoi servent ces satellites lanceurs d'engins ?

— Les satellites lanceurs d'engins constituent l'envoi d'un message solennel à l'ennemi : il n'est pas protégé par le bouclier antimissiles. Il ne peut même pas détecter l'attaque. L'envoi de ce message est critique. Nous n'avons pas assez d'engins pour opérer une attaque "contre-force", c'est-à-dire ciblant les forces stratégiques ennemies. Nous en sommes réduits à la stratégie de l'"avertissement solennel" afin de remporter une victoire psychologique dans le cadre d'un affrontement ayant pour cadre les forces nucléaires. »

L'idée déplaisait terriblement à Hu Ronglian. Le massacre de civils, dans n'importe quel camp, rendrait quasiment impossible une reprise des négociations. Mais si jamais les Américains, opérant une attaque de première frappe, détruisaient la majeure partie de l'arsenal nucléaire chinois, que pourrait faire d'autre Hu Ronglian ? La seule solution, c'était d'opérer un « avertissement solennel » — et cela, avant même que les Américains ne songent à une attaque « contre-force » contre l'arsenal nucléaire chinois.

« Je valide cette stratégie de l'"avertissement solennel". Cependant, elle sera conduite dans le cadre de la doctrine que je viens de rappeler : nous ne serons jamais les premiers à utiliser une arme atomique contre une cible militaire ou civile. Et nous n'attaquerons jamais de cibles civiles à Taiwan — nous attaquerons les puissances étrangères qui viennent s'immiscer dans les affaires intérieures de la Chine… Pourrions-nous utiliser les satellites lanceurs d'engins pour à la fois attaquer un site américain très peu peuplé sans charge nucléaire active et en même temps faire exploser une charge nucléaire au-dessus du Pacifique dans une région inhabitée ? L'avertissement solennel sera alors, il me semble, parfaitement reçu par Washington. »

Le maréchal acquiesça. Hu Ronglian se retrouva un bref instant en paix avec lui-même. Combien de temps cela durerait-il ? Il n'aimait pas ce qu'il entendait. Devenu seul maître à bord, prendrait-il le risque d'une guerre nucléaire contre l'Amérique ? Il manquait de conseils. Il se demandait ce qu'aurait fait son vieux rival, Quiao Yi. La présence de l'ex-secrétaire général était revenue le hanter, au fur et à mesure que la pression montait. Avec ardeur et témérité, il avait posé sur son visage le masque éternel de l'empereur, arraché des mains de Quiao Yi. Il se l'avouait maintenant — il craignait désormais de finir défiguré. Il voyait son ombre grandir, plus obscure encore que ne l'avait jamais été celle de son ancien adversaire. Était-ce bien sa silhouette qu'il devinait, ou celle d'une puissance sans nom, dont il serait devenu le prisonnier occulte ?

Il passa rapidement ses doigts dans la paume de sa main gauche. Au toucher, il cherchait l'anneau de fiançailles. Le métal était froid. Il ne retrouvait plus Chan.

55

Journal de Julia — Tel-Aviv, 31 juillet

J'ai atterri dans la nuit en Israël, à l'aéroport Ben Gourion. À nouveau, mon passeport canadien franchit la
douane sans obstacles. Je fonce direction Tel-Aviv. Le
taxi, un chauffeur d'une soixantaine d'années, au teint
mat et à la moustache grisonnante, a l'oreille rivée sur la
radio publique Kol Israël. Le bulletin d'information de
six heures du matin annonce les derniers mouvements
de troupe dans le détroit de Taiwan. Lors d'une coupure
musicale, il me demande d'où je viens. Quand je lui dis
que je suis canadienne, son visage s'éclaire et il se met à
me parler dans un français un peu hésitant, les r roulants
marqués par la prononciation de l'hébreu. Sa famille a
émigré du Maroc lorsqu'il avait dix ans. « … Et j'ai des
cousins à Montréal ! J'ai visité il y a deux ans, c'est vraiment une très très belle ville ! C'est un beau pays, le
Canada ! » Je lui réponds que je suis basée à Toronto.
Il est un peu déçu et se remet à l'écoute de la radio.
L'autoroute traverse une vaste plaine dont les reflets ver-
doyants se dévoilent pouce par pouce dans l'aube naissante. On entend une déclaration de Jack, suivie du
commentaire d'un ancien général israélien. Le chauffeur

me jette un coup d'œil dans le rétroviseur. « … Vous pensez qu'on va y aller ? Que ça va être la troisième guerre mondiale ? » Il ne me laisse pas le temps de répondre. Il hausse les épaules. « … Parce que moi, vous savez ce que je pense ? Que c'est du bluff, tout ça, Madame ! Ils n'oseront pas se tirer dessus ! C'est du cinéma !… Moi, je connais la guerre, Madame. Croyez-moi, ici, dans mon pays, on n'a pas le choix. J'étais soldat pendant la guerre du Kippour et du Liban. Dans les blindés. Eh bien, quand on a décidé d'attaquer, on ne se regarde pas en chien de faïence. On ne perd pas son temps. On fonce. » Il se fait pensif. « … En tout cas, *Baroukh Hashem !* cela se passe de l'autre côté du monde. J'espère que cela y restera. On a suffisamment de problèmes comme cela ici. J'ai un fils architecte qui fait sa période de réserve ce mois-ci, alors je pense que la troisième guerre mondiale attendra bien quelques semaines, hein ! » Son rire trahit une pointe de nervosité.

Le chauffeur me dépose à l'hôtel Hilton de Tel-Aviv, sur le parc de l'Indépendance, en bord de mer. Je loue une chambre au septième étage et prends l'air sur la petite terrasse. Le soleil est levé. Il embrasse la longue plage de Tel-Aviv-Yaffo, caressée par la rumeur tranquille de la Méditerranée. Encore personne sur l'immense langue de sable, sinon quelques joggeurs du matin et les habituels culturistes amateurs russes, d'âge avancé, qui contorsionnent silencieusement leurs corps bouffis par le temps devant une mer placide. Mon chauffeur marocain a peut-être raison. Comment croire que la troisième guerre mondiale puisse éclater dans quelques jours ? Je descends et longe la Tayelet, la promenade piquée de palmiers qui court le long de la plage de Tel-Aviv-Yaffo. À chaque feu, j'entends les autoradios murmurer la même complainte rauque et parasitée, celle des bulletins d'informations. Près du consulat américain, sur la Tayelet, se trouve un bureau récent de l'Atlantic Investment Group. On vient de m'y envoyer un nouvel ordinateur portable, plus puissant, expédié depuis Washington. Je retourne dans ma chambre au Hilton et commence à décoder les informations transmises par Nikolaï, que j'ai pris soin auparavant de copier et de transférer sur fichier informatique encrypté. Je vais les consulter sur écran.

Nikolaï m'a fourni les duplicatas de trois documents — trois retranscriptions des minutes de réunions du Politburo, directement issues des Archives présidentielles. Elles sont notées *Podlinnye protokoly* pour « Compte rendu original » et estampillées *Osobaïa papka* : les comptes rendus avaient été placés dans un dossier spécial réservé aux décrets les plus importants concernant la sécurité de l'État. Les trois documents datent de la fin des années quatre-vingt et n'ont jamais encore été rendus publics. J'ignore comment Nikolaï a pu les sortir des archives du Kremlin. Je vais les traduire du russe afin de pouvoir les communiquer rapidement à Paul Adam et à ses collaborateurs. Il y a également certaines phrases ou expressions qui sont soulignées à la main en rouge et que je reproduis dans ma traduction.

Top secret
Osobaïa papka

Parti communiste de l'Union soviétique — Comité central — Décision du Politburo
13 décembre 1986 — avec rapport de la commission [effacé] du Politburo sur les nouvelles technologies de Défense.
Travailleurs de tous les pays, unissez-vous !

Compte rendu n-147/5

Présidé par le camarade Gorbatchev M.S.

Également présents : camarades Vorotnikov V.I., Gromyko A.A., Zaïkov L.N., Rijkov N.I., Solomentsev M.S., Tchebrikov V.M., Chevardnadze Eh. A., Demitchev P.N., Dolgikh V.I., Eltsine B.N., Talyzine N.V., Birioukova A.P., Dobrynine A.F., Zimianine M.V., Medvedev V.A., Nikonov V.P., Razoumovskï G.P., Kapitonov I.V.

[...] 11. Sur le plan présenté par le Pr Ernst Alberich

GORBATCHEV — Je demande aux camarades du Politburo de prendre connaissance du rapport au sujet du projet "Arzamas-84" rédigé par le Pr. Ernst Alberich et présenté par le ministre de la Défense, le camarade Akhromeïev. C'est un projet original mais qui nécessite encore beaucoup de réflexion de la part de chacun de nous.

CHEVARDNADZE — Mikhaïl Sergueïevitch a raison. Nous devons encore réfléchir.

AKHROMEIEV — Le camarade Alberich est un grand savant. Il a participé à la commission d'enquête sur l'incident du 26 septembre 1983. Il a assisté le ministère de la Défense durant l'opération Able Archer de l'OTAN en novembre 1983. C'est un de nos meilleurs experts concernant les ordinateurs M10 et le réseau SPRN d'alerte nucléaire et de détection d'attaques stratégiques ennemies. Ses idées, très originales, sont en partie issues de son expérience.

GORBATCHEV — Il est encore trop tôt pour se décider. Nous devrons réexaminer le projet.

[...]

Pièce jointe — Extrait du rapport de la commission du Politburo sur les nouvelles technologies de défense

Audition du camarade professeur Ernst Alberich, 10 septembre 1986

ALBERICH — Nous avons besoin d'une nouvelle cité dédiée à la recherche cybernétique. Elle sera notre centre de guerre informatique. C'est notre

projet Arzamas-84. Nous avons trouvé un terrain
en Sibérie occidentale, à 57 degrés de latitude nord
et 80 degrés de longitude est. C'est là que nous
voulons construire la cité.

[Effacé] — C'est un endroit au milieu de nulle
part, camarade Alberich ! Pourquoi avoir choisi un
endroit si loin du Centre ?

ALBERICH — Précisément, camarade [effacé].
Nous voulons cacher la cité au cœur de la Sibérie.
Il faut qu'elle soit à l'abri des effets électromagnétiques des explosions nucléaires, qui rendent
inutilisable tout matériel électronique. Pour cela,
elle doit être éloignée de toute base de missiles
et de tout centre industriel susceptible d'être
l'objet d'une attaque nucléaire de première
frappe par les Américains. Elle doit être totalement à l'abri en cas de conflagration nucléaire. Et
nous pensons que la meilleure cache, c'est le vide
de la Sibérie.

[Effacé] — Si votre cité est au milieu de nulle part,
comment comptez-vous la connecter au réseau de
télécommunication ?

ALBERICH — Nous établirons un grand réseau
câblé souterrain que nous pourrons raccorder aux
installations de câble optique de Novossibirsk.
Nous pourrions également lancer un petit réseau
de satellites de télécommunication. Nous n'aurions
même pas besoin de réseau souterrain, juste une
antenne externe. Le réseau satellite relayerait notre
signal au reste du dispositif stratégique russe, aux
centres informatiques de la 8e direction principale
du KGB ainsi qu'aux réseaux informatiques occidentaux. Nous serions connectés à n'importe quel
point du globe, en ligne vingt-quatre heures sur
vingt-quatre.

[Effacé] — De quel type de matériel aurez-vous
besoin ?

ALBERICH — C'est une question très importante
que vous soulevez, camarade [effacé], et qui a
beaucoup d'implications politiques. Nous utilise-

rons bien entendu nos ordinateurs, en particulier
des versions améliorés des M10. Mais nous aurons
besoin de matériel américain afin de l'étudier précisément, d'identifier ses failles et d'apprendre à
communiquer avec ce type d'ordinateurs. C'est
pourquoi il est très important de poursuivre la
politique d'ouverture avec l'Occident. Nous sous-
crivons pleinement à la politique de rapprochement du secrétaire général Gorbatchev. Elle est
tout à fait essentielle. Maintenir un climat pacifique avec l'adversaire est un élément crucial de
notre projet. Nous devrons être capables d'acheter des ordinateurs à l'Ouest ou de négocier leur
acquisition. Cela dépasse le cadre de ce projet,
mais nous pourrions utiliser les négociations sur
la réduction des arsenaux nucléaires pour nous
procurer des supercalculateurs américains. Par
exemple, nous pourrions avancer que nous avons
besoin des supercalculateurs pour faire de la simulation nucléaire et éliminer nos essais atmosphé-
riques.

   [Effacé] — Vous avez beaucoup d'idées au sujet
de la stratégie du Parti, camarade Alberich…
Comme vous le soulignez, cela dépasse le cadre
de la discussion d'aujourd'hui… À quoi ressemblera la cité que vous voulez construire, Arzamas-
84 ? Pourquoi en faire une Zato (NdT : nom donné
aux cités secrètes dans l'ex-Union soviétique) ?

   ALBERICH — Nous voulons prendre exemple sur les
cités secrètes que nous avons édifiées dans le cadre
de notre programme nucléaire, elles-mêmes inspi-
rées du projet Manhattan des Américains. 1) Nous
devons réunir au même endroit les esprits les plus
brillants dans le domaine de la cybernétique et y
développer une intelligence collective qui devienne
plus que la somme de toutes ses parts. Le temps du
savant isolé dans son laboratoire est révolu. La
réflexion scientifique moderne est un effort collectif,
basé sur l'échange intellectuel. 2) Nous devons établir une sécurité stricte autour de la zone de la cité.

La cité est une arme. Elle ne peut être dévoilée à l'ennemi. Les scientifiques et leurs familles seront soumis à des restrictions très sévères de leurs mouvements et de leurs communications hors de la Zato d'Arzamas-84. C'est aussi pour cette raison que nous devrons concentrer à Arzamas-84 même les meilleurs experts de la cybernétique : ils n'auront pas l'occasion de communiquer avec ou de rencontrer des confrères en dehors d'Arzamas. 3) Afin de pallier les contraintes sécuritaires et d'inciter les scientifiques à ne pas trahir, nous devrons leur offrir de nombreux privilèges. La curiosité naturelle des scientifiques doit être satisfaite. La ville doit posséder théâtres, cinémas et salles de sport. Nous importerons des films étrangers, même américains. Nous établirons une grande bibliothèque de plusieurs milliers de titres, scientifiques mais aussi littéraires. Nous devons aussi penser au bien-être de leurs familles. La ville doit être propre, aérée, avec de nombreux espaces verts. Les logements doivent être individuels et spacieux. Plutôt des pavillons en brique, à taille humaine, que de grands immeubles de béton. Pour les scientifiques les plus brillants, et donc les plus susceptibles de déceler les erreurs inévitables que nous pourrions commettre dans la gestion de la ville, nous devrions développer des zones de pavillons individuels, des datchas, à l'exemple des banlieues américaines : cela permet d'isoler chaque individu dans sa cellule familiale et d'empêcher l'émergence d'une dissidence collective parmi les plus capables des citoyens de la ville. Les femmes doivent pouvoir acheter œufs, chocolat ou volailles sans avoir à faire la queue. Elles peuvent également se procurer parfums et vêtements occidentaux à prix réduits. Tant que les épouses seront satisfaites sur le plan matériel, nous conserverons la loyauté de leurs maris. Concernant les scientifiques célibataires, nous pourrions demander aux départements afférents du KGB de prendre en charge la sélection de compagnes potentielles, éventuellement elles-mêmes correspondantes des services. 4) Les problèmes de dissidence, inévitables sur une large population, doivent être pris très en amont et traités avec rigueur mais sans violences excessives. Un bon suivi de l'état psychologique des membres de la communauté scientifique constitue un des points clés du projet. La coopération des partenaires sexuels des scientifiques doit être systématiquement acquise. Elle pourra prendre la forme, par exemple, de rapports confidentiels réguliers, qui sont autant de preuves d'engagement à notre égard. Il y aura également un hôpital psychiatrique afin de traiter les individus déviants. Même défaillant, un scientifique constitue une source d'information qui peut être précieuse. La milice devra limiter le recours à la répression physique, car elle inspire le mépris et peut aboutir à l'absence de respect pour les autorités aux esprits supérieurs qui en seraient les victimes ou les témoins. D'où l'importance d'identifier très en amont les problèmes de déviance et donc de disposer de sources d'informations au cœur des foyers.

[Effacé] — ... Et quelle sera la taille de la ville ?

ALBERICH — Nous n'avons pas encore réglé la question de la superficie. Mais nous comptons y loger environ dix mille personnes, dont deux mille cinq cents scientifiques, en très grande majorité spécialisés en électronique et cybernétique. Nous avons également des plans pour agrandir la ville jusqu'à cinquante mille habitants, officiers de la milice inclus.

[...]

Les autres documents sont beaucoup plus courts et relativement mystérieux. L'ordre chronologique est respecté : ils suivent la première réunion du 13 décembre 1986. La discussion semble cette fois beaucoup plus agitée.

Top secret
Osobaïa papka

Parti communiste de l'Union soviétique — Comité central — Décision du Politburo
24 février 1987
Travailleurs de tous les pays, unissez-vous !
Compte rendu n-98/6
Présidé par le camarade Gorbatchev M.S.
Également présents : camarades Vorotnikov V.I., Gromyko A.A., Zaïkov L.N., Rijkov N.I., Solomentsev M.S., Tchebrikov V.M., Chevardnadze Eh. A., Demitchev P.N., Dolgikh V.I., Eltsine B.N., Talyzine N.V., Birioukova A.P., Dobrynine A.F., Zimianine M.V., Medvedev V.A., Nikonov V.P., Razoumovski G.P., Kapitonov I.V.

1. Sur le projet préparé par le Pr Ernst Alberich

GORBATCHEV — Nous avons eu raison de prendre notre temps. Nous pouvons y voir plus clair. Je ne suis pas satisfait par le projet en l'état.

GROMYKO — C'est un plan trop ambitieux. Beaucoup trop ambitieux.

CHEVARDNADZE — De nombreux analystes m'ont confié que 1) tel que décrit, les aspects techniques sont difficilement surmontables aujourd'hui et 2) les conséquences stratégiques pourraient devenir difficilement maîtrisables. Alors à quoi bon utiliser une telle arme ? Saurions-nous vraiment comment nous en servir ?

GORBATCHEV — « Le pays finirait par marcher comme un bretzel » (NdT : expression russe signifiant « Le pays ne saurait plus où il va », à l'image de la marche erratique d'un ivrogne) ! Il y a peut-être de bonnes idées, mais dans sa forme actuelle, nous ne pouvons mettre en place Arzamas-84.

[...]

Parti communiste de l'Union soviétique — Comité central — Décision du Politburo

10 décembre 1988

Travailleurs de tous les pays, unissez-vous!

Compte rendu n-127/3

Présidé par le camarade Gorbatchev M.S.

Également présents : camarades Vorotnikov V.I., Gromyko A.A., Zaïkov L.N., Rijkov N.I., Solomentsev M.S., Tchebrikov V.M., Chevardnadze Eh. A., Demitchev P.N., Dolgikh V.I., Eltsine B.N., Talyzine N.V., Birioukova A.P., Dobrynine A.F., Zimianine M.V., Medvedev V.A., Nikonov V.P., Razoumovskï G.P., Kapitonov I.V.

1. Sur le projet Arzamas-84, présenté par le maréchal [effacé]

GORBATCHEV — Nous devons à nouveau réétudier le projet Arzamas-84. De nouvelles considérations stratégiques, que nous avions négligées il y a un an et demi, nous forcent aujourd'hui à un réexamen.

AKHROMEIEV [ministre de la Défense] — L'affaire du Black Thursday (NdT : en anglais dans le texte) démontre la justesse des raisonnements du camarade Alberich.

CHEVARDNADZE — Il faut admettre que lorsque le dossier nous a été présenté initialement, tout cela pouvait paraître assez "avant-gardiste". Je reconnais n'avoir pas été convaincu à l'époque par le camarade Alberich — mais les faits semblent aujourd'hui lui avoir donné en partie raison.

AKHROMEIEV — Nous n'avons pas à appliquer le projet Arzamas-84 dans sa totalité. Une première phase peut être mise en place en regroupant des éléments de la 8e et de la 16e direction principale du KGB.

GORBATCHEV — Je suis les recommandations du ministre de la Défense. Il est néanmoins important que l'arme soit défensive et non pas offensive. Si elle devenait offensive, nous retomberions dans les mêmes problèmes stratégiques qui nous ont forcés à débouter le projet la première fois. Les compétences du camarade Alberich au sujet du réseau SPRN ainsi que sa clairvoyance m'incitent à <u>accepter sa nomination à la direction de ce projet</u>.

Je suis perplexe, et je le laisse entendre dans la note envoyée à Paul Adam qui accompagne ma transmission des documents. Je ne vois pas comment Nikolaï a pu avoir accès au saint des saints, aux archives présidentielles. Il s'agit peut-être de faux que Nikolaï a fabriqués pour protéger ses sources au Kremlin. Les noms des dignitaires intervenant lors de la toute dernière réunion du Politburo ne semblent pas correspondre à la réalité historique. Néanmoins, les événements qui s'y dessinent sont fascinants. Arzamas-84 existe peut-être depuis plus de vingt-cinq ans. Sa création aurait été discutée au plus haut niveau au cours de nombreux débats que j'imagine orageux. Et sa construction aurait finalement été décidée à l'hiver 1988-1989, moins d'un an avant la chute du Mur. Nikolaï m'a laissé des clés, soulignées à la main en rouge. Ce sont les éléments d'information qu'il a mis en avant, et que je pourrais utiliser dans mon interrogatoire contre Alberich. Ce n'est néanmoins pas énorme. Nikolaï est peut-être toujours en train de m'utiliser. Dans la note à Paul, je l'écris explicitement. Je suis probablement « grillée » auprès du FSB. Suis-je encore qualifiée pour interroger Alberich ? Je suis prête à aller à Berlin terminer mon travail mais j'attends le feu vert de Paul. D'un autre côté, le temps presse. Quand j'envoie mon message, nous ne sommes plus qu'à quatre-vingts heures du 4 août.

56

31 juillet
Fédération de Russie — Moscou
Immeuble du Sénat (Unité numéro un)/Kremlin
— Bureau de fonction du président

Nembaïtsov les voulait sous la main, groupés autour de lui, assis à la petite table de réunion qui se tenait près de l'armoire bibliothèque, juste en face de son bureau. Les membres du cabinet restreint du Conseil de sécurité avaient accouru au cœur de la nuit. Tout ce qui allait suivre demeurerait strictement confidentiel. Le ministre Akhripov tenait devant lui une feuille de papier aux bords froissés, déchirée d'un rouleau de fax. L'encre bavait par endroits.

« … Nous avons reçu un ultimatum d'un groupe dénommé "Comité révolutionnaire du *zemstvo* de Sibérie occidentale". C'est tombé sur les fax de notre ministère, ceux du FSB et du SSSI. Des fax aux numéros ultra-confidentiels, je précise. Le texte est le suivant :

> À l'intention du président Nembaïtsov
> Nous, membres du comité révolutionnaire du *zemstvo* de Sibérie occidentale, nous réclamons que cesse immé-

diatement l'encerclement de la cité d'Arzamas-84 par les troupes de l'armée russe. Nous connaissons les positions exactes des bataillons de Spetsnatz Zénith.

Suit une transcription écrite des ordres de bataille passés par les commandants des bataillons. Elle est exacte, monsieur le président. Le fax se poursuit ainsi :

Si l'armée russe tente de pénétrer dans l'enceinte ou de bombarder les relais satellites situés à l'extérieur, nous n'hésiterons pas à endommager les infrastructures électriques et téléphoniques de la Fédération. La vie de millions de citoyens de la Fédération se retrouvera dans la balance. En guise d'avertissement et pour preuve de notre détermination, nous venons de couper le réseau électrique alimentant l'*oblast* de Tomsk pour la partie du réseau gérée par le monopole privatisé Systèmes électriques unifiés.

Si le gouvernement de la Fédération de Russie se déclarait prêt à revoir sa position, nous serions heureux de discuter avec vous, monsieur le président, des conditions futures de bonne existence entre la Fédération et le *zemstvo* de Sibérie occidentale. Un premier geste serait de ramener les bataillons de Spetsnatz à leur point de départ — la ville de Chaga — dans les prochaines vingt-quatre heures.

Dans le cas contraire, vous mettriez en danger l'ensemble du réseau de télécommunications de la Fédération de Russie, ainsi que la grille de distribution électrique du monopole des Systèmes électriques unifiés. Nous ne nous arrêterions pas là. Comme vous le savez, Rosenergoatom est le consortium ayant en gestion les huit centrales nucléaires civiles de la Fédération. Sans notre aide, la sécurité de Rosenergoatom se révélera impossible, monsieur le président.

Le Comité révolutionnaire du *zemstvo*
de Sibérie occidentale.

— C'est une plaisanterie ? explosa le président Nembaïtsov. D'où sortent ces bolcheviques ? Depuis quand existe-t-il un soviet de Sibérie occidentale ?

— Monsieur le président, le *zemstvo* fait référence aux assemblées populaires locales mises en place par le tsar Alexandre II », répondit le ministre Akhripov. Evgueni Dimitrievitch redoutait que la référence au tsar libérateur Alexandre II, l'un des modèles de Nembaïtsov, ne ravive les phobies du président liées à la tentative d'assassinat.

« Ce groupe terroriste a mis la première partie de sa menace à exécution, intervint le lieutenant général Platonov, le directeur de la FASPI. La 6e section pour la zone de Sibérie du réseau des Systèmes électriques unifiés enregistre de nombreuses défaillances. On nous a signalé il y a une demi-heure une coupure totale du courant sur toute la région de Tomsk jusqu'à Kemerovo, ainsi qu'un début de black-out à Novossibirsk.

— Nos centrales nucléaires sont-elles vraiment en danger ? Existe-t-il un risque d'avoir… huit ou neuf Tchernobyl ? » Nembaïtsov parlait le regard vide et fatigué, dénué de toute grandeur présidentielle — un visage absent, égaré dans la confusion du moment. Pour la première fois, le ministre Akhripov douta du jeune Nembaïtsov. La discussion sur les « bombes logiques », évoquée la veille, revenait douloureusement à la mémoire de Boris Alexandrievitch. Il avait commis une erreur… et pourtant, ce serait à refaire, il aurait pris exactement la même décision.

« Que faisons-nous si ces salopards arrivent à mettre leur plan à exécution, Evgueni Dimitrievitch ? Pouvons-nous vraiment "couper le cordon d'alimentation" des centrales et les arrêter ?

— Non, monsieur le président, concéda le Premier ministre. Nous ne l'avons jamais fait. Cela prendrait beaucoup de temps et pourrait être très risqué. Les conséquences économiques pourraient également être sévères.

— Donc, conclut le président, voilà une marge de manœuvre en moins pour nous... Et le directeur du centre d'Arzamas-84... comment s'appelle-t-il déjà ? Le professeur Alberich, c'est cela ?

— Oui, monsieur, fit de la tête Platonov, le directeur du SSSI. Introuvable. Nos contacts chinois affirment être aussi embarrassés que nous. D'après eux, aucune visite en Chine n'était prévue. En tout cas, d'après les communistes chinois, il ne s'y trouve pas. »

Pouvait-il s'agir des Chinois ?...Les derniers relevés satellites ne montraient aucune activité militaire sur la frontière sino-russe. Pékin semblait bien trop occupé par la situation à Taiwan et avec l'Amérique. Pourtant... il existait une étrange similitude avec les actions de sabotage cybernétique des Chinois contre Taiwan. La Russie n'avait pas grand-chose à offrir — sinon du pétrole, du gaz naturel et des milliers d'ogives nucléaires. Les Chinois, qui n'avaient que quelques centaines de têtes nucléaires, un nombre insuffisant pour défier le bouclier antimissiles américain, voulaient-ils entraîner la Russie dans un conflit avec l'Amérique — par exemple, via un chantage déguisé ? Que se passait-il donc à Arzamas ? Trop de questions. Et une fois de plus, l'autorité de Moscou qui était défiée. *Navesti poriadok !...* Il fallait remettre de l'ordre.

« Messieurs, nous allons mettre l'ensemble des forces de la Fédération de Russie au niveau intermédiaire d'alerte. » Le ton était solennel et martial. Dans la tête de Nembaïtsov, la décision était prise. Parfois les solutions les plus simples se révélaient les plus efficaces. « Je vais prévenir l'armée. Nous allons faire reculer les Spetsnatz du ministère de l'Intérieur jusqu'à Chaga. Si nous pouvons établir le dialogue avec les terroristes et en apprendre un peu plus sur eux, tant mieux. Entre-temps, nous acheminerons des avions bombardiers dans la zone. Et nous détruirons par bombardement la ZATO. Puis nous renverrons les Spetsnatz nettoyer Arzamas-84 et réinvestir le site. Survivants ou pas. » Le message était très clair. « Je vais également appeler le nouveau dirigeant chinois, Hu Ronglian. Je veux comprendre ce qui se passe. »

Nembaïtsov leva la séance. Il était peut-être deux heures du matin. Il n'était plus fatigué. Un sursaut d'orgueil, nourri de peur, l'avait rendu plus combatif. Il n'allait pas finir comme Alexandre II — pas cette fois. Les temps avaient changé. Lui déjouerait la conspiration.

57

31 juillet
République française — Paris
Palais de l'Élysée — Bureau présidentiel

La pendule Louis XVI venait de sonner minuit, douze minuscules coups de carillon aux attaques claires et métalliques. La nuit était tombée depuis longtemps sur le « Château », mais le bureau du premier étage demeurait allumé : le poste de commandement frémissait de fièvre. À l'étage du président, les conseillers politiques et militaires allaient et venaient, portant ordinateurs et impressions papier. Pour Vernon, cette nuit marquait l'entrée dans un monde différent. Il espérait que cette incursion serait courte et forcerait les participants à retrouver le chemin de la raison. La France et l'Allemagne, vieux alliés de la guerre froide, allaient envoyer leur punition au partenaire américain.

Assis à sa grande table d'acajou, François avait mis en marche l'ordinateur qui le connectait en visioconférence avec le chancelier König. Il échangea avec Daniel les politesses diplomatiques d'usage. Daniel ne semblait pas à son aise — François, encore moins. Sous le bureau, ses jambes reprenaient leur agitation nerveuse.

Passe encore d'attaquer les États-Unis — il s'agissait d'envoyer une gifle à son « ami » Jack Brighton. Au moment où l'Amérique s'exposait dans le détroit de Taiwan. Justement. C'est pour cette raison précise que Washington concéderait le point aux Européens. Le ministre de la Défense française démarra l'exposé de l'opération de représailles.

« Monsieur le chancelier, monsieur le président, voilà le plan commun établi par nos équipes du BundesNachrichtenDienst allemand et de la DGSE française… Le nom de code de l'opération sélectionnée par l'ordinateur est "Cerise". Le but de l'opération est de mener une action de représailles contre les intérêts économiques américains de par le monde. Les équipes du BND et de la DGSE ont sélectionné cent vingt-cinq sociétés américaines, toutes cotées sur le New York Stock Exchange, la filiale de WorldNext, ou le NASDAQ, représentant au total 5 % de la capitalisation boursière des deux places réunies. Ces entreprises exhibent des failles de sécurité dans leurs réseaux locaux et intranet qui ont été facilement identifiées par le BND et la DGSE. Le BND et la DGSE se proposent d'exploiter ces failles afin d'interrompre toute activité sur ces réseaux par l'introduction de virus informatiques et ce pour une période de vingt-quatre heures. »

François avait bien précisé : il voulait une attaque courte, aux effets réversibles. Il devait s'agir d'un coup de semonce, c'est tout.

« Quelles pourront être les incidences économiques sur nos propres places boursières ? demanda Daniel König.

— Elles seront très faibles, monsieur le chancelier…, répondit le ministre français. Les sociétés américaines ciblées ont été choisies en fonction de leur très faible activité en Europe, que ce soit en matière d'investissement ou d'échanges commerciaux.

— Cette attaque informatique rapide et limitée correspond, je pense, aux buts que nous avions définis, commenta Vernon…

— Vous avez également mon accord pour lancer l'opération…, lâcha le chancelier König, dans un soupir. Nous espérons que les Américains entendront notre message.

— Monsieur le chancelier, Monsieur le président, j'ai bien pris note de votre accord, conclut le ministre français de la Défense. L'opération Cerise est donc lancée. »

Mon cher Jack, songeait François pour lui-même un peu plus tard, une fois le ministre parti, dans le silence retrouvé de son grand bureau, il faudra que tu m'expliques un jour ce que tu cherchais à faire. Et si tu n'y es pour rien, il est temps que tu te réveilles et remettes de l'ordre dans ta maison. Merde. On ne traite pas un allié de cette façon-là. On ne se conduit pas avec un ami avec tant de désinvolture. J'ai pensé que nos relations personnelles pourraient, qui sait, faciliter les rapports pas toujours faciles entre nos deux pays. Nos maîtresses sont deux grandes susceptibles. J'ai oublié que ce sont elles, d'abord, qui nous tiennent. En fin de compte, nous sommes leurs valets fidèles. Et je crains maintenant qu'elles fassent de nos liens personnels un objet supplémentaire de discorde, qui ne ferait que s'ajouter à notre mésentente cordiale. La balle est dans ton camp, Jack.

La pendule Louis XVI venait de marquer la première heure de la nuit.

58

31 juillet
États-Unis d'Amérique — Washington
Maison Blanche — Bureau ovale

Brighton avait voulu une réunion secrète en tête à tête avec Levin. L'instant était critique. Levin n'avait pas besoin de poser de questions. Il allait recevoir son ultime feuille de route pour la négociation de la dernière chance avec les Chinois.

« Monsieur le président, les Chinois ont bougé du détroit de Luzon. En échange, notre ambassadeur à l'ONU a proposé une première réunion de travail avec son homologue chinois. Nous l'utiliserons comme couverture vis-à-vis des médias. La "vraie" rencontre aura lieu, elle, entre l'émissaire Luo Fenglai et moi-même, dans les sous-sols de l'ambassade de Chine à Washington…

— Bien, Mark, coupa le président d'autorité. Vous n'aurez pas la tâche facile. Tout doit être réglé entre aujourd'hui et demain. Nous devons obtenir un plan de retrait des archipels de Matsu et de Quemoy, ainsi, évidemment, que la fin des attaques informatiques chinoises… Au pire, nous nous contenterons de l'annonce d'un plan de retrait sur Matsu et d'une conférence sur

Quemoy, accompagnées d'une réaffirmation par les communistes chinois que la question de Taiwan doit être réglée de façon pacifique et que la présence communiste à Quemoy est "temporaire" — ou quelque chose dans le genre. En échange, nous proposerons aux Chinois une condamnation à l'ONU du référendum de Taiwan. Ainsi que votre plan, Mark, d'échange technologique dans la lutte contre les "fondamentalistes musulmans". »

Comme une évidence, le président laissait à Mark et à lui seul la responsabilité d'endosser l'aide à la future répression de tous les opposants au régime chinois.

Restait ce dont il fallait encore parler — l'alternative à la solution négociée, c'est-à-dire l'application de l'Oplan 4891 de l'US Strategic Command.

Mark sentit immédiatement un immense embarras dans la voix de Brighton. Jack ne voulait pas montrer sa réticence devant les militaires, ce qui pourrait être interprété comme un aveu de faiblesse. Voilà donc la raison pour laquelle la conversation avec Mark devait demeurait secrète.

« Mark, la mise en œuvre de l'Oplan 4891 ne peut arriver qu'en ultime ressort. Une défaite militaire trop évidente de la Chine signerait l'arrêt de mort du régime communiste de Pékin. Et il n'y aurait rien de pire qu'une guerre civile en Chine : ce serait la fin de trois décennies d'investissement occidental et du grand marché d'un milliard et demi d'âmes. C'est-à-dire le début d'une dépression économique mondiale. Et puis… » Mark sentait que le président voulait lui confier une part plus obscure et plus vulnérable de lui-même. « … J'ai bien sûr du respect pour la chose militaire. Vous le savez, mon grand-père était colonel chez les marines, c'est une tradition dont nous sommes fiers — et ce n'est pas moi qui aurais jeté mes médailles comme ce beatnik de John

Kerry. En même temps… j'ai moi aussi mon expérience de vétéran, Mark. Je sais dans ma propre chair ce qu'est la réalité du combat… Alors, je n'embarquerai le pays dans un nouveau Vietnam ou dans un nouvel Irak que si et seulement si l'alternative est encore plus catastrophique. Vous m'avez compris — je n'ai pas à vous en dire plus, mon cher Mark. »

Jack faisait référence à plusieurs discussions privées qu'il avait eues avec Mark. Il lui avait raconté combien il redoutait la logique impitoyable de la guerre, cette mère cruelle que le soldat embrassait sur le front. Elle vous poussait d'un côté à apprendre l'abnégation, le sens du sacrifice pour vos frères d'armes — ces compagnons surgis de nulle part qui devenaient vos frères de sang pour la vie, plus intimes que vos femmes et plus sacrés même que vos enfants. Dans le même souffle, elle vous condamnait à assassiner d'autres frères inconnus, ceux qui campaient du mauvais côté du front — ces jeunes fils et maris dont le visage perlé de sueur n'attendait que la pointe froide de votre cartouche pour fixer une dernière fois leur vie arrêtée nette. C'était une logique fascinante, à la fois la plus noble et la plus répugnante. Brighton n'avait jamais réussi à lui trouver un cadre de raison. Pour lui, elle n'était pas du domaine des hommes. Voilà pourquoi parmi ses proches — à la ville comme au Sénat — figuraient nombre de vétérans : il s'était entouré d'autres frères qui partageaient son énigme intime.

Éclairé par toutes ces conversations passées et la référence codée au Vietnam, le message secret du président Brighton devenait parfaitement clair. Mark devrait tout faire, absolument tout, pour obtenir un accord et éviter la guerre.

59

31 juillet — Washington, ambassade
de la République populaire de Chine,
salle spéciale de réunion

Vers six heures de l'après-midi, Mark arriva en Ford Taurus banalisée, vitres teintées, à l'ambassade de Chine à Washington, avenue du Connecticut — à une vingtaine de pâtés de maisons de la Maison Blanche. La voiture fonça directement dans le parking de l'ambassade. Sur la dalle de ciment l'attendait l'ambassadeur, toujours courtois. Suivi de trois de ses collaborateurs du Conseil national de sécurité, Mark s'engouffra aussitôt dans une succession de couloirs bétonnés, d'un pas rapide. Au bout, la même salle de conférences qu'il y avait quelques jours, toujours blanche et aseptisée, décorée uniquement de quelques drapeaux chinois, avec, au centre de la table de réunion, un petit fanion américain. Luo Fenglai l'attendait là, debout, costume sombre, le menton fier rehaussant sa petite taille. Il se tenait de l'autre côté de la table, encadré par de nouveaux conseillers que Mark n'arrivait pas à identifier. Peut-être des hommes du Guoanbu, le ministère de la Sécurité d'État de Jia Gucheng. Luo

Fenglai tendit la main vers l'autre côté de la table. Levin l'accepta.

« C'est un grand plaisir de vous retrouver, monsieur Levin.

— Le plaisir est partagé, monsieur Luo. » Mark inclina poliment la tête, et Fenglai fit de même.

Mark inspecta la salle. Les néons dissimulés dans des plafonniers rectangulaires aux arêtes saillantes agressaient l'œil dès l'entrée. La lumière violente se reflétait sur les murs aveugles, couverts d'un revêtement caoutchouteux à la teinte blanc de plomb. La pièce semblait amortir son et souffle. Peut-être les Chinois l'avaient-ils voulu ainsi. En face de lui, servant de présentoir pour son fanion américain, deux petites horloges mécaniques — l'une indiquant l'heure de Pékin, et l'autre, celle de Washington. La partie d'échecs allait bientôt commencer. Ils avaient vingt-quatre heures pour conclure. Mark ouvrit la négociation.

« Monsieur l'envoyé, je commencerai par rappeler les positions de mon pays. L'Amérique continue de souscrire aux points cardinaux contenus dans les trois communiqués joints sino-américains de 1972, 1979 et 1982, qui ont permis l'établissement des relations diplomatiques entre nos deux pays. Nous ne reconnaissons qu'une seule Chine. Nous sommes opposés à l'indépendance de Taiwan. Nous refusons l'entrée de Taiwan dans une association composée d'États souverains. Dans ces conditions, nous condamnons tout référendum sur l'indépendance de Taiwan. » Luo Fenglai prenait des notes. Mark avait omis de faire référence à la discussion en cours sur l'ONU — les termes de la future résolution feraient partie de la négociation. « Cependant, poursuivit Mark, nous n'acceptons pas l'action de votre gouvernement au cours des dernières semaines. Nous saluons le début de retrait des forces aéronavales chinoises du détroit de Luzon. Il s'agit d'un geste qui va dans le bon sens. Mais il ne peut effacer les événements précédents. La prise de possession par la force des archipels de Matsu et de Quemoy constitue un reniement des principes posés par Deng Xiaoping en 1978 lors de l'historique troisième plénum du 11ᵉ Comité central du Parti communiste de Chine, et par Jian Zemin en 1995 dans de son discours en huit points sur la question de Taiwan. L'usage de la violence contre Taiwan remet en cause le concept d'"Un pays, deux systèmes". Il abandonne la méthode proposée par Deng Xiaoping et Jian Zemin, basée sur la négociation et le dialogue. La question de mon gouvernement est simple. Le Comité de salut public renie-t-il désormais les principes posés par Deng Xiaoping et Jian Zemin en vue de la résolution de la question de Taiwan ? Si tel était le cas, la communauté internationale et les États-Unis d'Amérique pourraient considérer que la Chine a décidé de revenir sur tous les acquis de réforme mis en place dans la foulée du troisième plénum de 1978. »

1978 marquait l'accession au pouvoir de Deng Xiaoping et la politique historique d'ouverture sur le reste du monde. La menace de Mark était à peine voilée. La vanne des capitaux occidentaux pourrait se refermer du jour au lendemain. Le moteur de la croissance chinoise disparaîtrait — et probablement, avec lui, le Parti communiste.

Luo Fenglai demeurait impassible.

« Monsieur le conseiller, le Comité de salut public ne compte absolument pas revenir sur les acquis de réforme économique entrepris depuis 1978. Et il en coûterait d'ailleurs autant aux investisseurs de votre pays qu'à la Chine elle-même… Nous considérons toujours comme valides les principes posés dans le discours en huit points de Jian Zemin de 1995. Ainsi d'ailleurs que les cinq raisons énumérées par feu le camarade Deng Xiaoping qui constitueraient pour mon pays un *casus belli*. Je rappellerai les plus importantes : si le gouvernement de Taiwan déclarait l'indépendance de l'île, renonçait au dialogue avec la Chine ou annonçait qu'il possède la bombe atomique, ce serait la guerre, monsieur Levin !… La prise de Matsu et de Quemoy est une mise en garde. Nous savons que ce sont des agents de Taiwan qui ont organisé l'assassinat du journaliste de Canton Zhu Tianshun, aux seules fins de déstabiliser notre gouvernement. Comme nous l'avons annoncé le 23 juillet dernier, il y a dix jours, nous demandons au gouvernement de Taiwan la liste des espions ayant trempé dans cet assassinat. Tant que cette exigence ne sera pas satisfaite, je ne crois pas qu'il soit possible de faire évoluer la situation sur Matsu et Quemoy… Le gouvernement de Pékin se demande également pourquoi les États-Unis ont décidé de s'ingérer dans les affaires intérieures chinoises. D'un côté, les États-Unis autorisent Taiwan et ses espions à utiliser les dorsales Internet situées dans votre pays afin de contacter les contre-révolutionnaires. De l'autre côté, en raison de notre désaccord sur l'interprétation des événements de la place Tienanmen de 1989, ainsi que des récentes émeutes de Canton, vous refusez de nous livrer le matériel informatique qui nous permettrait de contrôler l'information circulant sur les dorsales. Vous autorisez ainsi l'action des agents de Taiwan et des contre-révolutionnaires. Il s'agit d'une ingérence effective dans les affaires intérieures de la Chine, monsieur Levin ! »

La négociation s'annonçait terriblement ardue. Mark décida de prendre son temps avant de répondre. Au bout d'un long silence passé à noircir son calepin, il se redressa :

« Je note, monsieur l'envoyé, votre réaffirmation des principes de Deng Xiaoping et de Jian Zemin, c'est-à-dire que la question de Taiwan doit être réglée par la négociation et le dialogue. J'en déduis donc que les archipels de Matsu et de Quemoy n'ont pas vocation à demeurer sous le contrôle de la Chine tant qu'ils auront été acquis par la force. » Luo Fenglai n'avait pas réagi. Levin prit son silence pour un accord tacite. « … Concernant l'utilisation des dorsales Internet par des groupes dissidents, nous ne voulons pas nous ingérer dans les affaires intérieures chinoises, mais il est hors de question que nous participions à des actions contraires aux droits de l'homme. Par contre, vous aviez évoqué lors de notre réunion du 27 juillet les problèmes posés par les "terroristes fondamentalistes musulmans" qui utilisaient les dorsales Internet pour communiquer entre eux. Sur ce plan, nous sommes prêts à vous aider et à vous fournir les logiciels et la puissance de calcul nécessaires. Enfin, il reste un problème sur lequel je ne vois pas d'accord possible pour l'instant. Vous avez dit que Zhu Tianshun avait été éliminé par des agents de Taiwan le 23 juin dernier. » Levin marqua une pause, s'enfonça dans son siège et croisa les bras. « Monsieur l'envoyé, nous ne croyons pas à cette thèse. Nous pensons qu'elle est fausse. Nous vous demandons de la reconsidérer. Voyez-vous… nous avons besoin d'établir une confiance minimale entre nous. Dans le cas contraire, toute coopération technologique sera impossible entre la Chine et mon pays… Impossible, monsieur Luo. »

Il referma un grand dossier de cuir noir d'un geste solennel. En face, Luo Fenglai ne disait rien. Mais ce que lui demandait Mark Levin était dur à avaler. Luo Fenglai ne pouvait perdre publiquement la face.

Cependant, Mark ne transigerait pas. Il s'agissait d'un test entre lui et les Chinois. Levin fixa l'un des pans de mur aveugle, sur sa droite. La nuit était-elle déjà tombée sur Washington ? Il était impossible de le savoir. L'univers entier était désormais concentré dans cette petite pièce… Brusquement, Luo Fenglai se retourna vers l'un de ses collaborateurs assis à ses côtés. Levin scrutait les deux petites horloges en face de lui. L'échange entre Luo et son conseiller sembla s'éterniser.

Si Luo Fenglai se levait et quittait la table maintenant — combien de temps le Pentagone laisserait-il à Levin et Brighton avant de déclencher l'Oplan 4891 ? Levin n'avait jamais réfléchi à la question. Quelle erreur !

Luo Fenglai se tourna vers Levin.

« Nos conclusions au sujet des assassins de Zhu Tianshun sont irréfutables, monsieur le conseiller. Irréfutables ! Cependant, nous pourrions nous montrer flexibles tant que la promesse nous est donnée qu'un jour futur l'identité des assassins sera révélée au peuple chinois — et que le principe de la non-ingérence de Taiwan dans les affaires intérieures de la Chine sera réaffirmé avec vigueur. »

Le meurtre de Zhu Tianshun par des agents de Taiwan, c'était de la foutaise — mais les Chinois auraient pu utiliser cette foutaise pour obtenir en échange une concession bien réelle des Américains sur un autre sujet.

« Je salue la sagesse de l'envoyé du Comité de salut public et je propose de retenir les idées que vous venez d'énoncer. Je pense que cette discussion a été très utile et a permis de clarifier certaines de nos positions de part et d'autre. Lors de la discussion préparatoire à cette réunion, j'ai cru comprendre que la partie chinoise considérait qu'à cette phase de la négociation, elle ne pouvait encore présenter de plan de retrait des archipels de Quemoy et de Matsu. Je ne fais pas d'erreur ?

— Non, c'est exact, monsieur le conseiller, répondit Luo Fenglai, un peu surpris par la question.

— Dans ce cas, et sur la base de notre discussion, je vous propose de vous envoyer dans la soirée une première proposition en vue d'un mémorandum d'accord dont nous pourrions finaliser la négociation, monsieur l'envoyé du Comité de salut public. »

Levin utilisait un truc de base. Étant le premier à proposer une solution, il ancrait le reste de la discussion vers des positions naturellement plus favorables aux Américains.

« Monsieur Levin, j'attends votre premier "brouillon". Retrouvons-nous demain. »

Les deux délégations se levèrent et quittèrent la salle.

La nuit serait longue. Mark ne fonctionnait plus qu'au café noir concentré mélangé à de l'aspirine.

Vers dix heures du soir, après maintes révisions, l'équipe de Mark envoya le « brouillon » sur le fax sécurisé de l'ambassade de Chine. Le projet de mémorandum se décomposait en cinq points. Suivait une liste d'outils informatiques de décryptage, d'interception automatisée de communications par e-mail et messages SMS par téléphone mobile. Seulement la liste d'outils était floue, la maintenance des logiciels gérée depuis l'Amérique et les systèmes proposés n'offraient aucune garantie de performance. Surtout, le texte à l'ONU ne prévoyait aucune sanction automatique contre Taiwan si Victor Teng déclarait l'indépendance. Comment alors dissuader Taiwan et empêcher la guerre ?

Luo Fenglai était très déçu. Levin avait bâclé son travail. Ou peut-être se croyait-il capable d'obtenir une meilleure main après un bref conflit armé… Quelles que soient les raisons, ce bout de papier ne voulait rien dire. Tout se jouerait donc le lendemain, dans la journée du 1er août.

60

*1er août — Washington, Département d'État
des États-Unis d'Amérique,
bureau du secrétaire d'État Jon L. Cornelius*

Un câble « Flash » arrivé tôt ce matin sur le bureau de Cornelius décrivait une brusque montée de la tension en Israël. La station de contrôle d'Israeli Aircraft Industries venait de perdre le contrôle du satellite d'observation militaire Ofeq suite à un sabotage informatique. Le satellite allait s'abîmer et se consumer dans les hautes couches de l'atmosphère terrestre. Les centraux téléphoniques gérés par la compagnie nationale israélienne Bezeq tombaient en panne les uns après les autres à un rythme exponentiel. Certaines coupures d'électricité venaient d'être signalées dans la région de Tel-Aviv et de Haïfa. Une source dans le gouvernement israélien avait informé qu'un bataillon de l'armée de l'air israélienne se tenait prêt sur ordre du Premier ministre à aller bombarder les stations syriennes d'écoute et de guerre électronique dans la région du mont Hermon au sud de la Syrie, anciennement cogérées par l'ancêtre du SSSI russe et entretenues aujourd'hui grâce à l'aide des 2e et 3e départements de l'Armée populaire de libération de la Chine.

Et maintenant Cornelius, une main sur son bouton de manchette, recevait dans son bureau l'ambassadeur syrien Hassan al-Khatib. C'était un homme d'une cinquantaine d'années, mince et de grande taille, toujours habillé d'un costume trois pièces impeccablement coupé. Cependant, malgré ses allures occidentales, son anglais ne pouvait se départir d'un accent arabe très prononcé, trahissant son enracinement politique : il était d'abord et avant tout un apparatchik de l'appareil d'État syrien, et un ancien du parti Baas.

Le secrétaire d'État Jon Cornelius le fit asseoir en face de lui, se préparant à lui assener la mauvaise nouvelle.

« Monsieur l'ambassadeur, je voulais vous informer que les Israéliens vont procéder à un tir de leur fusée Shavit dans la journée. Le vecteur ne survolera pas le territoire syrien, nous avons la promesse de nos interlocuteurs à Jérusalem. Mais vos manœuvres militaires inquiètent beaucoup. La Syrie risque de créer une tension inutile dans la région.

— Mais pas du tout ! se récria d'une voix douce le diplomate syrien. Ces manœuvres ont lieu dans le territoire syrien, hors de toute zone internationalement contestée. Nous sommes parfaitement dans notre droit, monsieur le secrétaire d'État !

— Je ne vous conteste pas le droit de faire manœuvrer les éléments blindés de votre armée, monsieur l'ambassadeur. Je dis simplement que la manière dont se déroulent ces manœuvres n'est pas bonne. Nous ne savons pas quelles zones sont concernées. Ces manœuvres imprévues exacerbent inutilement les rapports entre votre pays et vos voisins. Aidez-moi à apaiser leur inquiétude, monsieur l'ambassadeur.

— Monsieur le secrétaire d'État, je vais informer mon gouvernement de vos craintes…, répondit Al-Khatib, assez ébranlé par la solennité du secrétaire d'État. Mais ces frayeurs sont totalement infondées. Nous demeurons toujours attachés à la cause d'une paix juste dans la région. Nous ne sommes pas des agitateurs ! »

Al-Khatib s'était à son tour fait véhément. Les Américains ou les Israéliens étaient-ils devenus subitement paranoïaques, se croyaient-ils encore assiégés par les masses arabes ? Cornelius comprenait sa perplexité, mais il ne pouvait lui donner tous les détails de la situation. Comment faire comprendre aux Syriens qu'il était dans leur intérêt de jouer sur le velours avec le voisin israélien ? Surtout depuis que la source au sein du cabinet israélien avait alerté les Américains de la mise en alerte des cinq sous-marins Diesel qui constituaient la composante de seconde frappe nucléaire des forces stratégiques israéliennes. Les sous-marins venaient de prendre la mer. Dissimulés dans les profondeurs de la Méditerranée et de la mer Rouge, ils attendraient que les plus hautes autorités de l'État hébreu leur donnent l'ordre de répandre le feu nucléaire sur les têtes des ennemis d'Israël.

61

Mark Levin contenait avec peine son stress. À onze heures trente du matin, il n'avait encore reçu aucune réponse de l'ambassade de Chine depuis que son équipe avait faxé la proposition de mémorandum d'accord. Il ne savait toujours pas s'il rencontrerait Luo Fenglai dans la journée. Les Chinois jouaient-ils la montre ? Il ne restait plus beaucoup de temps pour un accord. En début de soirée, vers huit heures, les délégations officielles de la Chine et des États-Unis à l'ONU devaient se rencontrer à New York. Sans nouvelles des vrais meneurs, Luo Fenglai et Mark Levin, elles ne parviendraient pas à négocier un texte de résolution condamnant Taiwan. La Chine, logiquement, pourrait ensuite déclencher la guerre le lendemain. Ou, qui sait, dans l'heure suivante.

Le « bippeur » dans la poche de son pantalon demeurait froid. Brighton l'avait placé en première ligne. Il ressentait cette pesanteur invisible. Le vertige d'Atlas. Lui aussi prenait part maintenant à la lutte titanesque que menait Jack à chaque heure de sa présidence. En entrant dans le bureau, il fut surpris par l'éblouissante lumière blanche réverbérée par les teintes écrues des murs et des canapés aux reflets soyeux. Seule au milieu de la lumière, l'ombre de Jack se détachait nettement, presque écrasée, arrimée aux bords de la table du Resolute.

Paul Adam se leva au milieu de la pièce.

« Nos satellites de renseignement électronique ont capté une dizaine de détonations très importantes près de la localité de Chaga, en Sibérie occidentale. Nos banques de données informatiques les attribuent à des bombes à suppression thermobarique comparables à celles utilisées pendant la guerre en Tchétchénie. Probablement chacune de plusieurs tonnes. »

L'information fit son petit effet sur l'auditoire.

« Savons-nous ce qui se trouvait sur le site en question ? demanda Brighton.

— Une dépêche de l'agence Novosti datant de 1988 parle d'un accident nucléaire à cet endroit. Depuis lors, la zone est censée être interdite à toute activité humaine… Seulement, nous avons fait passer un satellite d'observation Talent Keyhole au-dessus du périmètre deux heures après les détonations… Jugez par vous-même. »

Paul Adam fit circuler un jeu de photos noir et blanc. « On observe clairement des structures d'habitation déchiquetées par les effets de fortes explosions. À un kilomètre de là, on distingue un ensemble d'antennes paraboliques d'une dizaine de mètres de diamètre détruites, elles aussi, vraisemblablement par des charges explosives. Ce qui tend à prouver qu'il y avait là un ancien nœud de télécommunications…

— En plein milieu de la Sibérie occidentale ? s'étonna Levin.

— Au vu des antennes paraboliques, il s'agit peut-être d'un centre de contrôle satellite.

— Et pourquoi les Russes font-ils exploser un de leurs centres ? questionna à son tour le président Brighton.

— C'est un mystère, monsieur le président. Tout comme la mise en alerte roulante de différentes unités des forces russes. Toute l'armée semble sur le qui-vive — excepté les forces stratégiques nucléaires dont le statut est demeuré inchangé. Ce que nous pouvons dire, c'est que nous avons noté un ensemble de dysfonctionnements du réseau téléphonique russe dans cette région de Sibérie avant et surtout après l'intervention militaire. Les communications téléphoniques sont complètement interrompues dans certaines villes de Sibérie et de l'Oural. On signale également des difficultés de connexion de plus en plus fréquentes à Moscou et à Saint-Pétersbourg. Nous ne savons pas si tous ces phénomènes sont liés. Mais il s'agit d'un concours de circonstances pour le moins étonnant. »

Brighton fronça les sourcils. Une idée le taraudait.

« Cela ressemble pas mal à ce qui se passe à Taiwan, non ? Les communistes chinois pourraient-ils en vouloir aux Russes ? Qu'en pensez-vous, Mark ? »

Jack était toujours là pour le mettre à l'épreuve, au pire moment.

« Monsieur le président, je vous dirai honnêtement que je n'ai pas encore réfléchi à tous les aspects de cette question. Je me pose une question simple. Quels pourraient être les motifs des Chinois d'attaquer la Russie ? Contraindre la Russie à s'aligner sur la position chinoise ? À ce moment de la crise, cela voudrait dire que la Chine s'engage dans une stratégie du pire, et qu'elle ne désire pas sincèrement négocier avec nous. Outre le fait que cette stratégie chinoise serait en théorie très risquée, je continue de penser que le but premier de la

Chine resté de trouver un accord avec nous. En tout cas, jusqu'à maintenant.

— Il y a autre chose… » C'était Paul Adam. « Une source crédible au sein du gouvernement russe nous a affirmé que le directeur scientifique de ce centre, un certain Alberich, aurait disparu de la circulation. Nous sommes entrés en contact avec lui au début des années quatre-vingt-dix, puis il a disparu du radar. Il semble qu'il dirigeait ce centre depuis quelques années. Les Russes ont envoyé une équipe de chasseurs pour le traquer. Or, et c'est une information classifiée "top secret", nous pensons avoir retrouvé Alberich à Berlin. Un de nos agents, dont je dois saluer la remarquable présence d'esprit, a pris l'initiative de le placer sous notre garde. Nous avons peut-être là une chance unique de comprendre ce qui se passe véritablement en Russie. Je précise que nous n'avons pas encore informé les autorités de Moscou de notre "prise".

— Paul…, intervint Brighton, pensez-vous que des Russes ont aidé cet Alberich à fuir ?

— Nous ne pouvons l'exclure, monsieur le président. On ne quitte pas comme cela la Sibérie. Mais sont-ce les autorités de la Fédération contrôlées par Nembaïtsov qui l'ont autorisé à fuir ? Je ne sais pas.

— Bon, eh bien, je ne vois plus qu'une seule chose à faire…, poursuivit Brighton dans la foulée de Paul Adam, il faut faire parler ce type, cet Alberich. Paul, nous continuons à l'isoler. Qu'il demeure à Berlin. Laissons-le encore quelques jours — quitte à le rendre au président Nembaïtsov après débriefing. Après tout, c'est tout autant Boris Alexandrievitch que nous-mêmes que nous défendons. »

Le groupe acquiesça. Levin le sentait confusément : la clé du mystère russe se trouvait peut-être à Berlin.

Deux heures après la réunion, Brighton demanda à Paul Adam de revenir à la Maison Blanche. Il voulait discuter en tête à tête avec lui sans avoir à supporter les regards jaloux de Levin ou de Cornelius.

« Monsieur le président ? Vous souhaitiez me revoir ?

— Oui, Paul… Je voulais reparler avec vous de l'équipe d'enquêteurs destinée à interroger cet Alberich. Des détails techniques… C'est une mission très importante et j'ai besoin de quelqu'un de confiance pour diriger l'investigation… Je sais que c'est Julia O'Brien qui a retrouvé Alberich à Berlin. Nous lui devons d'avoir cet atout entre nos mains. Je veux qu'elle continue à diriger l'opération. Elle a l'expérience nécessaire. Et elle a ma confiance la plus totale. »

Adam n'était surpris qu'à moitié de la décision de Brighton. Le colonel Julia O'Brien était une femme d'exception. Pour l'avoir fréquentée plusieurs années, il avait toujours été impressionné par l'incroyable détermination de Julia à aller toujours jusqu'au bout de sa mission. Cela dépassait la simple conscience professionnelle. Julia pouvait se résumer à deux mots : fidélité et devoir. Elle était l'un de ses meilleurs soldats — sans que Paul comprenne vraiment d'où Julia tirait cette volonté sourdement inflexible. Mais il pouvait difficilement accepter ce choix et comprenait maintenant pourquoi Jack avait voulu le voir en aparté.

« Monsieur le président, je reconnais les grandes qualités intellectuelles et morales du colonel O'Brien. Mais je ne pense pas qu'elle soit un bon choix pour mener la suite de l'opération. Elle nous a prévenus avoir été interceptée avant-hier par le FSB. Elle a pu en réchapper grâce à l'action suspecte de la source "Nikolaï", un agent russe du SSSI que nous pensions avoir retourné. Mais il semble en réalité que la source "Nikolaï" n'a jamais cessé de travailler pour ses opérateurs russes.

Nous nous sommes fait berner. Il m'apparaît donc très risqué d'utiliser encore O'Brien dans une situation si exposée. Elle est en ce moment à Tel-Aviv, je suggère de la faire revenir à Washington plutôt que de l'envoyer à Berlin. Nous avons une équipe de remplacement…

— Paul, malgré ses problèmes en Russie, Julia reste la mieux placée pour faire parler Alberich. Elle conserve toute ma confiance. C'est elle qui sera envoyée à Berlin pour poursuivre l'interrogatoire. »

Jack avait pris Paul à rebrousse-poil. Une logique irrationnelle, toute subjective, qu'Adam ne pouvait accepter. Il connaissait Brighton depuis une vingtaine d'années, il faisait partie du sérail, un de ses soutiens le plus loyaux. Alors, au diable le protocole.

« Écoutez, Jack, nous nous connaissons depuis pas mal d'années. Permettez-moi d'être franc avec vous. Je sais que Julia O'Brien compte beaucoup pour vous, Jack. » Paul se demanda s'il devait évoquer les rumeurs qui circulaient à la Maison Blanche sur leur liaison ou simplement répéter la version officielle. Par respect pour la fonction, il choisit la seconde option. « Nous savons que Julia est la fille de votre ami, George O'Brien. Nous savons — et nos ennemis savent également — que vous êtes un des intimes les plus proches de George. C'est donc une relation particulière qui vous lie à sa fille. Je pense que vous mettez en danger Julia en l'exposant en première ligne. Je pense aussi que vous vous mettez en danger. Nous donnons à l'ennemi la possibilité d'exploiter une vulnérabilité personnelle… En décidant de la personne la mieux à même de mener l'interrogatoire à Berlin, je vous demande de prendre en considération ces deux arguments, monsieur le président. »

Le président afficha un sourire aimable.

« Merci pour vos explications, Paul. Votre argumentation est effectivement très convaincante. Vos conclusions sont tout à fait logiques… Mais c'est Julia O'Brien qui dirigera l'interrogatoire d'Alberich à Berlin. »

C'était le fait du prince. Le ton ne souffrait aucune réplique.

Paul avait été trop policé, se dit Jack, par son séjour sur la côte Est et sa bourse d'études à Oxford. Il aurait dû garder ses manières de Texan. Nul n'a à se préoccuper du confort moral ou psychologique du président. Le président n'est pas un joyau que l'on caresse avec précaution. Ce n'est pas une figure de cire que l'on transporte en jet de luxe d'une base militaire à l'autre lorsque Washington, la Maison Blanche et le Capitole sont menacés. Non, c'est tout le contraire. C'est le premier soldat sur la ligne de front. C'est Teddy Roosevelt revolver au poing, sur la crête à Cuba. S'il faut prendre la balle pour son pays, si c'est sa responsabilité, alors il est prêt à tomber. Dans la marine commerciale, le capitaine est le dernier à quitter le navire. Le commandeur en chef lui aussi doit se préparer au sacrifice ultime. Qu'il meure, cela n'a pas d'importance. La Constitution pourvoira à son remplacement. C'est le reste des citoyens, l'âme de la République, qui doit être préservé. Cela, Julia l'avait toujours compris. Elle aussi était toujours prête à prendre ses responsabilités, y compris les plus inéluctables. Julia n'appartenait plus au reste des citoyens. Elle était différente. Différente même de Katherine. Elle avait fait le même choix que lui. Elle était devenue son double.

1er août — Moscou, Kremlin,
bureau du président
Réunion du Conseil de sécurité

Dans la grande salle glaciale du Conseil de sécurité, chaque parole martelée par Boris Alexandrievitch résonnait brutalement. Assis au fond de son grand fauteuil, surplombé par l'aigle à deux têtes sur fond garance de la Sainte Russie, il était décidé à reprendre les rênes d'un gouvernement frappé d'impéritie. Jadis, il avait imaginé cet attelage gouvernemental où l'expérience des rouages de l'État du vieux serviteur Akhripov compenserait des lacunes dont il était parfaitement conscient. Mais, en ce début de soirée sur Moscou, Evgueni Dimitrievitch semblait aussi égaré que lui. Il n'osait plus regarder le président droit dans les yeux. Il avait failli.

Arzamas-84 n'était toujours pas détruite. Et les « bombes logiques » se déclenchaient maintenant dans tout le territoire de la Fédération.

Arzamas-84 avait été mitraillée, bombardée, investie. Mais pas détruite. Le GRU, le renseignement militaire russe à l'origine de la ZATO, avait bien fait les choses lors de sa construction, vingt-cinq ans plus tôt. Le centre de guerre informatique était un véritable bunker, caparaçonné de multiples couches de béton et enfoui sous plusieurs dizaines de mètres. On craignait des souterrains et d'autres salles secrètes, cachées encore plus loin. Les Spetsnatz fouillaient la région à la recherche de sorties de galeries. Une aiguille dans une botte de foin. Les plans de construction du centre, normalement archivés au quartier général du GRU à la Khorochevskoïe Chosse, avaient disparu. Ce qui était sûr, en revanche, c'était son pouvoir de nuisance accru. Plusieurs centraux téléphoniques étaient tombés en panne en moins de vingt-quatre heures. Des coupures d'électricité liées à des dysfonctionnements informatiques avaient privé trois quartiers de Moscou de lumière. Les choses allaient de même à Saint-Pétersbourg, Nijni Novgorod et Vladivostok. Les pannes s'étaient propagées au-delà des limites de la Fédération et touchaient l'Estonie, la Lettonie, le Belarus et l'Ukraine — tous utilisant du matériel en partie russe pour leurs systèmes de communication. Il y avait plus inquiétant encore. On signalait des dysfonctionnements dans les stations de contrôle des satellites militaires de type Kosmos. Cette constellation de six satellites, en orbite basse à quatre cents kilomètres d'altitude, constituait la pièce maîtresse du complexe reconnaissance-frappe de la marine russe. Sans elle, la flotte russe serait rendue aveugle. Enfin, il y avait toujours cette menace sur le nucléaire civil.

Nembaïtsov se tourna vers le chef d'état-major, le général Brassov.

« Les Chinois sont-ils en position d'agresser notre flotte d'Extrême-Orient ? »

Le général Brassov était une masse d'un mètre quatre-vingt-cinq, au visage rond caché par d'épaisses lunettes teintées et à la voix de basse. Nembaïtsov ne lui faisait guère confiance : il aurait eu une attitude ambiguë durant le putsch contre Gorbatchev en août 1991 et trahissait parfois des réflexes datés de la guerre froide.

« Monsieur le président, les Chinois ne sont pas en position d'agresser notre flotte d'Extrême-Orient, répondit le général Brassov. Et ils n'y auraient aucun intérêt avec tout le merdier qui se développe sur Taiwan. »

Le langage fleuri du général n'était pas ce qui dérangeait le plus Boris Alexandrievitch.

« Alors, bon sang ! assena Nembaïtsov, cette fois vraiment sorti de ses gonds. Qui nous attaque ? Qui a intérêt à nous attaquer ? Contre qui devons-nous riposter ? Qui est l'ennemi ?… »

Le général Brassov remonta ses lunettes en verre fumé le long de son nez.

« Monsieur le président, qui nous dit que ce ne sont pas les Américains ? Ces attaques informatiques ont un résultat très clair : nous en sommes venus à nous persuader que les communistes chinois étaient nos ennemis ! Les Américains préparent ainsi leur alliance trompeuse — et nous allons nous jeter dans leurs bras en croyant qu'ils sont les sauveurs ! »

Nembaïtsov haussa les épaules dans l'indifférence du reste du Conseil de sécurité.

« Général, quelles sont vos preuves ?

— Monsieur le président, c'est le matériel que nous utilisons aujourd'hui : pour une part conséquente, nous utilisons des ordinateurs américains ! Après toutes ces années de coopération, je vous fiche mon billet que la CIA en sait autant sur nos services que nous tous réunis ! »

Le mépris du président pour son chef d'état-major se transforma en soupçon. Que racontait donc ce vieux con ? Les preuves d'une implication de la Chine paraissaient évidentes. Quel était le pourcentage de commission du général sur tout le matériel russe vendu à l'Armée populaire de libération ? Cette fois, Nembaïtsov explosa.

« Allons ! Regardez les évidences : Arzamas-84 est le résultat de la collaboration entre la Chine et le GRU ! Votre GRU, Brassov ! » tonna Boris Alexandrievitch. Le silence qui suivit fut assourdissant. Nembaïtsov décida d'enfoncer le clou. « Messieurs, quelle est l'option militaire qui nous permettra de supprimer avec certitude l'insurrection de la ZATO d'Arzamas-84 ? »

Le ministre Akhripov et le général Brassov semblèrent pris de court. Le lieutenant général Platonov, directeur du SSSI, n'avait rien dit jusque-là. Il se redressa et finit par prendre la parole. Il savait qu'il serait écouté. Il avait vu juste avec sa mise en garde contre les « bombes logiques ».

« Monsieur le président, nous subissons toujours l'attaque d'un nombre indéterminé de salles de contrôle souterraines que nous n'avons pu nettoyer. Nous devons donc supprimer toute la zone de la ZATO d'un seul coup d'un seul. Nous suggérons une frappe nucléaire tactique contre la cible d'ici à quarante-huit heures maximum. Nous pourrions utiliser deux armes tactiques synchronisées de quelques kilotonnes chacune afin d'une part de percer les bunkers et d'autre part de nettoyer les systèmes électroniques de la zone via les rayonnements électromagnétiques dégagés au moment de l'explosion. Il y a quelques risques pour les satellites à orbite basse passant dans la région mais ils devraient être très limités. »

Nembaïtsov passa nerveusement les mains dans la masse de ses cheveux. C'était la solution radicale et définitive qu'il souhaitait entendre.

« Très bien. Apportez-moi les plans de votre opération. Nous allons appliquer votre option nucléaire. »

63

1er août — Washington, Maison Blanche,
Bureau ovale
Session du Special Situations Group

C'était la troisième session de la journée et la tension montait d'heure en heure. Levin se sentait sur le fil du rasoir. Il était sept heures du soir, Luo Fenglai n'avait toujours pas rappelé. Dans une heure, les délégations officielles allaient se rencontrer au siège de l'ONU à New York. La résolution des États-Unis devait officiellement être proposée le lendemain matin au Conseil de sécurité de l'ONU. Sans un mot de Luo Fenglai ou de Mark Levin, les chefs de délégation échangeraient des propos convenus et repartiraient chacun de leur côté au bout de vingt minutes. Il n'y aurait pas d'accord sur une résolution. Le général Dörner avait proposé de déclencher la première phase de l'UsStratCom/Oplan 4891 à minuit si Luo Fenglai décidait de maintenir le silence. Mais Jack avait refusé net. Le président l'avait répété avec force : la confrontation avec la Chine était l'option du dernier recours. Jack voulait signer avec Hu Ronglian. Ce qui signifiait que la pression sur les épaules du négociateur Mark Levin avait augmenté d'un cran.

Son « bippeur » demeurait désespérément muet alors qu'il attendait à l'étage du dessous, à tourbillonner comme une toupie dans la zone de la Situation Room, entre le mess des officiers de services et l'étroite salle de conférences — Brighton avait convoqué d'urgence une troisième session du Special Situations Group dans le Bureau ovale.

Brighton lui-même avait tombé la veste et retroussé ses manches. Il accueillit Levin, le dernier arrivé, d'un faussement jovial : « Mon cher Mark ! Nous vous attendions pour commencer la journée ! » Il y eut quelques petits rires nerveux. Dehors, le fond de ciel bleu s'en allait mourir en vastes rideaux gris de lin fondant dans les ténèbres.

Le lieutenant général Engleton, le patron du Department of Homeland Security et de la National Security Agency, en grand uniforme bleu marine de l'Air Force, annonça que des informaticiens européens avaient saboté les intranets d'une vingtaine de sociétés américaines. Les réseaux de communication interne et les bases de données de ces fleurons de l'industrie américaine avaient été totalement paralysés.

Jack Brighton songeait à nouveau à l'étrange conversation qu'il avait eue la veille avec François Vernon. Ses craintes se vérifiaient.

« Lieutenant général Engleton ! intima Brighton, serait-il possible que des gouvernements européens — je pense en particulier à la France ou l'Allemagne — soutiennent ces attaques ?

— Nous savons que les appels qui ont déclenché les attaques informatiques provenaient de France, oui. Ainsi que d'Allemagne. Nous ne savons pas s'ils provenaient d'unités de guerre informatique de ces pays.

— Cette attaque menace-t-elle gravement notre économie ? » Au-delà d'un certain seuil critique, les représailles seraient inévitables.

« Les dommages seront très limités, répondit Engleton. Les attaques après la clôture des marchés se sont réduites. Et leur origine a été trop facile à tracer : on a simplement essayé de nous faire passer un message. »

Paul Adam prit la parole.

« … De toute manière, monsieur le président, il serait extrêmement maladroit pour nous d'attaquer, même par représaille électronique, nos amis français et allemands. Nous sommes face à une situation de crise extrêmement grave avec la Chine… » Nul n'ignorait plus que Levin était toujours sans nouvelles de Luo Fenglai. « … Si notre médiation échoue, poursuivit Paul Adam, nous serons forcés de déclencher l'offensive contre les Chinois. Nous aurons alors besoin non seulement du soutien inconditionnel russe, mais d'abord et avant toute chose de l'appui de nos alliés européens. Nous n'allons pas commettre les mêmes bêtises que certaines administrations précédentes. Une Chine défaite constituera un facteur d'apaisement sur le très court terme, mais rapidement, sans une aide massive internationale, nous aurons sur les bras une situation plus critique que l'Irak après l'invasion de 2003 — avec cette fois zéro troupe au sol. » Paul Adam ainsi que le reste de l'équipe du président partageaient les mêmes convictions atlantistes. Cependant, Levin sentait l'embarras profond de son patron. Il comprenait maintenant le sens de la conversation téléphonique entre Jack et François : les Français et les Allemands étaient persuadés que les États-Unis avaient déclenché une attaque informatique contre leur monnaie. Ils venaient d'envoyer un message de riposte. Jack se taisait, mais Levin le devinait personnellement affecté. François avait trahi. Levin trouvait cela injuste. Enfin, quoi ! François savait bien que Jack n'était pas comme tous ces élus du Sud et de l'Ouest qui avaient fait du mépris poujadiste de l'Europe, de sa culture et de ses choix de société un fonds de commerce électoral pour les masses blanches abruties de pauvreté, oublieuses de leurs lointaines origines allemandes ou irlandaises. François ne pouvait-il comprendre ce qui se passait ?… À Washington, tout le monde connaissait les relations particulières qui unissaient les deux présidents. On savait que la famille de Jack avait toujours été l'hôte privilégiée de François quand celui-ci passait aux États-Unis. Arrivé au pouvoir, Jack avait saisi l'occasion de la présence de François à l'Élysée et revitalisé la relation avec la France — ainsi, parallèlement, qu'avec le partenaire allemand. François lui était redevable… Jack l'avait soutenu sur plusieurs opérations françaises de maintien de la paix en Afrique. Il l'avait même aidé sur des questions de coopération militaire face à d'autres pays membres de l'OTAN — un comble ! Non — François s'était mal comporté. Et par sa faute, les deux continents continueraient leurs inexorables dérives.

« Je ne comprends pas la réaction des Européens, finit par concéder Brighton, ouvertement blessé. Nous nous sommes montrés corrects avec eux. Ils savent bien qu'à la Maison Blanche, ils ne sont pas confrontés à une équipe de péquenots enragés, la bible dans la main, le colt dans la ceinture ! Ma politique n'est pas d'imposer le Christ sauveur au frontispice du quartier général des Nations unies ! Paul, je partage votre raisonnement de fond — mais l'attitude des alliés européens est inexcusable.

— Peut-être bien, poursuivit témérairement Paul Adam, que toutes les affaires d'espionnage économique des dernières années ont eu un impact plus profond en Europe que nous ne le soupçonnions. Vernon et König attachaient une importance toute particulière à la récente réunion du G8 à Berlin qui s'est conclue par un échec. Peut-être les Européens y ont-ils vu une absence de volonté de notre part de sérieusement débattre de ces sujets. Ils ont dû penser que le sabotage informatique contre leur monnaie était la dernière goutte d'eau. Et ils nous ont envoyé ce message d'avertissement aujourd'hui. »

Brighton se taisait. Il restait une question fondamentale — qui était à l'origine de l'attaque initiale contre les Bourses européennes ? Les Chinois essayaient-ils de pousser l'Europe contre les États-Unis ?

Levin venait de regarder sa montre. Il était maintenant huit heures. Toujours aucune nouvelle de Luo Fenglai. À New York, les chefs des délégations officielles à l'ONU allaient se rencontrer. Sans nouvelles de Levin ou Luo, dans un quart d'heure, tout serait fini. Levin échangea un bref regard avec le général Dörner, de l'autre côté du canapé.

L'Oplan 4891 n'était plus très loin, désormais.

« Messieurs, reprit Jack Brighton, un peu hésitant, est-il possible que la Chine tente une action de type "catalytique" — c'est-à-dire qu'elle essaye de pousser l'Europe contre les États-Unis ?

— C'est possible, monsieur le président, répondit aussitôt Levin. Il est vrai que la seule façon de rétablir totalement la confiance avec la France et l'Allemagne serait de désigner un coupable. Par exemple la Chine…

— Mais si nous agissons ainsi, Mark… alors, les négociations avec la Chine ne seront plus possibles !

— Effectivement, monsieur le président. Nous sommes pour l'instant condamnés à nous taire et à espérer que les Européens garderont leur sang-froid. »

C'est alors que Cornelius décida de surgir dans la conversation.

« Monsieur le président… sommes-nous encore sûrs qu'il y aura une négociation avec la Chine ? Il est huit heures et cinq minutes. Que ferons-nous quand les délégations officielles à l'ONU se seront quittées, c'est-à-dire probablement dans cinq à dix minutes ! »

Tous les regards se portaient désormais sur Levin. Y compris celui de Jack.

« Monsieur le président, répondit Mark, désormais sur la sellette, l'important, c'est de pouvoir proposer un texte demain matin au Conseil de sécurité, comme nous l'avions annoncé. »

Le passage des minutes était dans tous les esprits. L'Oplan 4891 se rapprochait. Le général Dörner se redressa.

« Monsieur le président, il faut désormais se préparer à toutes les éventualités. Les Chinois ne veulent plus négocier avec nous. C'est un signe. Peut-être faudrait-il dès maintenant…

— Général, attendez avant de finir votre phrase !… » Mark venait de le couper. Dans le fond de la poche droite de son pantalon, son « bippeur » s'était mis à vibrer. « … Monsieur le président, je dois prendre une communication sécurisée dans la Situation Room. » D'un signe de tête, Brighton l'autorisa à quitter le Bureau ovale.

Trois longues minutes silencieuses s'écoulèrent. Quand Levin revint, il semblait confiant.

« Luo Fenglai est prêt à nous rencontrer à l'ambassade. Nous sommes convenus que les délégations officielles à l'ONU pourraient se retrouver demain matin à sept heures et proposer une résolution dans la matinée après présentation de l'ébauche finalisée aux autres membres permanents du Conseil de sécurité.

— Vous allez sauter sans filet, Mark ! avertit le président. Prévenez-moi dès que vous avez le document. Nous verrons alors si nous pouvons contacter notre délégation officielle à l'ONU. »

La nuit allait être longue. Il fallait sauver la paix.

64

Journal de Julia — Tel-Aviv, 1ᵉʳ août
(fin d'après-midi)

Le message de Paul Adam vient d'arriver par e-mail sécurisé.

« Bravo. Félicitations de Winston. Prenons un verre de gin au bar du Chestnut Tree. »

Mon retour à Berlin vient d'être autorisé au plus haut niveau. « Winston » est le nom de code pour le président Jack Brighton. C'est lui qui me demande d'y aller. C'est moi qui dirigerai la fin de l'interrogatoire d'Alberich. Par sa volonté, et elle seule, j'irai jusqu'au bout du combat contre mon vieux fantôme de Berlin.

Il y a un vol Lufthansa au départ de Ben Gourion en début de soirée. Je serai dans la capitale allemande dans la nuit. Nous pourrons commencer l'assaut final contre Alberich dès trois heures du matin.

Une dernière fois, je relis le message — « un verre de gin au bar du Chestnut Tree ». Le visage grave de Nikolaï, évanoui sous le rideau de bouleaux plus pâles qu'un linceul, est revenu me hanter.

Jack… que veux-tu faire de moi ?

65

1er août — Washington, ambassade
de la République populaire de Chine,
salle spéciale de réunion

Il était neuf heures du soir quand Mark et sa petite délégation pénétrèrent dans le cœur souterrain de l'ambassade. Combien d'heures avaient-ils réellement devant eux ? Le Conseil de sécurité se réunirait à dix heures du matin le lendemain en séance spéciale. Avant cela, il faudrait prévoir trois à quatre heures pour que les autres membres possédant un droit de veto — France, Grande-Bretagne, Russie — prennent au préalable connaissance du texte. Et l'ébauche de résolution devrait partir quatre heures plus tôt pour l'aile gauche de la Maison Blanche et à Zhongnanhai, afin de recevoir un agrément final. Bref — les négociations devaient être bouclées entre une et deux heures du matin. C'est-à-dire en très peu de temps. Luo Fenglaï avait-il choisi une stratégie de prise de risque maximum ? Si sa main était trop faible, la meilleure option était effectivement celle de "la marche aveugle du fou » : la pression d'arriver à un accord retomberait alors sur les épaules du joueur rationnel et conciliant, celui qui attendait patiemment l'adversaire — à savoir Mark.

Luo Fenglai débarqua l'air sévère avec cinq minutes de retard, accompagné d'une poignée de conseillers. Se présentant de l'autre côté de la table, il ne tendit pas la main à son vis-à-vis, et se contenta d'une inclination polie de la tête.

« Monsieur le conseiller Levin, le projet de mémorandum que vous nous avez fait parvenir hier est très décevant. Je commence par le projet de résolution à l'ONU… Vous y condamnez la tenue d'un référendum d'indépendance. Croyez-vous vraiment que cela empêchera la guerre, monsieur le conseiller ? Sans menaces de sanction, rien ne va arrêter Victor Teng — et nous entrerons en guerre le jour du vote !

— Monsieur l'envoyé, si la Chine attaque l'île de Formose, elle s'exposera à des représailles militaires massives de l'Amérique. La Chine perdra son accès au marché américain et sera mise au ban de la communauté internationale. Le yuan s'effondrera. Quarante ans de réformes se concluront sur un terrible bond en arrière. Certes, l'Occident souffrira de cette situation. Mais ce sera le Parti communiste chinois qui sera la première victime d'un effondrement politique, économique et militaire de la Chine — et vous le savez.

— C'est parfaitement exact, monsieur Levin. Mais, je n'ai pas l'impression que vous compreniez la culture de notre pays. Si Taiwan déclare l'indépendance, c'est la guerre… Lorsque votre président Lincoln déclencha la guerre de Sécession contre les États du Sud, agissait-il contre l'esclavage ? Non. Si vous êtes un peu historien, vous savez qu'en 1861 telle n'était pas la question. En réalité, le président Lincoln déclencha la guerre de Sécession uniquement parce que les États du Sud voulaient quitter la fédération de l'Union. Même si cela signifiait des années et des années de désordre et de destruction ! Nous n'avons pas de leçons à recevoir de l'Amérique. Malgré tous les risques, même les plus graves, nous n'accepterons jamais la sécession. Nous agirons comme le président Lincoln.

— Alors, vous et moi, monsieur l'envoyé, connaissons l'issue tragique qui nous opposera fatalement le jour où Taiwan déclarera son indépendance. »

En même temps qu'il prononçait cette phrase, Levin sentait qu'il condamnait son pays et la Chine à un *fatum* en forme d'abîme. Pouvait-il encore secouer ce cauchemar ?

« Mais nous pouvons encore empêcher que ce jour n'arrive, reprit Levin dans un second souffle. Peut-être pourrions-nous effectivement adjoindre des menaces de sanction au projet de résolution de l'ONU. Par exemple, un embargo international sur certaines ventes d'armes à Taiwan si l'île déclarait officiellement son indépendance. En contrepartie, vous devez faire un geste fort sur Matsu et Quemoy dont l'invasion est à l'origine de la crise actuelle. Un retrait immédiat de Matsu et l'annonce d'un plan de retrait de Quemoy étalé sur plusieurs semaines apporteraient au Parti communiste de Chine le soutien international dont il a besoin.

— Nous ne pouvons quitter ni Matsu ni Quemoy tant que Taiwan menace de déclarer son indépendance, monsieur le conseiller !… Je constate là un vrai problème de logique, et un point de blocage. »

Levin regardait Luo Fenglai droit dans les yeux. Il restait encore deux heures et demie pour conclure les négociations. C'était de la folie. Ils n'avançaient pas. Ils n'y arriveraient jamais.

C'est à ce moment que Luo Fenglai décida de dévoiler ses véritables intentions.

« Monsieur le conseiller, changeons de dossier. Peut-être pourrons-nous gagner ailleurs la traction nécessaire pour un accord. Par exemple, au niveau de la coopération antiterroriste. »

Mark sentait que la seule façon d'obtenir le retrait de Matsu et de Quemoy serait maintenant de tout négocier d'un bloc. Le temps manquait à un long marchandage.

« Je vous écoute, monsieur l'envoyé. »

Luo Fenglai tira devant lui deux petites feuilles marquées du sigle du Guoanbu, le ministère de Jia Gucheng.

« Nous avons une liste d'outils que nous réclamons, en particulier les outils d'analyse des visages, les puissances de calcul nécessaires au traitement de masse de l'information et les moteurs de profils qui permettent d'identifier chaque événement de vie des "terroristes" recherchés et de prédire leur comportement. Nous voulons que les superordinateurs soient en Chine, pas aux États-Unis. Nous exigeons des délais plus courts : nous n'attendrons pas dix-huit mois, même pas six. Le gouvernement américain doit comprendre que le danger "terroriste" en Chine est un problème grave et immédiat pour le Parti communiste de Chine ! Et qui sait ce qui peut se passer dans dix-huit mois ! Avec de tels délais, un accord n'aurait aucun sens. »

Le Parti communiste chinois s'était démasqué. Levin devait en profiter

« J'ai bien pris note de vos demandes, monsieur l'envoyé. Peut-être pourrions-nous faire des concessions. Mais sans geste de la Chine sur Matsu ou Quemoy, rien ne sera possible. Quemoy a une plus grande importance stratégique que Matsu. Pourquoi ne pas détacher les questions de Matsu et de Quemoy l'une de l'autre ? »

Luo Fenglai jeta deux lignes sur son carnet de notes, et afficha un air intéressé.

« Votre dernier point, sur Matsu, propose une approche originale. Nous pourrions en discuter — mais j'aurais besoin avant cela d'une garantie sur le matériel américain. Nous avons parlé logiciels et machines. Mais nous n'avons jamais abordé les performances... Monsieur Levin, si vous m'apportez des garanties de performance... avec le nouveau cadre de négociations sur Matsu et Quemoy que vous venez de formuler, alors je pense que nous pourrions progresser bien plus rapidement. Bien plus rapidement, vraiment.

— Je suis prêt à discuter de tout cela en tête à tête avec vous, monsieur Luo. »

Les deux délégations se levèrent, ne laissant plus que Luo et Levin seuls dans la vaste pièce aux murs aveugles. Levin sortit une petite chemise beige qu'il posa bien à plat sur la table. La Maison Blanche n'avait jamais été dupe... Le « matériel de surveillance anti-terroriste » était en partie une couverture diplomatique. Les Chinois avaient besoin des outils les plus sophistiqués développés par l'Amérique après une décennie de lutte contre Al-Qaida. Mais surtout, ils avaient besoin de les utiliser pour localiser et traquer dès à présent les noyaux de dissidents ou « terroristes » qui avaient trouvé refuge à Hong Kong, la grande métropole que la police armée du peuple n'avait pu investir de force. Le reflux idéologique provoqué par la victoire à Quemoy et Matsu ne durerait pas longtemps — surout si les Chinois rétrocédaient les deux îles. L'assaut ultime contre les opposants les plus virulents au régime devait avoir lieu maintenant. La NSA avait été mise au courant rapidement, ainsi d'ailleurs que les antennes chinoises de la CIA : tous les services devaient collaborer. Nombre des dissidents qui avaient contacté les Américains devraient être sacrifiés. La chemise beige contenait les noms et dernières planques de plusieurs dizaines d'entre eux, parmi les plus importants, cachés à Hong Kong. La contestation allait d'un coup être décapitée. Tel était l'enjeu réel des négociations.

Mark n'avait pas de problèmes de conscience. Politiquement, ni la presse ni les intellectuels de gauche ou de droite ne semblaient plus se rappeler l'existence des *laogai*, les camps de travail et de rééducation chinois, depuis que le grand marché d'un milliard et quelque de bouches avait ouvert ses portes. Moralement, surtout, une guerre contre la Chine ferait bien plus de morts que l'emprisonnement de quelques milliers de dissidents. Du reste, si les États-Unis contribuaient au processus, la Maison Blanche pourrait peut-être sauver quelques têtes importantes. Ou être en position de force pour réclamer des peines allégées. Mark connaissait le personnel politique à Zhongnanhai. Le réformateur Hu Ronglian n'exhiberait jamais la sauvagerie d'un Suharto, le dictateur indonésien pro-occidental qui avait fait assassiner en son temps entre un quart et un demi-million de ses citoyens sous prétexte de lutte anticommuniste.

Mark fit glisser la chemise à l'autre bout de la table vers Luo Fenglai. Le pacte était scellé.

« Voici les communications et dernières localisations de "terroristes" qui ont trouvé refuge à Hong Kong récemment. Cela vous permettra d'apprécier la performance de nos outils informatiques... »

Le visage de Luo Fenglai parut s'éclairer.

« Monsieur Levin, vous nous avez communiqué là des éléments très importants. Je crois que nous allons pouvoir faire de grandes avancées — mais je dois d'abord contacter Pékin afin d'avoir l'estimation la plus objective de la qualité de vos "garanties". »

Les deux hommes se levèrent et se saluèrent d'une inclination de la tête.

66

*1er août — Washington, ambassade
de la République populaire de Chine,
salle spéciale de réunion*

L'attente était interminable. Deux heures déjà que
Fenglai était parti. Deux heures que Mark se morfondait
dans l'espace aseptisé de la salle spéciale de réunion, à
attendre le diagnostic ultime des bons docteurs chinois.
Levin ne cessait de repenser à la crise des missiles de
Cuba et aux négociations finales à l'ambassade d'Union
soviétique entre Dobrynine et l'émissaire spécial du président, son frère Robert F. Kennedy. Bobby avait-il
songé qu'une erreur de sa part, une mauvaise interprétation du discours de Dobrynine — et voilà que l'holocauste nucléaire devenait l'inéluctable conclusion au
chapitre des hommes sur terre ? Minuit passa sans
aucune nouvelle de Luo Fenglai. Mark inspectait d'un
regard ses maigres troupes — trois autres analystes qui
constituaient sa délégation. Il ne fallait trahir ni un mot
ni un geste. Nul doute que la pièce abandonnée était
truffée de micros et de caméras. La présence invisible
de leurs ennemis chinois imposait à chacun l'isolement
le plus strict.... Dieu ! À quoi donc avait pu penser

Bobby dans les instants de doute et de peur ? Au pays ?
Au reste du monde ? Ou juste à son frère ?

À une heure du matin, la tension, plus brûlante que
jamais, sortit Levin d'une courte phase de sommeil
angoissé. Plus que soixante minutes pour faire aboutir
les négociations, si jamais les Chinois étaient fiables !
Avaient-ils une autre stratégie en tête ? Il fit partir un de
ses adjoints vers la Maison Blanche, avec un message
clair pour Jack : rien ne venait de Pékin. Il fallait prévenir le Pentagone. L'UsStratCom/Oplan 4891 pourrait
être déclenché dans quelques heures.

C'est alors qu'un officier de l'ambassade demanda à
Mark, et à lui seul, de rejoindre une petite pièce atte-
nante. Luo Fenglai l'attendait.

En entrant, Mark eut l'impression de retrouver un
homme différent. Luo avait fait tomber ses grosses
montures d'écaille et affichait un sourire chaleureux.

« Je suis désolé de vous avoir fait attendre, monsieur
Levin. Je devais vérifier nombre d'informations avec
mes supérieurs à Pékin. Vos garanties nous ont satis-
faits. Nous continuons d'exiger les outils d'analyse suivants… » Il lui transmit une liste d'outils de surveillance
avec leurs détails techniques. « … Nous demandons
également que les supercalculateurs soient physiquement présents en Chine, gérés par des équipes chinoises
et qu'une résolution de l'ONU réaffirme l'illégalité au
regard du droit international d'un référendum d'indépendance à Taiwan. La résolution devra également inclure
des menaces de sanctions automatiques sur toutes les
armes vendues à Taiwan… Parallèlement, nous annon-
cerons un retrait immédiat du rocher de Matsu après le
vote de la résolution de l'ONU. »

C'était l'ouverture attendue. Tout se jouait maintenant.

« Nous sommes d'accord, *a priori*, avec votre liste.
Les supercalculateurs seront présents sur le sol chinois,

mais uniquement s'ils sont gérés par des équipes sino-américaines — c'est un point non négociable. L'ensemble du matériel peut être installé dans seulement six mois et ce dans le cadre officiel de la coopération antiterroriste. Durant la période intermédiaire, mon gouvernement se propose de vous livrer si nécessaire d'autres "garanties de performance"... Concernant Matsu, nous saluons la proposition de retrait immédiat après le vote de la résolution et nous proposons de notre côté le principe d'une conférence sur la stabilité dans la région, qui traitera du retrait de Quemoy et de la non-ingérence de Taiwan dans les affaires de la Chine. Nous sommes d'accord sur la menace d'embargo sur les ventes d'armes à Taiwan en cas de proclamation officielle de l'indépendance de Taiwan mais nous conditionnons toutes ces propositions au rétablissement de la sécurité informatique dans la région et à un retour à la normale totale dans le détroit de Luzon dans les quarante-huit heures suivant le retrait de Matsu. »

Luo Fenglai bondit.

« Monsieur Levin, je peux m'engager sur nos forces navales. Pas sur le piratage informatique ! Nous ne sommes pas responsables de tous les criminels sur Internet ! »

Mais Mark était décidé à remporter ce dernier point.

« Monsieur Luo, si l'Amérique continue d'être victime d'attaques informatiques originaires de Chine, aucune confiance ne pourra s'établir entre nos deux pays. Il n'y aura aucune coopération informatique entre nous... Je reformule donc ma question. Considérez-vous qu'après le retrait de Matsu, il serait illégal que des informaticiens chinois continuent à s'attaquer aux infrastructures informatiques de Taiwan ? »

À nouveau, le poids du destin de centaines de millions

de compatriotes revenait écraser les épaules des deux négociateurs.

« Oui, je le pense, monsieur Levin, concéda Luo Fenglai. Mais si vous demandez une enquête, notre ministère de la Sécurité publique ne pourra obtenir des résultats importants en un claquement de doigts, n'est-ce pas ? Ces choses-là prennent du temps… »

Tout était donc question d'apparence.

« Quarante-huit heures après le retrait du rocher de Matsu ?

— Quarante-huit heures ? Peut-être peut-on espérer que ces pirates informaticiens, si difficiles à contrôler ! commencent à réduire leur opération au bout de quarante-huit heures… Mais il faudra probablement quatre semaines pour une fin totale de ces opérations. Et je ne suis pas un expert en criminalité informatique…

— Dans ce cas, monsieur Luo, je pense que nous pouvons effectivement inviter à nouveau l'ensemble des délégations et coucher sur le papier ce dont nous venons de discuter. »

Mark y était arrivé. La guerre n'aurait pas lieu cette nuit.

67

2 août — Pékin, Zhongnanhai, Huairentang
Réunion du Comité de salut public

Hu Ronglian avait une seconde fois convié les membres du Comité de salut public dans la salle de conférences de l'aile nouvelle du Huairentang, le Palais rempli de compassion. La réunion du Conseil de sécurité de l'ONU venait de s'achever à New York, un soleil doré au halo rouge cardinal sombrait avec calme sur les étendues sans fin de la capitale chinoise. Hu Ronglian trônait au bout de la grande table d'acajou. Les feux du soleil pouvaient en cet instant illuminer tout l'horizon, des terres d'Asie aux champs bleus immense du Pacifique. Cet instant était son sacre, tout autant que celui de son pays. Il marquait le début d'une ère nouvelle.

La résolution 2729 du Conseil de sécurité de l'ONU, adoptée deux heures plus tôt à l'unanimité des membres, comblait les attentes de Hu Ronglian. Le texte déclarait l'illégalité au regard du droit international d'un référendum d'indépendance à Taiwan et réaffirmait le principe d'« une seule Chine », demandant que « la question de Taiwan soit réglée par la voie du dialogue et de la négociation ». Il mettait en garde Taiwan contre le développement de

« programmes d'armes de destruction massive » et la menaçait d'interdictions de vente d'armes et de « graves sanctions économiques » en cas de tenue du référendum. La communauté internationale niait à Taiwan le droit à l'autodétermination. Pour Pékin, il s'agissait d'une grande victoire. Et pour Hu Ronglian, une dizaine de jours après l'élimination politique de Quiao Yi, d'un triomphe personnel. Il était le nouvel empereur.

Dès l'annonce du vote de la résolution de l'ONU, des centaines de secrétaires régionaux et fonctionnaires de toute sorte avaient appelé les membres du Bureau politique pour personnellement féliciter le camarade Ronglian. Il avait reçu des télégrammes de grands chefs d'entreprise, de personnalités de la télévision et même d'anciens ennemis de la faction de la Ligue de la jeunesse communiste, celle du secrétaire général déchu Quiao Yi. Le pays tout entier faisait allégeance à sa personne. Pourtant, au-delà du réflexe courtisan qui avait transformé le flot en marée, un trouble sombre courait sous le vernis brillant de la surface. Au-delà des louanges sincères et des flagorneries tactiques, il y avait un immense soulagement. Le vote avait délié les langues : de haut en bas du Parti central, personne n'avait jamais voulu de confrontation directe avec les Américains. Le Parti était reconnaissant à Hu Ronglian d'avoir su arrêter à temps.

Hu Ronglian débuta la lecture à haute voix du document américain envoyé par Luo Fenglai depuis Washington. En échange du retrait chinois sur Matsu et d'un abandon de ses positions navales, le gouvernement américain autorisait la vente secrète de superordinateurs IBM et CRAY à la quatrième section du Guoanbu. Plusieurs stations de collection et d'analyse seraient établies en Chine, coexploitées par la NSA d'Engleton et le Guoanbu de Jia. Avec l'aide de nouvelles « garanties de performance », la police armée du peuple se préparait à intervenir de manière chirurgicale dans Hong Kong. Un message serait passé secrètement au président de Taiwan Victor Teng : en échange d'une conférence posant le principe d'une non-ingérence réciproque, Taiwan refuserait de voter la loi électorale organisant le référendum sur l'indépendance. L'ensemble du grand marchandage demeurerait à l'abri de la presse américaine en vertu de l'ordre exécutif 13.233 du 1er novembre 2001 sur l'archivage des documents présidentiels sensibles, qui les interdit au public sans l'autorisation explicite du président ou de ses descendants. Ultime cadeau que l'ex-président George W. Bush s'était octroyé à lui-même alors qu'il préparait la guerre en Irak, l'ordre exécutif 13.233 laisserait tous les termes de la négociation américano-chinoise éternellement dans l'ombre de l'Histoire.

« Camarades ! conclut Hu Ronglian, la diction lente et solennelle, le Parti communiste a remporté aujourd'hui une victoire capitale ! Nous avons obtenu ce que nous voulions. Nous avons repris le contrôle du destin de Taiwan. Plus encore : nous obtenons les moyens technologiques qui vont nous permettre à l'avenir d'éradiquer toute menace contre-révolutionnaire. Et nous avons évité la guerre contre l'Amérique. Plutôt que de continuer à s'opposer à nous, ils sont devenus *de facto* nos partenaires. Je vais appeler le président Brighton pour le féliciter de l'accord obtenu et lui promettre que nous allons tenir nos engagements d'ici quarante-huit heures. Il s'agit de la plus belle des victoires. À la guerre, il n'y a pas de plus grand succès que de vaincre sans avoir à faire tonner le canon. Nous triomphons sans victimes ni humiliations infligées à l'ennemi. Nous triomphons sans champ de bataille souillé de sang ou hanté par l'esprit de revanche… Notre victoire est pure car elle sèmera la paix en Asie et dans le reste du monde.

— Le camarade Ronglian a parlé avec autorité et sagesse, s'exclama Jia Gucheng, le Parti central a gagné la paix !… »

Ces quelques mots levèrent les dernières réticences. Comme un barrage qui cède soudain, Li Xuehe, puis le maréchal Gao Xiaoqian se livrèrent à une avalanche de congratulations. Hu Ronglian était frappé d'étonnement. Il lisait sur le visage des membres du Comité de salut public le même soulagement lâche que parmi les secrétaires et délégués du Parti venus le voir après l'annonce du vote de la résolution 2729. Ainsi, eux aussi, ils avaient eu peur. Hu Ronglian se rendait compte que ses alliés s'étaient commis dans une politique aventureuse dont ils avaient fini par craindre les rebondissements. Il s'en était fallu de peu pour que dans cette partie de bluff, les Chinois craquent les premiers !

68

2 août — République populaire de Chine
— Pékin
Bureau du Premier ministre/Zhongnanhai

L'ambiance était festive. Après la réunion du Comité de salut public, Hu Ronglian était retourné à son bureau de fonction, plein d'assurance et de sérénité. Il venait de raccrocher avec le président Jack Brighton. L'entretien avait été bref et courtois. Hu avait remercié Brighton du soutien de l'Amérique pour faire passer la résolution 2729. Les deux hommes s'étaient congratulés et Hu avait laissé entendre que tous les termes de l'accord seraient respectés par la Chine. Jack conclut en précisant que les États-Unis transmettraient à Taiwan l'intérêt de la Chine pour une conférence sur Quemoy. Brighton était un dirigeant raisonnable, songea Hu. Voilà quelqu'un qui connaissait personnellement ses dossiers et avec lequel on pouvait traiter directement. Il avait de la chance d'avoir un vrai partenaire de l'autre côté de l'océan. L'un des combinés blancs postés devant lui se mit à sonner. Les ordres avaient pourtant été clairs : les communications ne devaient être adressées aux membres du Comité de salut public qu'en cas d'urgence absolue.

« Camarade ! fit l'un des assistants de Hu Ronglian à l'autre bout de la ligne, nous avons reçu une demande du bureau du président russe Nembaïtsov. Le président russe souhaite vous parler d'ici un quart d'heure. Il s'agit d'une situation urgente, qui pourrait mettre en danger la sécurité de nos deux pays, nous a-t-il expliqué.

— Bien, bien — faites leur savoir que je suis prêt à lui parler », répondit Hu Ronglian, prêt à avaler la Russie avec le sourire, maintenant que le plus dur était fait. Il fit appeler immédiatement le ministère de la Sécurité d'État Jia Gucheng — officieusement, il en faisait son numéro deux. Il se méfiait de Nembaïtsov. Il ne l'avait jamais rencontré personnellement. Après les quelques échanges qu'il avait eus au cours des jours derniers avec le « petit prince Boris », comme il avait fini par le surnommer, son opinion du président russe ne s'était pas améliorée. Le garçon, plus jeune que lui d'une génération, manquait de patience — une qualité cardinale en politique. Hu Ronglian préférait la conversation du ministre de l'Intérieur Evgueni Dimitrievitch Akhripov, un « pro » qu'il avait rencontré en face à face de nombreuses fois au cours des dix dernières années.

« Monsieur le président ?… » Il y eut un instant de silence, puis, jaillissant du grésillement sourd de l'écouteur, une réponse en anglais, teintée d'un fort accent russe.

« Monsieur le Premier ministre, nous sommes confrontés à un problème de sécurité d'une extrême gravité… » Il cherchait ses mots. « Nous pensons que votre pays pourrait nous aider… Nous avons besoin d'informations sur le centre de recherche d'Arzamas-84. Il s'agit d'un centre dédié à la guerre informatique, situé en Sibérie occidentale, dans l'*oblast* de Tomsk. Nous avons exploité en commun cet institut, vous et nous, depuis maintenant cinq ans, dans le cadre de notre coopération militaire. Nous croyons que son directeur, un dénommé Alberich, s'est enfui chez vous.

— Oui, avisa Hu Ronglian en jetant un coup d'œil brutalement inquiet à Jia Gucheng, j'ai entendu parler de cette affaire. Je n'en connais pas tous les détails. Je sais simplement que nous avons décidé de réduire fortement notre collaboration avec le centre il y a un peu moins de six mois… » Jia Gucheng glissa une note à Hu Ronglian, avec ces quelques mots : « Alberich — confirme disparition. Pas chez nous… ? » Hu fixa vertement son ministre de la Sécurité d'État et se tourna vers le combiné. « Concernant le directeur du centre, monsieur le président, cet Alberich que vous citiez, il n'a pas été retrouvé par nos services. De toute évidence, il ne s'est pas rendu en Chine. Vous avez ma parole, monsieur le président…

— Monsieur le Premier ministre, j'insiste sur la gravité de la menace que constitue aujourd'hui l'existence de ce centre pour la sécurité de notre pays. Nous devons connaître avec plus de précision l'étendue de sa collaboration avec la quatrième section du Guoanbu. Nous devons savoir également si vous possédez d'autres informations en mesure de nous aider à faire cesser les agissements de ce centre le plus rapidement possible ! »

Hu se retourna brusquement vers Jia Gucheng. Le patron du Guoanbu semblait aussi désemparé que lui. La main sur le combiné, Jia glissa à l'oreille du Premier ministre :

« Nous avons réduit la coopération au cours de l'année. Nous considérions avoir atteint nos objectifs en termes de transfert de technologies. Nous n'avons pas effectué de visites sur place ces trois derniers mois. »

Hu Ronglian n'en revenait pas. Soit Jia Gucheng s'était montré d'une incompétence confondante. Soit il avait trahi.

Hu se tourna vers le combiné.

« Monsieur le président, nos contacts avec Arzamas-84 ont été très réduits au cours des derniers mois. Nous n'avons personne sur place. Je n'ai pas d'informations supplémentaires. Je serais cependant heureux de pouvoir vous aider…

— Monsieur le Premier ministre, un groupe de terroristes autonomistes vient de prendre le contrôle d'Arzamas. Nous allons être contraints de procéder à une action décisive afin d'éliminer la menace que constitue aujourd'hui ce centre de recherche. Nous prendrons toutes nos responsabilités. Nous espérons que le gouvernement chinois fasse de même. »

Le « petit prince Boris » le menaçait directement.

« Je ne comprends pas ce que vous dites, monsieur le président. Je vous ai expliqué que nous n'avions plus de contacts avec ce centre d'Arzamas.

— Monsieur le Premier ministre, si des membres de votre gouvernement étaient impliqués dans la situation actuelle, nous n'hésiterions pas à prendre nos responsabilités !

— Vous insinuez, monsieur le président, que la menace dont vous dites la Russie faire l'objet serait en partie de notre ressort ? Le Comité de salut public que je représente est parfaitement indigné par la culpabilité que vous nous attribuez. Allons, la Chine et la Fédération de Russie n'ont aucun intérêt à se chercher querelle. Je vous promets de m'occuper personnellement de cette affaire.

— Je prends acte de votre parole donnée, monsieur le Premier ministre. Je serai sans détour avec vous. Nous avons très peu de jours pour résoudre cette question. »

Hu Ronglian écrasa le combiné.

« Que se passe-t-il, camarade Jia Gucheng ? Qu'est-ce que c'est que cette histoire ? J'exige sur-le-champ des explications ! La quatrième section du Guoanbu aurait-elle attaqué des infrastructures informatiques en Russie ? J'attends des réponses claires ! Vous rendez-vous compte de ce que cela veut dire ? Je n'ai aucune idée de ce qui se passe dans la tête du jeune Nembaïtsov — mais je vous le dis : je n'ai aucune confiance en lui ! Et je ne veux pas imaginer ce qu'il pourrait faire s'il lui venait à l'idée que nous avons décidé d'attaquer son pays !

— Nous avons coopéré de façon approfondie avec les scientifiques d'Arzamas-84 jusqu'à il y a un an, c'est exact. Mais nous avons par la suite réduit considérablement nos contacts. La dernière équipe sur place est partie il y a neuf mois. La dernière visite d'un de nos représentants date d'il y a trois mois. Je ne peux nier cependant que nous utilisions encore certains de leurs serveurs informatiques mais, évidemment, il est hors de question que des équipes de la quatrième section s'en prennent à des cibles à la Fédération de Russie. Nous avons certes déjà réfléchi à des scénarios défensifs contre la Russie dans le cadre de simulations. Mais jamais nous ne les aurions mis en œuvre sans l'aval du Comité de salut public !

— Alors, essayez de m'expliquer ce que vient de me dire Nembaïtsov. Expliquez-moi ce qui se passe, camarade Jia Gucheng ! Qui attaque qui ? Qui baise qui ? Je veux des réponses ! Maintenant, camarade, maintenant — ou demain, nous serons tous morts et enterrés ! »

Et puis soudain, Hu Ronglian prit peur.

Il y avait une personne qu'il avait oubliée. Un reclus, forcé de vivre en résidence surveillée au cœur de Zhongnanhai. Celui-là même qu'il avait destitué il y a une dizaine de jours. Le petit Napoléon de Pékin. Était-ce là le fruit de sa vengeance ? Les premières manœuvres en vue d'un retour manigancé dans les couloirs de la cité interdite ? Hu Ronglian ne pouvait rien exclure soudain. Il fallait qu'il aille voir son prisonnier — l'ancien secrétaire général Quiao Yi.

69

Journal de Julia — Berlin, 2 août
(milieu de la nuit)

Un vent d'ouest puissant souffle sur Berlin. La lueur blafarde des réverbères teinte l'obscurité d'orange. La cime des tilleuls courbe l'échine sous le vent. Il doit être quatre heures du matin. Mon taxi s'arrête devant l'hôpital américain. Au neuvième étage, dans l'une des chambres spécialement aménagées, l'infirmière vient de réveiller Alberich.

Toute la journée d'hier et durant mon vol de Tel-Aviv à Berlin, j'ai préparé cette dernière phase de l'interrogatoire — l'assaut. Je n'ai pas droit à l'erreur. J'agis sur ordre direct du président. Je me bats pour Jack. Jusqu'au verre de gin. Le temps m'est compté. Si l'intuition de Nikolaï est juste, il ne nous reste plus qu'une quarantaine d'heures pour comprendre pourquoi Alberich a quitté la Russie, s'est rendu à Berlin et y a fait une crise cardiaque. Et qui sont les hommes qui se cachent derrière la « Déesse ». L'étroitesse de ma marge de manœuvre va me contraindre à utiliser des méthodes coercitives contre Alberich. J'ignore son état psychologique après à nouveau deux semaines d'isolement. Je ne connais plus son seuil de tolérance. Mais si je veux obtenir des résultats rapides, je n'ai plus le choix.

Au seuil de sa chambre, l'infirmière me fait signe. Je peux entrer.

« Bonjour, docteur Alberich. Je suis heureuse de vous revoir. »

La pièce, toujours condamnée, rayonne d'une blancheur spectrale. Les consignes ont été strictement maintenues. Toujours pas de téléviseur, téléphone ou même d'horloge. Du fond de son lit, Alberich écarquille les yeux. Il lui semble impossible de parler. Je m'approche. Je m'adresse à lui en russe.

« Je suis Julia Tod-Smith, vous vous souvenez ?... Il est neuf heures trente du matin, docteur. Je suis venue pour poursuivre notre conversation d'il y a quelques jours. »

Son visage puis tout son corps s'animent.

« Oui... Oui ! Mademoiselle Tod-Smith ! Fräulein Tod ! » Il me touche, anxieux de s'assurer de ma présence. « Fräulein Tod... vous êtes revenue !... Comme je suis heureux de vous revoir, madame !... Nous avons tellement de choses à nous dire ! » Il est bien plus diminué qu'à ma dernière visite, il y a deux semaines. L'infirmière m'a informée avant que je n'entre qu'il avait réduit son alimentation après mon départ de Berlin. Il semble aussi avoir totalement perdu la mesure du temps — une conséquence logique de nos tactiques.

« Je sais, docteur. Nous avons beaucoup de choses à discuter. » Je sors ma trousse à seringues.

« Décontractez-vous, docteur. Il s'agit juste d'un calmant. Cela vous permettra de parler plus librement.

— Cela va faire mal, Fräulein Tod ? »

Je lui fais un rapide garrot et plante la première seringue dans son avant-bras gauche.

« Mais non, docteur. Regardez... c'est presque déjà terminé. »

Il n'y a qu'un très léger tranquillisant dans la seringue. Dans son état, un « sérum de vérité », par exemple à base de LSD, tel que le renseignement militaire l'utilise parfois, serait trop dangereux. Il faut maintenant le convaincre de mon omnipotence. Je vais utiliser les mots clés que m'a laissés Nikolaï. Je parie gros. Si Alberich n'y croit pas, il me sera impossible d'asseoir mon autorité sur lui.

« Docteur, vous souvenez-vous de notre conversation d'hier ? Vous m'aviez raconté l'importance qu'avait exercée sur vous l'exercice militaire Able Archer de l'OTAN en novembre 1983.

— Tu veux dire... dans la conception de la Solution, Fräulein Tod ?

— Précisément, docteur. »

A-t-il compris qu'il était tombé dans mon piège ? Je veux lui offrir l'asile d'une confession.

« Si vous le souhaitez, docteur, afin d'être sûrs qu'il n'y pas eu d'erreurs dans vos précédentes explications, nous pouvons revenir sur le raisonnement qui vous a permis de trouver la Solution, après l'épisode Able Archer... Sinon, je serai obligée de vous quitter pour aujourd'hui. » Son esprit n'en peut plus — il a besoin d'un moment de certitude, un moment où il reprend le contrôle des événements. Il doit raconter son histoire lui-même. « Attends, Fräulein Tod... Reprenons. Quelle était ta question ?

— Nous en étions à Able Archer. »

Il plisse des paupières, comme pour mieux absorber la lumière. Je suis désormais face à l'ancien directeur du programme Arzamas-84.

« Je ne sais plus ce que je t'ai dit hier. Mais avant Able Archer, avant que je te reparle de la Solution, il faut que je te réexplique quel était le problème. Alors écoute-moi précisément, cette fois. Car sans problème, il ne peut y avoir de solution, n'est-ce pas ?

— De quel problème parlez-vous, docteur ?

— Le problème de la guerre, Mort. Ou plus précisément : le problème de son impossibilité.

— Pourquoi s'agit-il d'un problème, docteur ?

— Pourquoi s'agissait-il d'un problème, veux-tu dire ? Pas pour nous, aujourd'hui, mais du temps de l'Union soviétique, il s'agissait d'un problème insoluble. Un paradoxe qui effrayait les dirigeants de l'Union soviétique jusqu'au plus haut niveau. Je vais te révéler un secret : en vérité, les Soviétiques n'avaient pas peur des Américains. Ils avaient peur d'eux-mêmes. Ils avaient peur du monstre qu'était devenu leur pays.

— Pourquoi les Soviétiques auraient-ils eu peur d'eux-mêmes, docteur ?

— Parce que, Fräulein Tod, l'Union soviétique était la guerre elle-même. La guerre elle-même ! Son système économique, c'était l'économie de guerre, celle employée par la France et l'Empire britannique pendant la première guerre mondiale. Sa production intérieure était totalement soumise au diktat de l'appareil militaro-industriel — et c'est précisément pour cette raison qu'elle devait être en permanence sous le contrôle du Centre : parce qu'elle était devenue une arme stratégique. Sa société reflétait l'organisation militaire. Les jeunes appartenaient aux komsomols. Les adultes obéissaient au Centre. La séparation entre la Nomenklatura et le reste du corps social reproduisait la barrière entre corps des officiers et reste de la troupe. La frugalité des Soviétiques acceptant les conditions les plus dures avec fatalisme trouvait son inspiration dans la vie de caserne, fruste mais chaleureuse. L'idéologie même du régime, celle qui s'imprimait dans chaque

esprit soviétique de la naissance à la mort, était celle de
la croisade, vouée à la conquête du monde : le monde
ne pouvait plus être peint que de deux couleurs, rouge
et blanc, telle l'empreinte créée par Staline, le petit père
du peuple soviétique. L'Union soviétique était la descendante de Sparte et de la Prusse. Elle était la nation
de la guerre. Mais sa civilisation s'effondra rapidement,
après à peine soixante-dix ans et pour une raison
unique : une découverte scientifique. Un processus chimique, fatal à l'Union soviétique.

— Quel processus, docteur ? »

Il me sourit, condescendant.

« La réaction en chaîne, Fräulein Tod. La bombe atomique. Avec elle, la guerre devient impossible. Elle est
condamnée à se transformer en logique d'annihilation de
toutes les nations, assaillantes ou assaillies. Dès lors,
l'édification d'un arsenal terrifiant et d'une société vouée
aux armes n'est plus qu'une course grandiose et inutile.
Toute prétention militaire est rendue dérisoire par l'évidence et la simplicité de l'atome. La guerre ne pourra
jamais avoir lieu. Avec le recul, c'est dès 1945 et l'explosion d'Hiroshima que l'Union soviétique perd sa raison
d'être. Mais il nous a fallu du temps pour comprendre la
nouvelle logique de l'âge nucléaire. C'est cette période
d'apprentissage que les historiens appellent la guerre
froide. Elle a cessé lorsque nous avons cru épuiser tous
les scénarios d'affrontement, après que, des deux côtés,
pour une pénultième fois, nous nous sommes convaincus d'être passés tout près de la destruction mutuelle
assurée. Voilà pourquoi la guerre froide n'a pris fin que
dans les mois qui ont suivi l'exercice Able Archer de
novembre 1983. »

Je suis surprise de sa chronologie.

« Un seuil critique a-t-il été franchi en novembre 1983,
docteur ?

— Non, Fräulein Tod. Un seuil logique… Able Archer n'est pas la première grave crise nucléaire entre les Américains et les Soviétiques. Jusqu'en 1983, il y avait déjà eu plus de quinze crises nucléaires qui avaient testé la logique de la destruction mutuelle assurée, dont la crise des missiles de Cuba en 1962 et, déjà ! les deux crises nucléaires de 1954 et 1958 au sujet de Taiwan et de la Chine communiste. Ce n'est donc pas la première fois que nous nous retrouvions à deux doigts de l'hiver nucléaire. Mais Able Archer diffère, parce qu'elle s'inscrit dans le cadre d'une nouvelle doctrine : l'attaque nucléaire de première frappe. Pour la première fois depuis 1945, les Américains de l'administration Reagan proposent une solution qui permet de gagner la guerre nucléaire. C'est d'autant plus crédible que l'Amérique a déjà employé la bombe atomique contre l'un de ses ennemis jurés. Et c'est d'autant plus effrayant pour les Soviétiques qu'ils ont eux-mêmes déjà été victimes d'une attaque surprise : l'opération Barbarossa, l'invasion de l'Union soviétique par Hitler en 1941. Un traumatisme dont les effets se sont fait sentir jusque dans la collecte du renseignement ! Un officier du KGB travaillant à Londres m'a ainsi raconté comment Moscou lui avait demandé en 1983 de surveiller l'activité des abattoirs de la ville et de vérifier si le volume des carcasses conservées en chambre froide avait augmenté. En 1940 et 1941, c'était le type d'indices utilisés par le NKVD afin de déterminer si Hitler se préparait à envahir l'Union soviétique ! »

L'affaire est effectivement connue. Vers l'année 1983, l'Union soviétique du secrétaire général Andropov est persuadée de l'imminence d'une guerre nucléaire. L'administration Reagan articule une doctrine en trois phases, permettant en théorie de remporter une guerre nucléaire en frappant les premiers. La première phase, la « décapitation », détruit les centres de décision soviétique avec des frappes nucléaires chirurgicales. Elle repose sur le déploiement des missiles Pershing II et des missiles Cruise en Europe de l'Ouest, qui peuvent atteindre les centres soviétiques en quatre à six minutes et détruire les bunkers souterrains de commande et contrôle. La seconde phase, « contre-force », élimine l'essentiel des forces stratégiques soviétiques avec l'utilisation de missiles MX et Trident-II. La troisième phase, c'est la « guerre des étoiles » : un réseau de satellites permet d'éliminer les quelques missiles que les Soviétiques auraient réussi à lancer. Dans la tête des Soviétiques, la doctrine semble se réaliser lorsque les Pershing II et les missiles Cruise sont déployés en Allemagne de l'Ouest. Ce sont eux qui obsèdent au premier chef le renseignement soviétique.

Le regard d'Alberich pétille.

« Vois-tu, Fräulein Tod, Able Archer 83 a poussé la limite de l'affrontement jusqu'au bout de sa logique. L'exercice engageait toutes les forces stratégiques de l'OTAN, ainsi que le secrétaire d'État et le secrétaire à la Défense américains, dans une grande répétition générale de l'utilisation de leurs forces nucléaires. L'objectif des Américains, c'était d'effrayer les Soviétiques — parce que, après tout, pensaient les Américains, les Soviétiques représentent l'Empire du Mal et il est impossible que le Mal éprouve une émotion aussi humaine que la peur ! Quelle absence de sens commun… Les Américains n'ont pas compris qu'à ce moment-là ils avaient réussi au-delà de tout espoir : les Soviétiques étaient proprement effrayés. Lorsque l'exercice débute, le 8 novembre 1983, le Kremlin envisage réellement qu'Able Archer est la phase initiale d'une attaque de première frappe. Mais ne te trompe pas : les Soviétiques ne sont pas effrayés d'être attaqués. Ils ne vont pas attendre que les missiles américains viennent les décapiter. Ils sont en réalité effrayés d'avoir à tirer les premiers — et de s'être trompés. Ce n'est pas la mort qui les obnubile. C'est la possibilité d'une erreur. Que le jeu de la logique de dissuasion se dissolve dans une erreur technique et condamne l'ensemble des joueurs. »

Alberich apparaît de plus en plus agité. Je me souviens d'un des mots clés laissés par Nikolaï.

« Ce que vous m'aviez dit hier, n'est-ce pas, docteur : le 26 septembre 1983 ? »

Il est un peu surpris et dodeline de la tête.

« Oui… exactement, Fräulein Tod… Je te l'ai raconté hier ? Bien… Le 26 septembre 1983, un mois avant Able Archer 83, nous avons eu un incident dans l'un de nos centres de détection et d'alerte appartenant aux forces stratégiques. Pendant quelques minutes, nous avions pensé que des missiles balistiques intercontinentaux américains avaient été tirés contre nous. Heureusement, nous avions eu le temps d'approfondir nos données et d'identifier l'erreur — parce que les missiles intercontinentaux tirés depuis le territoire américain mettent un peu plus de vingt minutes pour atteindre l'Union soviétique. Par contre, s'il s'était agi de missiles Pershing ou missiles Cruise tirés depuis la Grande-Bretagne ou l'Allemagne de l'Ouest, nous n'aurions eu que quatre minutes pour recouper l'information, déterminer s'il s'agissait d'une erreur ou non, prévenir l'état-major et le Kremlin et décider d'une riposte nucléaire. Eh bien, c'est impossible. Tout simplement impossible. Même si la probabilité d'une erreur de notre part était grande, nous aurions procédé à une contre-frappe préventive quasi automatiquement. Et c'est précisément l'état d'esprit dans lequel se trouvait Andropov un mois plus tard, lors d'Able Archer : un homme le doigt sur la détente, et en même temps travaillé par la peur de commettre une erreur. » Alberich me regarde droit dans les yeux, pointant le doigt vers moi. « Les Pershing II ont été déployés à partir du 23 novembre en Allemagne de l'Ouest. S'ils avaient été mis en place seulement deux semaines plus tôt, juste deux semaines plus tôt, lors d'Able Archer 83, entre le 8 et le 9 novembre, alors Andropov aurait appuyé sur la détente. Ou abandonné la guerre froide. Il est impossible de le savoir. Tout se serait joué là ! » Il pointe du doigt sa tempe. « … Dans le mystère de son esprit. Mais sois bien sûre, Mort, qu'il n'aurait eu que ces deux choix-là. Nous avions atteint le point extrême de la terreur ! … » Il reprend son souffle. « Un mois et demi plus tard, les Américains avaient collecté suffisamment d'informations pour se rendre compte de leur erreur. La peur panique qu'ils lisaient maintenant chez les Soviétiques les avait surpris et les effrayait à leur tour. Dès le 16 janvier 1984, Reagan abandonnait ses parallèles manichéens entre l'Union soviétique et l'Empire du Mal et déclarait qu'il était urgent de discuter des malentendus entre Moscou et Washington, les deux nations partageant le même désir de paix… L'attaque de première frappe était enterrée. Quarante ans après Hiroshima, la démonstration était faite que la guerre nucléaire ne pouvait être gagnée. La guerre froide aboutissait à sa conclusion : la guerre ne pouvait plus exister à l'âge nucléaire. Dans l'Union soviétique, la Grande Peur de 1983 condamna définitivement au silence les très rares généraux soviétiques qui pensaient pouvoir gagner une guerre nucléaire — l'attaque de première frappe n'ayant de toute façon jamais été une doctrine officielle de l'Union soviétique. Elle nous dessilla les yeux sur l'impasse logique dans laquelle s'était enfermée notre patrie : celle d'une nation dédiée à la guerre au temps de l'atome. L'immense

majorité du Parti décida alors, quinze mois après le discours d'ouverture de Reagan, de mettre à la tête de la
nation un homme qui essaierait de faire de l'Union
soviétique une terre de paix. Quel aveuglement !...
Mikhaïl Sergueïevitch Gorbatchev était un homme
intègre et intelligent, mais lui et tout le reste du Parti
n'avaient apparemment jamais compris la nature profonde du pays créé par Staline et porté par l'esprit de
Sparte et du Reich. L'Union soviétique s'effondra à la
minute où l'on voulut en faire une nation pacifique. »

L'histoire ne peut s'arrêter ici. Je sens au contraire
qu'il m'a amenée jusque-là pour mieux apprécier le
rebondissement. Je garde en mémoire les documents
secrets que m'a confiés Nikolaï — même s'il s'agit de
faux.

« Vous n'apparteniez pas à cette majorité du Parti,
n'est-ce pas, docteur ?

— Évidemment, non, chère Mort. Je ne faisais pas
partie de la clique rétrograde des conservateurs de
Ligatchev, non plus. Lorsque l'Histoire nous enseigne
une leçon, il faut savoir tourner la page. Mais j'ai essayé
de prévenir les hommes du Kremlin de la fausse route
qu'ils prenaient. Primo, parce qu'elle nous menait à la
fin de l'Union soviétique. Et secundo, parce qu'il existait
une solution à l'impasse logique de la guerre… »

Nous y sommes : il va me dévoiler la Solution.

« … En réalité, c'est assez ironique, poursuit-il, plein
de vanité. C'est au moment où nous avons enfin compris
la logique de l'atome que celui-ci a décliné : au milieu
des années quatre-vingt, l'électron a pris le dessus. Le
sort de la guerre n'était plus lié aux mécanismes intimes
de la matière. Ce processus était désormais subordonné
au contrôle et à la manipulation de l'information. Nous
entrions dans l'âge où l'esprit primait sur la matière… »
Il incarne les démons d'un siècle révolu. « L'incident du

26 septembre était en partie lié à un problème informatique sur notre réseau de détection SPRN. S'il s'était reproduit plusieurs fois, nous aurions fini par douter de notre capacité à détecter une attaque nucléaire. Et si au bout de ces répétitions, un ultime incident avait eu lieu un mois et demi plus tard, lors d'Able Archer 83, nous aurions perdu la guerre froide. Je vais t'expliquer pourquoi. En cas d'alerte, nous n'avions que quatre minutes pour évaluer s'il s'agissait d'une erreur de notre système de détection ou d'une attaque réelle. Vu la très forte probabilité qu'il s'agisse d'une erreur de notre part, nous n'aurions pas lancé de contre-attaque. Si à ce moment précis, après avoir montré la fragilité de notre système de détection, nous avions reçu un message des Américains nous faisant comprendre qu'ils étaient en fait, eux, derrière ces erreurs informatiques, et qu'ils avaient réussi à nous berner, alors l'évidence de la trop grande vulnérabilité de notre système de détection, et donc de notre incapacité à identifier une attaque de première frappe et à établir une stratégie de riposte graduée, nous aurait forcés à négocier avec eux selon leurs conditions. Nous aurions perdu… Évidemment, la situation pouvait se renverser si c'était nous, les Soviétiques, qui prenions l'initiative de saturer d'erreurs le système d'alerte des Américains. Et voilà comment, grâce à la répétition d'un mensonge — une attaque fantôme par l'Union soviétique —, nous pouvions transformer la réalité et offrir la victoire à l'Union soviétique, un peu comme si l'attaque fantôme avait bien eu lieu et avait réussi. C'est ce que j'appelle le mensonge autoréalisateur… » Voici donc le triomphe d'Alberich.

« … Le concept du mensonge autoréalisateur s'est révélé très fécond. Rapidement, il nous a permis de comprendre comment subvertir l'information lorsqu'elle se transforme en paquet de bits électroniques. Associé à de fortes puissances de calcul automatisé, le mensonge autoréalisateur permet d'ouvrir toutes les portes, de casser tous les codes. Après l'informatique militaire, nous nous sommes intéressés à l'informatique civile américaine, qui y est étroitement liée. Nous avons retrouvé les mêmes conditions favorables au mensonge autoréalisateur. Par exemple, il suffit de créer l'information qui donne l'illusion d'une panique financière pour provoquer une panique financière réelle sur le court terme. Encore mieux : nous pouvions nous servir de l'avance formidable des Américains en matière d'informatique civile en la retournant contre eux. Possédant le meilleur taux d'équipement, ils étaient également les plus vulnérables à une attaque informatique. Il suffisait d'attendre le point d'équipement optimal de la société américaine pour attaquer. À cet instant précis, l'Amérique aurait été ce fruit mûr, prêt à tomber de l'arbre. L'Union soviétique aurait, elle, été protégée par la pauvreté et la rusticité de son infrastructure informatique. Une riposte informatique contre notre équipement n'aurait eu qu'une portée dérisoire. D'autant que nous aurions pu utiliser directement la force de l'ennemi en prenant le contrôle à distance d'une partie de leurs ordinateurs et en l'utilisant contre le reste de leurs puissances de calcul. Oui, Mort : nous pouvions gagner, sans même avoir à utiliser le feu nucléaire, sans même avoir à lancer des missiles. Le grand bouclier spatial de Reagan, l'Initiative de défense stratégique — tout cela était totalement inutile. Nous aurions vaincu sans radiations nucléaires, sans massacres de masse et pour un coût de développement probablement inférieur à celui de notre Invincible Armada mécanique. Nous avions une Solution au problème de la guerre — une Solution adaptée à l'Union soviétique, pauvre en capitaux mais riche en matière grise. »

Ce n'est pas Arzamas que nous pénétrons — c'est l'antre d'un monstre de la mythologie soviétique. Je m'enfonce, armée des informations confidentielles de Nikolaï.

« Pourtant, docteur… lorsque votre projet a été discuté au plus haut niveau, en 1986-1987, il a été rejeté.

— Oui, dans un premier temps… Les partisans de la pacification de l'Union soviétique ont eu peur. Ils ont craint son retour : ils ne voulaient plus revoir la guerre. Ils ont essayé de nous opposer des objections de toute sorte. Comment les Américains riposteraient-ils à une attaque informatique ? L'interpréteraient-ils comme une atteinte du sanctuaire ? Dès lors, se sentiraient-ils autorisés à riposter par une frappe nucléaire ? N'y aurait-il pas un risque d'escalade incontrôlée, entre offensives informatiques et menaces atomiques ? Si l'information était corrompue, s'il devenait impossible de part et d'autre d'analyser ce que faisait l'adversaire, pourrait-on même décréter une trêve et négocier ? N'y avait-il pas un risque de crise systémique ?… Des poules mouillées. Les Soviétiques étaient habitués au grand échiquier noir et blanc de la guerre froide. Je leur proposais un nouveau damier, aux règles complexes et audacieuses. Ils ont eu peur et ont préféré démanteler leur pays. »

Alberich ne me dit pas tout. Les documents de Nikolaï révèlent de nombreux indices.

« Pourtant, docteur, le projet a été réétudié puis en partie adopté à la fin de l'année 1988. Comment l'affaire du Black Thursday vous a-t-elle permis de convaincre vos interlocuteurs ? »

Il est surpris par ma connaissance de son passé et sourit.

« Cela dépasse l'affaire du Black Thursday, Mort. En vérité, il était trop tard. Nous étions entrés dans l'âge de l'électron et rien ni personne ne pouvait désormais nous en soustraire. L'esprit était sorti de la bouteille. » Son regard se perd dans l'infini blanc de la pièce. « C'est une question de logique. Si l'idée nous était venue, alors, très probablement, elle avait dû germer aussi dans l'esprit de nos adversaires. Il n'y a pas de miracle dans l'apparition des idées. Elle procède des mêmes principes : nous baignons dans la même information, nous sommes armés de la même logique et nourris des mêmes besoins. Chaque scientifique n'est que l'excroissance pittoresque d'une même membrane que nous appelons le savoir commun. L'hypothèse la plus réaliste était que les Américains travaillaient déjà sur une arme comparable. On en a conclu qu'il fallait développer *a minima* une version défensive, afin de contrer la Solution américaine. Arzamas-84 n'a jamais été un choix politique : son édification n'était rien d'autre qu'une nécessité logique !

— Et Black Thursday ?

— L'incident du Black Thursday a permis aux dirigeants soviétiques les plus réticents de prendre conscience que la menace sur leurs systèmes stratégiques d'alerte avancée était réelle et que les Américains ne devaient plus être très loin… En réalité, nous pistions les Américains depuis longtemps. Nous savions que dès le début des années soixante-dix, le Pentagone avait engagé des bataillons de pirates informatiques surnommés les "Tiger Teams" afin de vérifier la sécurité informatique de leurs installations militaires. Nous savions également qu'au début des années quatre-vingt, la National Security Agency avait créé un département dédié à la sécurité informatique des installations militaires, le National Computer Security Center. Puis deux épisodes ont définitivement convaincu mes interlocuteurs à l'état-major. Primo, entre 1986 et 1987, un groupe de pirates informatiques ouest-allemands, le

Chaos Club d'Allemagne, mené par Markus Hess, a
réussi à s'introduire sur le réseau informatique militaire
américain Milnet et à y récupérer des informations
confidentielles pour le compte des services secrets bulgares et du KGB. Cela a attiré l'attention de différents
directorats du KGB sur le potentiel des réseaux électroniques. Après de longues procédures bureaucratiques,
des membres du 8e et du 16e directorat ont décidé de
plaider ma cause. Secundo — et c'est l'affaire à laquelle
tu faisais allusion —, il y a eu l'incident du ver Black
Thursday : lorsqu'un étudiant de vingt-deux ans de
l'université de Cornell, Robert Morris, a créé un programme bénin de recherche de sites Internet qui s'auto-
répliquait, par une fin d'après-midi de novembre 1988.
Douze heures après, sans même que Morris s'en rende
compte, son programme avait infecté six mille ordinateurs à travers le monde et paralysé certains systèmes
informatiques de la NASA, des laboratoires de Los Alamos et même du réseau militaire Milnet, y compris certains fichiers de l'US Strategic Command, en charge
des forces nucléaires des États-Unis ! Il a fallu plusieurs
jours pour remettre en bon fonctionnement les ordinateurs de l'US Air Force et du gouvernement fédéral…
C'est à ce moment-là que les Américains ont commencé
à se préoccuper sérieusement de sécurité informatique,
en créant au sein des programmes de recherche de
l'armée des équipes d'alerte et de riposte informatique.
Évidemment, nous non plus, nous ne sommes pas restés
inactifs de l'autre côté du Mur. L'incident du Black
Thursday démontrait la validité de mes propositions.
Les généraux de nos forces stratégiques ont brusquement viré à cent quatre-vingts degrés, ils craignaient
désormais plus que tout au monde qu'un programme
autorépliquant ne s'introduise dans le réseau SPRN,
dédié à la détection avancée du lancement de missiles

ennemis. C'était précisément le scénario que j'avais décrit dans le plan initial d'Arzamas-84. Comme de surcroît j'avais participé au développement de l'ordinateur M10, qui constitue l'une des briques essentielles du réseau SPRN, je fus choisi pour diriger le projet Arzamas-84. »

C'est donc ainsi que tout avait commencé. Voici comment était née la cité interdite d'Arzamas-84, un rêve qui devait autant à Jules Verne qu'à Staline. Je dois maintenant comprendre comment elle avait prospéré et étendu ses tentacules sur le reste du monde.

« La cité était-elle opérationnelle au moment du putsch d'août 1991 ?

— Non, loin de là… Nous avions quelques laboratoires mis en place mais nous avions été victimes d'une réduction budgétaire après la chute du mur de Berlin. Notre grande distance de Moscou ou Saint-Pétersbourg ne nous aida pas non plus. En ces temps de crise, les généraux préféraient garder leurs ressources tout près d'eux. Ils créèrent à Moscou et à Saint-Pétersbourg des projets concurrents du nôtre, mais avec des ambitions beaucoup plus limitées et une optique strictement défensive. Comme nous avions tout de même une connaissance très intime du SPRN, on continua, par précaution j'imagine, à nous payer correctement… Cela n'empêcha pas certains de nos chercheurs de s'expatrier à l'Ouest, à la conquête de salaires en dollars ou en euros. Beaucoup d'entreprises informatiques américaines ont su évaluer la haute qualité de nos ingénieurs et scientifiques. Cela nous a donné une idée. Isolés au fond de la Sibérie, nous étions parvenus à nous débrouiller comme nous pouvions. Mais jamais nous ne parviendrions à mettre en place l'arme. Pour cela, il nous aurait fallu un autre sponsor. »

Je bondis. Est-ce elle qui se tient devant moi — la Déesse ?

« Est-ce l'organisation de la Déesse qui vous a aidé, docteur ?

— Je ne sais pas de quoi tu me parles, Fräulein Tod. »

J'approche du point où il me la livrera.

« Qui était le nouveau sponsor, docteur ?

— La Chine communiste. Les Chinois voulaient améliorer la sécurité informatique de leurs réseaux militaires. Pour des raisons évidentes, ils ne voulaient pas s'en remettre aux Américains. Nous avons proposé d'établir un accord de coopération. Le Kremlin, qui ne savait plus quoi faire de nous et souhaitait développer une coopération militaire avec la Chine, accepta d'emblée. Et la Chine finança le développement d'Arzamas tel que nous l'avions prévu originellement. »

Je me rends compte que quelque chose sonne faux dans la façon de s'exprimer d'Alberich. Pourquoi ne l'ai-je pas remarqué plus tôt ?

« Docteur Alberich — qui est "nous" ?

— Voyons, Fräulein Tod, nous, c'est nous !… C'est la Déesse et moi-même ! »

Je suis désarçonnée par cette évidence.

« La Chine communiste dirige-t-elle l'organisation de la Déesse ? »

Il me regarde comme s'il ne comprenait pas ce que je lui disais.

« Allons, Tod, mais… tu sais bien que c'est la Déesse qui nous dirige. Tu ne t'en es jamais rendu compte ?

— Comment la Déesse compte-t-elle intervenir, docteur ? »

Je crois qu'il a peur. Je ne sais pas si c'est de moi.

« En détruisant l'échiquier, Mort. En détruisant l'échiquier. Ni noir ni blanc. »

Je m'approche de son visage.

« De quel échiquier parlez-vous, docteur ? »

Il essaie de pointer ses deux index tremblants en parallèle.

« L'échiquier est un système prédictible, parce qu'il a deux joueurs. Comme la révolution d'une planète autour d'une autre. Quelles que soient les conditions, un système à deux planètes, obéissant aux lois de la gravité, est toujours prédictible. De même, l'échiquier finit toujours par retrouver la stabilité, parce que chacun des deux joueurs peut prédire l'action de son adversaire. » Son souffle se fait plus court, il écarte les mains « … Mais si une troisième planète se joint aux deux autres, sous certaines conditions, le système devient imprédictible. Chaotique. Même si les trois planètes sont les seules dans l'Univers et même si elles n'obéissent qu'aux lois de la gravité. Le mathématicien français Henri Poincaré l'a démontré. Sous certaines conditions, l'échiquier à trois joueurs devient instable.

— Qui sont les joueurs, docteur ? Qui sont les hommes derrière l'organisation de la Déesse ?

— Mort, voyons… Ils en sont tous ! Ne comprends-tu donc pas ? Ils sont tous membres de la conspiration de la Déesse ! Les dirigeants de la Chine, de la Russie, de l'Amérique, de l'Allemagne — et de toutes les autres nations du monde : ils appartiennent tous secrètement à la conspiration de la Déesse ! Tous ! En secret, ils sont tous dans le cercle de la Déesse ! »

Alberich ne simule pas. Il est « passé de l'autre côté. »

Je me lève sans un regard et quitte la pièce. Dans mon dos, je l'entends prier dans le vide blanc et sépulcral de la chambre d'hôpital.

« Mort, reviens ! Nous n'avons pas fini de parler ! Dis-moi quelle heure et quel jour nous sommes, je t'en supplie ! »

Je ferme la porte de la chambre sur son dément.

Il est midi. Combien de temps me reste-t-il encore ?
… Je ne sais toujours pas pourquoi Alberich s'est
retrouvé à Berlin, ni qui dirige réellement Arzamas-84.
Dans le grand couloir vide de l'hôpital, j'avance à
tâtons, goûtant le silence comme une punition.

Excuse-moi, Jack. Je cherche ton pardon. J'ai failli.
Ce n'est pas une raison pour disparaître et t'en aller. J'ai
encore besoin de ton corps, de tes étreintes. De tes
mains rugueuses qui fouillent mon corps et le caressent.
De tes mains parfois maladroites, toujours ardentes. De
tes mains qui enlacent les miennes au début, à la fin,
toujours. De ta force, de toutes tes faiblesses — intimes
blessures que je guéris d'un baiser quand s'apaisent nos
corps. Laisse-moi encore emporter ces quelques images
de toi. Que me reste-t-il ? Mes souvenirs de Paris ne me
suffisent plus. Ces voyages improvisés, ces rencontres à
la sauvette à Washington, Chicago, New York — toutes
ces chambres d'hôtel, autant de promesses que notre
course demeurerait inachevée et donc sans fin. Puis ces
années de séparation que la vie publique nous a impo-
sées. Et cette marche parallèle que nous nous sommes
inventée, toi et moi, secrète. Tu demeures dans notre
langage amoureux « Winston », celui auquel je dois tout
donner — jusqu'à ma vie. Non, je ne peux pas faillir. Je
sais que notre amour est fou et notre cause pure. C'est
la cause de « Winston ». Je la défendrai jusqu'à l'ultime
sacrifice. Punis-moi si tu le souhaites, mais ne me trahis
pas, Jack. Ma vie est à ton service.

70

2 août — Washington, Maison Blanche,
Bureau ovale
Quatrième session du Special Situations Group
11:00 GMT –5

Le lieutenant général Engleton entra dans le Bureau ovale. Son visage crevassé de cernes trahissait les deux dernières nuits blanches. Au fil des jours, chacun avait fini par craindre ses apparitions. Maintenant plus que jamais.

Quelques instants plus tôt, l'espoir et le soulagement étaient encore de mise. Les autres hommes rassemblés dans le Bureau ovale, eux aussi harassés de fatigue, goûtaient enfin un repos mérité. La longue, très longue nuit de négociations entre Levin et Luo les avaient tous tenus en éveil. Enfin, les derniers obstacles, les ultimes corrections avant le vote de l'ONU — mais tout s'était passé miraculeusement sans trop d'anicroches. La confiance avait été établie avec le nouveau pouvoir à Pékin. Tout pouvait être reconstruit.

« Monsieur le président, le "Global Positioning System" a été atteint par l'un des avatars du virus de classe Léviathan. Plusieurs ordinateurs de la station directrice de Colorado Springs ne répondent plus. Tout indique une attaque chinoise. »

Le réseau des vingt-quatre satellites GPS permettait de guider neuf dixièmes des munitions utilisées par l'US Air Force lors de ses bombardements de précision. Sans le GPS, la qualité de la précision des frappes américaines, pilier central de toute la stratégie militaire du pays, ne pouvait plus être assurée. La ligne rouge venait-elle d'être franchie ?

« Non… ce n'est pas possible ! s'écria Brighton. Nous venons d'obtenir un accord avec le Comité de salut public chinois ! »

Engleton lança un regard à Abe et Levin.

« Je ne peux rien affirmer, monsieur le président, poursuivit Engleton, mais il est aussi possible que les Chinois mettent à profit le temps imparti aux négociations pour poursuivre en réalité d'autres objectifs… Lors de la première attaque, nos services et ceux de l'UsStratCom ont identifié une sorte d'horloge de mutation des virus de classe Léviathan. Selon nos calculs, le dernier cycle aurait lieu le 4 août à 06:00 GMT. Nous n'avons pas retrouvé cette horloge dans les autres virus que nous avons récupérés depuis. Nous ne savons pas en quoi consiste cette horloge. Mais je ne voudrais rien écarter pour l'instant, monsieur le président. »

Dans l'état de chaos rampant qui gagnait les principales infrastructures de télécommunications des États-Unis, plus aucune hypothèse ne pouvait être écartée.

« Général, considérez-vous que le niveau actuel de nuisance sur le réseau GPS constitue un franchissement de nos lignes rouges ?

— Monsieur le président, les lignes de communication et de contrôle de nos forces stratégiques incluant les communications intergouvernementales n'ont pas encore été atteintes. Donc, selon la doctrine que nous avons posée, les lignes rouges n'ont pas été franchies.

— Merci de votre avis, général. Je demeure de l'avis que la Chine va respecter son accord. Attendons les prochaines quarante-huit heures avant de nous lancer dans des conclusions hâtives. »

Levin avait assisté à toute la scène en spectateur silencieux. Il ne pouvait croire ce qu'il entendait… Et dire qu'il y avait encore dix jours, une guerre contre la Chine aurait été totalement impensable.

71

2 août — Paris, palais de l'Élysée,
bureau du président
18:00 GMT + 1

Les dernières heures, François s'était muré dans un silence implacable, dernier rempart contre ses nerfs... Seul, au milieu des froides boiseries d'albâtre du bureau, il contemplait sa captive — la petite princesse Song qui lui tenait compagnie depuis le rebord de la table en attendant maintenant la conversation imminente avec Brighton. Elle serait peut-être la dernière des deux anciens amis. Il avait beau retourner la situation, il n'arrivait toujours pas à comprendre comment Jack avait pu le trahir et déclencher l'attaque contre l'euro. Au fond, François était un idéaliste. Longtemps, il avait espéré qu'enfin l'Amérique et la France, ces deux sœurs républicaines, filles de la Révolution et de la Liberté, aimantes et jalouses l'une de l'autre, trouveraient la juste distance que leur imposaient l'Histoire et l'Atlantique... Mais Jack avait tué son beau rêve romantique. Adieu Lafayette — adieu Eisenhower... Adieu les espoirs de l'« Étoile de France », ce poème de Walt Whitman que François avait la coquetterie de réciter en partie à ses partenaires américains lorsqu'ils se retrouvaient à dîner, que l'ambiance s'était détendue avec quelques verres et qu'un fâcheux, immanquablement, s'ingéniait à mettre l'accent sur ce qui divisait plutôt que sur ce qui rassemblait. François avait toujours eu en horreur ces intellectuels parisiens, « écrivaillons qui n'avaient jamais vraiment bossé ! » et qui avaient pour profession de dénoncer les États-Unis sans jamais y avoir mis les pieds. Seulement, pour les faire taire, il avait besoin de Jack. Et Jack venait de lui manquer… Du passé faisons table rase ? Au risque de broyer la confiance que le temps avait patiemment bâtie ?… Non, tout de même. Sur le fond, Jack était d'une autre trempe que certains de ses prédécesseurs. L'homme était courageux. Il pouvait résister politiquement aux forces centrifuges qui voulaient détruire le passé de l'Amérique et en faire une vaste puissance sans mémoire, son âme libertaire éviscérée. Les reproches de Whitman adressés à l'étoile de France étaient renvoyés cent cinquante ans plus tard à l'étoile de l'Amérique. Mais François se souvenait de l'admiration inébranlable du grand Walt hier pour la France, malgré toutes ses fautes. Par fidélité au passé, il reporterait le même espoir sur l'Amérique d'aujourd'hui. Tout ce que François réclamait, c'était une explication honnête avec son ami Jack. C'était précisément pour cette raison qu'il avait pris la peine de bâtir durant deux décennies ce lien de sympathie avec son double américain. Voilà l'antidote aux mesquineries. Le parler franc, sans mensonges, que seule une relation personnelle, établie sur la durée, pourrait permettre.

Vernon décrocha. Les services de l'Élysée lui annonçaient Brighton, en duo comme d'habitude avec Mark Levin.

« Monsieur le président ? François ?

— Oui, Jack…, répondit en anglais François Vernon. Je suis heureux de vous entendre. Comme vous l'a communiqué mon conseiller personnel Anne Lemonnier, je souhaitais m'entretenir avec vous de l'attaque informatique sur l'euro…

— Moi aussi, François, moi aussi. Mais permettez-moi avant toute chose de vous remercier pour votre vote et votre aide dans le passage de la résolution 2729. Je sais tous les efforts que vos équipes ont fournis, en particulier pour convaincre certains États d'Afrique — et je voulais vous exprimer ma gratitude.

— Je vous en remercie, Jack. Nous avons agi dans l'intérêt commun et j'espère que nous pourrons contenir la situation entre la Chine et Taiwan. Ce serait un désastre tant sur le plan de la sécurité internationale que celui du maintien de la croissance mondiale si jamais les choses dégénéraient dans le détroit de Taiwan… Et je salue l'action stabilisatrice de votre VIIe flotte… Mais il y a un autre sujet pénible que nous n'avons toujours pas réussi à élucider : les attaques informatiques qui ont fait dérailler le cours de l'euro le 26 juillet dernier. Nous souhaiterions avoir les réponses de vos experts de la NSA sur ces questions. Qu'en pensez-vous, Jack ? Après tout, si je me fie aux dépêches d'information de la journée d'hier, plusieurs de vos grandes sociétés ont, elles aussi, été victimes d'actes de criminalité informatique. Nous sommes donc tous rangés à la même enseigne… Nos équipes d'experts au Centre électronique de l'armement de Rennes sont prêtes à entrer en contact avec les responsables de la NSA. Si vous l'autorisez, nous pourrions également faire venir des scientifiques du WTD 81 allemand. Vu l'ampleur de ces dérèglements et leurs dégâts, tant de notre côté, avec l'attaque contre l'euro, que du vôtre, avec cette nuisance sur les intranets de vos sociétés, je pense qu'il est temps de travailler ensemble, Jack — et grand temps ! Il faut maintenant établir les bases de la concertation que nous avons échoué à conclure le mois dernier à Berlin au sommet du G8 ! »

À l'autre bout du fil, en face de Brighton, Levin prenait conscience de l'imbroglio. François mettait Jack dans une position impossible. Le président français en avait-il seulement conscience ? Pour l'équipe de la Maison Blanche, il était de plus en plus plausible que la Chine était à l'origine des attaques contre l'euro d'il y avait plus d'une semaine. La Chine cherchait à diviser le camp occidental. Le scénario n'avait jamais été envisagé — mais Levin savait d'expérience que l'on ne pouvait tout prévoir. En phase de crise, le moment vient toujours où l'ennemi surgit là où on ne l'attendait pas. Seulement, s'il n'y avait pas vraiment de surprise, il n'y avait pas non plus de contre-attaque possible. La Maison Blanche devait demeurer silencieuse. Sinon les Français et les Allemands risquaient de divulguer l'information ou d'engager leurs propres représailles, faisant entièrement capoter l'accord encore fragile avec la Chine… Quant à proposer à des experts européens de rencontrer les techniciens de la NSA, Levin jugeait l'idée très mauvaise. Il connaissait un peu les gens de « Crypto City », d'une nature extrêmement suspicieuse : alors, les faire coopérer avec des étrangers…

Non, tout cela était à la fois trop compliqué et trop délicat. Levin prit en aparté le président. Il fallait éluder le problème dans sa totalité. Jack acquiesça avant de répondre au Français.

« François, je comprends votre préoccupation — mais comme vous pouvez vous en douter, la question de Taiwan continue d'occuper entièrement notre emploi du temps. Et il en est de même à la NSA… Laissons passer la crise de Taiwan. Et, bien sûr, gardons le contact via nos conseillers personnels Mark Levin et Anne Lemonnier.

— Jack, j'ai coopéré avec vous sur Taiwan. Pourquoi refusez-vous de coopérer avec moi sur les questions de guerre économique ou de criminalité informatique ? »

Brighton était agacé par le ton personnel de l'attaque. Il décida de calmer le jeu.

« Allons, François, je suis prêt à coopérer avec vous sur toutes ces questions-là, bien évidemment… Je dis simplement que la crise actuelle en mer de Chine ne nous permet pas de dégager les ressources nécessaires pour cette coopération.

— Jack… qu'on ait pu manipuler frauduleusement via les réseaux informatiques la parité euro/dollar est un sujet d'une extrême gravité, aussi important que la question de Taiwan, et qui concerne la sécurité de nos deux continents tout autant que le reste de l'économie mondiale. Si l'on apprenait que le cours euro/dollar était manipulé, c'est l'ensemble de la confiance sur les marchés qui se volatiliserait instantanément ! Nous parlons de krach mondial, Jack… Je vous le dis avec la plus grande franchise parce que vous êtes mon ami, et que nous nous connaissons depuis plus de vingt ans : je suis surpris du manque de réaction des autorités de votre pays face à ce problème. D'autant que nos experts ont identifié l'origine de l'attaque aux États-Unis !… Jack, vous devez agir maintenant avec nous ! »

La Chine condamnait Jack au silence. Il fallait que l'accord tienne.

« François, ce n'est pas la responsabilité de mon pays si la fraude contre l'euro/dollar a transité via l'Amérique : les dorsales Internet passent par mon pays ! Il est inévitable que la fraude ait transité à un moment sur le territoire américain ! Et puis, les attaques informatiques contre les réseaux d'entreprises de plusieurs sociétés américaines provenaient, elles, d'Europe — de France et d'Allemagne pour être précis. Donc, vous voyez, François, nous pourrions nous rejeter la balle ainsi et ce ne serait constructif ni pour vous ni pour moi. »

Des deux côtés, la nervosité affleurait de réponse en réponse.

« Alors, que proposez-vous ? insista à nouveau François, qui essayait de se maîtriser.

— Ce que je vous ai déjà dit, François. Je comprends bien maintenant la gravité du problème. Mais je ne peux rien faire avant la fin de la situation sur Taiwan. Maintenons le contact au plus haut niveau — et je vais diligenter de mon côté un début d'enquête à la NSA. »

Il y eut un court silence entre les deux combinés.

« Bien, Jack. Je prends acte de votre décision. Je persiste à penser qu'il ne s'agit pas de la réponse adéquate et j'espère que votre appréciation de la situation évoluera. »

La distance se creusait de jour en jour, d'heure en heure. Or, ils le savaient, plus grand serait l'océan de silence qui les séparerait, et plus profond serait l'abîme qui finirait par les engloutir — tous deux.

Mais cette fois, François, tout à sa colère, n'avait plus peur. La réponse de Jack était sans appel. François était décidé à plonger.

2 août — Washington, Maison Blanche,
Bureau ovale
16:00 GMT –5

La liaison entre Israël et les États-Unis venait d'être établie par les services de Signal, l'Agence pour les communications de la Maison Blanche. Encore quelques heures et, suite à un nouveau remaniement ministériel, le ministre israélien des Affaires étrangères Uriel Bar-Ilan deviendrait Premier ministre. C'était lui qui était en ligne.

« Monsieur le président, notre situation est de plus en plus critique. Nos deux satellites d'observation militaire viennent d'être perdus. Le réseau téléphonique est complètement paralysé dans le pays. Nous sommes agressés par une nouvelle forme de terrorisme. Devant l'ampleur de cette attaque, nous allons décréter le rappel immédiat de tous nos réservistes. »

Brighton était exaspéré. Il suivait la situation israélienne depuis deux jours, mais il n'aurait jamais imaginé que la crise s'accélère aussi rapidement. Les Israéliens — et pourtant, il pensait les connaître — fonçaient tête baissée. À la grande surprise de Jack, Bar-Ilan manquait de sang-froid.

« La Syrie risque de mal interpréter votre geste. D'ailleurs savez-vous seulement qui a déclenché cette attaque ?

— Monsieur le président, répondit Bar-Ilan d'un ton ferme, la paralysie de notre réseau téléphonique, si elle se poursuit, ne nous permettra pas de mobiliser correctement les effectifs des Forces israéliennes de défense. Nous sommes obligés de prendre la décision maintenant. Nous n'avons pas le choix : c'est un impératif technique.

— Le gouvernement des États-Unis d'Amérique a toujours eu à cœur de garantir la sécurité d'Israël. Cependant, nous constatons pour l'instant qu'il n'y a aucune indication nous permettant de croire qu'il s'agit d'une attaque plutôt que d'un accident en chaîne ; et, dans le cas d'une attaque, rien ne peut indiquer à cette heure son origine potentielle. Nous demandons donc à votre pays d'agir avec la plus extrême prudence et d'attendre les résultats d'une enquête avant de se lancer dans une réaction précipitée. Car si vous mobilisez maintenant, monsieur le ministre, alors la Syrie à son tour mobilisera. Et nous nous engagerons dans une spirale très dangereuse, monsieur le ministre. Très dangereuse.

— Comme vous venez de le dire, monsieur le président, coupa net Bar-Ilan, la sécurité de mon pays passe avant tout. Nous avons envoyé de nombreux messages à la Syrie au cours des dernières vingt-quatre heures. Elle a cessé apparemment ses mouvements près du Golan. C'est un geste d'apaisement que nous saluons. Nous voudrions néanmoins comprendre l'activité des conseillers militaires chinois qui ont aidé au développement des nouvelles stations de guerre électronique syrienne du mont Hermon… De toute façon, il demeure que, pour des raisons techniques, nous n'avons plus le choix. Nous avons envoyé nos diplomates expliquer nos raisons à nos voisins proches. Nous n'allons pas réitérer l'erreur de la guerre du Kippour en 1973. J'y ai perdu mon père, monsieur le président. Tout comme vous, je sais par l'expérience du combat, la mienne et celle de ma famille, que la guerre n'est pas une affaire sainte où s'expriment la piété et l'amour de Dieu. Mais la meilleure façon encore de la dissuader, c'est de bander nos muscles et de montrer que nous sommes prêts. Nous ne serons pas pris au dépourvu comme en 1973. Dès maintenant, nous allons ordonner une mobilisation partielle de l'ensemble de nos forces. »

73

2 août — Taipeh, palais présidentiel
de la République de Chine,
bureau du président
06:00 GMT + 8

Le soleil était levé sur Taipeh depuis une demi-heure. Victor Teng n'avait pas dormi. Écrasé de fatigue, affaissé, le vieux président ne se maintenait plus qu'à coups de décoction de ginseng et de Diet Coke. Victor Teng n'avait pas été surpris par le lâchage de son pays au Conseil de sécurité de l'ONU. Il s'y attendait. Et il était prêt à braver l'hypocrisie des nations. Mais il avait pensé que les Chinois réduiraient le niveau des attaques informatiques après le vote de l'ONU. Or, défiant toute logique, c'était le contraire qui était en train de se produire. D'heure en heure, de minute en minute, Taiwan se transformait en petite île sourde, muette et aveugle — sans téléphone, sans réseaux bancaires, sans transport aérien, sans télévision et maintenant, dans certains quartiers de Taipeh et de Kaohsiung, sans électricité. Seuls les systèmes de communication militaire et intergouvernementale fonctionnaient encore normalement.

Or, à l'autre bout du fil, le secrétaire d'État Jon Cornelius s'acharnait à le convaincre que les Chinois étaient prêts à faire des gestes sérieux d'apaisement.

« Monsieur le secrétaire d'État ! Si vous me dites que les communistes ont fait un pas en arrière, comment m'expliquez-vous que, depuis ce matin, la moitié des communications civiles longue distance entre mon pays et l'étranger ne passent plus ? Que l'électricité disparaît de quartier en quartier ? Que c'est mon pays tout entier qui est en train de tomber en panne… alors que les forces communistes continuent de nous menacer ? »

Cornelius se hasarda à une explication technique que lui avait soufflée un officier de la NSA.

« Monsieur le président, il est toujours possible qu'une panne engendre une autre panne et provoque un accident majeur sur l'ensemble des réseaux de distribution de l'information et de l'électricité. La mise en réseau des ressources permet en théorie ces phénomènes de "boule de neige" accidentelle. Je vous donne en exemple le black-out d'août 2003 aux États-Unis, provoqué en partie par le contact de lignes de transmission d'électricité dans l'Ohio avec des arbres et qui plongea cinquante millions d'habitants au Canada et sur la côte Est dans le noir pendant presque quatre jours !…

— Monsieur le secrétaire d'État, nous sommes confrontés à des actes de cyberterrorisme — pas à des chutes d'arbres ! Nous savons que la Chine a attaqué en juillet 1999 les réseaux de distributeurs automatiques de mon pays ! Nous savons que la Chine a développé depuis le début des années quatre-vingt-dix une doctrine de la guerre informatique qui promeut l'attaque préventive !… L'origine de ces attaques ne fait aucun doute… Votre pays vient de trahir notre confiance dans les Nations unies, alors que nous sommes et voulons demeurer vos plus fidèles alliés… Comment voudriez-vous que je puisse avoir confiance dans le message que vous voulez me transmettre ?

— Je répète, répondit Cornelius, mezza voce, que nous ne pouvons dire avec une absolue certitude que c'est la Chine qui a attaqué les réseaux de votre pays. Du reste, que pourraient bien en tirer les Chinois ? Ils vont commencer à quitter Matsu d'ici trente-six heures. Ils sont prêts à négocier au sujet de Quemoy. Il n'y a aucune raison pour qu'ils lancent ou accentuent des attaques informatiques…

— Sauf, monsieur le secrétaire d'État, s'ils ont en réalité décidé depuis le début de lancer une attaque préventive contre votre pays et le mien. Dans ce cas, la meilleure stratégie, c'est de faire croire à la conclusion d'un accord — mais sans signature finale ; puis de créer le chaos et le désordre afin d'éparpiller les ressources militaires normalement disponibles pour protéger les réseaux informatiques militaires. Et c'est à l'apogée du chaos qu'ils porteront le glaive !…

— Monsieur le président, Hu Ronglian est un homme que j'ai eu la chance de fréquenter. Ce n'est pas un militaire le doigt sur la détente, et vous le savez. Son seul objectif à terme, c'est la stabilité dans son pays, le détroit, et le développement économique de la région. Je ne le vois pas conduire le genre de raisonnement que vous venez de décrire, monsieur le président.

— Hu Ronglian est le premier dirigeant communiste de l'Histoire à avoir envahi le territoire de Taiwan ! J'ai un message clair pour lui. Sachez que notre gouvernement a pris ses dispositions. Nous avons aujourd'hui les moyens de sanctuariser notre territoire. »

Cornelius, interloqué, avait parfaitement compris. Ils avaient maintenant la bombe.

« … Et nous réitérons avec force notre demande initiale, à savoir : la restitution immédiate et sans condition des archipels de Matsu et Quemoy et le retrait du détroit du gros des forces navales communistes. Et, surtout, la fin des attaques informatiques sur notre pays. Lorsque ces conditions seront remplies et seulement alors, nous pourrons essayer d'envisager des modifications au texte soumis à référendum.

— Monsieur le président, je vous prie de vous montrer flexible. Les Chinois sont prêts à quitter Matsu d'ici trente-six heures !… Pourriez-vous au moins accepter l'idée d'une conférence en vue d'un retrait de Quemoy ? »

La fatigue des derniers jours commençait à réellement peser sur le jugement de Victor Teng. Il avait soixante-quinze ans et n'avait dormi que quatre heures en moyenne au cours des derniers jours… Et puis, les Américains l'avaient trahi, il n'allait pas s'incliner une fois de plus devant eux.

« Monsieur le secrétaire d'État, si les attaques informatiques contre mon pays ne cessent pas immédiatement, non seulement rien ne sera possible mais de surcroît nous montrerons aux Chinois et au reste du monde que nous avons désormais les capacités militaires de répondre à l'intimidation par la menace. Du temps de la guerre froide et de la menace soviétique, les Français appelaient cela la dissuasion du "faible au fou", monsieur le secrétaire d'État. Nous avons désormais cette capacité de dissuasion entre nos mains. Nous démontrerons que nous la maîtrisons si jamais la Chine continuait de paralyser indéfiniment notre pays. »

Victor Teng menaçait de procéder à un essai nucléaire si la Chine poursuivait ses attaques informatiques. Cornelius se souvenait des conditions posées par feu Deng Xiaoping qui pousseraient la Chine à déclencher automatiquement la guerre. Un essai nucléaire de Taiwan en faisait partie. Si le président de Taiwan mettait sa menace à exécution, plus rien ne pourrait arrêter la marche vers les Enfers.

2 août — Strasbourg,
aéroport Strasbourg-Entzheim
23:00 GMT + 1

Le Falcon présidentiel venait de s'arrêter au bord de la piste principale de l'aéroport de Strasbourg-Entzheim. François Vernon descendit de l'appareil. Sur le tarmac, un vent sec, chargé de la chaleur de la journée, balayait l'obscurité de la nuit. Il entendit aussitôt derrière lui les vrombissements de l'Airbus A310 gouvernemental du chancelier Daniel König. La réunion avait été prévue de longue date — elle s'inscrivait dans le cadre de rencontres informelles tenues toutes les quatre à six semaines entre les deux chefs d'État. Mais celle-ci était particulière.

Durant les derniers échanges à New York, la parité euro/dollar avait de nouveau subi de très fortes attaques qui avaient fait plonger le cours des actions européennes cotées à Wall Street. Une heure avant la clôture, une annonce par la Banque centrale européenne d'importantes opérations d'Open Market n'avait rien arrangé. Et Tokyo allait ouvrir dans une heure avec le risque que des attaques spéculatives d'origine strictement financière prennent le relais. Pour Vernon et König, aucun doute : ce qui s'était passé à Wall Street relevait de la criminalité informatique, purement et simplement.

Ils avaient décidé de se retrouver à Strasbourg afin de punir les pirates.

Dans l'obscurité chargée de vent, Daniel, après avoir quitté la passerelle de l'A310, s'approcha les bras grands ouverts de son ami François. Comme négocié au préalable par les diplomates, François empoigna les avant-bras de son partenaire d'Allemagne. En cet instant, Daniel était son plus proche et plus important soutien. Ils allaient devenir, bien malgré eux, frères d'armes. François s'en rendait compte, tous les liens personnels qu'il avait pu lier avant de prendre ses fonctions ne comptaient pas pour grand-chose. Seul l'intérêt supérieur de la République dictait l'amitié, la confiance ou le mépris qu'il accordait à ses autres homologues chefs d'État. Sa sympathie naturelle pour ce vieux Jack l'avait trompé. Il veillerait désormais à ne plus s'y fier. Il n'y avait pas de manuel pour chef d'État. Il réalisait que son apprentissage n'était pas terminé. Les deux nouveaux amis de longue date embarquèrent dans le cortège commun qui les emmenait droit au cœur du « quartier allemand » de Strasbourg où se déroulerait le sommet exceptionnel franco-allemand — pour l'instant, tenu au secret des médias.

Le cortège s'arrêta devant la préfecture, l'ancien ministère du Reichsland d'Alsace-Lorraine du temps de l'occupation par l'Allemagne de Guillaume II — avant que les rivalités des deux nations pour la possession de ce bout de territoire frontalier ne dégénèrent en août 1914 en grande guerre civile européenne, puis

mondiale. Mais les façades au style néobaroque monu-
mental étaient aujourd'hui flanquées des drapeaux de la
République battant aux vents dans la nuit de Strasbourg.
Quand ils pénétrèrent dans le bâtiment, vers onze heures
trente du soir, les deux chefs d'État évitèrent de s'appe-
santir sur les ombres du siècle passé qui les observaient
en ricanant. Ainsi allaient les hommes, mettant leurs
pas dans ceux de leurs prédécesseurs en feignant toujours l'ignorance. Daniel et François prirent place dans
la grande salle du conseil de la préfecture et la réunion
démarra immédiatement.

François ouvrit les débats, la mine grave.

« Mon cher Daniel, je viens d'apprendre que les cours
de l'euro sont durement chahutés à l'ouverture de Tokyo.
Nous sommes contraints de réagir fermement. Nous ne
pouvons laisser le désordre criminel s'installer sur les
marchés.

— François, je partage votre détermination. Mes collaborateurs au BND se tournent vers la conclusion que
vous évoquiez : il s'agit bien d'une attaque informatique, comparable à celle qui a eu lieu le 26 juillet dernier. Est-ce que votre entretien téléphonique de cet
après-midi avec le président Brighton a été productif ? »

Vernon chercha ses mots.

« J'ai été très négativement surpris par la réaction de
Jack. Il ne semblait pas concerné par la gravité de la
question. Mais il m'a bien mentionné, par contre,
l'attaque contre les réseaux internes des entreprises
américaines comme pour me renvoyer la balle !
Comment peut-on rester inactif lorsque la parité de
deux des trois monnaies les plus importantes au monde
se retrouve être l'objet d'un acte criminel ? Un acte, qui
plus est, commis depuis les États-Unis d'Amérique !
Cela, je ne peux me l'expliquer. Et Jack est quelqu'un
de brillant, pour lequel j'ai beaucoup d'estime intellec-

tuelle. Franchement, c'est incompréhensible… C'est comme si… » Il se mit à sourire pour évoquer un scénario de fiction — auquel, en réalité, il commençait à croire. « … C'est comme s'il nous cachait quelque chose ! » Comme si, en réalité, Jack savait parfaitement ce qui se passait. Comme si, en réalité, Jack le voulait.

Un consensus silencieux se fit autour de la table sur les États-Unis. Même Daniel était décidé à ne plus prendre de gants.

« Je constate, François, que la nouvelle attaque survient précisément quelques heures après votre entretien téléphonique avec Brighton. Alors, vous conviendrez avec moi, François, que la naïveté collective a elle aussi ses limites. Comme disait le président Lincoln, *"You can fool some of the people all of the time, and all of the people some of the time, but you can not fool all of the people all of the time"*… Nous avons le devoir de répondre avec fermeté à ce désordre. »

Daniel König semblait encore plus combatif que François.

« Oui, Daniel. J'ai bien reçu le projet commun de notre 11e Choc de guerre électronique à la DGSE et de votre unité CompInt à la BND. Nous sommes d'accord pour partager les technologies développées tant dans notre CELAR de Rennes que dans votre WTD 81. J'approuve entièrement ce plan. »

Le plan était simple. À la modification d'origine criminelle de la parité euro/dollar, les bataillons allemands et français d'infoguerre répondraient par une attaque « corrective » : eux aussi s'infiltreraient clandestinement dans les serveurs de WorldNext et fixeraient le cours de l'euro/dollar à celui d'avant le 26 juillet, indépendamment de la volonté des marchés. Les objectifs étaient modérés : il fallait envoyer à nouveau un message ferme à l'Amérique. Mais, en agissant eux-mêmes comme des pirates informatiques, la France et l'Allemagne prenaient le risque d'aggraver la situation sur les marchés. Si l'affaire était révélée, nul ne savait comment ils pourraient réagir. La France et l'Allemagne allaient pervertir de l'intérieur les règles et principes qui permettaient l'existence d'un marché monétaire mondial. La guerre économique entrait dans l'ère du mensonge autoréalisant. Si les marchés refusaient cette nouvelle réalité, la France et l'Allemagne seraient à l'origine d'un krach mondial.

75

2 août — Washington, Maison Blanche,
bureau du conseiller du président
pour la Sécurité nationale/
aile gauche de la Maison Blanche
17:50 GMT –5

La copie du « Blue Thing » venait d'atterrir sur le bureau de Mark, recouverte d'annotations « CRITIC-Flash/Top Secret ». Mark se jeta immédiatement sur le feuillet bleu, résumé de toutes les informations arrivées à la Situation Room les douze dernières heures. Un gros titre se détachait : RISQUE DE GUERRE NUCLÉAIRE PAKISTAN/INDE. La NSA avait intercepté une communication téléphonique du numéro un du régime au Pakistan, le général Ashaf-ul-Saeeda. Le dirigeant suprême du Pakistan s'était retrouvé dans une situation dangereuse en à peine une demi-journée. Il avait appris que le voisin indien avait mis en état d'alerte deux heures plus tôt certaines de ses forces stationnées dans l'État du Jammu-Cachemire. Dans le même temps, l'ambassadeur du Pakistan en Inde avait été convoqué afin d'obtenir des explications sur les problèmes de télécommunications qui affectaient plusieurs régions de l'Inde. Bien en mal de répondre, l'ambassadeur du Pakistan en Inde avait câblé, affolé, au général Ashaf-ul-Saeeda, que l'Union indienne prenait le chemin d'une escalade militaire sous un prétexte fallacieux. Les Indiens étaient convaincus que le régime de Saeeda, allié traditionnel de la Chine, avait reçu l'aide de Pékin pour lancer une attaque informatique similaire à celle que subissait Taiwan ! Quelques lignes plus loin sur le papier bleu, une source secrète au sein de l'état-major pakistanais détaillait une réunion d'urgence entre Saeeda et certains colonels de l'ISI, les services de renseignements pakistanais. Ceux-ci essayaient de convaincre Saeeda que l'Inde voulait s'écarter du processus de paix sur le Cachemire et se préparait à une attaque surprise ! Une imminence renforcée par les problèmes soudains rencontrés par la Pakistan Telecommunications Company, le plus grand opérateur de téléphonie du pays, issu de l'ancien monopole historique. Ainsi, depuis une heure, il était devenu impossible de passer un appel international depuis Lahore, Karachi ou Islamabad. Là-dessus, dans un troisième fil confidentiel rapporté par le « Blue Thing », Saeeda venait d'apprendre la forte effervescence qui régnait depuis la matinée sur la base indienne de Jalandhar, au Pendjab, où se trouvaient les nouveaux pas de tir pour les missiles à courte-moyenne portée Prithvi. Ashaf-ul-Saeeda craignait de voir juste : l'Union indienne s'était persuadée qu'il avait décidé de l'attaquer ! Le « Blue Thing » concluait que le général Ashaf-ul-Saeeda, un militaire sophistiqué et rationnel, se préparait à l'imminence d'une attaque préemptive de l'Inde. En conséquence, il prendrait lui aussi les devants.

Mark contempla un moment le papier bleu. Il essayait de prendre du recul et n'était sûr que d'une chose : si le chaos en boule de neige qui avait démarré à Taiwan et s'étendait à d'autres régions de l'Asie continuait sa course folle une ou deux journées de plus — à un moment donné, nécessairement, on rencontrerait un mur. Les capacités humaines des équipes de la Maison Blanche n'étaient pas extensibles à l'infini. Et pourtant, chaque problème relevait de la priorité absolue — car chaque crise régionale pouvait potentiellement dégénérer en conflit nucléaire. Si l'on continuait ainsi, quelqu'un finirait par commettre une erreur quelque part, au cours du chemin. C'était inévitable. Il ne restait plus qu'à prier pour que l'erreur soit la plus minime possible — ou que le désordre se stabilise dans les vingt-quatre prochaines heures… Merde — mais à quoi jouaient les Chinois ? Devait-il recontacter Luo Fenglai ?

76

2 août — Moscou, Kremlin, immeuble du Sénat
(Unité numéro un)
02:00 GMT + 3 (Moscou)/18:00 GMT –5
(Washington)

La canicule continentale écrasait la nuit moscovite.
Boris Alexandrievitch attendait, combiné à la main, que
la liaison téléphonique sécurisée avec la Maison Blanche
soit établie, transitant à la fois via les services de Signal,
l'agence de communication de la Maison Blanche et
ceux du SSSI russe.

« Monsieur le président ? commença Nembaïtsov,
interrogeant le discret grésillement qui tamisait le
silence à l'autre bout de la ligne.

— Oui, président Nembaïtsov, répondit Brighton, je
vous reçois bien. Je dois vous avouer que c'est avec
inquiétude que j'ai appris que vous désiriez me parler
le plus rapidement possible… »

Il y eut comme un écho inaudible.

« Président Brighton, nous sommes confrontés à
une situation extrêmement grave. Nos infrastructures
de communications civiles et militaires font l'objet
depuis une semaine d'un sabotage terroriste qui est allé

crescendo. Nous avons été obligés de mettre l'armée en état d'alerte. Cette mesure n'est pas dirigée contre votre pays, monsieur le président. Il s'agit d'une mesure de précaution. »

Cette fois Nembaïtsov sentit un flottement de l'autre côté de la ligne… Il perçut la rumeur d'une discussion passionnée entre les membres du Special Situations Group. Puis, la respiration de l'Américain revint dans le creux du combiné.

« La situation est-elle si grave que cela, président Nembaïtsov ? Nécessite-t-elle vraiment la mise en état d'alerte de vos forces armées ? Et si oui, cela concerne-t-il aussi vos forces stratégiques ?

— Oui, président Brighton. La situation est grave. Et, non, pour l'instant, cela ne concerne pas nos forces stratégiques.

— Je préfère vous le dire moi-même, plutôt que vous l'appreniez par des sources détournées mais, pour des raisons de procédure propre à nos forces armées, votre décision va inévitablement entraîner la modification du statut d'alerte de plusieurs unités militaires ici aux États-Unis.

— Je comprends parfaitement, président Brighton. C'est précisément pour vous l'entendre dire que je vous appelais.

— Le sabotage dont vous faites l'objet, reprit Brighton pour allumer un contre-feu, avez-vous déterminé d'où il… »

Il y eut une brève flambée du grésillement.

« Vous voulez dire : d'où il vient ?

— Oui, oui, répondit Brighton, la voix travestie d'échos métalliques, avez-vous une idée…

— Peut-être la même que vous. »

Il y eut un long silence. Qui oserait le briser ? Et révéler ce que l'autre devinait déjà ?

« Pardon ? Qu'avez-vous dit ?

— J'ai dit : peut-être la même idée que vous ! »
Nembaïtsov se retourna vers Platonov en lui désignant l'appareil téléphonique. Matériel russe de
merde ! Que se passait-il ? Le sabotage avait-il atteint
les satellites russes de classe Express, chargés entre
autres des communications gouvernementales hors
« téléphone rouge » entre la Maison Blanche et le
Kremlin ?

« Président Nembaïtsov, je ne vois pas qui pourrait
songer à attaquer votre pays. » Encore une fois, Brighton défendait jusqu'au bout l'accord avec la Chine.
« Certains pourraient imaginer un scénario chinois... Je
le trouve pour ma part farfelu, président Nembaïtsov.
Et je ne vois pas ce que Pékin pourrait y gagner. Non,
président Nembaïtsov. Je suis comme vous. Je ne vois
pas la logique de Pékin.

— Alors quel État aurait intérêt à nous attaquer ? »
S'agissait-il même d'un État ? pensa à nouveau Nembaïtsov... C'était la première fois dans l'Histoire qu'une
guerre mondiale était déclenchée sans que l'on connaisse
avec certitude ni la géographie ni même la nature de
l'agresseur.

Une nouvelle nuée de parasites s'abattit sur la ligne.

« Il y a autre chose dont je voulais vous parler, président Brighton. Nous allons procéder dans une heure à
l'explosion d'une petite charge nucléaire d'une puissance
de cinq kilotonnes sur le territoire de la Fédération, très
loin de nos frontières internationales. Cette explosion
aura lieu en surface. Il ne s'agit pas à proprement parler
d'un essai nucléaire. »

De petits échos métalliques ricochèrent dans le
silence avant d'accoucher de quelques paroles audibles.

« Président Nembaïtsov... mal entendre... surface ?
Pourquoi donc ?

— Je disais que nous allions procéder à une explosion nucléaire dans notre territoire de Sibérie occidentale. Un de nos nœuds de communication… s'est transformé en sujet de grave préoccupation. Il est peut-être à l'origine des attaques que nous subissons. Afin d'être sûr de le détruire, nous allons procéder à l'explosion d'une petite charge nucléaire. L'impact, combiné à l'effet de pulsion électromagnétique, devrait définitivement raser la zone, par ailleurs inhabitée. Cette opération est liée aux problèmes que nous venons d'évoquer. Nous pourrions ainsi peu après annuler l'état d'alerte de nos forces armées…

— … zone ?… de ce site ? J'ajoute qu'il y a un danger d'escalade dans la mesure où la trajectoire du nuage radioactif ne serait pas bien estimée !

— Vous avez raison de le souligner, président Brighton. Nous prendrons grand soin de… » L'appareil était devenu définitivement muet.

Boris Alexandrievitch dévisagea son auditoire, les yeux écarquillés.

La ligne téléphonique sécurisée reliant le gouvernement des États-Unis d'Amérique à celui de la Fédération de Russie venait tout bonnement d'être coupée !… La partie russe ne répondait plus. Brassov, catastrophé, appela d'urgence sur un réseau privatif le ministère de la Défense. Il obtint confirmation que plusieurs satellites russes de communication avaient été brouillés. Désormais, comme aux heures les plus décisives de la guerre froide, le seul lien sûr pour communiquer avec la Maison Blanche était le télétexte perfectionné qui constituait le « téléphone rouge », le « Moscow Link », encore surnommé « MoLink » par les Américains, reliant le ministère russe de la Défense et le Pentagone américain !

77

3 août (matin)

Il doit être six heures, ce matin-là. Le ciel, gris de lin encore, s'étire lentement en effaçant les dernières étoiles. C'est l'attente. D'arbre en arbre, le pépiement des oiseaux annonce le dénouement de la nuit. La ville — la bourgade de Krasnyï Yar — est encore loin, plus de trente kilomètres au moins. C'est la Sibérie retirée des hommes, sommeillant encore d'un paisible rêve d'horizons infinis et de champs sans clôtures. À peine entend-on le bourdonnement étouffé d'un avion glissant dans le clair-obscur de l'aube. Des langues de soleil surgies de la limite de l'horizon lèchent patiemment les plaines. L'une d'elles se fait quelques millionièmes de secondes plus chaude et brillante.

De cette langue imperceptible jaillit un éclair céruléen à l'éclat électrique. Son intensité est aveuglante. Il nappe ciel et étendues — jusqu'à engloutir toute vue.

Et c'est quand les ténèbres enveloppent le ciel bleu que l'étrange soleil se lève enfin dans les airs. Une ascension ceinte de corolles de fumées. L'astre s'immobilise alors à mi-hauteur entre la terre et ce qui reste de nuit. Il va cracher sa parole de feu. C'est d'abord une rumeur éblouissante. Le hurlement de souffrance qui accompagne la naissance. Un premier souffle comme une tempête. Il se propage avec furie. Charrie dans sa peine branches, pierres, troncs, rochers, maisons et collines. C'est un soleil jeune et impitoyable. Il consume quiconque l'affronte du regard. Il se répand en vagues de chaleur invisibles. L'herbe et les arbres se dessèchent, s'enflamment d'eux-mêmes avant d'être touchés. La proximité de son aura impose à toute chair minérale, organique ou végétale un embrasement inéluctable. Puis, une fois calcinées jusqu'au suc, et friables comme du sable, la lame de feu vient les anéantir, engloutissant dans sa combustion le peu d'air qui n'a pas encore été aspiré. Ainsi croît l'âme du feu dans un tumulte que nul tympan ne pourra entendre, jamais, jusqu'à ce que tout l'air du ciel ait été avalé.

Puis, l'onde de choc s'éloigne et part se perdre dans l'immense Sibérie. Le jour s'est levé. Il éclaire un paysage de plaines de cendres aux entrailles à jamais souillées.

Un soleil radieux tient l'horizon.

À plusieurs dizaines de kilomètres de là, au même moment, un ensemble de composants électroniques amplifient brusquement leurs signaux. Ils sont enfouis dans le sol, sous d'épaisses couches de béton, dans de grandes armoires de métal contenant microprocesseurs, câbles et liquides réfrigérants. Protégés par le bunker souterrain où ils ont été conservés, ils n'ont pas été endommagés par l'explosion. Au contraire — celle-ci a déclenché un redoublement de leur activité. Leur vitesse de calcul s'est emballée. Leurs circuits se sont surchargés d'informations. Leurs mémoires atteignent un seuil de capacité maximale. Les grandes armoires surchauffent. En à peine quelques secondes, elles bondissent vers le point critique de saturation. Elles vont le briser. Et puis non, d'un coup de bascule, les signaux s'effondrent, les circuits se refroidissent brusquement, la vitesse des calculateurs retombe... La crise est passée. Sauf qu'un signal persiste. Un signal qui n'existait pas avant. Un signal qui échappe aux machines. Les ordinateurs de l'annexe de secours du centre d'Arzamas-84 viennent de libérer la Solution. Elle va se répandre et s'interconnecter au reste du réseau de télécommunications de la Fédération de Russie. Elle court à travers son propre réseau de fibres optiques, protégé par une couverture de plomb — car Arzamas a été conçu il y a plus d'une génération pour résister à des attaques nucléaires américaines ainsi qu'à l'effet de pulsion électromagnétique. Arzamas a été conçu au temps où l'administration Reagan faisait croire que l'on pouvait gagner une guerre nucléaire. Alors il a été prévu pour résister à une attaque nucléaire de première frappe. Son véritable centre névralgique est installé loin sous terre, et loin de sa localisation supposée. Pardelà son réseau de fibres optiques, la Solution s'élance vers les antennes paraboliques et monte au ciel, haut, vers la constellation des satellites Dong Fang Hong qui réverbèrent le signal sans que Pékin le sache. De là, la Solution s'éparpille sur toute la surface de la Russie et va réveiller les bombes logiques qui ont été disséminées des semaines durant au cœur des réseaux de la Fédération.

Cela fait trois minutes que le soleil s'est levé. La Solution a déjà atteint Khabarovsk puis Vladivostok en Sibérie d'Extrême-Orient, Irkoutsk puis Krasnoïarsk en Sibérie centrale. En une minute, elle est remontée le long des lignes de communication en fibres optiques du Transsibérien pour toucher Novossibirsk, Omsk, Tcheliabinsk, Sverdlovsk — puis Iekaterinbourg. En deux minutes, au débouché de l'Oural, elle a rejoint les grandes villes des plaines de Russie : Nijni Novgorod, Volgograd, Saratov et enfin Saint-Pétersbourg et Moscou. Les vieux réseaux téléphoniques ne résistent pas. La technologie vétuste utilisée par la majorité des routeurs, des appareils électromécaniques d'origine française ou finlandaise s'effondre sous l'augmentation artificiellement générée du réseau. La myriade innombrable de bourgades, bourgs, villes, cités-dortoirs, complexes urbains et autres alignements de béton en forme de ville qui font la chair de la Russie est rendue sourde et sans voix à quatre minutes. La Solution progresse, têtue et implacable. Les réseaux privés de technologie plus avancée s'effondrent à leur tour. En cinq minutes, le réseau de télécommunications de fibre optique de Nijni Novgorod est contraint d'interrompre toute activité sur ses lignes ; quelques secondes après, une panne généralisée est déclarée au ministère russe des Communications — ses dirigeants n'ont pu être prévenus que grâce aux vieux réseaux de communications téléphoniques « Iskra », utilisés par la Nomenklatura du temps de l'Union soviétique. Le réseau de satellites Comstat qui supporte une part importante des communications internationales n'est plus capable de relayer les appels téléphoniques. En Sibérie extrême-orientale, seuls les systèmes de communication militaires fonctionnent encore. L'ensemble des systèmes civils est totalement inopérant. En sept minutes, c'est plus de neuf dixièmes des systèmes civils de télé-communication de la Russie occidentale qui sont à leur tour inutilisables. Les satellites civils de classe « Express », directement gérés par le ministère de la Communication, ont cessé de fonctionner. Plus aucun serveur Internet russe du secteur civil n'est accessible. Les programmes de radiotélévision sont inaccessibles à une majorité de foyers en Russie. Seules les stations radiophoniques émettent encore sans difficulté. Le réseau de satellites de télécommunication Yamal, utilisé pour la gestion en temps réel des différents sites de Gazprom — la société russe d'exploitation de gaz naturel qui extrait un quart de la production mondiale —, est également sur le point de s'interrompre. Les dirigeants n'ont pu être joints que grâce au vieux réseau Iskra. Ils se demandent comment ils vont pouvoir poursuivre l'exploitation. En neuf minutes, la presque totalité des systèmes de télécommunication civils de la Fédération de Russie s'est interrompue. La Fédération est un continent entier d'hommes sourds et muets. Aucune voix, aucun son ne peut plus circuler. Le président de la Fédération Nembaïtsov vient de réunir en toute urgence son cabinet de sécurité nationale. Le Pentagone décide de passer en état d'alerte « Defense Conditions 4 » pour l'ensemble des commandements militaires en Europe. Le président Brighton a donné son autorisation. La NSA est en alerte maximale. En onze minutes, vingt-six des soixante-douze producteurs régionaux d'électricité de la Fédération russe sont contraints par mesure de sécurité de réduire de moitié leur production. Les systèmes de contrôle et de communication interne de deux sites d'exploitation de gaz naturel de Gazprom ne sont plus en état de marche. La production est également stoppée sur trois autres sites. Les satellites Yamal de Gazprom ne retransmettent plus de signal. Après autorisation du Kremlin, Gazprom est forcé, toujours par mesure de sécurité, de bloquer pour une durée indéterminée les oléoducs qui permettent au gaz naturel d'être exporté vers l'Europe de l'Ouest. La compagnie nationale

Systèmes unifiés d'énergie qui gère le réseau électrique du pays décide à son tour de réduire par sécurité son activité. À l'annonce par l'agence Reuters de la brutale réduction des activités de Gazprom, une poussée spéculative gagne les places d'échanges électroniques. Le prix des contrats à terme sur le gaz naturel échangé hors séance au New York Mercantile Exchange augmente quasi instantanément de trente pour cent. Le président Nembaïtsov décrète immédiatement la fermeture pour les prochaines quarante-huit heures de la Bourse de Moscou. L'alerte générale est étendue à toutes les unités de l'armée — y compris les forces nucléaires stratégiques. À Washington, le président Brighton augmente à son tour le niveau d'alerte pour les forces de l'US Strategic command — « Defense Conditions 3 ». En douze minutes, les onze fuseaux horaires de la Fédération de Russie sont devenus autant de continents à la dérive. Chaque région est un pays. Chaque cité est une île. Chaque quartier devient une citadelle abandonnée. Plus rien ne permet d'entretenir l'illusion d'une Fédération russe. À douze minutes seulement après le soleil.

Dans tout l'Extrême-Orient, c'est le même silence impénétrable qui rapidement s'étend. La Solution conquiert de nouveaux territoires. Dans le silence des calculateurs, les bombes logiques attendaient la minute pour se déclencher. La Solution les appelle maintenant. Les satellites de communication japonais JCSAT ne parviennent plus à retransmettre correctement les signaux. Les signes avant-coureurs de la maladie se rapprochent. Cela commence, pour des millions de foyers câblés qui se réveillent au Kansai, dans la région de Kyoto et Osaka, par la télévision qui demeure un opaque écran bleu où ne sont diffusés que d'interminables messages d'excuse. Dans la métropole de Tokyo-Yokohama, les téléphones mobiles ne répondent plus. Les rames du métro sont figées au milieu des voies. Des milliers de Japonais sont prisonniers au cœur de l'énorme métropole. Des chenilles de métal, formées par des colonnes d'automobiles, refusent d'avancer dans un vacarme insupportable. Des familles arrivent dans leur propre voiture aux services hospitaliers des urgences, transportant des blessés dans un état désespéré. Ils n'ont pas réussi à joindre les services locaux du Samu. C'était le mauvais jour. Ce n'est plus la fatalité. C'est la Solution, qui continue de courir. Le Premier ministre japonais convoque immédiatement l'ambassadeur de Chine. Le parallèle avec Taiwan, paralysée depuis quelques jours, est par trop évident. Le message du Premier ministre japonais aux Chinois se veut menaçant. Le Japon possède « les moyens stratégiques de répondre à n'importe quelle menace contre son pays » : si la Chine est à l'origine de la situation, le Japon démontrera qu'il possède en réalité la bombe atomique. Le Japon ne se laissera intimider par personne.

Au même instant, les lignes de communication internationales « Ko-Sen-Ko » qui relient le Japon et la Corée du Sud sont à leur tour coupées. La Corée est elle aussi touchée. Le président coréen vient de convoquer une réunion spéciale de son Conseil de sécurité afin d'établir la possible origine nord-coréenne des attaques informatiques — peut-être avec l'aide de la Chine communiste. L'alerte générale pour les forces militaires de Corée du Sud est décrétée — et une demande officielle est transmise au président Brighton afin qu'il soit fait de même pour les vingt mille soldats américains des forces de réserve de la 8e armée stationnés le long de la frontière avec la Corée du Nord. C'est à ce moment que le commandement des forces navales américaines du

Pacifique pour la 7e flotte, basé à Yokusaka, passe l'ensemble de ses forces à l'état d'alerte « Defense Conditions 2 ».

À Taipeh, le président Victor Teng se retrouve sous la pression maintenant écrasante des manifestants et de l'ensemble de la population. La République a été publiquement humiliée au Conseil de sécurité de l'ONU par le passage de la résolution 2729. Le discrédit est tombé sur Victor Teng. Au 122 de la route sud de Chungking, devant le palais présidentiel de la République de Chine, une foule immense de plusieurs centaines de milliers d'habitants de Taipeh s'est rassemblée pour crier sa colère. Les gardes présidentiels ont du mal à contenir cette traîne humaine de poings levés qui s'étalent depuis le Parc du vingt-huit février jusqu'au portique du Palais. Il y a là des étudiants, le front ceint de bandeaux aux slogans indépendantistes, mais aussi des visages plus mûrs et plus souriants, ceux des représentants de toutes les factions indépendantistes et même des membres du Néo-Kuomintang. Il y a là aussi des mères de famille avec leurs enfants, des jeunes filles aux regards survoltés, des vieillards qui ont combattu le régime du Kuomintang dans la clandestinité — et même des cadres en costume qui ont défait leurs cravates pour se joindre à la foule. Le peuple de Taiwan refuse de vivre sous le chantage perpétuel d'une poignée de cadres septuagénaires du Parti communiste chinois, jouant avec la vie de millions de citoyens taïwanais comme ils poursuivraient une vieille partie de mah-jong. Devant les grilles du palais, la foule est proche de l'insurrection. La rage a débordé ce matin, après que les mystérieux problèmes de télécommunications qui ont paralysé par intermittence les différents réseaux toute la semaine durant ont atteint un point critique au cours des dernières heures. Le black-out sur l'ensemble des réseaux de télécommunications et d'électricité est désormais total — seules les radios à pile permettent de maintenir le lien avec le cœur du pouvoir. Par décision ministérielle et pour raisons de sécurité, tous les transports publics sont suspendus pour les prochaines vingt-quatre heures. L'accès aux réserves de pétrole est strictement limité aux forces armées. Le président Victor Teng décide de représailles symboliques. Il se sent fort désormais d'obtenir le soutien du Japon et de la Corée du Sud — peut-être même de la Russie, victime elle aussi de la même dramatique paralysie, et qui est en train de mobiliser l'ensemble de ses forces d'Extrême-Orient sur la frontière chinoise.

Sur une des bases militaires aériennes de l'ouest de la côte de Taiwan, l'ordre de mission vient de tomber : attaquer, enfin ! le porte-avions chinois *Deng Xiaoping*.

Trente-deux chasseurs F-16 décollent aussitôt, avec mission d'intercepter le navire ennemi. Immédiatement l'état d'alerte maximal est déclenché sur le porte-avions *Nimitz*, à trente-cinq miles de là. Le capitaine du porte-avions est directement en contact avec le vice-amiral commandant en chef de la 7e flotte, lui-même en liaison directe avec le chef d'état-major Dörner et le président Brighton. Les ordres de Dörner sont très clairs : intercepter la tête de l'escadre taïwanaise. Vingt-deux F-18 de nouvelle génération « Super Hornet » accompagnés de dix F-14 décollent aussitôt des porte-avions *Nimitz* et *Reagan*. Cinq F-18 provenant du *Ronald Reagan*, stationné à l'est de l'île, survolent Taiwan d'est en ouest et franchissent le mur du son en provoquant un « bang » assourdissant lorsqu'ils survolent les environs de la base aérienne d'où sont partis les chasseurs taïwanais. Mais la cellule de crise présidentielle à Taipeh fait mine de ne pas être impressionnée. Sur le porte-avions *Xiaoping* et à Pékin, c'est l'affolement. Le maréchal Gao Xiaoqian

donne l'ordre d'interception de l'escadre taïwanaise
— mais déjà Jia Gucheng et Hu Ronglian cherchent
à joindre directement Brighton. Les Sukhoï-27 stationnés sur le *Deng Xiaoping* ont ordre d'évacuer immédiatement le porte-avions. Ils vont se porter au-devant
de l'attaque. Quatre minutes après que l'alerte a été
donnée, neuf F-16 taïwanais apparaissent sur les stations de contrôle du *Deng Xiaoping*. Mais, fonçant sur
le flanc gauche, dix chasseurs F-18 américains tra-
versent également l'écran des radars chinois. Le président Brighton suit depuis la salle de conférences de
la "Situation Room" à la Maison Blanche l'évolution
seconde après seconde des groupes de combat, en
vidéoconférence permanente avec le centre de commandement militaire national du Pentagone. Les ordres tra-
versent la chaîne de commande en plusieurs dizaines
de secondes et sont répétés aux pilotes américains des
F-18. Le *Deng Xiaoping* sera à portée de tir des avions
taïwanais dans maintenant une minute. Hu Ronglian
et Jia Gucheng ont saisi la manœuvre américaine. Le
maréchal Gao Xiaoqian donne l'ordre aux Sukhoï-27
d'attendre que les chasseurs taïwanais ouvrent le feu
avant de riposter. Et puis non, Hu Ronglian craint qu'il
ne s'agisse d'une feinte conjointe des Américains et
des Taïwanais — mais il est trop tard. À l'instant même,
les pilotes des neuf F-16 taïwanais de tête entendent
la sirène d'alerte déclenchée par leurs systèmes
de combat : ils ont été « allumés » par les systèmes
d'attaque des F-18 américains. L'alerte est remontée
dans la seconde au plus haut niveau, au chef d'état-
major et au président Teng. C'est le moment où Brighton décide d'appeler Teng. Les neuf F-16 ne sont plus
qu'à vingt secondes du point où ils pourront engager le
Xiaoping. Teng a décroché. Brighton est à l'autre bout
du fil. Les Sukhoï-27 font une manœuvre circulaire afin

de prendre de revers les F-16 taïwanais tout en reculant par rapport aux F-18 américains. Teng est crispé. Les F-18 américains n'ont plus beaucoup de temps maintenant s'il faut intercepter les F-16 taïwanais avant que ceux-ci ne tirent sur le *Xiaoping*. C'est maintenant. Au bout d'un instant, Teng se tourne vers son ministre de la Défense. Aussitôt, les F-16 braquent vers le ciel et d'un mouvement tournant prennent la direction du retour vers la base aérienne de départ. Brighton, Dörner et, de l'autre côté du Pacifique, Jia Gucheng et Hu Ronglian, tous poussent un immense soupir de soulagement.

Victor Teng, une ultime fois humilié, décide alors de jouer son va-tout. Alors qu'il tient encore dans la main le combiné, il attaque la conversation avec Brighton. Il lui annonce qu'après avoir montré une dernière fois sa bonne volonté, il exige des résultats concrets qu'il puisse offrir à son peuple. Sous peine d'être renversé par des éléments ultra-indépendantistes. Si, dans les prochaines vingt-quatre heures, les attaques contre les systèmes de communication à Taiwan n'ont pas cessé et si la Chine ne s'est pas retirée de Matsu, alors le gouvernement de Taipeh donnera l'ordre de procéder à un essai nucléaire afin de faire la démonstration de ses capacités stratégiques et de sa résolution absolue à ne plus subir aucun chantage de la part de Pékin. Mark Levin, qui écoute en même temps que Jack, émet un vif soupir de découragement. Rien n'est encore perdu — mais à nouveau la guerre s'est rapprochée de Washington.

Au même instant, le directeur du renseignement Paul Adam, présent lui aussi dans la salle de conférences de la Situation Room, raccroche un autre combiné et demande à s'adresser au président. On vient de lui transmettre un message CRITIC en provenance du National Recognition Office où sont analysées la plupart des images satellites. Une nouvelle crise internationale est en train de bouleverser la donne. Le Premier ministre indien Sanjay Mehta vient de procéder au dégagement des pas de tir de Jalandhar où sont situés les missiles moyenne portée Prithvi. Ceux-ci viennent d'être rechargés en combustible liquide et sont immédiatement opérationnels en cas d'ordre de mise à feu. Le Pakistan, allié de la Chine, est soupçonné d'avoir lui aussi utilisé l'arme informatique contre l'Inde. En retour, au Pakistan, l'alerte générale a été déclenchée sur les neuf bases aériennes principales du pays — ainsi que sur une dizaine d'autres bases secondaires, une mesure limitée aux temps de guerre. Les satellites américains ont observé une très forte activité sur la base aérienne de Masroor, près de Karachi. C'est là que sont stationnés les escadrons 16 et 26, chargés des bombardements stratégiques en cas de conflit nucléaire avec l'Inde. Immédiatement, alors même que la crise sino-taïwanaise n'est pas résolue et que Victor Teng vient de lancer son propre ultimatum nucléaire, Brighton et Cornelius sont forcés de joindre les responsables indiens et pakistanais. À charge de Levin d'appeler la direction communiste chinoise afin de leur relayer les demandes de Taiwan. Au téléphone avec Cornelius, le Premier ministre indien Sanjay Mehta est fou de rage. Après la défaillance inexpliquée d'une unité de relais dans l'Uttar Pradesh, l'ensemble du réseau électrique s'est effondré dans cet État ainsi que dans les États du Jammu-Cachemire, Pendjab, Haryana, Himachal Pradesh, Rajasthan, Gujarat et dans la capitale New Delhi. Curieusement, il s'agit des États de l'Union les plus à l'est et qui sont également les plus proches du Pakistan. Plus de trois cent soixante millions d'habitants se retrouvent sans électricité. Certains hôpitaux sont complètement paralysés. Des milliers de patients vont mourir, faute de soins. L'ensemble du système ferroviaire est dans un état de chaos indescriptible. Les trains alimentés à l'électricité ne peuvent plus avancer sur les rails et immobilisent l'ensemble du trafic — il n'y a pas assez de trains Diesel pour repousser les trains électriques vers les gares. D'immenses bouchons bloquent totalement la circulation sur New Delhi : l'ensemble des feux de signalisation ne peut plus fonctionner. Hormis New Delhi, tous les aéroports, plongés dans le noir le plus absolu, ont été obligés de cesser leurs activités. La plupart des arrivées d'eau ont été coupées à la suite de l'arrêt des stations de pompage et d'épuration — victimes elles aussi de la gigantesque panne d'électricité. Même les puits sont inutilisables — les pompes étant toutes hors d'usage. Des millions de personnes vont rapidement manquer d'eau.

Alors que Brighton demande à l'officier de la Situation Room affecté à l'Agence pour les communications de la Maison Blanche qu'il le connecte avec le chef d'État pakistanais Ashaf-ul-Saeeda, le général Dörner l'interrompt : le commandement des forces combinées en Corée du Sud, après demande du président coréen, réclame que l'on puisse mettre la 8e armée américaine stationnée sur la frontière avec la Corée du Nord en état d'alerte. Brighton refuse. Il va contacter directement le président coréen pendant que Cornelius poursuivra la médiation entre le Pakistan et l'Inde. Hu Ronglian, en discussion avec Mark Levin sur le sujet de Taiwan, sent une grande nervosité dans la voix du conseiller du président. Est-ce à cause de l'ultimatum de Victor Teng ? Ou quelque chose de plus grave — si cela était possible ! — serait-il en train de se dérouler ? Le maréchal Gao Xiaoqian décide de prolonger et de renforcer l'état d'alerte sur l'ensemble des forces aéronavales et stratégiques chinoises. Il décide également de mobiliser les forces à l'ouest du pays, au cas où la tension avec l'Union indienne, entretenue par les difficultés de l'allié pakistanais, dégénérerait en début de conflit.

Au même moment, en Iran, plusieurs ordinateurs de l'Isiran, la division informatique du ministère de la Défense, tombent brusquement en panne. Tavanir, la compagnie nationale d'électricité, enregistre elle aussi de brusques défaillances. Les villes de Hamadan, Ispahan, Kermanchah, Qazvin, Shiraz, Tabriz et Téhéran sont frappées par d'immenses pannes d'électricité. Hormis Khorasan et Mazandéran, toutes les provinces de l'Iran sont également touchées. Le commandement opérationnel pour la zone est, couvrant la frontière avec l'Afghanistan et le Pakistan, est mis en état d'alerte. Le Pakistan est un allié traditionnel de la Chine et les attaques informatiques ressemblent à s'y méprendre à celles frappant Taiwan. Cependant, le Vevak, le ministère en charge de la Sécurité et du Renseignement, craint également une attaque de l'Arabie Saoudite : l'Arabie Saoudite a reçu de nombreux investissements de la Chine au cours des dernières années. La Chine a besoin du pétrole de l'Arabie Saoudite. Si une guerre avec l'Amérique éclate, elle aura également besoin du pétrole de l'Iran. Le guide suprême de la Révolution demande alors que le conseil suprême de la Défense soit immédiatement convoqué. Le chef d'état-major et le commandant en chef des Pasdaran, les gardiens de la Révolution, insistent auprès du président pour déclarer un état d'alerte général sur toutes les zones militaires du pays — mais nul n'est capable de dire si l'attaque provient du Pakistan, de l'Arabie Saoudite, de la Russie, de la Chine, des États-Unis ou de groupes terroristes soutenus par l'un de ces cinq pays. Cependant, l'attaque sur les ordinateurs de l'Isiran inquiète au plus haut point le guide suprême de la Révolution. Les défenses anti-aériennes autour du centre de recherches nucléaires

d'Esfahan et des réacteurs de Bushehr sont immédiatement renforcées ainsi que sur les autres centres de développement d'armes nucléaires, chimiques et biologiques
de Parchin et Qazvin. À Téhéran, la succession des
pannes électriques et le déclenchement de l'alerte militaire inquiètent les représentants de l'opposition démocratique au Majlis, le parlement iranien. Le guide
suprême de la Révolution chercherait-il à décréter l'état
d'urgence et dissoudre le Parlement ? Les chefs de l'opposition laïque décident d'envoyer un émissaire auprès
du chef d'antenne de la CIA à Téhéran, qui tient lieu
d'ambassadeur officieux du gouvernement américain.
Dans le même temps, des contacts sont établis avec les
chefs des forces armées les plus sensibles aux thèses
réformatrices. En moins d'une matinée, la tension politique perceptible depuis des mois se transforme en
rumeur prérévolutionnaire. Lorsqu'il apprend tout ce
qui est subitement en train de se manigancer, le directeur
du renseignement Paul Adam, pris de court, insiste
énergiquement au téléphone pour refuser toute aide à
l'opposition iranienne. Hu Ronglian vient d'annoncer
solennellement à Mark Levin qu'un essai nucléaire de
Taiwan signifierait la guerre. Le Premier ministre indien
Sanjay Mehta promet à Cornelius de temporiser encore
vingt-quatre heures mais exige en échange que les États-
Unis d'Amérique fassent pression sur le Pakistan pour
qu'il cesse ses attaques sur les systèmes électriques de
l'Uttar Pradesh. Quand il entend cette exigence, le général
pakistanais Ashaf-ul-Saeeda tombe des nues. Que peut-il
promettre ? Interrompre l'activité de deux centrales électriques du pays afin de prouver la bonne foi du Pakistan
au gouvernement de l'Union indienne ?

Au même moment, en Arabie Saoudite, la constellation de satellites en orbite basse reliée à Internet qui
contrôle l'activité des champs pétrolifères d'Aramco, le

monopole public d'exploitation pétrolière, connaît des difficultés de transmission de plus en plus importantes. Les onze membres du Conseil suprême du pétrole qui supervisent les activités d'Aramco viennent de se réunir d'urgence. Tous ont en tête la situation de Gazprom qui a été obligé de réduire fortement ses activités pour les mêmes raisons. Déjà, l'Arabian Oil Company, une joint-venture japonaise, a été forcée d'interrompre l'exploitation de ses champs pétrolifères. Les dirigeants de la joint-venture contactés par les membres du Conseil suprême du pétrole expliquent que les liaisons avec la maison mère à Tokyo ont été rompues. Mais aussitôt un responsable d'Aramco annonce au Conseil suprême du pétrole que les systèmes de communication et de contrôle du champ pétrolifère de Ghanwar, le plus grand du pays, sont en partie brouillés. La confirmation arrive que le champ offshore de Safaniya connaît de graves défaillances du même ordre ; la production doit être interrompue par mesure de sécurité. Le prince régnant d'Arabie Saoudite donne son accord alors même qu'il vient d'apprendre que l'Iran décrétait l'état d'urgence. L'alerte est immédiatement déclenchée pour les forces armées saoudiennes qui protègent les terminaux de Ras Tanura et Juaymah sur le golfe Persique, et Yanbu sur la mer Rouge. À l'annonce conjointe de la réduction drastique de la production saoudienne ainsi que de l'état d'urgence en Iran, le cours du baril de Brent coté à l'International Petroleum Exchange flambe immédiatement. Les cours des sociétés chinoises qui ont désespérément besoin du pétrole du golfe Persique s'effondrent. Les gouvernements de l'Union européenne, qui font déjà face à l'interruption des exportations de gaz naturel par Gazprom, envisagent maintenant la possibilité d'un krach énergétique si la situation n'est pas rétablie rapidement. Le président Brighton accepte de mettre en alerte « Defense Conditions 3 » les éléments de la 3e armée et de la 5e flotte stationnant dans la région du golfe Persique. Cornelius est sur le point de recontacter le président Victor Teng lorsqu'il reçoit un appel du ministre des Affaires étrangères syrien. Alors que l'Irak et Israël ont partiellement décrété la mobilisation de leurs forces armées, la Turquie semble vouloir faire pression sur Damas : depuis la fin de la matinée, les barrages Atatürk et Birecik placés sur le fleuve Euphrate en territoire turc ne laissent plus passer que soixante pour cent des eaux du fleuve vers la Syrie. Si un écoulement normal n'est pas rapidement rétabli, l'économie syrienne s'effondrera — et la population syrienne, désespérée, réclamera vengeance. Au même instant, le ministre des Affaires étrangères turc, en ligne avec Levin, lui réclame l'aide des États-Unis alors que de nombreuses centrales électriques en Turquie sont obligées de cesser leur activité et que des pannes inexpliquées se sont produites sur les plus grands barrages hydrauliques du pays. Le ministre turc se demande à haute voix si la Syrie, qui reçoit depuis quelques années une aide militaire de la Chine, n'est pas à l'origine des désordres.

Brighton décide alors d'appeler directement le nouveau Premier ministre israélien, l'ancien général Bar-Ilan. Celui-ci écoute poliment les demandes de retenue formulées par le président américain puis laisse entendre qu'il a lui-même beaucoup de mal à comprendre ce qui se passe. Les satellites Amos et Ofeq ne répondent plus. Sur toute la plaine côtière, d'Ashkelon à Haïfa, l'ensemble des systèmes électriques de signalisation ne fonctionne plus. Ce que Bar-Ilan ne dit pas à Brighton, c'est que les jeunes officiers de l'unité de guerre informatique du Mamram sont maintenant persuadés qu'une attaque informatique est bel et bien engagée contre l'État hébreu — une attaque dont ils ne peuvent encore retracer l'origine. Mais le Premier ministre ne pourra plus longtemps attendre sans rien faire : tout comme au Japon, en Inde et en Corée du Sud, on voit dans les rues de Jérusalem et de Tel-Aviv les mêmes scènes de colère. Tous pointent du doigt la Syrie, aidée de la Chine. Une panne de courant touche les villes de Haïfa, Netanya, certains quartiers de Jérusalem-est et ouest et une bonne moitié de la Cisjordanie sous autorité palestinienne. La station de pompage de Sapir qui capte l'eau du lac de Tibériade vient de tomber en panne. Idem pour la grande station de désalinisation et d'épuration de l'eau de mer, située à Ashdod. Les plus hauts responsables des forces de défense israélienne ainsi que le Memuneh, le patron des services secrets israéliens, recommandent au Premier ministre Bar-Ilan de décréter la mobilisation de tous les réservistes afin d'impressionner l'éventuel agresseur et d'être capables de riposter rapidement dès qu'il sera identifié. À Bnei Brak, à Jérusalem, une foule de juifs orthodoxes drapés de noir est descendue dans la rue et menace le gouvernement d'un châtiment divin. Au Parlement israélien, ce sont des députés en bras de chemise qui s'excommunient en frappant du poing. Bar-Ilan connaît son pays. La peur a submergé Israël. Au moins, en 1967, à la veille de la guerre des Six Jours, la menace, même si elle était sur tous les fronts à la fois, était bien identifiable : il s'agissait des armées régulières de l'Égypte et de la Syrie, avec Nasser à leur tête qui promettait l'extermination du pays et de ses habitants. Cette fois, l'ennemi s'est faufilé jusqu'au cœur du pays. Sans tirer un coup de feu, il est en train de le détruire de l'intérieur. Il n'a ni voix, ni visage, ni signature. Seul transparaît l'essentiel : son extraordinaire capacité à affaiblir Israël. La conversation avec le président Brighton n'a pas rassuré Bar-Ilan. L'Américain ignore ce qui se passe. Bar-Ilan décide finalement de décréter la mobilisation de

tous les réservistes. En secret, les escadrons de F-4
stationnés sur la base aérienne de Tel Nof, dans le désert
du Néguev, sont mis en état d'alerte maximal. Selon la
procédure, huit d'entre eux vont être armés de bombes
atomiques. Les cinq sous-marins Diesel de classe Dol-
phin porteurs de missiles Popeye à charge nucléaire
reçoivent un message flash de l'état-major à Tel-Aviv :
niveau d'alerte maximal. La composante nucléaire stratégique des forces de défense israélienne est maintenant
totalement opérationnelle et, si la nécessité s'en faisait
sentir, prête à la riposte. Mais pour frapper quelles
cibles ?... Par avion ou sous-marin, la Chine est bien trop
loin. En 1973, pendant la guerre du Kippour, au moment
où les armées arabes avaient bousculé les lignes de
défense israéliennes et où Bar-Ilan avait perdu son père,
le gouvernement de Golda Meïr avait menacé les États-
Unis de lancer une attaque nucléaire contre l'Union soviétique si Nixon refusait de mettre en place un pont aérien
de soutien. Mais cette fois, la Chine, si c'est bien elle,
semble hors d'atteinte.

L'ennemi invisible étend ses tentacules sur toute
l'Asie. Il s'approche maintenant des côtes de l'Occident.

78

Journal de Julia — Berlin, 3 août (matin)

Il doit être sept ou huit heures du matin, je ne sais plus. Je n'ai pas pu m'endormir. S'agit-il de ma dernière nuit ?

J'ai peu d'espoir de venir à bout d'Alberich. S'il a sombré dans la folie, alors nous avons peut-être perdu. J'ai fait venir un Falcon appartenant à l'Atlantic Invest-ment Group. Il m'attend à l'aéroport de Berlin-Brande-bourg au cas où je dois rapatrier d'urgence Alberich en fin de journée. L'ambassade m'a fait parvenir ce matin un second passeport canadien pour mon patient allemand. Ordre de « Winston ». C'est une solution désespérée. Car, même entre les mains de nos experts de Langley, un aliéné demeure un puzzle aux pièces éparpillées. En retrouver le sens prendra plusieurs semaines, sinon plusieurs années. Et moi, il ne me reste plus que quelques heures.

Je relis mes notes et les documents de Nikolaï. Il n'y a plus rien que je puisse extraire pour faire avancer mon interrogatoire. La seule option qu'il me reste, c'est de recontacter la Polizei de Berlin, reprendre langue avec le Kommissar Franz Berger, et fouiller les effets personnels d'Alberich dans l'espoir un peu vain d'y trouver un indice que la Polizei aurait négligé. J'appelle mes collaborateurs à Washington, qui transmettent la demande à l'ambassadeur ici à Berlin. Le gouvernement fédéral, puis les autorités de Berlin sont directement contactés. Au bout de quatre heures, je reçois un coup de fil du Kommissar Franz Berger :

« *Guten Tag*, agent Tod-Smith. C'est très flatteur d'avoir fait appeler la moitié des chancelleries de Berlin pour obtenir un entretien avec moi. Vous travaillez toujours sur votre affaire de criminel de guerre nazi ?

— Kommissar, j'ai besoin de fouiller les effets personnels d'Alberich retrouvés dans sa chambre d'hôtel au moment de son accident cardiaque.

— Vous êtes autorisée à passer au commissariat. De toute façon, je n'ai pas le choix. J'ai reçu des consignes. Nous vous montrerons ce que nous avons trouvé. Mais il n'y a rien de particulier… collègue. »

Je fonce dans un taxi et me retrouve vingt minutes plus tard devant le commissariat. Berger m'attend sur le seuil. Toujours en veste de cuir, une clope au bec. Il me conduit à l'étage, sans rien dire, et me fait entrer dans un petit bureau rempli de grandes armoires métalliques. Dans l'encadrement des armoires, le bureau de travail est jonché de piles de dossiers et de papiers disposés là dans un désordre échevelé. Derrière une chaise au dossier de bois, la seule fenêtre donne sur l'arrière-cour pavée qui sert de garage. Le Kommissar Berger referme la porte derrière moi et prend soin de la verrouiller à double tour. Il essaie de contenir son inquiétude et parle à mi-voix avec un air de conspirateur démissionnaire.

« Tod-Smith, je viens de recevoir un appel de l'ambassade de Russie, il y a un quart d'heure. Ils savent que votre ami le docteur Alberich est là et ils veulent l'interroger sur-le-champ. Ils m'ont dit qu'Alberich travaillait pour la mafia tchétchène. Cela fait beaucoup, non, pour un criminel de guerre qui a passé l'âge ? Alors qui croire, Tod-Smith ? Des Russes ou des Américains, lesquels se foutent le plus de ma gueule ? »

Les Russes ont dû intercepter l'une des demandes concernant Alberich, quelque part lorsqu'elles circulaient entre Washington et les autorités de Berlin. Ils ont réussi à retrouver la piste d'Alberich.

« Que leur avez-vous répondu, Kommissar ?

— Je leur ai dit d'attendre. Je consultais ma hiérarchie. Avec les problèmes de communication en ce moment en Russie, je doute qu'ils me rappellent rapidement. Maintenant, dites-moi pourquoi je devrais vous donner l'avantage sur les Russes, agent Tod-Smith.

— Parce que je peux vous affirmer qu'Alberich n'appartient pas à la mafia tchétchène. Et parce que je peux contacter votre gouvernement et demander que l'un de vos supérieurs vous le confirme au téléphone. »

Je ne cille pas. Je peux sentir sa colère me dévorer du regard. Il tire une petite boîte en carton aux bords ouverts et la pose avec fracas sur le bureau de travail.

« Voilà ce que vous m'avez demandé. Les effets personnels d'Alberich, tels que nous les avons retrouvés le soir de son accident cardiaque il y a un mois, dans sa chambre d'hôtel du 14 de la Theodor-Heuss-Platz. Ses vêtements et chaussures ont été expédiés à l'hôpital où il est soigné actuellement, votre nouvel hôpital américain de Berlin. »

Je scrute du regard les accessoires entreposés pêle-mêle dans le carton — une paire de lunettes, une calculatrice de poche, un stylo Bic argenté, un paquet de cigarettes de la vieille marque soviétique Belomorkanal. Il n'y a rien. Je m'arrête sur une pochette en plastique contenant des pilules blanches et la tends à Berger.

« Vous les avez fait analyser, Kommissar ?

— Pourquoi cela ? On a retrouvé ces cachets éparpillés sous le lit, près d'un tube d'aspirine. À vous de faire le lien, agent Tod-Smith… »

Je suis sur le point de les remettre dans le carton, lorsque deux lettres en cyrillique marquées en creux sur l'une des faces d'un cachet accrochent mon regard. Je reconnais cette inscription. J'ouvre à nouveau le sachet en plastique. Je sors l'un des comprimés, tire un canif de ma poche et commence à en gratter très légèrement la couche protectrice. Je m'approche du comprimé. Elle est difficile à déceler, mais c'est bien l'odeur à laquelle je m'attendais. Je demeure interdite. Merde. Il ne s'agit pas d'aspirine. J'ai déjà vu ce type de comprimé, en séance de formation, à Langley. Ils étaient utilisés il y a longtemps, en Russie du temps du KGB. Lorsque les unités spéciales du 5e directorat principal s'occupaient d'éliminer silencieusement certains dissidents enfermés en asile psychiatrique. Les comprimés contiennent du sodium monofluoroacétate. La molécule provoque attaque cardiaque et cérébrale. Elle est mortelle pour toute prise supérieure à deux cent cinquante milligrammes. Si Alberich en a réchappé, c'est que le produit a été mal dosé ou que le stock du KGB d'où il a été tiré a mal vieilli. Je suis sous le choc. Berger s'en aperçoit, ce qui augmente son inquiétude.

« Eh bien, agent Tod-Smith ! Vous avez l'air d'avoir vu le diable ! »

Alberich est en danger. Les hommes de la « Déesse » ont tenté de l'éliminer. Peut-être sont-ils toujours en ville, à le rechercher. Il craint qu'Elle ne le retrouve. Et c'est parce qu'il a peur qu'il se refuse à me parler. Alberich est peut-être fou, mais, comme m'en prévenait Nikolaï, il continue à avoir un coup d'avance sur moi… et moi, je viens de me dévoiler devant Berger. Je n'ai plus le choix.

« Ce comprimé, Kommissar : ce n'est pas de l'aspirine. Faites-le analyser. »

Le visage de Berger se décompose. Je poursuis.

« Laissez-moi jusqu'à demain avant de reclassifier la situation d'Alberich. Le temps de l'analyse. Et essayez d'en savoir plus sur les Russes qui voudraient interroger le docteur Alberich. Ce sont peut-être les mêmes qui ont essayé de lui faire avaler le "cachet d'aspirine". »

Il est sur le point de me répondre quand tout d'un coup une panne d'électricité générale éteint ampoules et halogènes autour de nous. Seule demeure la lumière du jour filtrée par les carreaux de la vitre, qui transperce péniblement à travers une couverture épaisse de gros nuages gris. Le temps est suspendu. On entend deux cris venant de l'étage d'en dessus, et des bruits de pas de course qui craquent sur le plancher de bois.

« Une panne de quartier, Kommissar ? »

Berger est impassible. Il lève la tête, le regard au-dehors de la vitre.

« Pas sûr. Je ne sais pas si vous avez ouvert le poste ce matin — on annonce des pannes de courant dans toute l'Europe. »

Je regarde ma montre. Si je veux évacuer Alberich et retourner à Washington avant la fin du jour, je n'ai plus que deux heures pour l'interroger.

« Je dois partir, Kommissar. Nous avons un accord ? »

Berger acquiesce de la tête, résigné.

« OK. Plus qu'un jour. »

Je quitte le commissariat et fonce vers l'hôpital américain de Berlin. Je ne dispose même pas d'un jour. Dans le taxi qui m'emmène vers Alberich, la ville et ses spectres défilent et s'agitent sous mes yeux comme pour une dernière parade — ici, une rangée d'immeubles aux verres plus sombres que d'habitude, assommés par une coupure surprise d'électricité ; là-bas un bouquet de

feux de signalisation brûlant au rouge avec une imperturbable fixité. À chaque coin, des gens aux regards
surpris et inquiets. Une atmosphère de kermesse qui a
mal tourné flotte dans les rues, comme si les démons de
la ville avaient décidé de se rappeler au souvenir de ses
habitants. L'attaque a commencé.

79

3 août (midi)

Le soleil est au zénith. La Solution a atteint l'Europe.

À l'annonce de la mobilisation générale en Israël, la plupart des chancelleries en Europe paniquent. C'est la goutte d'eau. Alors que la Russie semble s'enfoncer dans une paralysie générale où plus un son, plus un bruit ne passe ; alors même que la tension entre la Chine, Taiwan, les deux Corées, le Japon, l'Inde et le Pakistan semble atteindre son point de rupture ; que le déchaînement de la crise au Moyen-Orient, la rupture probable maintenant des livraisons de l'Arabie Saoudite, de l'Iran, de l'Irak et la mobilisation des deux côtés de la frontière entre la Syrie et Israël semblent devenus autant de rouages d'une mécanique incontrôlable ; alors même que l'on murmure qu'un nouveau front pourrait s'ouvrir entre la Turquie et la Syrie — c'est l'ensemble des marchés en Europe qui se met à tanguer dangereusement. Tout comme dans le reste de l'Asie et en Russie, de gigantesques pannes électriques désorganisent et paralysent l'activité de grandes villes du continent — Stuttgart, Hambourg, Lyon, Göteborg, Budapest, Séville, Édimbourg — et puis brusquement toute la zone de Londres à Milan, en passant par Amsterdam, Bruxelles, Strasbourg, Francfort, Zurich : une nuit en pleine journée s'est abattue sur le cœur industriel et économique de l'Europe de l'Ouest. Pour des questions de sécurité, les grands axes ferroviaires sont interrompus, ainsi que le trafic sur de nombreux aéroports. Dans les éditions des journaux télévisés de la mi-journée, quand les réseaux câblés sont encore en état de fonctionner, c'est un sentiment diffus de peur et d'interrogation qui envahit les écrans. Au même moment, le secrétaire général de l'OTAN propose aux pays membres et à la France de convoquer une réunion d'urgence de l'organisation. Ce que le secrétaire général ne sait pas, c'est que le président français Vernon et le chancelier König sont perplexes quant à l'origine de ces attaques. Pendant plusieurs heures, ils ont poursuivi la politique de falsification électronique des cours de change euro/dollar, démarrée dès l'ouverture de Tokyo. François et Daniel s'étaient persuadés que les Américains avaient essayé de leur rendre la pareille sur la question du renseignement économique. Mais bientôt les variations des deux monnaies n'ont plus aucun sens. La fluctuation de l'une par rapport à l'autre devient tellement forte qu'elle provoque une formidable bataille spéculative entre fonds de banques d'affaires des deux continents — une bataille dont l'issue est falsifiée à chaque instant par les équipes de guerre informatique du BND allemand et de la DGSE française. Vernon et König se sont même enfoncés dans leur politique de riposte électronique en donnant leur aval pour l'attaque électronique d'une liste de quarante nouveaux intranets de compagnies américaines. Mais le déchaînement du chaos électronique en Russie, en Asie et maintenant en Europe les a proprement effrayés — car ils redoutent d'avoir mis le doigt dans un engrenage qui les dépasse complètement : il est évident que l'immense drame en train de se dérouler sur la scène du monde n'a plus grand-chose à voir avec l'affrontement commercial euro-américain. Avec un lourd sentiment de culpabilité, Vernon et König acceptent la proposition du secrétaire général de l'OTAN, et joignent au téléphone le Premier ministre britannique afin de coordonner leur position. Mais il est déjà trop tard. La Banque centrale européenne est informée que les systèmes électroniques de la chambre de compensation liés à WorldNext ne sont plus en état de fonctionner correctement. La manipulation du BND et de la DGSE a entraîné, malgré elle, une suite d'erreurs aux conséquences insoupçonnées. Les systèmes de cotation sont devenus trop compromis pour être utilisés. Le système d'échange électronique qui gère le marché des obligations d'État pour l'Allemagne doit fermer — il est jugé trop corrompu. Les effets de la suite d'erreurs sur la volatilité des marchés sont démultipliés par le désordre général dans les grandes villes d'Europe. Comme la rangée d'arbres dans l'Ohio qui jadis rompit la ligne de transmission et plongea le quart nord-est des États-Unis dans le black-out, plus rien n'arrête désormais la Solution : de panne électrique générale, elle se métastase en krach financier. En moins d'une heure et demie, tous les marchés sont forcés de suspendre les cotations. Les indices Eurostoxx et Footsie se sont effondrés brutalement — on a forcé manuellement les ordinateurs gérant les cotations à s'arrêter en les débranchant de peur que les calculateurs poursuivent automatiquement la spirale vers le fond ! Le président de la Fed américaine propose par avance que les marchés américains suspendent toute activité avant même que la cloche d'ouverture ne retentisse à Wall Street. Des rumeurs affirment que le système de messagerie internationale interbancaire Swift qui garantit les transferts de fonds internationaux connaîtrait de nombreuses difficultés.

Quand le secrétaire au Trésor américain apprend cette dernière nouvelle, il contacte directement le président Brighton. Cette fois, ce sont les infrastructures mêmes des échanges financiers mondiaux qui sont en danger. Et si une crise de liquidité éclate alors que partout les Bourses s'effondrent — on n'est plus très loin d'une véritable crise financière systémique à l'échelle du globe, aux conséquences bien plus violentes que la dépression boursière qui suivit le 11 septembre 2001. Or la Solution court maintenant sur l'ensemble du continent nord-américain. Déjà, depuis quelques heures, l'ensemble des établissements de services financiers pour les particuliers subit de plein fouet la paralysie des communications en Asie : les centres d'appel des banques et des assurances anglo-saxonnes — délocalisés en Inde — ne répondent plus, provoquant la fureur et l'inquiétude de millions de clients en Grande-Bretagne et aux États-Unis. Les principaux réseaux de télévision câblée au Canada et aux États-Unis interrompent leurs émissions les uns après les autres au fur et à mesure que les perturbations électroniques se propagent aux différentes grandes villes du Nord américain. Au FBI, l'unité de sécurité des structures informatiques civiles alerte le Department of Homeland Security et le président d'un danger imminent.

Et puis soudain en fin de journée, en à peine deux minutes, tout s'accélère. En une centaine de secondes, une gigantesque panne de transmission affecte l'ensemble des compagnies régionales de communication et les opérateurs longue distance. Plus aucun serveur Internet n'est disponible pour les particuliers. Presque plus aucune communication téléphonique civile n'est acheminée. Les neuf dixièmes des réseaux électroniques d'entreprise ne fonctionnent plus. Les systèmes de comptabilité de nombreuses compagnies sont rendus inaccessibles. Des réseaux sécurisés reliant les grands constructeurs automobiles de Detroit à leurs équipementiers tombent en panne. Les chaînes de montage sont contraintes de ralentir. La grande distribution ne parvient plus à contrôler sa logistique. Des millions de commandes électroniques disparaissent ou sont acheminées par erreur à d'autres fournisseurs. Des milliers de camions de marchandises reçoivent en quelques minutes une salve d'ordres électroniques totalement contradictoires. Les grands transporteurs décident presque simultanément de suspendre leurs activités. Les cotations sur le marché de matières premières de Chicago sont suspendues pour une durée indéterminée. Sans téléphone, d'autres marchés électroniques privés s'arrêtent — il ne devient plus possible sur le marché nord-américain de se procurer du bois, de l'acier, du plastique, de l'énergie et de la bande passante pour faire circuler de l'information —, ce qui accélère l'engorgement et la paralysie des derniers réseaux de communication restants. La panique et l'assèchement de tous les circuits financiers vont s'occuper du reste. Un krach économique d'une ampleur sans précédent est en cours. Le Department of Homeland Security vient d'envoyer une alerte pour « risque terroriste » à l'ensemble de ses correspondants du FBI. Dans la plus grande ville du continent nord-américain, New York, qui est aussi son plus grand centre financier et l'endroit où sont regroupés les quartiers généraux des plus grandes sociétés américaines, la situation bascule rapidement. Le centre de gestion de crise situé dans le New World Trade Center déclenche l'alerte au moment où les communications téléphoniques via les opérateurs civils ne peuvent plus être acheminées. Au même moment, des anomalies dans le fonctionnement des réacteurs nucléaires d'Indian Point situés au

nord dans le comté de Westchester conduisent la centrale
à réduire brutalement son activité. La diminution de la
production est si forte que la municipalité de New York
ne peut plus faire face à la demande. La chute de tension
qui suit est brutale. En quelques minutes, toute lumière
disparaît depuis le fort Clinton, à la pointe de Manhattan,
jusqu'à Canal Street. Dans Downtown, les nouveaux
gratte-ciel reconstruits autour du New World Trade Center sont figés en monolithes anthracite qui disparaissent
dans la nuit. La montée de la lame noire s'effectue rapidement en vagues successives de blocs d'immeubles.
Une marée de ténèbres engloutit méthodiquement tout
Manhattan. *Diners* grecs, brownstones d'avant-guerre,
églises catholiques, temples épiscopaliens, jazz joints,
traiteurs kasher, synagogues libérales, fast-food libanais,
ongliers coréens, débits de cafés au lait, brasseries
monégasques, supérettes pakistanaises — et, enfin,
Times Square : tout s'éteint brutalement. En quelques
minutes. La nuit remonte la 95ᵉ rue ; elle est sur les résidences bohèmes de Prospect Park et les enclaves domi-
nicaines de Washington Heights. Elle gagne le reste des
boroughs et s'étend même au-delà, de l'autre côté de
l'Hudson, vers les territoires inavoués de New York City
dans le proche New Jersey. Un immense embouteillage
scintillant d'éclats de phares rouges et jaunes paralyse
toutes les voies alors que la nuit est de plus en plus
épaisse. Pendant un moment, tout continue dans le noir,
comme si de rien n'était. La lumière va revenir… Mais
la nuit se prolonge. Une angoisse invisible sourd peu à
peu. L'atmosphère festive du black-out d'août 2003 est
oubliée. Tous savent que le pays risque depuis une
semaine la guerre contre la Chine. Les chauffeurs de taxi
haïtiens ou sénégalais n'acceptent plus de clients. Ils
désertent et foncent chez eux. Le fantôme du 11 septembre 2001 réapparaît. Les bus municipaux ont ordre

de retourner au dépôt. Le métro s'est arrêté, totalement plongé dans l'obscurité. Au bout d'une demi-heure, la plupart des bureaux de Wall Street et de Midtown Manhattan ont fini par être désertés. Tout le monde rentre chez soi, les familles se réunissent, la peur au ventre. Quelque chose se prépare. Quelques étudiants, des touristes et ce qui reste de clochards contemplent, étonnés, le spectacle de la ville qui se dépeuple et s'endort. Les gratte-ciel, la plupart éteints, composent un paysage de massifs noirs. Ils ressemblent à des géants abandonnés dont on vient de crever d'un coup les millions d'yeux. Le silence s'étend sur la ville.

Alors naît la rumeur. Un bruissement d'abord, le murmure étouffé d'une sirène. Puis la clameur — qui grandit lentement du fond des entrailles de la métropole. Le groupe électrogène indépendant qui alimente le centre de gestion de crise permet de surveiller la situation au fur et à mesure de la progression du blackout. Avec l'électricité, ce sont également les systèmes de communication des urgences qui s'effondrent. L'unité de traitement de « 9-1-1 », le numéro de téléphone des urgences, est tombée en panne. New York est livrée à elle-même. Des centaines de résidents tambourinent dans les cages d'ascenseur où la panne les retient prisonniers. Comme en Asie, au Moyen-Orient, en Amérique latine et en Europe, les salles d'urgences des hôpitaux se remplissent d'accidentés arrivés trop tard. Les centrales hydroélectriques du nord de l'État de New York commencent à s'interrompre. Les ordinateurs de la police de New York ont cessé de fonctionner. L'accès au réseau Supercyberknight devient de plus en plus malaisé. Le réseau du Fichier central des identités dédié à la petite criminalité connaît des pannes de plus en plus fréquentes. Pour prévenir le déclenchement d'émeutes par des gangs qui voudraient profiter du chaos, ordre est donné par radio à tous les policiers en tenue de quitter les stations de police et d'effectuer des rondes jusqu'au rétablissement des systèmes de communication. Les brigades d'hélicoptères de la police tournent autour de la ville jusqu'à épuisement du kérosène. Les pompiers de la ville décident d'entamer des rondes permanentes dans leurs quartiers. Le maire de New York vient d'arriver dans la salle de gestion de crises du New World Trade Center. Il connaît les statistiques : en temps normal, il y a un incendie toutes les sept minutes, une urgence médicale toutes les quatre minutes — et un crime toutes les trois minutes. En temps normal, il faut moins de cinq minutes aux équipes médicales pour arriver sur les lieux des urgences. Les premiers rapports qui remontent au centre du New World Trade Center montrent que les équipes médicales ont besoin d'au moins une demi-heure pour arriver sur les lieux des urgences. Les pronostics de survie sont divisés par quatre. Il y a désormais un mort toutes les huit minutes à New York. Le commandement de la police pour la zone de Brooklyn nord est mis en état d'alerte maximum. Le 44e precinct, l'un des postes de police du South Bronx, vient d'être informé que des groupes armés affiliés au gang d'El Salvador Salvatrucha sont en progression vers le Concourse Plaza Shopping Center, sur la 161e. Il serait en train de brûler. Plusieurs équipes médicales d'urgence rapportent qu'elles ne peuvent plus porter secours en certains endroits. Les véhicules abandonnés empêchent toute circulation. Il y aurait maintenant quinze foyers actifs dans la ville.

80

Journal de Julia — Berlin, 3 août

La peur s'est emparée de la ville. Plus de murs de lumières, plus de feux tricolores, plus de passants baladant leurs jambes molles le long des pavés — un silence nu, au cœur de cette soirée d'été, règne entre Alexanderplatz et Pariserplatz et rappelle que Berlin est encore en sursis, à jamais. C'est le carnaval des fantômes. C'est l'heure d'Alberich. Je fonce dans un café déserté sur Oranienburgstrasse — le patron, petite moustache blanche finement aiguisée pour toute preuve de sagesse, m'annonce qu'il va fermer à la demie. On retourne les tables dans le fond de la salle. Je cours m'enfermer aux WC en sous-sol sans attendre la prochaine remarque.

Installée tant bien que mal sur la cuvette, j'ouvre mon ordinateur portable. Le signal d'un de nos satellites militaires de communication est repéré immédiatement. Je viens aux nouvelles. Si nous sommes en guerre, mon « verre de gin au bar de Chestnut Tree » s'arrêtera peut-être là.

Un e-mail de Paul, envoyé ce matin — c'est-à-dire au milieu de la nuit à Washington.

« Le rendez-vous au Chestnut Tree tient toujours. Si nécessaire, passez en message instantané. »

Paul a peur. Il veut savoir ce que m'a dit Alberich. Il exige un compte rendu sous communication cryptée — et cette fois sans langage codé.

Les craintes de Paul… Adam est un intellectuel qui hésite la minute de trop devant la falaise. Mais, à trop douter, il me met en danger. Nous pourrions nous faire griller, et lui et moi. Tant pis. J'installe le logiciel de communication sécurisé et je commence d'écrire mon message instantané.

« J'ai besoin de temps pour terminer. Quelle est ma marge de manœuvre ? Quel est le plan de Dörner ? »

Quelle heure est-il à Washington ? Je regarde mon écran muet, assise comme une conne sur la cuvette. Le plancher craque de toutes parts. À l'étage, le patron prépare sa fuite.

J'attends l'improbable réveil de Paul, comme s'il était déjà devant son clavier, comme s'il attendait depuis toujours que je pose un baiser sur son écran. Mais seul un silence éternel répond à mes murmures impatients.

Et puis — sonnerie.

Une icône clignote.

Le message tombe à l'improviste, depuis l'autre bout de la Terre.

« Le rendez-vous ne donne rien ? Passez au gin. Maintenant. Vous n'avez plus le temps. »

Paul est bien de l'autre côté. Je me jette sur le clavier.

« Soyez plus précis. À quoi pense Dörner ? J'ai besoin de le savoir, Paul. »

Envoi.

Ne tergiverse pas, Paul. Tu dois tout me dire. Tu sais que mon maître est aussi ton patron. C'est Jack qui m'a voulue. Paul s'en doute. Ses minutes sont trop longues.

Il attend lui aussi — puis précipite sa réponse.

« Le Centre NetOps du Strategic Command a été mis en alerte Emergency 1. Nous sommes en phase préventive. Tu sais ce qu'attend Jack de toi. C'est lui qui t'a demandée — pas moi. Va au bout de ta mission. Contact dans 6 heures. »

J'entends des cris à l'étage. Le patron est en colère. Le portable manque de glisser sur mes cuisses. Je relis le message. Juste être vraiment sûre d'avoir compris. Juste.

« OK. »

Envoi.

C'est au moment où je presse la touche que je ressens la lame froide dans mes entrailles. Je ne peux plus l'éviter. Je quitte la cuvette, vaguement chancelante. Odeur d'urine près des chiottes des mecs. Je dois fuir le café, son patron et le dégoût terrible qui m'assaille. Alberich m'attend.

81

3 août (soir)

Le président Brighton vient d'être mis au courant de la demande d'intervention des forces armées de la Garde nationale sur la zone de New York, réclamée par le maire et le gouverneur de l'État. New York aura la priorité ainsi que Washington, Houston, Los Angeles, Miami, Chicago et San Francisco. Car, dans l'ensemble des grandes villes des États-Unis et du Canada — et d'Europe de l'Ouest, et d'Asie —, on assiste au même phénomène de nécrose, de désorganisation et de chaos. Les systèmes de surveillance antiterroriste commencent à donner d'inquiétants signes de faiblesse. En Colombie, les forces armées révolutionnaires seraient en train de marcher sur Bogotá, totalement plongées dans le noir. En Iran, une véritable bataille rangée aurait lieu en ce moment même à Téhéran, entre forces armées nationalistes et proréformatrices. En Russie, plutôt que de courir le risque d'un accident nucléaire, l'agence Rosenergoatom qui gère les réacteurs civils nucléaires a décidé l'arrêt immédiat de l'exploitation des neuf centrales de Russie — après qu'une panne des systèmes sur l'un des réacteurs de la centrale de Smolensk a failli provoquer une catastrophe. À Bruxelles, de nombreux pillages auraient saccagé le centre-ville. Au même instant à Jérusalem, le Premier ministre Uriel Bar-Ilan écarquille les yeux devant le rapport que lui présente le chef des services secrets, le Memuneh : l'unité « 8-200 » de guerre informatique du Mamram a identifié l'agresseur. Il s'agit de l'Indonésie. Les forces de l'OTAN sont placées en état d'alerte générale. La sixième flotte américaine, basée en Méditerranée, est placée en « Defense Conditions 3 ». L'Arabie Saoudite annonce la suspension définitive pour deux jours de l'exploitation des champs de Ghawar et Safaniya. Dans les Émirats arabes unis, une escadrille de Mirage 2000-9 vient d'être mise en état d'alerte maximale. Les Mirage sont armés de missiles de croisière français Black Shaheen vendus à la fin des années 1990. Au même instant, de l'autre côté de la frontière, des ingénieurs saoudiens procèdent à des tests de contrôle sur les têtes nucléaires livrées à l'Arabie Saoudite par les laboratoires de recherche de Kahuta, au Pakistan. Ils peuvent décoller à tout moment. À onze mille miles nautiques de la surface de la Terre, la constellation des trente-deux satellites du Navstar Global Positioning System commence, elle aussi, à donner des signes de faiblesse. Sur terre, la station de contrôle principale de Falcon dans le Colorado est mise en état d'alerte, ainsi que l'US Strategic Command. Au fur et à mesure des minutes, un brutal fléchissement du signal est mesuré par les stations de Kwajalein dans l'océan Pacifique et de Diego Garcia dans l'océan Indien. Le chef d'état-major, le général Dörner, prévient : si les systèmes GPS à usage militaire ne peuvent plus fonctionner, l'ensemble des forces armées américaines sera cette fois réellement mis en péril. Tous les bâtiments de l'US Navy ainsi que la plupart des appareils de l'US Air Force vont connaître des problèmes graves de navigation. Les missiles de croisière JDAM seront dans la seconde inutilisables. Une partie des forces stratégiques nucléaires américaines va être rendue inopérante. Dörner, Levin, Cornelius, Grant et Brighton sont obligés de prendre leurs responsabilités. La 2e flotte assurant la défense de l'Atlantique passe en « Defense Conditions 3 » ; le Strategic Air Command est placé en « Defense Conditions 2 ». Des agents des services secrets armés de fusils d'assauts sont déployés dans Washington. À travers le monde, toutes les ambassades des États-Unis d'Amérique font simultanément sonner la sirène d'alarme qui annonce une alerte de première gravité. Les civils non habilités sont immédiatement évacués. Leurs portes se verrouillent automatiquement. Le Department of Homeland Security apprend que le système Supercyberknight de lutte antiterroriste ne répond plus. Le Fichier central des identités est inaccessible. Le FBI et les forces de police locale viennent de perdre leur principal outil de lutte contre la criminalité, la petite délinquance, le grand banditisme ou le terrorisme. Les systèmes de reconnaissance des identités faciales sont muets. Le FBI est dans l'incapacité d'intercepter et d'analyser des messages terroristes. Des unités des Forces spéciales vont décoller pour sécuriser les grands centres urbains. Les unités de guerre informatique de l'US Army, l'US Air Force, l'US Navy, de la NSA sont placées en « Emergency Conditions 1 ». Au-dessus d'eux, l'US Strategic Command dont dépend l'US Space Command a dépassé le stade de l'alerte. En charge à la fois des missions de défense et d'attaque des réseaux d'informatique, ainsi que des forces nucléaires stratégiques, le Strategic Command est sur le pied de guerre.

Et puis, soudain, au Kremlin, c'est l'alerte générale : le système SPRN de détection avancée de missiles ennemis vient de repérer le décollage d'une fusée en Finlande. Sur la base radar d'Olenegorsk, le général en charge de l'analyse des menaces est incapable de dire s'il s'agit d'une fusée civile ou d'un missile militaire et ne peut préciser la direction va prendre l'engin : les ordinateurs du SPRN paraissent tourner dans le vide ! Le président Nembaïtsov, le ministre de la Défense et le chef d'état-major, le général Brassov, s'emparent tous trois de leurs valises « Cheget ». Elles contiennent les codes de lancement des missiles nucléaires. Ils suivent maintenant par téléconférence la trajectoire du missile. Toutes les deux secondes, l'ensemble des stations de contrôle du pays précise la position du vecteur. Le complexe militaire de gestion des crises nucléaires, creusé dans la montagne Kosvinskiï, dans l'Oural, est mis en état d'alerte général. Les batteries de missiles antimissiles S-300 au-dessus de Moscou sont réactivées. Mais Boris Alexandrievitch refuse d'activer le système de communication Kazbek qui lui permettrait de transmettre au poste central de commandement de l'état-major l'ordre de lancement des missiles balistiques intercontinentaux Topol-M. S'il active Kazbek, il élève au plus haut niveau d'alerte l'ensemble des forces stratégiques russes. Automatiquement, l'ensemble des forces nucléaires américaines passera lui aussi en « Defense Conditions 2 »… Et puis — stupeur. Au bout d'une minute trente, c'est la consternation : le vecteur en question n'existe pas. Nembaïtsov est effrayé de constater que l'ensemble des systèmes d'alerte avancée des forces stratégiques commence lui aussi à être atteint par le brouillage électronique qui a englouti le pays depuis une douzaine d'heures. Or, sans systèmes d'alerte avancée, il n'y a pas de capacité de riposte. Ou alors, c'est l'attaque préventive. Boris Alexandrievitch ne peut ignorer l'état de délabrement du réseau SPRN. Il ne sait plus comment réagira le système d'alerte avancé si l'attaque informatique se poursuit. Il craint que le déciblage d'objectifs américains acquis dans les années quatre-vingt-dix ne puisse accidentellement être annulé : le système informatique russe Signal-A permet en une dizaine de secondes de reprogrammer des cibles localisées aux États-Unis pour les deux mille têtes nucléaires constamment prêtes au décollage des forces stratégiques de fusée de la Russie. Que se passe-t-il si les systèmes informatiques SPRN et Signal-A sont victimes de l'attaque électronique perpétrée par Arzamas-84 ? Si des « bombes logiques » y ont été déjà dissimulées ?

Boris Alexandrievitch fait communiquer d'urgence à Jack Brighton via le télétype du « téléphone rouge » un compte rendu de la fausse alerte qui vient d'avoir lieu. Il vaut mieux que Brighton l'apprenne de Boris Alexandrievitch lui-même. Mais Nembaïtsov a aussi des questions. Les Américains auraient-ils des informations sur Arzamas-84 ?

Au même moment, Victor Teng, le président taïwanais, vient à nouveau d'appeler la Maison Blanche. La situation à Taiwan a empiré. Certains systèmes de communication militaire de classe Nato Link-21 sont brouillés. Comme lors de l'attaque chinoise contre Quemoy et Matsu. Victor Teng menace désormais de réaliser un essai nucléaire atmosphérique dans douze heures.

Vu de l'espace, l'hémisphère Nord tout entier de la planète semble plongé dans les ténèbres, évoquant les images satellites prises du quart nord-est des États-Unis lors du black-out d'août 2003. Le soir approche des côtes d'Amérique. Le système Monde s'est arrêté.

Boris Alexandrievitch finit de dicter en russe son message sur le télétype du Moscow Link, le « téléphone rouge » :

« MONSIEUR LE PRÉSIDENT, NOUS SOMMES MENACÉS PAR UNE ATTAQUE INFORMATIQUE QUI RISQUE DE METTRE EN DANGER NOTRE RÉSEAU DE DÉTECTION D'ALERTE AVANCÉE. NOUS ESTIMONS QUE L'INSTITUT SCIENTIFIQUE D'ARZAMAS-84, DANS L'*OBLAST* DE TOMSK, DIRIGÉ PAR LE PR ERNST ALBERICH, EST À L'ORIGINE DE CETTE ATTAQUE. NOUS VOUDRIONS EXPLORER AVEC VOUS L'HYPO- THÈSE QUE LA CHINE, QUI A COOPÉRÉ AVEC L'INSTITUT D'ARZAMAS DANS UN PASSÉ RÉCENT, POURRAIT AGIR SUR ARZAMAS AFIN DE FAIRE CESSER LES ATTAQUES. »

La réception du message jette Brighton dans un embarras profond. Levin tire une conclusion encore plus dramatique. Terrifiée par l'affaire Arzamas, la Rus- sie semble sur le point de déclencher la guerre contre la Chine.

Dans le ciel de Washington, les territoires de la nuit paraissent sans limites.

82

Journal de Julia — Berlin, 3 août (soir)

Au seuil de la chambre, l'infirmière me fait un ultime compte rendu : Alberich a refusé de s'alimenter à midi et ne cesse de réclamer une horloge et un calendrier. Il essaie de trouver une façon détournée de demander quel jour il est, toujours traumatisé par ses séances de punition.

« Je connais nos procédures, madame. Mais… il est de mon devoir de vous prévenir. Je pense que le patient est en train de perdre la raison… »

À défaut de réponse, je l'envoie faire des recherches sur l'hôtel du 14 de la Theodor-Heuss-Platz où Alberich a été retrouvé après son accident cardiaque. Je suis désormais seule face à Alberich. Je me glisse dans la chambre. Il est immobile, comme embaumé dans son lit. Je m'approche. Il se retourne d'un geste brusque — il a senti immédiatement ma présence.

« Fräulein Tod ! Pourquoi t'en es-tu allée… ce matin ? Tu es bien venue ce matin, n'est-ce pas ?

— Oui, docteur. J'étais là ce matin. Comme tous les jours. Je suis à vos côtés, docteur. Je suis là pour vous aider. »

Je sors ma trousse. Je peux encore utiliser une deuxième seringue. Celle-ci contient du sodium penthotal, un composé assez répandu qui désinhibe le patient et l'emporte dans un flot de paroles. Il y a bien une troisième seringue — mais je ne l'utiliserai que si Alberich tombe entre les mains des Russes de la « Déesse ». Ce sera la dernière pour lui. Je tire son bras, plante l'aiguille, injecte la drogue et repousse ce corps décharné. Il baisse la tête, abattu, les membres inertes le long du corps. J'espère qu'il n'est pas encore mort. Le dosage que j'ai choisi est très concentré. La vérité n'en sera que plus authentique. Je le sens frissonner. Il reprend lentement ses esprits.

« Fräulein Tod… ma vue se trouble. J'ai… la tête qui tourne un peu. Est-ce normal, Mort ? »

Il m'appelle dans le noir. Je lui prends la main.

« Tout est normal, docteur. Tout est normal. » Il a un peu de fièvre. « Docteur, je suis là près de vous. Nous avons retrouvé les comprimés de poison. Nous savons que l'on a essayé de vous faire avaler du sodium monofluoroacétate. »

Il me fixe — et je vois dans ses yeux la même terreur panique que celle qui l'a submergé hier. Son pouls s'accélère rapidement.

« Nous pouvons vous protéger d'elle. Nous pouvons vous défendre contre la Déesse et son organisation. Nous ne voulons pas qu'il vous arrive le même sort qu'à votre collègue, le professeur Sergueï Ponomarenko. Vous devez savoir qu'il est mort d'une crise cardiaque. Quelques jours avant que vous ne fuyiez vous-même la Russie. »

Ses deux yeux bleus comme l'azur se noient de brume.

« Je sais… Je sais… Sergueï a été assassiné. Elle l'a fait assassiner. Elle ! C'est pour cela que j'ai fui…

Je suis parti aussi vite que j'ai pu, Mort. Je ne voulais pas qu'elle se saisisse de moi. Elle l'a fait assassiner. Pauvre Sergueï. Il n'a pas compris Sa puissance. Elle peut tout, Mort. La Déesse est indestructible. Rien ne pourra l'arrêter désormais. Rien ni personne. »

Je ne peux cadrer sa logorrhée — c'est l'un des effets de la drogue. Je dois le laisser parler, comme on fait vomir un malade intoxiqué, jusqu'à ce que toute la vérité sorte. J'appose mes mains douces et parfumées sur ses épaules tremblantes.

« Rien ni personne n'est indestructible, docteur. Nous pouvons vous protéger de la Déesse et de son organisation. Nous représentons une puissance supérieure et nous serons à vos côtés, docteur.

— Non ! Tu ne sais rien, Mort ! Elle est plus puissante que tu ne l'imagines ! Elle va nous écraser, comme Elle en a écrasé d'autres avant nous et le fera après que notre civilisation ne sera plus qu'un souvenir carbonisé. » Je ne sais plus de quoi il me parle. Je le laisse continuer — il est sous l'effet de la drogue et je ne peux plus l'arrêter. « Nous sommes les prochains sur Sa liste, tu comprends ? Nous — *Homo sapiens* ! La prochaine espèce animale dans l'Univers à embrasser son désir… Longtemps, pareil au commun des mortels, je prenais cela pour de la paranoïa. Nous avons vécu à Ses côtés pendant tant de millénaires — pourquoi nous détruirait-Elle aujourd'hui ? Jusqu'au jour où l'on m'a fait entendre le silence des étoiles. Jusqu'au jour où l'on m'a expliqué le paradoxe de Fermi.

— Expliquez-moi, docteur. Je veux comprendre. Qu'est-ce que le paradoxe de Fermi ?

— La question la plus déterminante pour notre espèce ! Je m'étonne que toi, Mort, tu ignores le paradoxe de Fermi… C'est une sorte de tradition orale qui circule parmi certains cercles de physiciens nucléaires

et d'astronomes. Une réflexion logique qui vient naturellement à tous ceux qui se penchent sur la question
de la vie extraterrestre. Un collègue de l'Akademgorodok, un scientifique travaillant tout comme moi sur
nos systèmes de défense, m'a raconté l'anecdote de la
découverte du paradoxe par Fermi — il la tenait d'un
ami astronome russe qui l'avait entendue lui-même
d'un confrère astrophysicien américain ayant fréquenté
les physiciens nucléaires de Los Alamos. L'été 1950,
alors que l'Union soviétique avait réussi à faire exploser sa première bombe atomique grâce aux travaux des
savants d'Arzamas-16, un groupe de vétérans du projet
Manhattan se sont retrouvés à nouveau à Los Alamos
pour terminer la bombe thermonucléaire à hydrogène.
Il y avait là, entre autres, l'un des futurs théoriciens de
l'attaque de première frappe, Edward Teller, ainsi que
le grand scientifique Enrico Fermi. Après le déjeuner
au réfectoire du Fuller Lodge, Fermi avait pris l'habitude de poser de grandes questions métaphysiques
à ses camarades : par exemple, que faire avec cent millions de dollars ? Et il essayait toujours de trouver à
haute voix des réponses sérieuses et cohérentes à ses
questions. Cet été-là, aux États-Unis, on a commencé
à parler de soucoupes volantes. Sur l'une des tables au
déjeuner, il y a un exemplaire du *New Yorker* avec un
cartoon qui montre des petits hommes verts avec des
valises descendant par dizaines sur Terre depuis leurs
soucoupes pour prendre leurs vacances d'été. Fermi
jette un regard distrait sur la page du *New Yorker* et
pose la question suivante : "Vous ne vous êtes jamais
demandé où est-ce qu'ils sont tous ?" Il parlait des
extraterrestres. Pour Fermi, le plus étrange, c'était
qu'en réalité nous n'avions toujours pas eu de contacts
ou de visites depuis des millénaires avec des espèces
extraterrestres intelligentes. Fermi faisait l'hypothèse,

confirmée depuis, que l'Univers contient trop d'étoiles pour qu'il n'y ait pas un nombre incommensurable de planètes ; et trop de planètes pour que la vie, au moins dans sa forme unicellulaire, ne soit pas répandue dans tout l'Univers. À partir de là, les nombres sont tellement gonflés de zéros que même en s'appuyant sur les probabilités les plus pessimistes, il reste encore un trop grand compte de formes de vie unicellulaire ayant pu évoluer vers des espèces complexes et intelligentes… Mais si la vie est répandue dans tout l'Univers, pourquoi personne n'est venu nous rendre visite ?

— Parce que, docteur, les distances sont peut-être trop grandes dans l'espace… ou parce que nous sommes les plus avancés technologiquement. »

Il se met à rire.

« Tu n'as pas assez réfléchi, Tod… L'intelligence humaine ou extraterrestre est un processus de traitement de l'information et d'accumulation du savoir. Elle agit certes sur la nature, mais surtout sur elle-même. Voilà pourquoi l'intelligence est un processus exponentiel. Passé un certain seuil, sa progression devient foudroyante. Je te donne en exemple notre espèce, *Homo sapiens*. Imagine que toute la vie de notre Univers soit représentée par une année terrestre. Quinze milliards d'années condensées en douze mois. Au 1ᵉʳ janvier, c'est la création, le "Big Bang" — et toi et moi et toute notre société nous nous situons à l'autre extrémité de cette année, le trente et un décembre au douzième coup de minuit. Pendant les neuf premiers mois de l'Univers, tout demeure en gestation. Puis, au début de l'automne, voilà la Terre qui prend naissance. La vie sur la nouvelle planète a un peu de retard et n'apparaît qu'au dixième mois. Elle se développe lentement et n'atteint l'adolescence, la reproduction sexuée, qu'après la mi-décembre. Les premiers hominidés grimpent sur les arbres en début de soirée de notre 31 décembre. Notre espèce dans sa forme actuelle, *Homo sapiens*, surgit dans la nuit, une minute seulement avant la fin de l'année. Tout s'accélère alors. Dix secondes avant la fin, nous découvrons l'écriture et le calcul. Dans la dernière seconde, nous créons l'imprimerie. Dans le dernier tiers de seconde, la révolution industrielle conquiert la planète. L'intelligence de notre espèce jaillit maintenant sans limites, telle une courbe qui s'envole vers le ciel. Dans les deux derniers dixièmes de seconde de l'année, ce qui correspond au XXe siècle, neuf dixièmes de toutes les inventions de l'humanité sont découvertes. Et nous nous tenons maintenant au milieu de la nuit. Il est minuit. Si nous triplons notre savoir et notre intelligence à chaque dixième de seconde, où nous trouverons-nous dans une minute ? Dans le dernier dixième de seconde, nous avons commencé l'exploration de l'espace. Peux-tu imaginer ce dont sera capable notre espèce dans une minute, lorsque son savoir actuel aura été multiplié par un chiffre équivalent à dix suivi de deux cent quatre-vingt-cinq zéros ? Un facteur plus grand qu'il n'y a d'étoiles dans l'Univers ! Aurons-nous alors conquis la Voie lactée, notre amas local de galaxies ou même l'espace tout entier ? Il nous est impossible de pouvoir l'imaginer — tout simplement impossible. Dans une minute à peine — trente mille ans ! Ce n'est rien depuis l'horloge où nous nous tenons. Et maintenant, avant d'avancer et de suivre l'aiguille, arrête-toi : Fermi ne nous a-t-il pas affirmé que des milliers et des milliers d'autres espèces intelligentes peuvent naître dans l'espace ? Si tel est le cas, il est certain que des milliers de civilisations sont apparues avant nous — au moins une minute avant nous. Peut-être même deux minutes avant nous. Et qui sait — peut-être même des jours et des semaines avant notre 31 décembre. Mais alors, demande Fermi : où sont-elles ? Pourquoi l'Univers tout entier est-il silencieux, alors qu'il devrait résonner à chaque endroit du fracas de civilisations bien plus étendues et avancées que la nôtre ? »

Je n'arrive pas à faire le lien avec le chaos informatique qui submerge le monde et l'organisation de la Déesse — mais je soupçonne Alberich de savoir parfaitement où il veut m'emmener.

« Eh bien, docteur, quelle solution Fermi a-t-il trouvée pour expliquer ce paradoxe ? »

Ses deux yeux bleus brillants me transpercent.

« Fermi a essayé d'expliquer le silence de l'Univers en affirmant que le voyage interstellaire était probablement trop difficile à effectuer... Mais les savants témoins de ce déjeuner ont noté que la question était importante — et que la réponse de Fermi n'était pas satisfaisante... Il y a une autre réponse. Mais Fermi a essayé de l'évacuer rapidement. Vois-tu, Mort, Enrico Fermi, Hans Bethe, Edward Teller — tous ces scientifiques étaient revenus à Los Alamos cet été-là pour construire la bombe thermonucléaire. Ils s'étaient disputés avec leurs anciens camarades du projet Manhattan, les Einstein et Szilárd qui considéraient maintenant que l'arme atomique était une menace pour l'espèce humaine. Alors, évidemment, Enrico, Hans et Edward ne pouvaient admettre que leur création était la réponse au paradoxe de Fermi ! Que la seule solution logique au silence des étoiles, c'était l'autodestruction de l'intelligence par l'intelligence : les civilisations extraterrestres n'ont pas le temps de se diffuser dans l'Univers car le savoir qui leur permet de s'arracher à leur planète leur accorde également le pouvoir de s'anéantir... Ainsi, les espèces animales intelligentes ne peuvent résister à l'accélération du savoir dans leur dernière minute de vie. Elles n'atteindront jamais le facteur dix et ses deux cent quatre-vingt-cinq zéros. Sinon… nous le saurions déjà ! Nous serions cette petite cabane de bois perdue au milieu du bruit étourdissant d'une métropole géante… Et c'est là, dans cette dernière minute, qu'elles La rencontrent. La Déesse. Et c'est dans Son amour que les civilisations s'immolent et disparaissent dans la nuit du ciel. Et laissent l'Univers à son silence éternel. »

Je ne comprends pas comment les assassins appartenant à la « Déesse » pourraient s'inscrire dans cette fresque métaphysique. Alberich délire-t-il totalement ? Je regarde ma montre. Plus qu'une heure. Tout son corps se met à trembler brusquement. Il ne me regarde plus.

« … De toute façon, nous avons déjà pris le chemin des étoiles. Nous ne sommes pas plus malins que nos prédécesseurs, les autres civilisations ! Regarde : il nous a fallu quarante-cinq ans et le gaspillage de ressources considérables pour comprendre que l'on ne pouvait pas gagner une guerre nucléaire ! La belle affaire ! Nous avons traversé quinze crises nucléaires pendant la guerre froide — et nous en avons réchappé à chaque fois parce que nous avons eu de la chance ! Oui, je dis bien de la chance, parce que idéalement chaque crise se jouait sur un échiquier parfait — mais rien n'est idéal dans la vie et la montagne d'erreurs que chaque camp commettait aurait pu tout aussi bien terminer la partie ! Je le sais mieux que quiconque, Mort. J'ai vu la chance de mes propres yeux. Comme je te vois toi. En même temps que j'ai vu le signe annonciateur de l'arrivée de la Déesse, oui ! De la Déesse ! Après avoir eu l'intuition de son immanence en écoutant le silence des étoiles. C'était ce 26 septembre 1983, à minuit quinze, heure de Moscou. C'est là qu'est né Arzamas-84. »

Je l'invite à poursuivre du regard. Il est brûlant de fièvre. Nous arrivons au cœur du vortex.

« ... C'est le 26 septembre 1983, à minuit quinze, que le sort du monde a failli définitivement basculer. Je le sais, j'ai mené l'enquête qui a suivi. À ce moment précis, le lieutenant-colonel Stanislav Petrov, dirigeant la base d'alerte stratégique de Serpoukhov-15 située à une centaine de kilomètres au sud de Moscou, reçoit la décharge d'adrénaline qui va changer sa vie et la mienne... Imagine : alors qu'une centaine de personnes vaquent tranquillement à leurs activités de contrôles, avançant dans la rumeur paisible de la routine — un énorme tintamarre qui tétanise tout le personnel retentit ; les sirènes d'alerte hurlent d'un cri strident et les écrans de contrôle recouverts de flashs rouges font clignoter follement le signal « CTAPT » : le système informatique Krokus avertit du lancement d'un missile balistique intercontinental américain depuis la base de l'Air Force à Malstrom dans le Montana, détecté par l'un des satellites de surveillance de type Oko, Cosmos 1382. Si Petrov obéit aux consignes, Tod, alors il doit avertir son supérieur, le général Votintsev, qu'une attaque nucléaire américaine est en préparation. Celui-ci devra réveiller le ministre de la Défense Oustinov qui préviendra le secrétaire général Andropov de la nécessité d'ouvrir la mallette noire pour transmettre les ordres de riposte. Le protocole est très clair : la riposte doit être le plus rapidement enclenchée. Mais lorsque Petrov tient au bout du fil le général Votintsev, alors que tous les systèmes informatiques indiquent le lancement du missile américain, il prend la décision d'expliquer au ministre qu'il s'agit d'une erreur informatique. Au fond de lui-même, Petrov s'est persuadé qu'il s'agissait d'une défaillance du système, pas d'une attaque de première frappe américaine — alors même que depuis deux ans les Américains ont engagé une escalade nucléaire dangereuse avec les Soviétiques sur la question des capacités nucléaires de première frappe. Et tandis qu'il essaie d'exposer son point de vue au général qui vient d'appeler le ministre, quatre nouveaux lancements de missiles balistiques américains Minuteman à tête nucléaire apparaissent tout d'un coup sur les écrans de contrôle. Votintsev monte d'un ton. D'après les calculs du centre, dans moins de vingt minutes les Minuteman américains auront atteint Moscou. Moins de vingt minutes ! S'il faut engager la riposte, la décider, c'est maintenant ou jamais. S'agit-il d'une attaque de première frappe ? Quinze minutes avant l'impact, Tod ! Le tintamarre dans la salle de contrôle de Serpoukhov-15 devient totalement assourdissant — moins de quinze minutes avant que le premier missile ne frappe Moscou ! Mais non : Stanislav Petrov s'en tient à son intime conviction : il s'agit d'une défaillance du système informatique. Petrov aurait pu croire que les Américains, persuadés de pouvoir « gagner » la guerre nucléaire, avaient décidé de provoquer les Soviétiques. Pis, il aurait pu ne rien croire du tout, et suivre strictement la doctrine. Mais voilà : il a suffi qu'un homme décide, dans son for intérieur, que la guerre ne pouvait avoir lieu pour que l'anéantissement de notre civilisation soit retardé. Chaque être humain que compte notre société de primates supérieurs doit l'en remercier. Au bout de quelques minutes, l'ensemble des contrôles radar à terre est venu confirmer l'absence d'intrusion de l'espace soviétique par des Minuteman américains. Mon enquête a démontré ensuite qu'il s'agissait bien d'une défaillance du système informatique — en fait, une interprétation erronée d'un réfléchissement des rayons du soleil sur les nuages au-dessus de la base américaine de Malstrom, confondu par nos logiciels avec le dégagement d'énergie au décollage de missiles… Mais cette analyse technique nous a pris plusieurs semaines, bien après l'incident ! Nous savions qu'en quatre minutes, il était impossible de détecter une erreur… En réalité, même en vingt minutes, c'était impossible. Le camarade Petrov a pris sa décision sans essayer de comprendre dans les faits s'il s'agissait d'une erreur ou non. Il n'a agi que sur la base de son intuition personnelle. Le camarade Petrov a sauvé la planète simplement parce qu'il a trahi le protocole de réponse. Si les Américains l'avaient su, ils auraient été convaincus de notre grande faiblesse. Voilà pourquoi nous avons été obligés de sanctionner le camarade Petrov… Mais maintenant, qui nous sauvera lorsque la Déesse viendra nous donner l'ultime baiser ? »

Je ne comprends toujours pas pourquoi il mêle les assassins de la Déesse à cette étrange passion mystique. Pourtant, je me sens moi-même séduite par son effroyable réflexion. Il me reste encore trente minutes. Je ne partirai pas tant que j'ignorerai qui se cache derrière la Déesse.

« Il y a une erreur dans votre raisonnement, docteur. Pourquoi d'autres espèces intelligentes n'auraient-elles pas saisi, elles aussi, que la solution au paradoxe de Fermi, c'est l'autodestruction ? Et pourquoi n'auraient-elles pas anticipé cette conclusion macabre ? »

Il se tourne vers moi, navré.

« N'as-tu donc pas compris ? Ne sais-tu pas qui est la Déesse ? Je vais te révéler son identité… La Déesse est une logique. Et l'on ne peut rien contre la logique. On ne peut pas la défaire. On s'y plie, c'est tout. Même si nous savons ce qui va se passer, et comment cela va se passer. C'est l'intuition formidable des dramaturges grecs qui ont appelé cela le Destin. Ils avaient compris que les hommes obéissent à des divinités supérieures et les suivent jusqu'au bout même s'ils savent dès le lever de rideau comment la pièce se terminera. C'est ce qui fait toute la cruauté de la Déesse. Les dirigeants des nations n'agissent pas au gré de leurs humeurs personnelles. Si l'Amérique avait lancé une attaque de première frappe et vitrifié la moitié de l'Union soviétique, comment aurait dû riposter Andropov ? Répondre aurait enclenché un cycle de représailles qui se serait terminé par l'hiver nucléaire et probablement la fin de l'humanité. Mais ne pas répondre… » Il me sourit. « … Cela aurait été impossible. Appelle cela le respect des principes. Un homme de pouvoir ne peut pas trahir la logique de l'État. Il a construit toute sa carrière sur sa réputation à pouvoir défendre l'État. Va-t-il mentir à tous ceux qui l'ont soutenu, au moment le plus tragique pour son pays ? et rester dans l'Histoire comme le fossoyeur de la nation ? Bien, sûr, après la riposte, il y a très peu de chances pour que quelqu'un demeure qui continue à écrire l'Histoire. Mais à choisir, chaque individu préférera soit rester dans les mémoires comme celui qui a défendu l'honneur de son pays, soit disparaître totalement avec l'ensemble de tous les hommes plutôt que de demeurer pour l'éternité le fossoyeur de la nation. Voila pourquoi, même s'ils en comprennent les conséquences, les hommes d'État ne remettront jamais en cause la logique. Andropov aurait riposté. Comme Reagan. Ou Nembaïtsov. Ou Brighton. Tu peux en être sûre. Ils vivent, respirent et agissent en fonction de la logique. As-tu jamais remarqué pourquoi les palais présidentiels sont remplis des symboles de chaque État ? C'est pour rappeler aux chefs d'État à chaque instant que l'Histoire et la nation les regardent ! Qu'ils sont au cœur de la logique et doivent s'y soumettre. Au moment de la crise des missiles de Cuba en 1962, Khrouchtchev a envoyé un télégramme personnel à Kennedy pour l'avertir du danger. Le camarade Khrouchtchev y comparait la crise à deux lutteurs tirant sur une corde. Au milieu de la corde s'était formé le nœud de la guerre, de plus en plus serré. Si le nœud devenait trop serré, avertissait Khrouchtchev, "il deviendra nécessaire de le trancher et ce que cela signifie, il n'est pas besoin pour moi de vous l'expliquer parce que vous comprenez parfaitement de quelles forces terribles nos deux pays disposent". C'est cela, la logique de la guerre. Elle nous a hantés pendant les cinquante ans de guerre froide — et pourtant, la guerre froide n'était qu'un jeu simple, un échiquier à seulement deux joueurs. Aujourd'hui, la guerre froide est terminée — pourtant, nous ne pouvons nous défaire d'elle. Pis. Nous ne pourrons jamais nous en défaire parce que, même lorsque l'état de belligérance cesse, les armes demeurent. Les pacifistes qui croient au désarmement n'ont pas compris la force de Sa logique. On peut détruire une arme, on ne pourra jamais détruire sa technologie : le savoir ne s'élimine pas. On ne peut pas revenir en arrière dans le temps et supprimer une idée. Surtout lorsqu'il est si facile aujourd'hui de disséminer l'information. Voilà pourquoi, même en état de paix, la Russie et l'Amérique ne désarmeront jamais totalement. La possibilité que l'Arme réapparaisse existera toujours. Et comme le principe fondateur d'un État, c'est de protéger ses membres contre la violence d'autrui... La bombe thermonucléaire de Fermi et de Teller restera avec nous jusqu'à la fin de notre dernière minute, jusqu'à ce que le paradoxe de Fermi soit résolu. Et maintenant, imagine un échiquier non plus à deux joueurs, facile à coordonner, mais à trois joueurs. Ou quatre, ou cinq — ou des dizaines de joueurs, possédant tous la bombe de Fermi et de Teller.

Et la possibilité de plus en plus grande au fur et à mesure du nombre de joueurs que l'échiquier devienne instable et chaotique. Imagine la grande confusion des colères. Imagine Babel sur le point de s'effondrer sous le poids des nations, et chaque nation armée du feu du soleil. Comme si notre système international ressemblait au ballet de planètes du mathématicien français Henri Poincaré. Jusqu'à ce qu'une étincelle arrive — un peu comme ce qui est arrivé en Europe il y a un siècle avec la Grande Guerre. Seulement, il y a un siècle, la bombe de Fermi et de Teller n'existait pas… Voilà comment la Déesse nous piège les yeux ouverts. Dans la confusion des nations. Dans le vertige de Babel. Elle a lancé son opération contre nous. Tu ne peux rien contre elle. Elle est la logique. Une logique qui nous dépasse… Tu connais maintenant sa nature. »

Ses propos abritent une ombre démoniaque. Mais Alberich continue à refuser de me livrer les noms des hommes, au Kremlin ou ailleurs, qui appartiennent à la « Déesse ». Il me reste encore vingt minutes. Je quitte la pièce pour réfléchir dans le couloir. L'infirmière court alors brusquement vers moi.

« Madame Tod-Smith ! » Elle est essoufflée. « … Nous avons des problèmes à l'aéroport de Berlin-Brandebourg. Je viens d'avoir le pilote du Falcon. La tour de contrôle ne fait plus décoller d'appareils. Il y aurait trop de problèmes de communication… Et nous avons également reçu un coup de fil d'un Russe s'annonçant de l'ambassade. Il voulait rendre visite au patient. Il serait de la famille… » Les Russes, qu'ils appartiennent au gouvernement ou à la Déesse, sont en train de se rapprocher. Je ne peux attendre longtemps. Et le traitement au sodium penthotal a été un échec complet… Je change le fusil d'épaule. Je demande à l'infirmière ce qu'elle a trouvé au sujet de l'hôtel du 14

de la Theodor-Heuss-Platz, où l'on a découvert Alberich
à moitié mort il y a un mois.

« Pas grand-chose au sujet des propriétaires... Par
contre, il y a peut-être quelque chose au sujet de
l'endroit lui-même. La Theodor-Heuss-Platz avait été
baptisée la Adolf-Hitler-Platz entre 1933 et 1945. Et
avant cela, elle s'appelait la Reichskanzlerplatz. N'était-
ce pas là que s'élevait l'ancienne demeure familiale
d'Alberich, madame ? »

Le 14 Reichskanzlerplatz. Je suis blanche, fou-
droyée. Le choc est tellement fort qu'il me paralyse. Je
finis par me défouler sur l'infirmière.

« Mais pourquoi vous n'êtes pas venue me voir plus
tôt pour me le dire, bon Dieu ! »

Elle tremble et bredouille une excuse inaudible. Je
ne l'écoute même plus.

Non, Alberich n'a pas été victime d'une tentative
d'assassinat à Berlin. C'est encore plus simple que cela.
D'une simplicité tragique. Il est retourné sur la tombe
de sa famille — sa « *Reichskanzlersplatz Heimat* ». Et il
a décidé de mettre fin à ses jours. Son voyage à Berlin
devait être son dernier voyage.

Il ne me reste plus qu'un quart d'heure par rapport
à l'horaire que je m'étais fixé. Il y a une petite ampoule
rouge d'alerte au-dessus du lit d'Alberich, que mon
patient allemand ne peut voir. Je demande à l'infirmière
de me prévenir par ce moyen lorsque j'aurai dépassé
l'horaire ou si les Russes essaient de pénétrer dans l'hôpital. Alors que je me retourne pour replonger une ultime
fois dans la chambre d'Alberich, je constate que les
néons dans le corridor clignotent à intervalles irréguliers.

« Le groupe électrogène autonome commence à fatiguer, fait l'infirmière. Il y a un black-out roulant dans
toute la ville depuis cet après-midi. »

Je me bats désormais contre le temps, seule face à Alberich.

Lorsque j'entre dans la pièce, il soulève le torse pour mieux me toiser.

« Pourquoi es-tu partie, Fräulein Tod ? Nous n'avons pas terminé de discuter. »

Je vérifie que la porte est bien fermée derrière moi. Je n'ai plus de marge de manœuvre pour de nouvelles drogues ou tenter de le piéger dans le fil de sa logique. Je tente donc mon va-tout en espérant que mon interprétation est la bonne. Je m'approche et m'adresse à lui en allemand, sa langue maternelle, tout en essayant de garder un ton égal.

« Docteur, voulez-vous savoir enfin quel jour nous sommes ? »

Il me regarde, surpris.

Il ne réagit pas.

Et puis soudain, une vague d'inquiétude le dévaste. Le sodium penthotal, l'isolement prolongé, la déliquescence physique ; la perte absolue de repères ; la peur panique de la punition enfin, celle qui vient lorsque ces mots précis sont prononcés à haute voix — tout se coagule maintenant jusqu'à la déchéance ultime. C'est mon objectif. Je veux qu'il soit sur le point de s'effondrer. Je veux me retrouver au moment précis où il a contemplé le comprimé de poison, dans le silence de sa pièce de Reichskanzlerplatz. Le moment où il a choisi de se donner la mort.

« Ernst Friedrich Alberich, êtes-vous prêt à savoir quel jour nous sommes ? »

Il parcourt la pièce du regard, comme un oiseau pris en cage. Pas de fenêtre, de lucarne ou d'horloge. Rien que des murs blancs. Et cette pâle lumière blanche, cette fausse lumière du jour artificielle dont le rayonnement incessant matraque son crâne depuis combien de jours, de semaines, de mois même peut-être ? À moins que cet enfer artificiel, virginal et aseptisé soit son sépulcre depuis plus longtemps que cela. Depuis que l'éternité ne compte plus les jours. Depuis toujours. Il finit par poser son regard sur moi. Il entend l'écho de l'infirmière résonner dans le lointain de ma voix. La chambre à punition, toujours plongée dans le noir, se trouve à une porte de son lit. Elle est au bout de sa langue. En même temps que sa libération. Purgatoire ? Enfer ? Paradis ? À moi désormais de l'aider.

« Nous pouvons vous protéger, Ernst Friedrich Alberich. Nous sommes là pour vous aider. Mais nous ne pourrons rien faire pour vous si vous ne faites pas le premier pas. Le chemin qui vous a conduit d'Arzamas jusqu'à cette chambre d'hôtel de votre ancienne Reichskanzlerplatz, nous le connaissons désormais. Oui, nous le connaissons. Mais nous voulons comprendre pourquoi un homme comme vous a pu obéir à la Déesse, Ernst Friedrich Alberich. Et pourquoi vous avez essayé de vous donner la mort. Nous pouvons vous aider. Dites-nous seulement pourquoi. Et je ne vous poserai plus d'autre question. Et je vous dirai quel jour nous sommes. »

Il n'ose pas me regarder. Ses doigts sont fébriles.

« Avez-vous obéi à la Déesse ? »

Un mince filet de voix coule du fond de sa gorge.

« Je ne voulais pas lui obéir, Mort… je ne voulais pas. Mais Elle m'a forcé la main. Je ne pouvais pas le faire au départ — non, je te jure, c'était impossible… Et puis Sergueï Vassilievitch ne m'a pas laissé le choix. Il avait encore plus peur d'Elle que moi. Il voulait arrêter d'avoir peur. »

Je ne comprends plus. Parle-t-il de Ponomarenko — et de la crise cardiaque de son ami Sergueï ? Les pièces du puzzle sont en train de se réorganiser.

Ponomarenko est mort de la même façon qu'Alberich aurait pu mourir. A-t-il lui aussi été forcé d'avaler le comprimé de monofluoroacétate ? Non, c'est en fait beaucoup plus simple.

« Vous avez empoisonné Sergueï Vassilievitch Ponomarenko, c'est bien cela ? »

Ses yeux évitent les miens.

« Non, Mort… C'est Elle qui l'a fait assassiner. Moi, je n'y suis pour rien ! Je me suis retrouvé entre les deux. Je l'avais prévenu, pourtant ! Sergueï Vassilievitch — il devait arrêter de se plaindre, de se poser des questions —, les grandes questions métaphysiques de Sergueï… Mais la Déesse était en marche. Il ne comprenait pas. Rien ne pouvait désormais L'arrêter. Rien ni personne. Alors, quand il a voulu s'opposer à Elle — moi, j'ai essayé de le protéger du mieux que je pouvais. Je savais qu'il serait broyé. J'ai préféré lui donner un comprimé et le laisser dormir.

— La Déesse, c'est vous, Ernst Friedrich Alberich ? »

La parole m'a échappé. Il me regarde sans me répondre. Nous nous contemplons ainsi pendant une éternité, sans rien nous dire.

L'ampoule au-dessus de la tête d'Alberich se met à clignoter. L'infirmière donne l'alerte. Mais je ne peux pas partir maintenant. Alberich me regarde fixement. J'entends sa respiration.

« … Non, Mort, ce n'est pas moi. Pas encore. Je ne crois pas qu'elle ait complètement gagné… Je ne le crois pas. Pas encore… Si elle avait totalement gagné, je me serais réjoui du départ de Sergueï. Et j'ai essayé… j'ai essayé. Mais je n'y suis pas arrivé. C'était impossible. Sergueï était mon ami. Alors… » Il cesse de trembler. « J'ai décidé de La trahir. De m'en débarrasser et de La vaincre. » Sa voix a trouvé les inflexions graves et réso-lues de Nikolaï quand il m'a quittée. « Je suis retourné

sur la tombe enfouie de mes parents. Je ne voulais plus
avoir à me souvenir de Son souffle et de Son baiser.
Novossibirsk était imprégnée de son odeur putride. À
chaque coin de rue. Et à l'Akademgorodok. Et en Russie.
En Chine. En Amérique. Et sur chaque pouce de terre
habitée par notre espèce — Elle était désormais partout.
Elle a lancé l'opération Babel, Mort ! Babel qui a pro-
grammé pour toutes les nations l'anéantissement des étoiles ! Et Elle ira jusqu'au bout de l'opération cette fois...
J'ai pensé que, peut-être, je pourrais Lui échapper si je
me cachais là-bas, dans mon ancienne demeure, Reichskanzlerplatz... Je ne voulais plus revoir Son visage
hideux, Ses yeux d'ange qui n'ont jamais pleuré. Et tu es
venue — et Elle m'a retrouvé... » Son souffle s'accélère.
« ... Je ne voulais pas que cela finisse ainsi. Je connaissais son visage depuis longtemps. Excuse-moi, Sergueï.
Excuse-moi... Je voulais la vaincre. Je voulais me ven-
ger. » Une folie brille dans ses yeux. « Que croyait-Elle ?
Que j'avais donné ma vie pour Elle ? Que j'étais nazi ou
soviétique ?... Elle qui a volé mes parents et frères ; Elle
qui a supprimé la femme que je n'ai jamais eue ; Elle qui
a pris la vie qui m'était destinée ! J'ai attendu la dernière
minute pour La trahir par surprise et accomplir enfin ma
vengeance... Mais la seule solution pour La vaincre,
c'était de danser tout près d'Elle, tout contre Elle — mais
avec un coup d'avance, tu comprends, Mort ? D'entrer
dans sa logique, mais avec un pas d'avance. Je voulais la
bombarder d'erreurs, je voulais que les deux camps se
bombardent d'erreurs pour que nous puissions terminer
cette putain de guerre froide en perdant tous les deux,
Soviétiques et Américains, en perdant électroniquement
afin de rendre impossible pour toujours le décollage des
missiles et l'explosion de la bombe de Fermi. » Je crois
qu'il ne comprend plus ce qu'il raconte. « Mais même
là... Même là... Elle s'est montrée la plus forte. La plus

forte. » Peut-être est-ce moi qui ne veux plus comprendre ce qu'il me raconte. Cette fois, je perds le contrôle de l'interrogatoire.

« Si ce n'est ni Ponomarenko ni toi, qui dirige Arzamas, Alberich ?

— Mais tu n'as donc rien compris ! Arzamas est un mirage, un trompe-l'œil, comme notre croyance dans le ressort libre et vital de la volonté : en réalité, la Cité est une porte dérobée contrôlée par la Déesse ! Derrière le décor, dans les coulisses de nos âmes — c'est Elle qui écrit les dernières lignes de notre pièce. »

Je l'agrippe par les épaules :

« De qui parles-tu ? De qui parles-tu, Alberich ? » Métamorphosé, il enfonce ses ongles dans ma chair. « Allons ! Tu sais très bien de quoi je parle ! Imite-moi et décide de La trahir ! Refuse-La, si tu veux survivre, Tod ! S'il y a encore une personne que tu souhaites sauver, juste une seule personne, et même si tu ne l'aimes pas ou que tu ne l'aimes plus, ou qu'elle t'a oubliée — mais que tu veuilles encore qu'elle demeure en vie demain, alors écoute-moi : trahis-la ! Trahis toute loyauté ! Trahis toute logique ! Trahis et sauve-toi ! Deviens un traître comme moi !… Tu le sais désormais : là seul est ton salut ! » Je le gifle pour le faire taire. Par réflexe… Non, par peur, en vérité. L'ampoule d'alerte clignote sans cesse. Je ne peux plus imaginer ce qui se passe en dehors de la pièce ou même si je peux encore quitter Berlin. Sa tête repose contre l'oreiller. Ses yeux rougeoient.

« Je ne t'en veux pas, Mort. Tu es belle, tu sais. J'aime tes yeux. Tes lèvres… » Il délire. La drogue était trop forte. « … J'ai souvent rêvé ton visage. Je ne me le suis jamais imaginé ainsi. Tous les hommes rêvent de leur mort. Ils se disent : à quoi ressemblera-t-elle ? Comment s'emparera-t elle de moi ? À quoi ressemblera son étreinte charnelle ?… Sera-t-elle douce et sucrée comme une peau de pêche couverte de miel ? Brûlante, cruelle comme une fourche attaquant mon dos jusqu'aux entrailles ? Ou peut-être ne sera-t-elle que cet instant fugitif où mon corps s'engourdit et où mon esprit soudain trop léger s'échappe. Cet instant singulier dans le temps : ce dernier souffle impossible où tout bourdonne et s'obscurcit. Quand la mémoire s'évanouit et que nous disparaissons dans l'indifférence des étoiles. Et le silence impénétrable de l'espace. Voilà. » Il sourit, un filet de larmes salées glissant sur sa joue. « Il y a tellement de choses encore dont j'aurais voulu discuter avec toi. Tellement de sujets dont j'aurais voulu te parler avant que tu ne me fermes les yeux… » Je me suis levée. Je vais le quitter. « … mais il faut que tu partes et nous quittes, maintenant, Mort. Il le faut.

— Nous nous retrouverons demain, docteur. »

Il se met à rire.

« Voyons ! Tu sais bien que c'est impossible ! »

Je suis surprise.

« Et pourquoi cela, docteur ? »

Il se redresse et martèle d'une voix claire et assurée :

« Parce que je sais maintenant que la Déesse a lancé l'édification de Babel il y a trois jours… Nous sommes le 3 août et tu n'as plus que quelques heures pour rentrer à Washington, Mort ! »

Je le contemple, muette.

Je ne sais plus quoi répondre. Je préfère lui tourner le dos et quitter la chambre, le couloir, l'hôpital. L'infirmière qui s'inquiétait bâillonne le vieux. Nous descendons dans une ambulance louée par nos services. Gyrophare. On démarre en trombe. Nous avons de la chance. Le jet à Berlin-Brandebourg est autorisé à décoller — peut-être l'un des derniers. Tout s'accélère maintenant. Berlin défile devant moi à toute vitesse.

Hôtel Adlon, la porte de Brandebourg, Unter den Linden… J'emporte tous ces fantômes jusqu'en Amérique. En montant dans l'avion, je tremble comme un enfant perdu dans le noir. Je viens à mon tour de voir Son visage. J'aperçois, moi aussi, cette mortelle compagne, plus destructrice que mille armées, plus puissante que la peur et la faim réunies. La Déesse se tient devant moi. Elle est à mes côtés dans le jet qui est en train de me faire traverser l'Europe ; face à moi dans cette salle de réunion de Washington où je compte désormais l'affronter — elle se tient, flottant immobile dans l'espace, un sourire conquérant sur ses lèvres. Son cœur vient de commencer à battre. Je me dépêche : Elle a commencé l'édification de Babel il y a trois jours. Maintenant, j'ai compris. Paul avait raison de redouter le pire. Elle convoite Jack.

Elle va le soumettre.

IV

Le commencement

Nuit du 3 au 4 août

« Ce qui, donc, est de la plus haute
importance dans la guerre, c'est de s'attaquer à la stratégie de l'ennemi. [...] C'est
pourquoi je dis : "Connaissez l'ennemi
et connaissez-vous vous-même ; en cent
batailles vous ne courrez jamais aucun
danger." [...] Si vous êtes à la fois igno-
rant de l'ennemi et de vous-même, vous
êtes sûr de vous trouver en péril à chaque
bataille. »

Sun Tzu, *L'Art de la guerre,*
livre III, versets 4, 31 & 33

83

Nuit du 3 au 4 août — Pékin, Zhongnanhai

La nuit était dense sur Zhongnanhai. Le soleil ne se lèverait que dans quelques heures. Derrière sa muraille, cette ville dans la ville n'entendait plus les rumeurs de Pékin. Une légère pluie d'été rendait malaisée la marche sur l'herbe des jardins du parc. Un peu de boue qui laissait une empreinte grasse et fraîche. Mais Hu Ronglian avait décidé de couper droit à travers l'enclave. Il fallait trancher le nœud gordien. Au cœur de la cité interdite du Parti central, il allait tuer la vipère à l'origine de tous ses maux. Hu Ronglian n'était plus le même homme depuis qu'il avait accédé à la tête du Parti central. Il se sentait maintenant des mains d'étrangleur. Il avait la loi pour lui. Il l'aurait toujours désormais. Son sourire nonchalant pour les télévisions occidentales, c'était bien fini. Il sentait, comme un joug auquel on ne peut s'astreindre, l'invisible tunique de soie rouge de l'Empereur reposer sur ses épaules. Il avait pris goût à l'odeur de l'étoffe. De sa marche rapide et décidée, il passa à côté de l'ancien bureau de Zhao Ziyang. Près du pavillon Liushuiyin, non loin du lac Nanhai, la résidence surveillée où était enfermé l'ancien secrétaire général Quiao Yi demeurait allumée. Des membres en faction des forces spéciales de la police armée du peuple ceinturaient la demeure. À l'arrivée du maître du Comité de salut public, les gardiens exécutèrent un garde-à-vous impeccable. Hu Ronglian eut à peine un regard pour eux. La villa où l'on avait enfermé Quiao Yi était des plus convenables. De petite taille, au salon étroit, au mobilier un peu vieillot, elle disposait tout de même d'un petit jardin et d'une télévision plasma large écran. Hu Ronglian constata que Quiao Yi avait déjà eu le temps d'aménager un peu — une grande bibliothèque occupait toute une paroi du salon, pleine de livres scientifiques traitant de mécanique, sans compter bien sûr les « indispensables », la pensée complète des différents maîtres du pays, de Mao Zedong à Jiang Zemin. Il y avait également des écrits de Sun Yat-sen, plusieurs pamphlets en anglais d'éditorialistes américains opposés à la Chine communiste ainsi que toute une rangée de livres consacrés à la Révolution française et à Napoléon Bonaparte, dont un court roman de Zweig en chinois et plusieurs biographies d'historiens français dans la langue d'origine. Après avoir inspecté la bibliothèque, Hu Ronglian tomba nez à nez sur Quiao Mingxia, la femme du prisonnier. Hu la salua poliment. Elle, effrayée, se contenta de plier sa nuque en signe de soumission. Son mari se préparait dans sa chambre, il allait venir tout de suite. Hu Ronglian eut de la peine pour la camarade Mingxia. Elle ne s'était jamais faite à la vie à Pékin. Elle n'avait compris que trop tard l'ambition démesurée de son mari. Elle trottina péniblement et alla disparaître dans la cuisine.

C'est à ce moment que Quiao Yi apparut. Il sortait de sa chambre. On avait dû le réveiller il y a un quart d'heure pour le prévenir de l'arrivée de Hu Ronglian. Il avait été surpris dans son sommeil et avait eu à peine le temps de s'habiller. Nul doute qu'il avait perdu beaucoup de sa superbe d'antan. Avant de pénétrer plus avant dans le salon dont Hu Ronglian avait déjà pris possession, il se fendit d'un bref salut de la tête auquel répondit son adversaire. Les apparences étaient sauves. En chemise blanche et pantalon de toile, il s'assit dans son vieux fauteuil vert olive, recouvert de dentelle festonnée, un coup d'œil sévère pour l'homme qui l'avait détrôné.

« Quel honneur me vaut votre visite, camarade Hu Ronglian ? Voulez-vous prendre un café ? » L'œil de Quiao Yi brûlait à nouveau de la fierté de l'ancien secrétaire général. Dehors, la pluie se faisait plus forte. On entendait le martèlement des gouttes sur le toit et les fenêtres du salon.

« Non merci. Je n'ai pas soif. » Hu Ronglian était tendu. D'un geste, Quiao Yi fit signe à sa femme recluse dans la cuisine de lui préparer un expresso. Hu Ronglian, lui, bouillait de l'intérieur. Il se décida à crever l'abcès.

« Camarade Quiao Yi, je suis venu car je voulais vous laisser une dernière chance. En souvenir de tous les services que vous avez rendus au Parti par le passé, nous essaierons de pardonner votre conduite actuelle du mieux que nous pourrons. Mais en échange, vous devrez nous donner les noms des membres de la faction de la Ligue de la jeunesse communiste qui essaient de saboter nos efforts pour conclure la paix avec les Américains. » Il avait maintenu un ton égal. En face, Quiao Yi ne cillait pas. Au bout d'un moment qui dura une éternité, la frêle Quiao Mingxia vint apporter la tasse de café expresso à son mari, pour disparaître aussitôt dans la chambre. Quiao Yi continuait à fixer sévèrement Hu Ronglian. Il avala d'une traite sa tasse. Une colère terrible se lisait sur son visage.

« Camarade Hu Ronglian, j'accepterai toutes les dis-grâces mais jamais celle de la trahison. Plutôt boire la ciguë que laisser mon nom être entaché d'une telle infa-mie. Vous aurez mon sacrifice sur votre conscience. Et cela, ni mes partisans, encore nombreux, ni le reste du peuple ne pourront l'oublier.

— C'est la ciguë que vous êtes en train de faire boire à tout le pays ! Toute la semaine, nous avons dû faire face à une recrudescence des attaques informatiques contre les Américains. Jusqu'à ce que ces attaques, que nous ne contrôlions plus, vouent à l'échec nos tenta-tives de règlement diplomatique auprès du président Brighton. Nous avons acquis l'intime conviction que nous sommes victimes d'un saboteur qui veut abattre le Comité de salut public. Mais la réalité, c'est que nous sommes maintenant au bord de l'affrontement nucléaire avec les Américains. Dans vingt-quatre heures, camarade Quiao Yi, peut-être même moins, l'un des deux camps lancera une attaque préemptive. L'un de nous risque d'utiliser l'arme atomique. Il faut arrêter cela. »

Derrière les mots sévères et les postures, Hu Ronglian appelait à l'aide. Depuis son petit Sainte-Hélène, Quiao Yi n'avait pas oublié son pays. Il avait suivi de loin les derniers événements — ses courriers et ses déplace-ments étaient très étroitement surveillés — et il n'avait jamais eu conscience de l'extrême gravité du moment. Son cœur était serré. Il ne savait plus si son ennemi voulait l'assassiner ou l'étreindre. Lui-même ne devait plus le savoir.

« Camarade Ronglian, aucun des membres de la faction de la Ligue communiste n'a partie liée avec ce sabotage. Vous avez ma parole. Aucun de mes amis ne prépare un coup d'État sur la base d'une déstabilisation de l'Armée populaire de libération ou à la suite d'une guerre nucléaire avec les États-Unis. Je reconnais la légitimité et la légalité du Comité de salut public. »

C'était là un acte de contrition terriblement humiliant pour Quiao Yi. Mais il sentait que Hu Ronglian était encore plus bas que lui. Si jamais les choses tournaient mal, c'était Hu Ronglian qui porterait la responsabilité historique d'avoir attiré le feu nucléaire de l'Amérique sur la Chine.

« En vérité, Jia Gucheng nous a bien eus, camarade Ronglian…, poursuivit Quiao Yi sur un ton détaché. Il s'est servi de vous pour m'éliminer. Et maintenant il se sert de son outil informatique pour abattre votre gouvernement. Il n'y a que lui qui puisse contrôler les centrales de guerre informatique. Ne cherchez pas de coupable ailleurs. Il prépare son propre coup d'État sur notre dos à tous. Il faut prévenir les Chaoji Yuan-lao. Mais cela, c'est maintenant votre responsabilité, camarade Ronglian. Moi, je ne règne plus que sur ma petite demeure. »

Il se leva, laissant Hu Ronglian abasourdi par sa révélation.

« Si cela ne vous dérange pas, camarade Ronglian, je vais poursuivre cette nuit auprès de ma femme. Vous pourrez disposer de moi comme vous l'entendez au petit matin. Mais sachez que je vous souhaite sincèrement bonne chance ; des heures très difficiles attendent notre patrie. Je vous avais dit que votre plan nous entraînerait dans la guerre internationale. J'ai eu raison. Cela s'est réalisé. Maintenant, je vous dis de vous débarrasser de Jia Gucheng. Vous feriez bien de m'écouter, cette fois… Bonne fin de nuit, camarade Ronglian. » Il fit demi-tour et marcha droit jusque dans sa chambre.

Hu Ronglian était désormais seul face au désordre terrible sur le point de tout engloutir. Si Quiao Yi avait raison, alors tout était condamné. Éliminer Jia Gucheng, c'était offrir la Chine sur un plateau aux Américains. Mais maintenir Jia Gucheng, c'était courir le risque de la guerre nucléaire entre les deux pays. Il n'avait plus beaucoup de temps pour se décider de toute façon. Dans le doute, il lui restait une ultime solution : celle d'attaquer en premier les Américains. De toutes les options qui laissaient encore une chance au Parti communiste de Chine de se maintenir au pouvoir, était-elle aujourd'hui la moins mauvaise ?

Les mains croisées, il ressentit à nouveau la brûlure de l'anneau. Du fond de la nuit, Chan l'appelait à nouveau. Une dernière fois.

Souviens-toi, Hu.
On ne peut combattre le mal que par le mal.

84

Nuit du 3 au 4 août — Washington,
Maison Blanche, Situation Room
Réunion du Special Situations Group
23:00 GMT –5 (04:00 GMT)

Le président Jack Brighton descendit d'une marche rapide l'escalier qui le conduisait vers la zone de la Situation Room, juste en dessous du Bureau ovale. Dehors, les ténèbres enveloppaient Washington. Mais cela faisait maintenant plusieurs jours que les habitants de la Maison Blanche avaient perdu le sommeil et ne songeaient plus aux reflets changeants de la ville, là-bas, de l'autre côté des murs. On n'était plus qu'à deux heures de 06:00 GMT — le point dans le temps où s'arrêterait le cycle de mutation des virus informatiques découverts par le lieutenant général Engleton. Ce point existait-il réellement ?… Le jeu des différentes horloges accrochées aux murs du centre de veille de la Situation Room ajoutait à la confusion. Les petites aiguilles des quatre horloges fixaient chacune un espace différent du disque, alors que les trotteuses poursuivaient à l'unisson leur ronde perpétuelle. Dans quel pays avait-on déjà franchi la ligne de démarcation du jour ? Sur la terre de quelle nation, le 4 août allait-il en premier déchirer son voile de feu cette nuit ?... Il était midi à Pékin, huit heures du matin à Moscou et cinq heures à Paris. Jack évita de regarder les minutes. Il salua les trois officiers de garde de la « Sit Room » — les jeunes analystes, postés devant leurs différents moniteurs à scruter le torrent d'informations qui s'embouchait à la surface des écrans. Ils se levèrent aussitôt pour à leur tour saluer d'une inclination le président. Jack souriait à peine. La mine crispée, il pénétra dans la toute petite chambre de conférence de la Situation Room.

La pièce était terriblement exiguë — un petit carré de quatre mètres de côté, aux dimensions oppressantes, entièrement recouvert de panneaux de bois de cerisier aux reflets mordorés sombres. La minuscule salle de réunion n'existait que pour l'étroite table de conférence en bois poli et quelques fauteuils rembourrés de mousse synthétique. D'un côté, le siège du conseiller pour la Sécurité nationale ; de l'autre, deux rideaux grège dans le fond — le fauteuil surélevé du président. Et juste derrière le fauteuil du président, dans un renfoncement, le sceau présidentiel trônant au-dessus d'une affiche de guerre. Ronald Reagan, en son temps, avait placé là un poster de Winston Churchill. Jack, qui menait sa guerre de symboles contre les conservateurs, avait fait poser une affiche de Franklin Delano Roosevelt, datant elle aussi de la deuxième guerre mondiale. L'intérieur sobre de la « petite boîte d'allumettes », comme l'avait surnommée Mark, était écrasé de multiples luminaires aux néons puissants qui rajoutaient à l'atmosphère claustrophobe de l'endroit. Une rangée de trois, quatre chaises collées aux murs, destinées aux assistants des membres du Conseil, encombrait l'espace et renforçait l'inconfort. Mais cette disposition contraignante avait un but politique. Le président limitait au strict nécessaire les conseillers qui graviteraient autour de lui en temps de crise. Il devait restreindre l'accès s'il voulait éviter de se faire submerger. L'autre avantage de la Sit Room était sa localisation. Jadis, sous Reagan, une vaste « salle des opérations » digne du docteur Folamour de Kubrick avait été construite dans l'un des bâtiments adjacents de la Maison Blanche. Elle n'avait jamais été utilisée ! Les conseillers du président craignaient trop de s'éloigner du Bureau ovale : là seulement résidait l'instrument le plus puissant de Washington — la personne du président. Pour peu que vous puissiez l'influencer, vous pouviez changer le monde.

Quand il entra dans la petite salle de conférences, Jack fut surpris par l'atmosphère étouffante qui y régnait. Depuis une heure mijotaient là Levin, Adam, Cornelius, le général Dörner, le ministre de la Défense Henry Grant, le toujours très effacé vice-président ainsi qu'Engleton, avec sa double casquette de patron de la NSA et du Department for Homeland Security. Autour de la table étaient également assis le secrétaire au Trésor et le secrétaire général de la Maison Blanche, qui n'appartenaient pas au Special Situations Group. Derrière, à droite et à gauche de la table, collés aux murs, six conseillers appartenant à l'administration du Conseil national de sécurité, directeurs de leurs départements respectifs — Asie, Europe, Russie, Moyen-Orient et Terrorisme, ainsi que le conseiller personnel du vice-président. À seize, la pièce pouvait difficilement contenir plus de monde. Brighton fut également frappé par les visages défaits de ses conseillers les plus proches. Cette nuit serait différente et il le savait. Lui-même, quelle image pouvait-il bien donner ?... Si Jack avait montré une seule fois aux caméras des grandes chaînes de télévision son regard tourmenté et noir, nul doute qu'il n'aurait jamais gagné sa réélection. Il n'y avait plus là ni maquillage cuivré ni sourire apprivoisé à force d'entraînement. Tout le carnaval de Washington l'« Impéritieuse » était oublié — ses caravanes de lobbyistes dépravés, de parlementaires défroqués, d'universitaires payés à démontrer ce qu'on leur demandait ou de consultants en médias qui vous expliquaient la supériorité de l'expression « baisser vos impôts pour stimuler la croissance » plutôt qu'« accorder un cadeau fiscal aux intérêts privés qui ont financé ma campagne ». Non, cette nuit le jacassement débilitant de la capitale resterait hors les murs. Cette nuit, Jack serait l'homme le plus seul de Washington, isolé même au milieu des compagnons les plus proches qui se tenaient dans la petite salle de conférences. Cette nuit, Jack prendrait la responsabilité finale de la paix ou de la guerre dans le monde — lui et personne d'autre.

Une dizaine de minutes plus tôt, il était allé dire bonsoir à sa femme Katherine. Elle était fatiguée et n'arrivait plus à suivre le rythme détraqué de son mari. En l'embrassant sur le front, Jack se rendit compte de la distance immense qui le séparait de Kate. Ils vivaient dans deux univers radicalement différents. Kate se demandait à haute voix quand il pourrait enfin prendre un peu de repos. Jack s'était tu et avait gardé sa réponse pour lui-même. Demain, il n'y aurait pas de repos — sur le front, seul le vaincu ferme les yeux. Kate n'avait-elle jamais compris ? Il était le commandeur en chef, le premier soldat d'une Amérique au seuil de la guerre. Le front sur lequel il combattait existait depuis longtemps : avant même que les armes ne parlent, idées et stratégies s'affrontaient déjà dans l'esprit des dirigeants ennemis. Jack était lucide. Il avait accepté la métamorphose. De toute son âme et de toute son intelligence, il était devenu dans la chair de sa pensée le front lui-même — tout comme l'était son adversaire Hu Ronglian. Son corps ne lui appartenait plus. Il n'était plus le mari de Kate, depuis longtemps.

Il était maintenant l'institution suprême de l'État.

Pour l'accompagner dans cette nuit qui commençait il ne restait plus que ses vieux compagnons de route — Jon Cornelius, son *consigliere* depuis presque trente ans ; Paul Adam, l'intellectuel, surnommé le « Texan d'Oxford » et principal collaborateur durant ses années à la commission du Sénat sur le renseignement ; Dick Engleton, l'opérateur infaillible, qui avait rejoint le petit *think tank* créé par Jack il y a quinze ans ; Henry Grant, l'allié fidèle qui avait toujours marché dans son ombre. Il y avait aussi les recrues récentes du sérail — le vice-président, un nouveau venu qui cherchait encore ses repères à Washington, et surtout Mark Levin — un homme choisi personnellement par Jack après de longues recherches. Jack s'était intéressé à Levin après lecture de plusieurs de ses papiers sur la Chine… Quelle ironie ! Et aussi, quelle chance… Mais au-delà de la Chine, Jack avait reconnu en Mark une qualité essentielle. L'universitaire était un homme d'une très haute rigueur intellectuelle : en cas de conflit, il placerait le service de l'État au-dessus de tout. À ce groupe ne manquait que le plus vieux camarade de Jack, George O'Brien. Et peut-être sa fille, Julia. Elle seule savait. Elle seule connaissait le chemin secret de sa propre solitude. Ils partageaient le même vœu et s'étaient fait le même serment. La jeune adolescente devenue femme avait choisi tout comme lui de devenir un serviteur. Ils appartenaient tous deux à l'État. Comme aurait écrit Victor Hugo s'il l'avait connue, songea Jack, Et s'il n'en reste qu'un, Elle sera celui-là.

Jack prit place en bout de table, le sceau du président derrière lui. Il était onze heures du soir. Le conseiller

Mark Levin, assis à l'opposé de la table, fit un bref tour d'horizon de la situation.

« ... La majorité des infrastructures d'information dans le monde est touchée. Au Japon, en Inde, en Russie, en Iran, en Europe de l'Ouest et en Amérique — le cœur des grandes métropoles s'asphyxie. Police, hôpitaux, pompiers... Plus rien ne fonctionne, monsieur le président. Seules les armées semblent tenir encore le choc. L'économie mondiale depuis douze heures est figée. Il y a un danger grandissant de krach planétaire... Mais ce qui est incroyable, c'est que, malgré quelques dérèglements signalés en Chine continentale, il semble que la République populaire soit relativement épargnée. Le yuan, la monnaie chinoise, est demeuré étonnamment stable. Avec les glissements spectaculaires de l'euro et du dollar, c'est le yuan qui pourrait aujourd'hui servir de monnaie refuge... Ça, c'est le tableau d'ensemble, monsieur le président. Maintenant, si nous décortiquons la situation, nous avons en réalité sept crises majeures plus ou moins interconnectées... » En discutant avec ses collaborateurs, Mark les avait baptisées les « Sept Plaies », mais il évita de mentionner ce surnom aux échos bibliques. « D'abord la crise Chine/Taiwan qui pourrait maintenant déborder sur le Japon et la Corée. Je précise que Taiwan a secrètement menacé d'ici onze heures de procéder à un essai nucléaire — et que le Japon serait en train de réactiver son propre programme stratégique. Une erreur de trop de l'un de ces pays et nous nous retrouverons avec un conflit nucléaire qui deviendra rapidement mondial... Il y a une autre crise régionale où nous sommes directement impliqués : celle entre la Corée du Sud et la Corée du Nord. Pour le moment, nous avons refusé de proclamer l'avis de mobilisation de notre 8ᵉ armée... Nous avons trois autres crises régionales avec des risques d'escalade nucléaire : la crise entre l'Inde et le Pakistan ; entre Israël et la Turquie d'un côté, et la Syrie et l'Égypte de l'autre ; la confrontation grandissante entre les sunnites d'Arabie Saoudite et des Émirats arabes unis et les chiites d'Iran. »

Le discret vice-président le coupa à cet instant.

« Excusez-moi, monsieur le conseiller, mais pourriez-vous préciser pourquoi cette crise-là entre les Saoudiens et les Iraniens pourrait déborder en conflit nucléaire ?

— Nous savons que l'Iran possède la bombe atomique ainsi que les vecteurs nécessaires sous forme de missiles balistiques. Nous savons également que l'Arabie Saoudite a coopéré financièrement au programme nucléaire du Pakistan et qu'elle a en échange obtenu un nombre limité de têtes nucléaires. Nous savons que l'Arabie Saoudite a racheté aux Émirats arabes unis certains des missiles de croisières français Black Shaheen et qu'elle a par la suite procédé aux travaux d'adaptation nécessaires des missiles sur les avions F-15 que nous leur avions vendus. Voilà pourquoi nous considérons qu'il y a un risque d'escalade nucléaire. »

Le président était songeur.

« … Enfin, conclut Mark, nous avons deux crises qu'il nous est difficile d'expliquer mais qui semblent liées aux dérèglements informatiques à l'origine des tensions régionales. D'abord le krach boursier déclenché en même temps que le black-out européen et qui a été attisé par ce qui ressemble à des manipulations informatiques des systèmes boursiers. » Jack fixa Mark. Il était hors de question que l'on mette publiquement en cause les alliés français et allemands à l'origine de ce chaos boursier. Et il avait pris soin de faire passer le message. Mark, après un instant de silence, poursuivit. « Les

Bourses européennes et américaines ont été immédiatement suspendues jusqu'à demain. » Le secrétaire au
Trésor acquiesça de la tête — et Jack préféra garder
ses idées noires pour lui. Demain était encore bien loin.
« Enfin, conclut Mark, il y a la situation russe. Nous
avons reçu un message il y a moins d'une heure de Boris
Alexandrievitch, directement sur le télétype du Moscow
Link — il semblerait d'ailleurs qu'ici, à la Maison
Blanche, Signal n'arrive toujours pas à se connecter à
notre ligne régulière avec le Kremlin en raison des déré-
glements en Russie. Heureusement, il nous reste toujours le MoLink… » Mark essaya d'évacuer au plus vite
les qualificatifs d'alarmant, d'inouï ou d'effroyable. « La
situation en Russie est très, très problématique…
D'après le message de Nembaïtsov, il y aurait eu une
fausse alerte du SPRN, leur système de détection avancée d'attaques par missile. Évidemment, nous savions
que le SPRN était très délabré. Mais nous ne savons pas
si le SPRN peut être d'une façon ou d'une autre parasité
par l'attaque informatique qui a terrassé la Russie… Et
surtout, nous ne savons pas comment pourrait réagir
le Kremlin si d'une part les attaques informatiques se
poursuivaient et s'il y avait une seconde fausse alerte du
SPRN — ou pire, si le SPRN cessait de fonctionner
totalement. Le Kremlin pourrait-il envisager une frappe
préventive contre la Chine ? Le message de Nembaïtsov
sur le MoLink est très troublant. »

Troublant n'était pas le mot exact mais il était inutile
d'exacerber l'anxiété survoltée qui ne disait pas son nom
autour de la table. Or, Mark s'en était à peine rendu
compte mais un jeune officier du staff de la Sit Room
avait entre-temps transmis un papier à Richard Engleton.
Le visage du directeur de la NSA s'assombrit. À la fin
de l'exposé de Mark, il prit l'initiative de s'adresser au
président.

« Monsieur le président, si vous me le permettez — je viens de recevoir un message du DEFSMAC au sujet de nos systèmes militaires tactiques. »

Personne n'osa interrompre Engleton. DEFSMAC était le centre chargé de traiter l'information sur les alertes de lancement de missiles et de danger spatial. Situé à la NSA, mis en place après la crise des missiles de Cuba tout comme la Situation Room, DEFSMAC constituait la sentinelle principale de l'ensemble des forces armées. « … le brouillage du signal émis par les satellites du Global Positioning System devient préoccupant. D'après certains calculs de l'US Strategic Command, le système GPS sera rendu hors d'usage dans environ quarante-cinq minutes. Nous ferons alors face à un dysfonctionnement très sensible de l'ensemble de nos systèmes militaires. Et nous pourrions nous retrouver dans un état de vulnérabilité dont pourrait tirer parti un éventuel agresseur. » Inexorablement, la guerre se rapprochait. Qui la déclencherait le premier ?

… Donc je cours. Couloirs, escaliers, portes à tambour, escalators, tapis roulants, ascenseurs, tourniquets, feux rouges, feux verts, portières fermées, carrefours, portes vitrées ; portillon automatique, nouveaux tapis roulants — je triche, je ne cours pas, je me laisse porter. Puis je reprends mon souffle. Arrêt. L'ambassade de Russie. Je dépose la lettre. Je reprends aussitôt ma fuite. J'accélère. Je vais me faire dépasser par la ville. Non, je me retourne — Berlin est loin, en plein chaos. Adieu, commissaire Berger. Le jet décolle de Berlin-Brandebourg et atterrit à Ramstein, la grande base américaine d'Allemagne. Un C-17 nous attendait. Nous ne perdons pas une minute. Nous décollons aussitôt. Direction : base militaire d'Andrews, près de Washington. Le temps

*presse, il faudra prendre un chemin plus court. Je dois
y arriver avant Elle.*

Jack était décidé à reprendre le contrôle de la discussion.

« Mark, merci pour l'exposé. Si je vous comprends
bien, dans onze heures, Victor Teng va commettre l'irréparable. Mais d'ici là, les Russes auront peut-être perdu
leur sang-froid. Et dans trois quarts d'heure, nous, nous
pourrions nous retrouver sans GPS… » Le silence se
faisait pesant. « Messieurs, nous avons donc sept crises
majeures que nous devons contenir cette nuit. Sept !…
Ma question est la suivante. C'est une question de
méthode. Devons-nous nous pencher sur chaque crise
l'une après l'autre ? Ou bien existe-t-il entre toutes ces
crises un lien sur lequel nous concentrer en priorité, que
nous pourrions briser — et qui nous permettrait de faire
d'une pierre, sept coups ? Paul, quel est votre avis ? »

Son vieux camarade texan était comme tout le reste
de l'équipe marqué par une extrême fatigue. Il avait
peut-être dormi huit heures au cours des trois derniers
jours. Mais Paul se redressa, porté par ce qu'il devait
dire.

« Monsieur le président, il y a bien un lien, mais il
n'existe que dans l'esprit des dirigeants de certaines
nations en crise : celles qui ne sont pas alliées de la
Chine. Ce lien ténu qui tient plus de la rumeur qu'autre
chose s'appelle la Chine. Tout le monde a tiré un parallèle avec les problèmes informatiques de Taiwan. Il ne
fait guère de doute que ce sont les Chinois qui ont paralysé les réseaux civils de Taiwan. Et peut-être même
certains de nos propres réseaux civils et militaires.
Alors, par transitivité, Israël, l'Inde, le Japon, la Corée
du Sud et même la Russie envisagent la possibilité que
la Chine, peut-être, pourrait être derrière les attaques par

l'entremise d'alliés des Chinois, ou bien même directement. La situation entre l'Arabie Saoudite et l'Iran est plus confuse. Nous savons par certaines sources que les dirigeants de chacun des deux pays imaginent que c'est l'autre qui est soutenu par la Chine. Pour ce qui est de l'Europe, les avis sont par contre partagés. » Il y eut un blanc, comme imposé par le regard sévère de Jack. La France et l'Allemagne demeuraient sujets tabous. « ... Évidemment, certains parlementaires communistes en Italie et en Belgique émettent l'opinion que nous serions en partie responsable de la crise actuelle. Mais cette position demeure largement minoritaire. »

Levin sentait l'amertume transpirer des visages de ses collègues. Que devait penser en particulier son patron, Jack, qui avait fait de la reconstitution de la confiance atlantique l'un des grands chevaux de bataille de son mandat ? Quel échec !

« ... La réalité, conclut Paul Adam, c'est qu'il n'y a pas d'avis tranchés. Tout le monde est sur les nerfs. Les Russes en particulier ont leur propre psychose : ils craignent de perdre totalement leur capacité de détection d'attaques par missiles. L'équipe actuelle au Kremlin, une coalition de libéraux et de communistes réformateurs, a été marquée par la tentative d'assassinat contre Boris Nembaïtsov il y a six mois. On y a vu la main des Rodinatchiks, les nationalistes grand-russes qui exècrent les idées libérales et l'Amérique. Certains cercles proches de Nembaïtsov se demandent aujourd'hui s'il y aurait une alliance entre cet "ennemi de l'intérieur" et, à l'extérieur, les ennemis de l'Amérique... Les Russes sont en pleine théorie du complot, comme d'habitude. Le problème, c'est que la posture de la Chine n'aide pas à dissiper tous ces mythes. Par exemple, la Chine a toujours eu pour doctrine en matière de guerre informatique d'attaquer en premier.

Cela renforce le soupçon par rapport aux attaques informatiques en Russie. S'agit-il des signes avant-coureurs d'une offensive préventive de plus grande ampleur ? D'une désorganisation préparatoire à une attaque nucléaire de première frappe ?... Pour les Russes, cela doit drôlement y ressembler. Faudrait-il alors qu'ils préemptent dès maintenant cette possible première frappe chinoise ? Mais d'un autre côté, il n'y a aucune certitude. Les attaques informatiques ne sont pas signées. On ne sait pas d'où elles viennent. Surtout, alors que la Chine vient d'obtenir le passage de la résolution 2729 — quelle serait la logique de déclencher douze, dix-huit heures plus tard un dérèglement généralisé sur tant de théâtres régionaux si différents ? »

Jon Cornelius, encore frais, rattrapa la question en plein vol.

« Mais si ! Cette logique existe, pourtant ! C'est le président Victor Teng qui me l'a lui-même décrite. Les Chinois lancent des attaques informatiques tous azimuts afin d'entretenir la confusion et d'avancer masqués. Les unités de guerre informatiques des pays attaqués, dont le nôtre, s'épuisent à essayer de sauver leurs infrastructures civiles et celles de leurs alliés — alors que l'attaque de la Chine se prépare ailleurs : il va s'agir d'une offensive préventive contre nos systèmes militaires stratégiques — par exemple nos satellites. Comme le système satellite GPS... Et l'effet de surprise sera d'autant plus grand que, justement, la Chine vient d'obtenir la résolution 2729 et d'accepter théoriquement la main que nous lui tendions. »

Jack semblait plus que gêné par ce que venait de dire Jon. Il se tourna immédiatement vers Engleton, le directeur de la NSA.

« Richard, en toute franchise : pouvez-vous affirmer

que ce sont les Chinois qui sont derrière toutes ces attaques mondiales ? »

Levin était frappé par l'aplomb d'Engleton. En grand uniforme bleu nuit, il paraissait sûr de son fait.

« Monsieur le président, il ne fait pas de doute pour moi que c'est la Chine qui est derrière la paralysie informatique des réseaux bancaires, de communication et d'électricité de Taiwan. Il ne fait pas de doute pour moi non plus que la Chine a essayé d'attaquer nos réseaux Intelink et nos systèmes civils d'accès à Internet. Par contre, je n'ai pas encore d'informations précises de la part de l'US Strategic Command sur l'origine des attaques qui ont affaibli notre GPS... » Il se tourna vers Dörner, qui jusqu'ici était demeuré silencieux. « Enfin, monsieur le président, je n'ai absolument aucun élément, j'insiste là-dessus, qui me permette de croire que la Chine soit à l'origine des autres dérèglements de réseaux dans le reste de l'Asie, de la Russie, de l'Europe ou de l'Amérique. Peut-être est-ce le cas. Mais, pour l'instant, je n'ai strictement aucune preuve à ma disposition. Strictement aucune. »

Le problème, songeait Levin, c'est qu'on n'aurait peut-être jamais le temps nécessaire pour obtenir les preuves confirmant ou infirmant l'hypothèse. L'heure avançait. Alors, d'un coup, sous la fatigue, Jack laissa éclater son humeur. Il voulait secouer son conseil.

« Enfin, qui attaque qui ? Contre qui toutes ces attaques sont-elles tournées ? Est-ce vraiment la Chine contre le reste du monde ? Quelle est la logique de ce merdier ?... Mark ! Vous avez un avis ? »

Au ton de Jack, Levin ne savait pas s'il s'agissait d'un appel à l'aide ou d'un rappel à l'ordre.

« Monsieur le président, tout ce que je peux affirmer, c'est que nous subissons ici les assauts d'un nouveau type de conflit. D'un nouveau type de guerre. Une guerre de l'information, dans toutes ses dimensions, tant informatiques que psychologiques… Nous y sommes. C'est le Pearl Harbor électronique que nous attendions depuis une vingtaine d'années. »

Mes deux collaborateurs directs m'attendent. J'ai beau faire un mètre et quitter le tarmac de la base d'Andrews, ils sont déjà là. Mon Dieu ! La peur distend leurs visages. Ils dégoulinent de sueur. Ils ont eu mon message. Ils confirment ce que je sais déjà. Veulent-ils avoir le privilège de savoir avant les autres ? Me convaincre de reculer ? Même pas. Ils ont compris que tout cela les dépassait de très loin. Ce n'est plus à leur échelle. Je n'ai rien besoin de dire, ou presque. Je porte le message, c'est tout. Il n'a qu'un seul et unique destinataire. Nous montons dans la Lincoln. Je leur dis d'aller sur Pennsylvania Avenue. Ils obéissent. Ils n'osent plus rien dire. Nous avançons silencieusement vers Pennsylvania Avenue. Je vois ma ville défiler devant moi. Nous y sommes bientôt, Jack. Prends garde… Elle approche.

« … Et malgré toutes les études, reprenait Levin, malgré tous les exercices que nous avons réalisés — et j'ai en tête les différentes simulations de la Rand Corporation — il y a, je m'en rends compte aujourd'hui, un élément décisif de l'infoguerre dont nous n'avons pas compris l'importance critique : nous ignorons l'identité de l'État agresseur. Permettez-moi d'être clair, monsieur le président. Toutes ces attaques informatiques non signées sont trop complexes pour pouvoir y lire un message politique. C'est donc qu'il ne s'agit pas d'un message mais bien d'une tentative de destruction. On ne veut rien nous dire. On ne veut pas nous influencer. On cherche à nous réduire, c'est tout. La phase de diplomatie est terminée. Les opérations de guerre ont déjà commencé. À cela s'ajoute la leçon magistrale que nous avons apprise aujourd'hui : le facteur clé du succès de l'infoguerre, c'est la connaissance claire et assurée de l'identité véritable de l'agresseur. Et j'ai peur qu'il n'y ait là, à la différence du champ de bataille, une véritable prime à l'agresseur plutôt qu'au défenseur. Une prime à l'action préventive. Et je dis bien préventive, pas préemptive. La préemption, c'est agir lorsque l'attaque ennemie est sur le point de se réaliser. C'est l'autodéfense ultime d'un État face à une menace claire, imminente et mortelle. La prévention, c'est agir bien plus en amont, avant même que cette menace ne se matérialise… »

Levin souffrait d'aller plus loin. Presque involontairement, il avait admis qu'il existait une logique chinoise à attaquer préventivement. À demi-mot, il venait de donner raison à son rival, Jon Cornelius.

« Bien, bien, écumait Brighton, et maintenant ? Ce que vous me dites, c'est quoi, Mark ? Comme nous ne connaissons pas l'identité de l'agresseur véritable, nous ne devons rien faire, c'est cela ? Mais pendant ce temps, le pays part à vau-l'eau. Et le reste du monde aussi ! Le reste du monde ! Sauf… sauf nos chers amis chinois. »

Levin baissa la tête.

« Toutes nos forces sont passées en "Defense Conditions 2" poursuivit Brighton. Et dans moins de… quarante minutes maintenant, lorsque le signal du réseau GPS se sera peut-être éteint, nous aurons perdu une partie de notre pouvoir de dissuasion. Nous n'avons plus le luxe de chercher la vérité absolue, messieurs. Nous devons agir. Nous sommes pressés par le temps et les événements. » Il se tourna vers Levin. « Mark, j'ai apprécié le brio de votre exposé mais nous avons maintenant besoin de solutions concrètes. » Ces dernières paroles firent à Levin l'effet d'une gifle patriarcale.

« Alors, messieurs ? Quelqu'un a-t-il quelque chose à proposer ? »

Cornelius prit la parole à nouveau, le timbre clair et assuré.

« Il existe une solution, Jack… » Cornelius marquait avec insistance sa proximité avec le président afin de marginaliser encore plus son rival Levin. « Vous avez parlé, Jack, d'un moyen de faire "d'une pierre, sept coups". À ce stade de dégénérescence de la situation internationale, il n'existe pas un millier de moyens. Il n'y a qu'une façon de recréer rapidement un rapprochement entre les nations les plus importantes, c'est d'envoyer un signal de ralliement et d'ériger un rempart unique contre la peur… Si nous appelons nos alliés traditionnels, par exemple européens, nous pourrons peut-être essayer de les convaincre de se joindre à nous, sur des bases rationnelles de coopération informatique. Et pour les autres pays qui n'ont jamais vraiment eu l'habitude de coopérer avec nous… Si nous voulons arrêter l'incendie de façon immédiate parmi toutes les autres nations, et je parle ici de nations qui possèdent un arsenal nucléaire développé, alors le plus simple et le plus efficace serait encore de désigner un agresseur unique. C'est, au final, Jack, la seule manière rapide d'arrêter pour un temps le chaos et d'obtenir un minimum de consensus international. »

Levin voyait le sol s'ouvrir sous ses pieds. Jon Cornelius, d'habitude plus gris que les murs du Département d'État, qui demandait maintenant que l'on placarde sur la place publique la tête du coupable idéal et qu'on le livre à la vindicte des nations. Et le pire encore, c'était que Cornelius avait raison : il tenait là la moins déraisonnable des solutions.

Engleton s'éclaircit la voix. Mark se sentait pris dans l'étau.

« Monsieur le président, fit Engleton, je pense que l'idée de Jon fait sens. Je regarde les autres choix. Première option : nous pourrions essayer de traiter chacune des sept crises une par une. Mais nous n'aurons jamais terminé dans l'heure, ni même dans les prochaines dix à onze heures. Nous n'avons pas les moyens humains de nous engager dans une diplomatie personnelle au plus haut niveau avec la douzaine de nations en jeu dans les délais qui nous sont imposés. C'est absolument impossible. Seconde option : nous pourrions nous concentrer sur la crise chinoise et russe, uniquement. Mais nous risquons une escalade nucléaire en Inde, en Iran ou au Moyen-Orient. Et puis, dans cette option, tout ce que nous pouvons faire, c'est supprimer l'ultimatum de Victor Teng en bombardant l'Institut nucléaire de Chungshan à Taiwan. Cela nous permettra d'envoyer un message très fort tant à Taipeh qu'à Pékin. Pour autant, nous n'aurons pas supprimé le problème informatique. Nous aurons juste gagné un jour ou deux, et uniquement sur le théâtre Chine-Taiwan. Et pendant ce temps, Dieu seul sait ce qui se passera ailleurs — ou si le Japon profitera du délai pour poursuivre son programme nucléaire accéléré. On risque de se retrouver avec une situation encore pire d'ici quarante-huit heures — et sans GPS, monsieur le président !... » La logique du raisonnement était en train d'acculer Mark à lentement accepter ce à quoi il s'était refusé jusque-là. « ... Enfin, conclut Engleton, il y a la troisième option, monsieur le président : employer tous nos moyens militaires de guerre informatique afin d'aider les infrastructures civiles et militaires de nos alliés, des pays neutres et même de certains de nos ennemis. Et lancer un grand message de coopération internationale. Seulement voilà... si jamais l'hypothèse de Victor Teng est juste, si en réalité la Chine a lancé une "attaque préventive", pour utiliser l'expression de Mark, alors nous aurons utilisé nos moyens militaires de guerre informatique à défendre nos alliés plutôt que nous-mêmes. Nous aurons été les victimes d'une manœuvre de diversion des Chinois. » Levin grimaça. « … alors, monsieur le président… nous serons morts. Et le risque est tellement grand que je ne peux personnellement vous conseiller cette troisième option, monsieur le président. »

Un court silence s'installa dans la pièce. Brighton finit par se tourner vers Levin, et lui posa la question que Mark redoutait désormais.

« Mark… que pensez-vous de tout ceci ? »

Levin se sentait écrasé d'un poids invisible, une pression asphyxiante. Il pouvait retourner l'argument dans tous les sens, rien n'y faisait — fondamentalement, Cornelius avait raison. Au final, il s'inclina devant sa propre rigueur intellectuelle. La voie de la négociation avec la Chine, que Mark avait préconisée jusque-là, avait cessé d'être.

« Monsieur le président, nous ne savons toujours pas qui précisément a déclenché cette attaque mondiale. La vérité est la meilleure conseillère. Je suggère donc que tant qu'il nous reste une marge de manœuvre autour de nos lignes rouges, nous poursuivions l'effort d'investigation et identifions peut-être l'agresseur véritable… Cependant, je reconnais les mérites de la proposition de Jon Cornelius. Nous devons réfléchir dès à présent à l'application de l'Oplan 4891 de l'US Strategic Command contre la Chine. Nous devons être prêts à le déclencher au moment où nous considérerons que nos lignes rouges sont approchées de trop près par l'Ennemi. Et, après le déclenchement de l'Oplan 4891… selon l'idée évoquée par Jon… nous pourrions procéder à un rapide tour de diplomatie personnelle afin de rallier la plupart des pays alliés et neutres à notre offensive et donner un sens nouveau à tout ce désordre. Et en priorité contacter la Russie, la France, l'Allemagne, la Grande-Bretagne et le Japon. Cela permettra d'exposer clairement la situation. De savoir de vive voix qui est avec nous et qui est contre nous. Et d'organiser le groupe de pays dirigeants du front antichinois. »

Cornelius eut l'élégance de s'abstenir de sourire. Il gardait une mine sévère, vaguement approbatrice. Jack lui sembla perdu un instant dans de sombres pensées — comme si tout un ensemble d'illusions fragiles s'étaient brisées en un battement de cils. Il eut alors un geste surprenant. La tête en berne, trahissant son épuisement physique et nerveux, il fourragea lentement la main dans la masse de ses cheveux — puis fixa du blanc de l'œil son conseiller.

« Merci de votre avis, Mark. J'ai bien pris en compte vos premières idées en matière de solution diplomatique, juste après le déclenchement de l'Oplan 4891. » Le président se tourna alors vers le chef d'état-major, le général Dörner. Il restait encore trente-cinq minutes avant la fin théorique du GPS. « Général, pourriez-vous nous réexposer dans les grandes lignes la version actualisée de l'Oplan 4891 ?… »

Mon cœur se met à battre. La voiture approche de la Maison Blanche. Je vois, au loin, ses reflets d'ivoire, les seuls encore à briller dans la nuit de Washington. L'heure de la bataille va bientôt sonner.

Le général Dörner, silencieux jusque-là, se redressa sur injonction du président. C'est un visage digne et retenu qu'il présenta à la douzaine de personnes entassées dans la petite salle de réunion.

« Monsieur le président, le plan que je vous soumets

est la version finale de l'Oplan 4891 de l'US Strategic Command. S'agissant d'une opération d'infoguerre qui vise à la confusion de l'ennemi en vue de son affaiblissement, nous avons songé à un passage de la Bible et l'avons baptisé en interne "opération Babel" lors de notre ultime révision, il y a un peu plus d'une demi-heure. Nous proposons d'attaquer directement l'infrastructure militaire du pays sans toucher aux infrastructures civiles. Nous voulons limiter au maximum les risques de dommages collatéraux. Nous devons limiter les réactions de colère populaire qui gêneraient nos intérêts politiques à long terme. Nous allons concentrer notre effort sur les infrastructures de communication, de contrôle, de commandement et d'information de l'armée chinoise. Nous utiliserons pour la première fois la constellation déployée récemment de satellites antisatellites SBL à laser haute énergie, afin de pouvoir mettre hors d'usage dans les trente premières secondes du conflit les satellites chinois de type Feng-Huo — ils constituent les relais du système intégré de commandement Qu Dian de l'armée chinoise. Nous ferons voler nos avions de guerre électronique EP-3E afin de brouiller l'ensemble des systèmes radar ennemis. Nous allons également, via une attaque aérienne, rendre totalement inopérant le centre de commandement général de l'armée chinoise située sur le mont Yuquan Shan, au nord-est de Pékin. Nous utiliserons les drones de combat à pilotage automatique de type Horseman, dérivés des prototypes X-45 de Boeing. Ce sont de véritables avions de combat sans pilote. Leur navigation est entièrement automatisée. Leur capacité de réaction face à des missiles antimissiles est bien plus sophistiquée que celle des missiles de croisière Tomahawk. Les Horseman seront armés de bombes électromagnétiques permettant de détruire les installations électroniques tout en minimisant la létalité pour les êtres humains. Nous démontrerons ainsi au pouvoir politique chinois la supériorité absolue de notre avance en matière de technologie militaire. Il ne devra plus y avoir de doute dans leur esprit à ce sujet. Et cette conviction est un but tactique aussi important que la mise hors d'état du centre du mont Yuquan Shan. Parallèlement, nous détruirons les satellites Beidou qui sont l'équivalent chinois de notre système GPS. Nous procéderons dans une seconde phase au bombardement électromagnétique au moyen de missiles de croisière Tomahawk des principales installations de guerre informatique de la Chine : le centre chinois de sciences de la défense et de technologies de l'information de Pékin, l'université de génie informatique de Zhengzhou, l'Académie de communications et de commandement de Wuhan, l'université nationale des sciences et des technologies de la défense de Changsha, et les quatre unités de guerre informatique de l'Armée populaire de libération situées à Datong, Xian, Echeng et Xiamen — toutes les unités que nous avons identifiées depuis la toute fin des années quatre-vingt-dix, où des exercices de guerre informatique se déroulent depuis 1998-1999. À la fin de cette phase, les opérations diplomatiques évoquées par M. le secrétaire d'État et M. le conseiller pour la Sécurité nationale pourront alors avoir lieu afin de constituer et consolider le front antichinois. Nous pourrions d'ailleurs aider militairement cette offensive diplomatique en suspendant les communications intergouvernementales entre la Chine et les autres pays. Nous bloquerions ainsi les opérations de guerre psychologique des communistes de Pékin vers les gouvernements dont nous voulons gagner le soutien. »

Vers la fin de l'exposé, l'analyste en chef de la Sit Room, un homme d'une quarantaine d'années à l'allure encore jeune, se faufila dans l'espace étroit laissé par les fauteuils en évitant de trop bousculer de genoux. À hauteur de l'épaule de Mark, l'air concerné, il se cambra et murmura à l'oreille de Levin :

« Monsieur le conseiller, nous avons une personne au téléphone qui souhaite parler directement au président. C'est un coup de fil un peu particulier.

— De qui s'agit-il ? répondit Mark à voix basse, agacé qu'on puisse le déranger à ce moment.

— Nous avons vérifié son identification. C'est un civil, à l'accréditation de sécurité Yankee White. Julia O'Brien. »

Pour Mark, cela ne voulait dire qu'une chose : un officier de renseignement de haut rang autorisé à intervenir directement auprès du président.

« Que veut-elle ?

— Elle détient des informations confidentielles sur… » Il sortit un petit calepin. « … "Arzamas", monsieur. Elle veut en discuter avec le président et lui seul.

— Demandez à Signal de me passer la communication dans mon bureau. Je vais voir ce que c'est. »

Tout appel de l'extérieur pour le président passait par Signal et, après vérification de l'identification, par l'analyste en chef de la Sit Room ou le conseiller pour la Sécurité nationale. À la surprise de Brighton, Mark se leva et se dirigea vers son bureau à une dizaine de mètres de là.

Je me tiens sur West Executive Drive, en face du foyer du rez-de-chaussée, à l'entrée de l'aile gauche, au milieu de la nuit. Mon portable sécurisé en main. Les gens de Signal m'ont identifiée. J'attends que les portes s'ouvrent. Ils peuvent s'agiter à l'intérieur… Moi seule possède la clé.

« Allô ? Ici Mark Levin. J'écoute. Qui est à l'appareil ?… »

Dans le fatras de son petit bureau réaménagé au niveau de la Sit Room, il avait réussi à agripper son combiné surnageant au milieu des feuillets, classeurs et livres divers.

Une voix féminine au timbre calme mais ferme ponctuait chaque phrase de courts silences réfléchis.

« Monsieur le conseiller, je m'appelle Julia O'Brien… Je travaille pour Paul Adam, en liaison avec Dick Engleton… J'étais en charge de l'interrogatoire à Berlin du docteur Alberich, le directeur de l'institut russe d'Arzamas-84. »

Il s'agissait d'informations ultra-confidentielles. Julia était donc l'agent qui avait retrouvé la trace d'Alberich à Berlin — cet agent mentionné sans en préciser le nom lors d'une réunion quelques jours plus tôt du Special Situations Group.

« Vous souhaiteriez parler au président, madame ? Le Conseil national de sécurité est réuni au complet dans la Situation Room. Je vais essayer de vous transmettre le président…

— Non, attendez ! coupa brusquement la voix féminine. Je voudrais savoir d'abord une chose… Avons-nous déjà oui ou non déclenché la nouvelle phase de l'opération Babel ?

— Comment êtes-vous au courant du nom de… ?

— Le nom de quoi ? De notre minutieuse opération Babel, monsieur le conseiller ? »

Là, il comprend. Mais cela ne vient pas tout de suite.

D'abord, lentement puis brusquement — le silence. Nuit totale, comme un flash. Et puis un déchirement, comme un jour noir qui se lève sous ses yeux. C'est le même bureau, c'est la même heure. Seule la minute a basculé. Et tout est différent.

« Alors, vous n'étiez pas au courant ?... » poursuit la voix féminine, inquisitrice. Mark peine à tenir entre ses mains le combiné. Il laisse parler Julia. « ... Je me suis doutée que vous n'en faisiez pas partie... Mais vous savez, le clan Brighton, c'est pratiquement ma famille. En y réfléchissant, j'ai d'abord été étonnée de votre nomination à la tête du Conseil de sécurité nationale... Je comprends maintenant pourquoi... Ne vous méprenez pas, Mark... je peux vous appeler Mark ?... Ils ont juste une longueur d'avance sur vous. Et non, je ne cherchais pas à joindre le président. Je cherchais à vous joindre, vous. Mais en situation de crise, la seule façon d'être sûre de vous joindre, c'était de faire appeler le président. Je savais que je vous aurais un moment en ligne. Vous êtes dans la chaîne de commandement. En plein dedans. »

Le voyage à travers le miroir ne doit pas être facile pour Levin. Il navigue entre les bris de verre qui se détachent un par un. La traversée est douloureuse. Mais il est courageux. Je l'entends se lever, refermer la porte derrière lui pour s'isoler et revenir près du combiné. Il veut connaître la suite. Moi aussi.

« De quoi parlez-vous ? De quoi parlez-vous, madame ? » L'onde de choc n'est pas dissipée.

Cela fait cinq minutes qu'il s'est absenté. Il ne peut pas rester plus longtemps à l'écart de la salle de conférences.

« De quoi je parle ? Mais des désordres en Russie, en Europe, au Moyen-Orient, en Amérique même... C'est tout cela, l'opération Babel. La première phase

préparatoire a déjà commencé. » L'inconnue fait référence à l'Oplan 4891. De qui tient-elle le nom de code
de l'opération ? « Nos unités ESET d'ingénierie de sécurité électronique au sein de l'US Air Force ont déjà été
mises en alerte, Mark. Cela fait des centaines d'informaticiens de l'armée qui ont été entraînés depuis plusieurs
années à contrer une attaque de masse de la Chine si
celle-ci lançait une offensive de "première frappe électronique" dans le cadre de sa doctrine de la "guerre
populaire informatique". Dites-moi, les centres NetOps
de la "Force Interarmes/Opérations du Réseau Mondial"
au sein de l'US Strategic Command, ces centres ont été
placés en "Emergency Conditions 1" depuis hier, n'est-
ce pas ?... Seriez-vous surpris si je vous apprenais que
les centres NetOps ont été placés en état d'alerte maximale en réalité il y a plus de trois jours au moins ? Trois
jours, Mark... vous comprenez ? Trois jours que Babel
a été déclenchée ! »

Il s'est assis — mais continue de perdre pied. Les
murs tanguent.

Ce n'est pas la Chine qui a lancé une guerre préventive. C'est l'Amérique.

Il faut qu'il retourne au cœur de la Sit Room mais il
a encore une question.

« Nous savons que c'est Arzamas qui est à l'origine
de ces attaques, madame...

— Non, Mark. Arzamas, c'est une petite cité secrète
de carton-pâte au milieu de nulle part. C'est un théâtre
de marionnettes. L'homme que j'ai interrogé en Allemagne, et vous savez de qui je parle, me l'a avoué de
manière détournée. Les Chinois de la quatrième section
du Guoanbu ont cru mettre la main sur le dernier trésor

de l'Union soviétique. Jia Gucheng et compagnie récupéraient des algorithmes développés par des ingénieurs informaticiens russes, de pauvres gusses reclus au milieu de la Sibérie — et ces algorithmes permettaient aux gens du Guoanbu d'ouvrir les portes des systèmes informatiques américains. Simplement, ce que les Chinois et même, je crois, la plupart des informaticiens d'Arzamas ignoraient, c'était la véritable origine de ces algorithmes. C'est nous qui les fabriquions. À l'image de l'opération Promis, nous avons créé des portes dérobées — cette fois, dans nos propres systèmes. Afin de faire croire aux Chinois qu'ils pouvaient déclencher la guerre informatique qu'ils rêvaient d'engager contre nous. Et nous leur avons donné les clés par l'intermédiaire d'Arzamas. Et ils ont pris confiance. Trop confiance. C'est précisément ce que nous cherchions. Nous allons reprendre les clés maintenant. Et nous allons fermer les portes. Et détruire le rêve de la Chine, prise la main dans le sac. La Chine va être punie. »

Dans la tête de Mark, tout se bouscule.

« Pourquoi me racontez-vous tout cela ? Que voulez-vous ?

— J'ai découvert une erreur dans la machine. Nous devons tout arrêter. Mais je les connais, ils sont têtus. Y compris Jack… Alors, par défaut, vous êtes désormais mon seul allié au sein du clan Brighton. J'ai besoin de vous. Faites-moi rencontrer le président maintenant et vous comprendrez tout le reste. Je ne parlerai qu'à lui des résultats de ma mission à Berlin… Jack devra changer d'avis. Je sais qu'il le fera.

— Où êtes-vous ?

— Je suis juste ici, Mark — sur West Executive Drive, devant le foyer du rez-de-chaussée… J'attends que vous me laissiez entrer. Dites-leur que je suis là.

— Laissez-moi voir ce que je peux faire. »
Mark coupe aussitôt.

Merde — c'est le premier mot qui lui vient à l'esprit.
Sa carrière défile devant ses yeux — de sa première
année de *freshman* à Harvard jusqu'à son accession au
poste de conseiller du président pour la Sécurité nationale. Merde, merde, merde. Il respire un long moment.
Il s'est bien fait baiser. C'est même mieux que cela. Il va
entrer dans l'Histoire comme l'une des grandes dupes
de la guerre sino-américaine. Noble postérité ! Il en rirait
presque s'il n'y avait cette tragédie immense qui
s'annonce.

Un jeune officier du Sit Room se tient à l'entrée de
son bureau, et ouvre à moitié la porte.

« Monsieur le conseiller, le président vous a fait chercher !… Il vous demande d'urgence en salle de conférences. »

En temps normal, il serait mortifié d'un tel manque
de discipline de sa part. Mais on n'est plus « en temps
normal ». Pourquoi donc a-t-il rejoint cette petite équipe
de comploteurs fous furieux ?… Comme l'a dit
l'espionne, il est dans la « chaîne de commandement »,
et jusqu'au cou.

L'effort de lucidité fait mal. Il comprend maintenant
pourquoi il est le seul du Special Situations Group à ne
pas faire partie du sérail « historique »… Ils ne l'ont pas
sélectionné parce qu'il était le meilleur. Ils l'ont choisi
parce qu'il connaissait les Chinois. Et parce qu'il était le
meilleur homme pour négocier un accord avec Pékin.
Le plus crédible et le plus sérieux… Le clan a toujours
espéré un accord. Il fallait l'obtenir absolument. C'est
l'intuition géniale de Victor Teng : après avoir signé un
accord, qui peut imaginer que l'on va attaquer ? C'est la

meilleure dissimulation possible… La crise qui précède l'accord permet la mise en alerte de toutes les forces. On sort le glaive pour intimider l'adversaire. Mais voilà soudain qu'un accord est signé ! La tension retombe aussitôt. L'attention également. Et c'est là, précisément à ce moment, que l'on frappe de toutes ses forces avec le glaive ! Sauf que ce n'était pas la stratégie de Hu Ronglian. C'est celle de son patron. Brighton lui a joué la comédie avec sa nostalgie du Vietnam et sa peur de la guerre. Brighton n'a pas peur de la guerre. Il a peur de la Chine. Et pour préparer la sortie du glaive de son fourreau, il a envoyé Levin négocier de bonne foi…

Il ne reste plus que vingt-cinq minutes avant la fin annoncée du GPS.

… Les comploteurs ont simulé jusqu'au bout. À la réflexion, en se mettant à leur place, il n'y a pas d'autre façon de supprimer totalement les risques de fuite. Journalistes et espions ennemis peuvent nourrir leurs doutes, ils n'auront jamais les preuves.

… À la réflexion, c'est aussi la meilleure manière d'obtenir du petit soldat Levin qu'il joue sa partition avec une absolue sincérité — et convainque les Chinois.

Il faut partir. Mark suit le jeune officier à grandes enjambées et retourne dans l'espace étroit, suffocant d'anxiété, de la salle de conférences.

« Mark ! Qu'est-ce que vous faisiez ?… Nous avons un nouveau problème ! apostrophe, magistral, le président du fond de la pièce. Il y a une minute, nous avons reçu un message CRITIC de la NSA. Israël a annoncé avoir en sa possession une fusée Shavit d'une portée de vingt mille kilomètres, capable d'atteindre n'importe quel point du globe — une menace à peine voilée à la

Chine, dans un chantage qui pourrait ressembler à celui de Golda Meïr menaçant l'Union soviétique d'une attaque nucléaire en 1973 afin d'être sûre d'obtenir l'aide américaine. » Mais ce n'est pas tout. Sur l'un des murs, un des panneaux de bois posé sur glissière a été escamoté afin d'allumer un poste de télévision caché derrière. À l'écran, le général pakistanais Ashaf-ul-Saeeda attaque une conférence de presse.

Mark s'approche de l'oreille du président :

« Monsieur le président, l'agent Julia O'Brien est ici. Elle souhaite s'entretenir avec vous immédiatement.

— Comment cela ? Est-ce urgent ?

— C'est ce que m'a dit O'Brien.

— Elle a précisé pourquoi ?…

— Non, je n'en sais rien, monsieur le président. Voudriez-vous la recevoir ? »

Le visage de Brighton se creuse bizarrement. L'espionne a-t-elle dit la vérité ? De toute évidence, Brighton connaît O'Brien. Il y a des milliers d'agents qui travaillent pour la CIA. Mais Brighton n'a pas demandé à Levin pourquoi cet agent O'Brien était si important… Alors Mark s'enhardit.

« … Elle m'a aussi parlé de l'opération Babel, monsieur le président. Alors qu'elle n'était pas présente avec nous lorsque le général Dörner a pour la première fois évoqué le nom de l'opération… dont l'Oplan 4891 n'est que la nouvelle phase… »

À l'écran, le général Ashaf-ul-Saeeda, moustache fine, tailleur anglais et voix douce, menace quiconque s'en prendrait au Pakistan de subir les foudres de Dieu. Mais Brighton ne regarde plus la télévision.

Engleton s'est redressé. A-t-il compris ce qui se passait entre les deux hommes ?

« Monsieur le président, annonce Dick Engleton, je viens de recevoir un autre message de DEFSMAC à la

NSA. On confirme les difficultés générales du réseau GPS. Il ne nous reste plus que vingt minutes, monsieur le président ! »

Brighton s'est levé.

« Messieurs, le Special Situations Group va se réunir d'urgence dans le Bureau ovale. »

Autour de la table, le secrétaire au Trésor ainsi que le secrétaire général de la Maison Blanche ne comprennent pas la décision du président. A-t-il besoin d'un ultime moment de réflexion avant de prendre la décision d'appliquer l'Oplan 4891 ?… Le plus curieux, c'est que d'un geste Brighton fait comprendre à Engleton et Grant qu'ils doivent rester dans la salle de conférences. Le président les appellera. Le général Dörner, lui, va partir au Pentagone, au Centre national de commandement militaire. Il n'y a que de là qu'il peut déclencher les opérations militaires si on lui en donne l'ordre. Enfin, seuls Levin, Cornelius et Adam suivent la foulée de Brighton qui les amène dans le Bureau ovale.

À l'étage du dessus, les portes du bureau refermées, bras croisés, juste à la verticale de l'aigle présidentiel dessiné sur la moquette ocre, Brighton est hors de lui, le front en sueur.

« Messieurs, Mark vient de me faire part de l'arrivée de Julia à Washington. Julia veut nous voir d'urgence… Que vous a-t-elle dit d'autre, Mark ?

— Monsieur le président, O'Brien m'a affirmé au téléphone que l'opération Babel avait été planifiée à l'avance. Que les dérèglements informatiques à l'échelle mondiale sont le fruit d'une attaque qui ne vient pas de la Chine. Elle vient de nous. »

Brighton a toujours les bras croisés.

« Et qu'en pensez-vous, Mark ? »

Levin, muet, ose à peine croiser le regard du président.

« Julia O'Brien est l'agent qui a été envoyé à Berlin pour interroger Alberich. Elle détient trop d'informations confidentielles. Avez-vous songé, Mark, qu'elle pouvait faire partie d'une opération de désinformation au plus haut niveau, organisée par la Chine ou par des éléments des services secrets russes ? Dans le but justement de provoquer une crise dans mon gouvernement.

— C'est une possibilité auquel j'ai songé, monsieur le président. Mais Julia ne peut mentir à cent pour cent. Il y a une part de vrai, forcément, dans ce qu'elle raconte. » Cette fois, il fixe Brighton. Il est sûr de son bon droit. « ... Et cette part de vrai me suffit pour que naisse un doute sur tout ce que je vois et j'entends, monsieur le président. Cela me suffit... pour vous demander la vérité, monsieur le président. »

Brighton laisse planer le silence. Lentement, il se dirige vers le bureau du Resolute et s'assoit sans un mot. Enfin, il reprend la parole.

« Bien, Mark, puisque vous voulez la vérité... Mais vous le regretterez. Personne n'aime vraiment entendre la vérité. La vérité, c'est un puits de souffrance. Dites-vous toujours ce que vous pensez réellement à vos amis et vos collaborateurs ? Non. Et moi non plus. Comme vous, je fais cela pour protéger ceux que j'aime ou simplement que j'apprécie. La vérité apporte avec elle le doute et la peur. C'est une saloperie cruelle. Mais je prends note de votre courage, Mark. Vous êtes prévenu, mais toujours prêt à avoir peur. Bien. Je crois, Jon, que Mark a le droit de savoir... »

Jon Cornelius, la mise toujours impeccable, se laisse tomber sur l'un des canapés blanc crème du Bureau ovale. Incrédule, Mark se retourne vers son vieil ennemi.

« Voyez-vous, Mark, commence Cornelius d'une voix lasse à l'adresse de Levin, nous nous sommes conformés à la sagesse des mêmes maîtres chinois que ceux que lisent les hommes de Zhongnanhai. Nous avons essayé de nous mettre à leur place. Alors, nous avons lu le traité de l'art secret de la guerre et des trente-six stratagèmes ; et voilà ce que nous y avons lu : "Nous attaquons avec une épée que nous avons empruntée"… "Nous masquons nos intentions en venant au secours d'une maison en flammes"… Et surtout, le plus important de tous les principes de Sun Tzu : "Tout l'art de la guerre repose sur la duperie"…

— Et Arzamas ? Alberich ?… »

D'un signe de la tête, Brighton fait signe à Cornelius de poursuivre.

« … Arzamas fait partie de l'opération d'intoxication contre les Chinois. C'est une des ces anciennes cités secrètes de l'Union soviétique à la recherche de nouveaux contrats militaires… » Il fait un geste vague de la main. « … avec quelques informaticiens et quelques ordinateurs. Quand ils ont passé un contrat de coopération avec la Chine il y a quelques années, nous avons eu une idée. Nous avons remis la main sur l'un des directeurs, Alberich, un Allemand qui a un peu travaillé pour nous au début des années quatre-vingt-dix — il nous aidait à repérer les talents russes que nous pouvions faire émigrer… Donc, nous lui avons remis le grappin dessus. Au début, nous nous sommes contentés de comprendre ce que voulaient les Chinois en termes de guerre informatique. Alberich nous communiquait secrètement les demandes des Chinois. Nous en déduisions où en était le programme d'armes informatiques de la Chine… Puis, nous avons eu une idée — répéter l'opération Promis, mais pas dans le domaine des logiciels de base de données : cette fois, dans le domaine des programmes de guerre informatique. Nous développions des programmes d'attaque de certaines de nos

infrastructures ici même. Nous les envoyions à Alberich qui les diffusait d'une façon ou d'une autre au reste
de ses informaticiens russes à Arzamas. Et le centre
d'Arzamas, dans le cadre d'exercices de combat où
Alberich simulait par des drapeaux différents des offensives multinationales, organisait des attaques informatiques contre nos propres infrastructures militaires.
Évidemment, cela marchait toujours ! Nous les laissions
gagner… Dans un rapport, Alberich appelait cela le
"mensonge autoréalisant" — bien que je n'aie jamais
vraiment compris ce que cela voulait dire… Comme
cela réussissait à chaque fois, la quatrième section du
Guoanbu, à l'origine des accords, était ravie. Elle ne
pouvait plus se passer des programmes d'attaque
d'Arzamas… que nous contrôlions via des portes dérobées. Le même modèle que pour Promis.

— Est-ce Arzamas qui est à l'origine des attaques sur
les infrastructures civiles dans le reste du monde ?

— Non, pas que je sache. Nous avons des équipes
d'"ingénierie de sécurité électronique" dédiées à cette
fonction. Ce n'est pas très compliqué d'ailleurs. À partir
du moment où tout le monde achète les mêmes matériels et logiciels aux mêmes fournisseurs, pour la plupart américains et pour lesquels l'État fédéral représente
un client important, il n'est pas difficile de faire embau-
cher des informaticiens de notre choix et qui implante-
ront au milieu de programmes des millions de lignes
de code, à l'insu de leur employeur, une ou deux petites
routines constituant une porte dérobée ou une bombe
logique attendant un signal pour se déclencher… Tout
cela, nous ne l'avons pas développé pour Babel, bien
entendu. Nous avons bénéficié des mesures défensives
que nos prédécesseurs ont mises en place. » Le patron,
Brighton, fait signe de poursuivre les explications. Il a
décidé de se montrer totalement franc avec Mark.

« Quand nous en aurons besoin, cela nous permettra également de bloquer les communications intergouvernementales entre la Chine et les pays que nous voulons rassembler sous notre égide, ainsi que les communications entre les autres pays. Pour chaque gouvernement, il n'y aura plus qu'un seul interlocuteur possible : l'Amérique. Par défaut, nous deviendrons *ipso facto* le point de ralliement de la nouvelle grande coalition contre la Chine… Quant à votre question sur les gens d'Arzamas… Ils ne sont plus au courant de grand-chose. Ils croient toujours être en train de participer à un exercice militaire de guerre informatique. Vous savez, ils n'ont pas de contact avec l'extérieur. Ils sont dans une grande simulation — du moins le croient-ils. Il y a un camp russe, un camp chinois, un camp américain… L'imagination fertile d'Alberich avait même envisagé une simulation où il existait un camp propre à Arzamas, un camp de l'intérieur, plus dangereux que tous les autres — ce qu'il appelait le *zemstvo* de Sibérie occidentale !… Un autre nom, d'après lui, pour son "mensonge autoréalisant"… » Et Cornelius de signifier par un flottement de la main qu'on avait parfois du mal à suivre les inventions d'Alberich même au sein des membres du sérail.

Je suis toujours dehors, près de l'entrée du foyer de l'aile gauche, à attendre que Mark ou n'importe qui me rappelle. Je sais que mon heure va venir. J'imagine que vous êtes en train de déballer toute l'affaire à ce pauvre Levin, qui doit tomber des nues. Et je sais que tu m'attends désormais, Jack. J'ai droit à un dernier rendez-vous avec toi. Alberich n'est pas qui tu crois. Méfie-toi de ses inventions… Je me souviens des mots de Nikolaï. Alberich avait l'habitude de jouer aux échecs avec Ponomarenko. Il avait ses techniques et ses bottes secrètes. Il n'est pas fou. Il n'invente rien. Derrière l'apparence de la folie, « il a en réalité un coup d'avance ». Il va nous mettre pat.

Il reste encore dix minutes avant l'extinction du signal GPS. Mark est assommé par tout ce qu'il vient d'apprendre. Mais il lui reste une dernière question. Il se tourne une ultime fois vers le président.

« Monsieur le président… Pourquoi avoir autorisé un chaos mondial ? Pourquoi ne pas avoir limité le théâtre de l'attaque informatique à la Chine, Taiwan… et notre pays ?… »

Brighton subit lui aussi le mélange de pression, de fatigue, de stress de ces ultimes rebondissements et se sent de plus en plus faible. Il regarde Mark et se dit qu'au fond ils ne sont pas si loin l'un de l'autre. Mark est juste un peu plus surpris. C'est normal. Jack affiche un air presque navré à l'adresse de son conseiller.

« Bien, je vais vous le dire, Mark… Pour deux raisons. La première, mineure, est d'ordre militaire. Toutes les unités de guerre informatique dans le monde doivent être occupées à sauver leur propre infrastructure. Cela crée un nuage d'incertitude sur l'origine de l'agresseur. Cela épuise les forces alliées, neutres ou ennemies. Et si jamais les choses tournent mal entre la Chine et l'Amérique, y compris au niveau des forces nucléaires stratégiques, nous n'aurons pas la surprise de découvrir un pays de puissance moyenne se retrouvant soudainement notre égal parce qu'il aura, lui, été totalement préservé du dérèglement… C'est pour cette raison que l'Europe s'est fait rattraper par l'Amérique après la première guerre mondiale et nous n'allons pas tomber dans la même erreur !… La deuxième raison, d'ordre politique, est la plus importante. Nous n'avons plus d'alliances et nous avons perdu le leadership gagné il y a très longtemps, après la deuxième guerre mondiale et pendant la guerre froide. Vous savez comme moi, parce que nous avons travaillé ensemble là-dessus, que les erreurs innombrables de mes prédécesseurs ont laissé des traces profondes. Et parfois même avec la meilleure volonté, il y a des âneries que l'on ne peut effacer avec le temps... Alors j'ai suivi l'exemple de George Bush père. Lui a compris que la guerre ne se fait jamais seul. La guerre ne se déclenche pas d'elle-même, mais uniquement lorsque l'ensemble des alliés estiment à l'unisson qu'il n'y a plus d'autre choix que d'ouvrir le feu. Lors de la première guerre du Golfe de 1991, tout le travail de George Bush père a consisté à forger une véritable coalition incluant même le silence des Soviétiques. Son acte de naissance fut scellé après épuisement de toutes les solutions diplomatiques, au moment précis du premier bombardement. Vous savez que je partage la même vision internationaliste que George Bush père, celle d'un ordre mondial pacifique et démocratique, basé sur la prééminence des Nations unies, l'ultime création de Roosevelt et de Truman et défendu par le leadership de notre pays... Mais nous n'avons jamais eu la tâche facile, surtout avec ces conservateurs stupides qui ne rêvent que de détruire l'institution des Nations unies !... Alors, à nouveau, nous avons pris exemple sur George Bush père. Pour refonder ce nouvel ordre mondial basé sur les institutions internationales et la puissance de notre leadership à la sortie de la guerre froide, George Bush père a pris comme prétexte l'Irak menaçant les champs de pétrole du golfe Persique. Et moi, oui, j'utilise la menace que représente la Chine pour les réseaux du monde industriel... En semant l'anarchie et la confusion, nous avons ébranlé les certitudes des chefs d'État que nous voulons à nos côtés. Ils sont confrontés chacun au pire ennemi pour un dirigeant : le doute. Nous seuls pouvons les en débarrasser. En désignant clairement l'origine du mal, en déchirant le voile de ces incertitudes, nous rassemblerons derrière notre drapeau alliés anciens et nouveaux et restaurerons enfin la paix. C'est un pari ambitieux mais nous avons fait nos simulations et calculé nos risques. Si les désordres s'installaient plus d'une semaine, alors fatalement il y aurait rupture, erreur, accident. Mais l'opération ne durera que vingt-quatre heures — juste le temps de déployer Babel et de forcer la décision de nos principaux alliés traditionnels et de la Russie. » Brighton afficha un sourire compatissant. « N'est-ce pas d'ailleurs ce que vous me recommandiez de faire il y a quelques instants, Mark ? "Organiser le groupe de pays dirigeants du front antichinois"… Nous partageons les mêmes préoccupations. Il est très possible que si les successeurs de George Bush père avaient été différents, nous n'en serions pas là aujourd'hui. Nous n'aurions pas besoin de fonder, encore une fois, une nouvelle alliance entre toutes les nations du système monde. Mais les dernières années à Washington ont été particulièrement pitoyables. Et toutes les erreurs engendrées par cette insondable médiocrité constituent l'ennemi véritable que je suis décidé à détruire, Mark. »

Levin est ébranlé par la sincérité profonde de son président. Il peut comprendre Brighton. Il peut admettre ses raisons…

Le téléphone sonne. C'est Signal. On souhaite parler au conseiller. Mark s'approche du bureau et décroche. Il se tourne immédiatement vers Brighton.

« C'est O'Brien, monsieur le président. »

Jack sait qu'il ne peut plus l'éviter. Mais il sent qu'il peut rétablir la confiance avec Mark.

« Bien, faites-la venir d'urgence au bureau et qu'on en finisse. »

Levin acquiesce au téléphone, raccroche, fait un pas en arrière et observe le président. Oui, il peut partager le point de vue de Brighton. Mais, au fond de lui, il y a toujours le choc de la trahison qu'il ne peut pardonner.

« Monsieur le président, je vous ai écouté. Je partage nombre de vos raisonnements. Mais, comme vous le savez, j'ai démarré à Harvard dans le département d'histoire. Je m'étais spécialisé dans l'histoire de la Chine et de l'Europe au cours du XXe siècle. Et j'ai toujours été fasciné par une question classique d'historiographie : quelles furent les origines de la plus grande catastrophe du siècle dernier, la première guerre mondiale ?... Jusqu'au milieu des années soixante, les historiens français, anglais et allemands ont expliqué la suite d'événements de l'assassinat de l'archiduc François-Ferdinand à Sarajevo le 28 juin 1914 jusqu'à la déclaration de guerre de la Grande-Bretagne le 4 août 1914 par un enchaînement accidentel de mauvais calculs diplomatiques. Du 28 juin au 4 août, l'Europe n'aurait joué que de malchance ! » Levin sourit. Cette chronologie résonne comme un écho monstrueux dans sa tête. « Or, au milieu des années soixante, l'historien allemand Fritz Fischer surprit le milieu universitaire en proposant une thèse bien plus terrible pour le Reich. » Levin retient son souffle. Le président va l'interrompre. Non. Il le laisse poursuivre. Cornelius devient rouge. « Eh bien ! Je vais vous le dire, monsieur le président, reprend Levin, encore surpris de la mansuétude de Brighton. Ce que Fischer a découvert, c'est la tenue à Berlin, le 8 décembre 1912, d'un grand conseil de guerre qui réunit entre autres le Kaiser Guillaume II, le chef d'état-major le maréchal von Moltke et le secrétaire d'État à la Marine, l'amiral von Tirpitz. Lors de ce conseil, le chef d'état-major des armées du Reich, le maréchal von Moltke, déclare qu'en raison du programme en cours de réarmement russe qui effraie l'élite conservatrice, l'Allemagne ne pourra gagner une guerre menée sur deux fronts après 1916. Dans ces conditions, une guerre préventive doit être menée sous les plus brefs délais. Cette guerre préventive est voulue par le Kaiser. L'amiral von Tirpitz demande alors au Kaiser un délai de dix-huit mois afin de préparer la flotte du Reich à un engagement probable de la marine britannique en cas de guerre. Voilà comment, dès décembre 1912, les Allemands ont prévu un conflit de nature paneuropéenne pour l'été 1914 !

— En quoi un conflit vieux d'un siècle pourrait-il nous intéresser, Mark ? rugit Cornelius, ayant perdu ses bonnes manières. Nous avons autre chose à faire que de parler de vos marottes d'universitaire d'Harvard ! »

Levin retient son souffle. La tension est au plus haut. Il pourrait presque en venir aux poings avec Cornelius. Mais non, le président n'intervient pas. Il le laisse terminer.

« Pourquoi cela nous intéresserait-il ? » Levin menace de l'index Cornelius. « Parce que grâce à vous désormais je vais croire en Fischer ! Mon cher Jon. Jusqu'à aujourd'hui, je n'avais jamais vraiment souscrit à la thèse de Fischer. Se peut-il que l'on puisse programmer la guerre ? Qu'on puisse la laisser venir ? Que les événements de juin, juillet et août 1914 se soient inscrits en réalité dans un plan décidé dix-huit mois plus tôt ?... Eh bien, aujourd'hui, en voyant ce que vous venez de commettre, je crois bien que Fischer avait raison. L'assassinat de Sarajevo n'était pas un accident. Les événements de juin, juillet et août ne sont pas les fruits du hasard. La Grande Guerre était prédestinée.

— Mais pour qui vous prenez-vous ? Vous nous donnez des leçons d'histoire, maintenant ? » le foudroie Cornelius. Il ne reste plus beaucoup de temps pour Levin. Dans trois à quatre minutes, le GPS est interrompu. Mais Mark se reprend et continue, le regard tourné vers son président.

« Monsieur le président, répond Levin dans un dernier souffle, je vous demande de ne pas mettre à exécution le plan que l'on vient de me décrire. Monsieur le président... le politicien socialiste français Jaurès, dans un discours de 1905, eut cette vision — je cite : "D'une guerre européenne peut jaillir la révolution... mais aussi des crises de contre-révolution, de nationalisme exaspéré, de dictature étouffante, de militarisme monstrueux..." Et Jaurès avait raison. La première guerre mondiale fut la plus grande catastrophe de notre histoire. Elle provoqua la Révolution en Russie et la prise du pouvoir par la dictature bolchevique en 1917. Elle donna naissance au fascisme et au nazisme sous la forme monstrueuse et militariste qu'ils connurent en Allemagne et en Italie. La première guerre mondiale engendra la deuxième guerre mondiale puis la guerre froide. Elle est la plus grande erreur de l'Europe. Elle est l'erreur du Kaiser Guillaume II — l'erreur d'une élite née au XIXe siècle et qui n'a compris que trop tard la nouvelle dimension industrielle de la guerre. Et je vois aujourd'hui cette même ombre, cette ombre de Sarajevo, glisser au-dessus de nos têtes. Ils ignoraient ce que représentait la guerre industrielle... Et nous ignorons ce qui se cache derrière cette guerre de l'information. Nous croyons que cette guerre sera courte, qu'elle se terminera dans quelques heures — mais qui nous dit qu'il va s'agir d'une promenade militaire ? Qui nous dit qu'au contraire elle ne durera pas cinq ans ? Ou peut-être plus ? Qui nous dit qu'elle ne sera pas la dernière ?

… Monsieur le président, nous allons peut-être provoquer la même catastrophe qu'il y a un siècle. Avec des conséquences bien pires. Aujourd'hui, nous possédons des armes nucléaires. Les Chinois, les Russes et des dizaines d'autres pays également. Nous courons le risque d'un chaos nucléaire. Refusez. Arrêtez l'opération ! Arrêtez l'opération. Reprenez les négociations… Sinon, monsieur le président, je serai forcé de vous présenter sur-le-champ ma démission. »

Levin est en train de terminer quand Julia entre dans le Bureau ovale, escortée par une estafette.

Une éternité, Brighton demeure interdit. Il retrouve la femme aux cheveux de jais, à l'éclat toujours aussi pur. Celle qui a toujours partagé son secret. Le temps n'a pas d'emprise sur elle. C'est la même jeune femme téméraire qui s'était jetée sur lui et lui avait promis en une nuit le restant de ses jours. Son visage aux pommettes hautes conserve la patine de l'enfance. Elle avance, sanglée d'un tailleur noir, l'air concentré. Elle demeure sa servante soldate, son fantasme lointain de fidélité absolue qui a trouvé le chemin de la vérité. Elle fait deux pas dans la pièce — mais hormis Jack, personne ne la regarde avec attention. Au centre du Bureau, Cornelius et Levin se font face désormais.

« Non, Levin ! Vous n'allez pas présenter votre démission ! aboie Cornelius, la gueule prête à enfoncer tous ses crocs dans le visage de son adversaire. Qui donc croyez-vous être ? Vous nous donnez des leçons de morale ? C'est vous, vous Levin, qui avez livré les noms et les adresses des dissidents chinois cachés à Hong Kong parce qu'ils avaient le courage de se battre contre la dictature ! C'est vous qui souhaitiez les envoyer aux *Laogai* pour faire plaisir à vos amis chinois ! Et vous étiez prêt à en faire plus encore pour les apaiser ! Combien d'étudiants, de journalistes, d'intellectuels étiez-vous sur le point de jeter dans les camps de rééducation ou de marquer pour assassinat politique afin de satisfaire votre désir de "paix" ?… Alors, ne nous donnez pas de leçons de morale parce que vous savez comme moi que Washington est une toute petite ville et que les choses se savent très rapidement ici !… »

Voilà comment ils me tiennent, songe Mark. Ils sont prêts à tout révéler à la presse. En faisant cette offre à Luo Fenglai, Mark s'était piégé lui-même.

« Monsieur le président ! supplie une dernière fois Mark sans un regard pour Cornelius, je sais que nous partageons les mêmes idées. Je vous livre mon intuition la plus profonde, monsieur le président. Vous pouvez, vous devez encore arrêter toute cette opération Babel, monsieur le président ! »

Un message vient d'arriver depuis la Situation Room, porté par l'analyste en chef. À la NSA, DEFSMAC annonce l'élimination progressive du signal GPS. Le moment de la décision est arrivé.

En voyant Brighton ainsi suspendu au tumulte, je pense à l'histoire du lieutenant-colonel Petrov. À quoi pouvait-il penser, ce Petrov, dans les secondes qui ont suivi le déclenchement du grand vacarme ? À quelle vitesse tout un ensemble d'images, de cauchemars et de réflexions contradictoires, mêlés de peur et de sueur ont pu se succéder dans le fond de son esprit ? Que voyait-il réellement à ce moment-là ? Des voyants rouges ? Les regards de ses subalternes ? Les visages les plus proches de sa mémoire et de son cœur ? Peut-être avait-il juste fermé les yeux. Ou plus simplement encore maintenu les yeux ouverts — et laissé son intime conviction le gagner totalement.

Brighton se redresse et plante son regard dans celui de Levin.

« Vous avez raison, Mark… Nous devrions tout suspendre, si nous suivions simplement notre instinct, ou ce que nous appelons notre bon sens ou nos idées simples et arrêtées… Et pourtant, je ne vous étonnerais pas en vous disant que le "bon sens" n'a pas de place dans notre métier. Si nous n'avions eu que du "bon sens", nous n'aurions jamais développé la logique de la destruction mutuelle assurée, dont la folie théorique fut au final la seule garante des cinquante ans de paix qui ont suivi l'explosion nucléaire de Nagasaki. La logique paradoxale de la stratégie est peut-être contraire à notre bon sens — et pourtant, elle seule fonde notre action. Et vous le savez !… Vous nous avez dit il y a quelques minutes à peine que le facteur critique de l'infoguerre, c'est la connaissance claire et assurée de l'identité véritable de l'agresseur. Vous aviez raison. Précisément. C'est une conclusion à laquelle nous sommes parvenus une vingtaine de mois plus tôt que vous… Mais vous n'avez pu aller au fond de votre raisonnement. Or, la seule et unique manière de connaître de façon claire et assurée l'identité véritable de l'agresseur, c'est de l'être soi-même… C'est la seule méthode pour détenir encore la vérité : prendre l'initiative de provoquer une nouvelle réalité. Dans le cas contraire, la passivité consiste à consentir au champ d'erreur provoqué par un ennemi inconnu, et que l'on ne pourra jamais connaître — puisque les attaques informatiques ne sont jamais signées et transitent de partout à la fois. Bref, être passif revient à s'avouer vaincu. Prendre l'initiative de la "première frappe" revient à remporter

la victoire. Vous-même, Mark, vous-même en avez
eu, à nouveau, l'intuition, puisque vous m'avez dit
que, dans l'infoguerre, il y a une prime à l'assaillant.
Avantage à celui qui déclenche la guerre préventive… Alors, dans ce contexte, qu'allions-nous faire ?
Attendre que la Chine, elle, déclenche sa guerre préventive ? Alors que nous savons que les Chinois s'inté-
ressent à la technologie de l'infoguerre depuis le siècle
dernier. Que dès la fin des années quatre-vingt-dix, en
novembre 1998, 1999, et en juillet 2000, ils ont mené
des exercices d'attaque informatique contre des infrastructures civiles. Qu'ils ont développé un corps de
doctrine original faisant de l'infoguerre une nouvelle
forme de "la guerre populaire de Mao". Que la doctrine recommande l'offensive préventive !… Et qu'ils
ont déjà testé leurs armes cybernétiques en juillet 1999
en perturbant gravement le réseau de distributeurs
automatiques de billets de Taiwan. Et nous allions
attendre, alors que dans cinq à dix ans, peut-être, la
Chine aura développé ses propres supercalculateurs ?
Qu'elle commence à capter l'essentiel du trafic des dorsales Internet et à imposer ses technologies — et qui
sait, ses portes dérobées ? Alors qu'elle restera la
même dictature, pétrie de la même tradition impériale,
celle des mandarins légalistes qui n'ont jamais renoncé
à la bureaucratie d'État, même sous les communistes !
Alors que nous avons en face de nous une dictature
qui n'a pour seule légitimité idéologique que le nationalisme et l'évocation des dynasties de l'Empire du
Milieu ! Bref, un colosse économique et technologique, mais à la base politique fragile et énamouré
de rêves de grandeur et de statut retrouvé d'hyperpuis-
sance. Un colosse prêt à s'effondrer, incapable de se
démocratiser, persécutant encore démocrates et religieux mais qui réclame sa part d'influence en Asie

et dans le monde. Bref, un siècle plus tard, un problème comparable pour l'Occident à l'Allemagne de Guillaume II. Et nous allons attendre, comme vous l'évoquiez, que le Guillaume II chinois et sa clique du Parti central, ses von Moltke et ses von Tirpitz, décident du lieu et du moment de sa guerre préventive ? La réponse est non. Nous avons la chance de ne pas avoir une bande d'incompétents et de néo-cons à Washington. Dieu seul sait quel démagogue prendra ma place dans trois ans. La fenêtre d'action, c'est maintenant. C'est à nous de mener la guerre préventive. Et vous le savez, Mark… Et puis, l'action que nous allons mener va se passer au milieu de l'espace ou au cœur de quelques ordinateurs. Jamais nous n'allons mettre en danger la vie de nos soldats dans une rizière embourbée ou dans un oued ensablé. Je n'ai jamais oublié mon expérience personnelle du combat et je ne la souhaite à personne, surtout pas à de jeunes Américains qui ont moins de la moitié de mon âge et encore toute leur vie devant eux. »

Levin est fasciné par les efforts que Brighton déploie à convaincre son conseiller. Il sent que Jack est sincère, profondément sincère, et veut l'aider à voir les choses de la même façon que lui. Le président n'a pas besoin de fournir tant d'efforts. Mark reconnaît en son for intérieur que Jack a raison. Mark en serait venu aux mêmes conclusions. Ils ont juste amorcé la réflexion plus tôt que lui.

« Quant à votre démission, Mark, je n'en veux pas. J'ai besoin de vous. Terriblement besoin de vous. Quand l'opération Babel sera terminée, qu'allons-nous faire ?… Encore une fois, nous n'allons pas "changer le régime" à Pékin. Nos prédécesseurs ont fait suffisamment de conneries !… Nous devons garder Hu Ronglian en place. Quand tout cela sera terminé,

Mark, je vous demanderai de reprendre contact avec Luo Fenglai. Nous finirons la négociation avec eux, et nous installerons le système de surveillance dont vous discutiez avec Pékin. Mais cette fois, entièrement selon nos conditions. C'est nous qui rebâtirons toutes leurs infrastructures informatiques civiles et militaires après les "combats". Et c'est nous qui gérerons leur système de surveillance. Nous les aiderons à éliminer les dissidents violents — mais nous protégerons tous les démocrates, étudiants, journalistes, intellectuels, chefs d'entreprise prêts à accepter le jeu d'une transition lente et progressive à laquelle le Parti n'a jamais pu se résoudre. Le Parti central sera forcé de négocier avec nous à chaque instant pour obtenir les informations lui permettant d'assurer sa survie. C'est ainsi que nous obtiendrons la fin des visées hégémoniques de Pékin sur l'Asie et que nous obtiendrons la démocratisation pas à pas du pays… C'est vous, Mark, qui dirigerez l'ensemble des négociations — et, si vous le souhaitez, par la suite, vous ou l'un des collaborateurs de votre choix prendrez les fonctions d'ambassadeur spécial du gouvernement américain en Chine. Je sais que vous ne pouvez pas refuser mon offre, Mark. Parce que ce n'est pas moi qui vous le demande. C'est l'intérêt supérieur de l'État qui vous le commande, Mark. »

Non seulement Brighton ne le condamnait pas — mais il offrait à Mark le rôle de sa vie : celui du nouveau « proconsul » de l'Amérique en Chine.

Je sais que j'ai perdu Mark. Je le vois à son silence. Il est consentant. Il s'est rangé sur le côté lorsque Jack lui a servi « l'intérêt supérieur de l'État »… Peut-être est-ce pour cela que Levin a été choisi. Ils avaient vu ce que Mark ignorait de lui-même : il avait l'âme d'un serviteur. Ils savaient comment, au final, gagner son assentiment et le convaincre de les rejoindre. Moi, j'ai perdu mon dernier bouclier. Désormais, je suis seule face à Jack. Tant pis, « monsieur le président ». Tu l'auras voulu.

Brighton a décroché le combiné. Mark ne dit plus rien, vaincu.

« Messieurs, je vais contacter le général Dörner et lui annoncer que nous déclenchons sans plus tarder la seconde phase de l'opération Babel.

— Non, Jack. Nous ne le ferons pas. »

Non, ce n'est plus Levin qui parle. C'est moi. Je vois les regards ahuris de l'aréopage présidentiel se tourner à présent dans ma direction. Bien sûr qu'ils m'avaient oubliée. Même Jack m'avait oubliée. Mais moi, non. Jack, je suis revenue te servir et te protéger. Car Elle est là. Tu ne la vois pas, mais ses longues mains glissent sur ta peau. Son souffle caresse tes oreilles. Laisse-moi être tes yeux, Jack. Laisse-moi te La montrer.

« Non, Jack, nous ne devons pas le faire, insiste à nouveau Julia.

— O'Brien, n'oubliez jamais que vous parlez au président des États-Unis ! aboie Cornelius.

— Jack, l'opération est compromise, poursuit Julia, imperturbable. Alberich a fui Arzamas et la Sibérie pour se donner la mort à Berlin, dans le lieu même où se tenait jadis la demeure familiale de ses parents. C'est un suicide. Je vous ai envoyé les conclusions de mon enquête par courrier électronique. Elles sont très claires. »

Le directeur du renseignement Paul Adam, qui a observé tous les échanges jusqu'ici dans un mutisme discret, ne peut s'empêcher d'interroger son ancienne collaboratrice.

« Connaissez-vous les raisons de son suicide ?

— Non, pas les raisons précises. Mais il a évoqué la possibilité d'une erreur catastrophique. Une erreur totale. Alors je m'en remets au principe d'Occam. La raison la plus évidente de son suicide est en fait la plus simple. Pourquoi se donne-t-on la mort ?… Parce que la souffrance est insupportable. Chez des hommes du type d'Alberich, les "ordonnés-obstinés", la souffrance, c'est de voir son orgueil rabaissé. Pis encore : c'est de prendre soi-même conscience que l'ego trop grand que l'on s'était bâti ne correspond plus à la réalité. Or, l'orgueil d'Alberich résidait tout entier dans sa supériorité intellectuelle. J'en déduis qu'il s'est trompé. De manière catastrophique. C'est pour cela qu'il a tué un de ses collaborateurs, Ponomarenko. Et c'est pour cela qu'il a par la suite cherché à se donner la mort. Alberich a pris conscience de lui-même qu'il s'était trompé !… Il ne sait plus ce qu'il a créé. Il a conscience qu'il a commis une terrible erreur. Et il peut la maquiller comme il l'entend, l'habiller de tout son amour, de toute sa peur, de toute sa ruse et de toute son érudition, il peut la rationaliser comme il en rêve… il demeure qu'il a tout simplement failli. *Errare humanum est. Errare humanum est* — Et nous tous avec, Jack ! si nous le suivons maintenant… Levin a raison. Le Kaiser Guillaume s'est trompé. L'Europe s'est trompée. Et nous aussi, maintenant, un siècle plus tard, oui, nous aussi, nous risquons de commettre une formidable erreur. »

La nouvelle fait l'effet d'une bombe. Levin remarque que les visages des autres hommes dans le Bureau sont pétrifiés, comme changés en statue de sel. Brighton vient de cligner des yeux. Un frisson terrible parcourt la salle.

Jack vacille.

Que pourrais-je dire d'autre à Jack ? Lui parler de la Déesse de la Guerre qui continuait de hanter Alberich ? Lui dire qu'il a habillé son erreur de la soie d'ombre d'une divinité féminine qui avait obsédé toute sa vie ?...Comment imaginer cela ! Est-ce donc si dur de se rendre compte que l'erreur est partout et guide chacun de vos pas ? Que rien ne peut être donné comme acquis, jamais, et que nous naviguons au gré du hasard — comme une feuille flottant dans le vent ballottée de forces contraires sur lesquelles elle n'aura jamais prise ? Est-ce donc si dur à croire ? Comme si, je ne sais pas moi, la seule conviction d'un officier russe pouvait éviter l'hiver nucléaire ! Comme si la haine d'un peintre d'aquarelles pouvait déclencher l'holocauste de tout un peuple ! Comme si l'éducation religieuse d'un fils à papa pouvait conduire à la destruction des tours les plus hautes du monde ! Comment jamais croire à pareilles absurdités ? Comment croire qu'elles pourraient un jour se réaliser ? Et comment croire à la passion d'Alberich ?

Cornelius regarde sa montre alors que Levin se saisit de son téléphone portable sécurisé — à l'étage du dessous, l'analyste en chef de la Sit Room essaie de le joindre. Hu Ronglian essaie de joindre le président. Cornelius décide de prendre les devants.

« Jack, nous ne pouvons plus reculer ! Le GPS est en train de mourir. Nous devons engager la phase II de Babel. Nous devons dire à Signal que l'ensemble des communications avec la Chine doit être stoppé.

— Monsieur le président, poursuit Mark, comme en écho, cette fois un ton plus bas, Signal me prévient justement que Hu Ronglian cherche à nous joindre. Et…

nous n'avons toujours pas répondu au message de Nembaïtsov sur le Moscow Link. »

Mais Jack reste concentré sur moi. Qu'essaie-t-il de lire sur mon visage crispé par la fatigue d'une journée qui n'en finit plus de mourir ?

« Poursuivez, Julia…, demande Brighton, la respiration lente. Quel type d'erreur craignez-vous ?… »

O'Brien fait un pas en direction du bureau du président. Elle rentre dans le cercle.

« Je n'ai pas de certitudes, Jack. Alberich semblait dire que le "système" fonctionne pour un échiquier à deux protagonistes, mais pas plus. Après, c'est le chaos… Le risque vient peut-être de certaines nations engagées dans la tourmente et qui réagissent d'une façon que nous n'aurions pas envisagée. Je suis surprise par exemple des désordres monétaires et boursiers. D'où viennent les attaques initiales qui ont déclenché les crises spéculatives ? Nous n'avions jamais prévu de toucher aux Bourses mondiales ou aux monnaies, n'est-ce pas ? J'imagine que nous voulions éviter justement le risque d'un krach ou d'une panique bancaire… Alors, que s'est-il passé ? Cela serait terrible si Arzamas était effectivement lié à ces attaques boursières parce que ni les Chinois ni nos forces n'en sont à l'origine. Cela voudrait dire que nous avons créé un nouveau monstre incontrôlable… »

Le secrétaire d'État hausse les épaules.

« Voyons, c'est ridicule…, murmure Cornelius gagné par la trouille.

— … La réalité, Jack, poursuit Julia, c'est que notre offensive consiste à créer des failles dans les réseaux ennemis et à simuler des dérèglements chez nous. Mais par définition les réseaux sont interconnectés — d'une façon tellement complexe qu'il nous est parfois impossible d'en comprendre le fonctionnement. C'est comme cela que naissent les black-out — d'erreurs en cascade sur des réseaux différents, mais interconnectés. Nous jouons avec le feu. Et seul Alberich l'a compris. Sommes-nous seulement capables d'arrêter l'arme informatique en appuyant sur un bouton "stop"? Que se passe-t-il si par exemple les réseaux d'information dont nous simulons l'arrêt sont également utilisés pour contrôler d'autres armes? Pourrions-nous par exemple communiquer un ordre d'arrêt de mission à un missile en cours de vol si jamais certains signaux satellites disparaissaient? Je n'en sais rien et vous non plus, Jack. Vous non plus. »

Brighton, immobile, interroge du regard Paul Adam. Le directeur du renseignement a compris la question.

« … Vous savez, Julia…, répond Adam, si nous avions commencé à nous interroger sur la moindre des possibilités d'erreur, nous n'aurions jamais déployé de missiles nucléaires du temps de la guerre froide! Une petite comète d'une cinquantaine de mètres de diamètre pourrait exploser à quelques kilomètres d'altitude dans le ciel de Washington, tout raser, et nous n'aurions même pas le temps de nous en rendre compte… Tout est toujours possible, bien sûr, même le plus improbable… Et après? On va s'arrêter de vivre, d'agir?… » Adam sourit faiblement.

« Enfin… Alberich était l'un des architectes du projet! » explose Julia.

Faut-il croire à l'existence des petites comètes? s'interroge maintenant Levin. Hu Ronglian demande toujours un entretien au téléphone.

« Jack! poursuit Julia, cette fois hors d'haleine devant ces hommes hébétés, ne voyez-vous pas ce qui pourrait se passer? »

Est-ce la voix d'Alberich qui l'appelle ? Pourquoi le bureau demeure-t-il silencieux comme une tombe ? Julia a besoin de couvrir tout l'espace de sa voix. Son cœur bat. Autour, plus rien ne bouge — sauf la main tremblante de Levin sur le point de laisser tomber son téléphone portable. « Ne voyez-vous pas que nous allons Lui donner naissance ?… » s'écrie Julia. Est-ce Alberich qui cogne à ses tempes ? Son visage diaphane se crispe dans la lumière chaude des lampes aux abat-jour chrome. « Comment imaginer ce que sera le désastre de cette nouvelle guerre ? La guerre de l'Europe de la révolution industrielle a pris les formes d'une boucherie mécanisée… Mais là, il n'en sera rien. C'est l'information, c'est le sens lui-même qui sera vaincu. Nous croirons tout contrôler. Mais en réalité Elle, l'Erreur, nous entraînera dans sa chute. Asie contre Europe, Europe contre Afrique, Afrique contre Océanie, Océanie contre Eurasie, Eurasie contre Estasie… Chaque jour, un nouveau conflit naîtra, qui s'éteindra dans la nuit. Chaque nuit, de nouvelles alliances se tisseront qui se déferont le lendemain. Chaque lendemain n'aura pas de lendemain. Vous croirez tout savoir et vous saurez que vous ne savez plus rien. Nous marcherons les yeux crevés dans une nuit sans fin que nous avons invitée. Jusqu'à ce que la nuit elle-même s'achève dans une pluie de flashs nucléaires. Jusqu'à ce que le paradoxe de Fermi trouve une fois encore sa résolution et que notre planète soit une étoile brûlée de plus dans l'Univers. » Levin craint que Julia ne soit frappée de démence. Adam à son tour est prévenu de nouvelles tentatives d'appel. Toutes provenant de Pékin. Tout se bouscule. « Jack… Vous savez, vous, ce qu'est la guerre. Son sens profond. Pour deux parties qui choisissent de s'affronter… la guerre, c'est la poursuite de la négociation par la souffrance que l'on inflige à l'autre.

Et l'échange de souffrances poursuit le même but que l'échange d'arguments dans une négociation pacifique : il a pour objectif d'arriver au point de rupture, au point de souffrance où l'entente est atteinte entre les deux parties. Cela s'appelle l'accord — la paix, en langue diplomatique. La guerre, Jack, n'est ni plus ni moins qu'un échange d'informations, appelées souffrances, en vue de la recherche d'un équilibre. Mais la guerre que vous allez conduire, cette infoguerre, repose sur le bombardement d'erreurs de l'ennemi, et réciproquement. Nous risquons de ne plus savoir qui souffre, et jusqu'à quel point. Nous allons détruire systématiquement l'information… Nous ne trouverons jamais le point d'équilibre. Jack — la guerre que vous voulez déclencher, par sa nature même, ne possède pas de conclusion. La paix n'existe pas. Il s'agit d'une erreur. D'une anomalie. Vous devez la refuser. »

Tétanisé, Jack continue d'écouter Julia.

Mark vient de recevoir un nouveau message Flash/ CRITIC. La NSA a identifié certains préparatifs autour du centre de recherches nucléaires de Chungshan, à Taiwan. Cela confirme le compte à rebours de l'ultimatum de Victor Teng. Plus que dix heures. Mais Mark n'ose plus déranger le président.

Brighton n'a pas quitté Julia des yeux. Il regarde son front pâle, sa chevelure d'ébène qui descend jusque sur ses épaules. Ses traits juvéniles, presque enfantins, qui avaient accroché son regard il y a si longtemps. Ses grands yeux captivants. Cette étrange beauté, qui irradie du visage de Julia. Cette lumière spectrale. Cette singulière lueur qu'il décèle pour la première fois. Mais est-ce toujours la même femme ? Qu'a-t-elle vu à Berlin qui la rend étrangement si différente ? Jack ne peut plus se détacher du regard volontaire de Julia. Il a peur. Il hésite. Il y lit une nouvelle détermination, différente.

Pour la première fois, la volonté de la soldate s'est retournée contre lui.

Jack recherche Levin. L'heure de vérité est venue pour Mark.

« Monsieur le conseiller, commence Brighton la voix grave et malaisée, que pensez-vous de tout cela ? »

Le visage de Levin a changé. Je m'en aperçois maintenant. Il me décochait jusqu'ici son sourire de frère jaloux. Maintenant c'est un visage mort qui nous fait face, Jack et moi. Une ombre barre son regard. Il vient de partir. Seules ses lèvres demeurent et s'agitent pour nous dire adieu. Elle est maligne. Elle s'en est emparée. Elle est passée par lui pour atteindre Jack.

« Monsieur le président, j'étais opposé au principe de la guerre — mais je me rends compte maintenant que nous sommes au "milieu du gué". Ma question est simple : quelle lecture sera faite par les autres nations si, tout d'un coup, nous, les États-Unis, nous arrêtons tout cet énorme capharnaüm sans même faire semblant de frapper la Chine ? Que pensez-vous que nos voisins, nos partenaires, nos alliés et nos adversaires vont bien vouloir croire ? Nous risquons de nous désigner nous-mêmes comme étant les seuls responsables de cet incroyable désordre. Et cela, c'est un risque que nous ne pouvons prendre avec une Chine prête à lancer sa "première frappe" électronique et une Russie en alerte maximale dont la destruction du système d'alertes avancées SPRN peut renforcer la paranoïa naturelle… Dans moins de cinq minutes, nous aurons simulé la fin totale de notre système GPS militaire. Voilà pourquoi je pense que nous serons forcés de riposter. Nous n'avons plus qu'un choix : celui de demeurer cohérents. »

Je reste interdite. Mark a choisi son camp désormais. Sa conversion est en cours. Ils ont réussi. Mais je suis encore debout. Je n'ai pas fait tous ces kilomètres, marché toutes ces années, pour simplement m'arrêter à quelques mètres de toi, Jack. Et s'il ne reste plus que moi — eh bien ! je serai ce roc têtu qui te dit non.

Levin insiste avec gravité :

« Nous n'avons plus d'autre choix que celui de désigner un coupable, monsieur le président. »

Enfin apaisé, Brighton le regarde et décroche le combiné. Il obtient le général Dörner, désormais au Centre national de commandement militaire au Pentagone. Le ministre de la Défense, toujours dans la salle de conférences de la Sit Room, est également connecté. Brighton s'adresse directement à Dörner.

« Ma décision est prise, général : coupez immédiatement toutes les communications avec Pékin. Vous avez ordre d'engager dès à présent la phase II de l'opération Babel. »

Elle a gagné. Jack est en train de partir. Il part La rejoindre, sans même sans rendre compte. J'ai failli, Jack. Je t'ai perdu... Non, ne me trahis pas comme cela, Jack. Ne me trahis pas. Tu ne sais pas ce dont je serais capable. Méfie-toi du soldat qui se mutine : lui seul peut déposer ta couronne.

Au même moment, à trente-six mille kilomètres d'altitude environ, les satellites antisatellites à laser haute énergie conçus une décennie plus tôt dans le cadre du programme de défense antimissiles prennent lentement position dans le silence de l'espace. Sur ordre du Strategic Command, les quatre satellites Alpha-Lamp sur orbite géostationnaire entament la phase d'initialisation des lasers haute énergie. Dans leur ligne de mire se trouvent les satellites de type Feng-Huo qui constituent les piliers du système intégré de commandement Qu Dian de l'armée chinoise. Le Strategic Command reçoit le feu vert directement du général Dörner. Le décompte de leur destruction est lancé.

Je commence à trembler. Ils vont le faire. Ils n'ont plus d'autre choix... Ainsi se réalise le dernier complot d'Alberich. Et celui de Cornelius. Et celui d'Adam, Dörner, Engleton — et maintenant Levin. Ainsi dansent au-dessus de ma tête les manœuvres tordues d'un Jia Gucheng, d'un Hu Ronglian, d'un François Vernon ou d'un Victor Teng. Ainsi que toute cette carmagnole de drapeaux qui s'entrechoquent, Pakistan, Japon, Israël, Inde, Grèce, Corée, Turquie, Syrie, Colombie, Iran — ces oriflammes ronflantes, ces insignes hétéroclites qui séparent notre fratrie divisée. Le grand carnaval des hommes. Il a fallu que j'aille jusqu'au bout de ce théâtre de pantins. Je les vois, maintenant, ces fils qui pendouillent dans leur dos. Même Jack. Est-ce Elle, la Déesse, qui tire les ficelles ?

« Monsieur le président ! interpelle Cornelius, un portable dans la main, nous devons amorcer l'établissement de la coalition. Nous devons appeler les représentants des puissances européennes. Nous devons le faire maintenant. Le signal GPS est sur le point de disparaître. Les drones Horseman doivent être lancés sur la base militaire du mont Yuquan Shan. »

Il n'y a plus de doute dans l'esprit de Brighton.

« Essayez d'entrer en contact avec le président Vernon. S'il nous suit, il entraînera dans son sillage le chancelier König. »

Julia le fixe intensément. Le président l'évite.

Depuis son portable, Levin appelle Signal afin que l'agence des communications pour la Maison Blanche puisse établir une liaison avec Anne Lemonnier, la conseillère personnelle de Vernon à l'Élysée.

Je doute. Et si... Si l'erreur, c'étaient ces drapeaux eux-mêmes ? Si la seule façon de mettre fin à la guerre des nations, c'était de brûler les oriflammes ? Et détruire ainsi la coalition — et la guerre du même coup ? Oui — ni alliés ni ennemis. Mon cœur bat à tout rompre... « J'aurais dû trahir plus tôt » — la phrase du deuxième Alberich résonne en moi d'un éclat étrange. Est-ce là la faille ? Faut-il rompre d'un coup d'un seul avec toutes les logiques et toutes les loyautés ? « J'aurais dû trahir plus tôt. » Reste-t-il encore une chance ? Jack — tu ne sais pas de quoi je suis capable. Tant pis. Je t'aurai prévenu.

« Monsieur le président ! » Le général Dörner est au téléphone. « Poursuivons-nous le décompte ? »

Brighton se concentre. Il demeure interdit. Il pense à ce qu'il va dire au président français.

« Monsieur le président ! interpelle Levin. J'ai eu Anne Lemonnier. Le président Vernon est prêt à discuter avec vous dans exactement un quart d'heure. »

Le secrétaire d'État est soudain ragaillardi. « Je crois que les Français ont mordu ! jubile Cornelius. Nous allons pouvoir négocier la coalition immédiatement avec eux. »

Dörner est toujours en ligne. Brighton reprend le combiné.

« Nous poursuivons le décompte, général !... Préparez le lancement des Horseman tel que nous en sommes convenus. Adam, passez-moi le président Vernon sur haut-parleur dès qu'il sera disponible. »

Brighton a relevé le front. Il s'apprête à redescendre dans la salle de conférences de la Situation Room afin de contrôler la fin des opérations via la téléconférence avec le Pentagone.

Les satellites d'observation SBIRS viennent de relever les dernières positions des satellites Feng-Huo. Immédiatement, la solution de tir est redéfinie au sol sur la base de Peterson du Strategic Command dans le Colorado. Les satellites Alpha-Lamp procèdent par petites poussées des rétrofusées à la correction de leur ligne de tir. La température dans les canons d'énergie commence à s'élever très rapidement. À cent cinquante kilomètres de Qingdao, au-dessus de la mer Jaune, deux transporteurs C-17 en rotation depuis douze heures préparent le lancement des drones de combat Horseman. Le plan de combat est en train d'être initialisé dans les systèmes informatiques des avions sans pilotes.

Jack ne me regarde plus. Il va parler dans quelques minutes au président français Vernon. Après cela, impossible de revenir en arrière... Mais il me reste une dernière arme. Un dernier sacrifice à commettre. « J'aurais dû trahir plus tôt », me disait Alberich quand il luttait encore contre Elle. J'aurais dû te trahir plus tôt, Jack. Tu ne me regardes plus lorsque je te parle. Alors écoute-moi, maintenant : je vais te trahir.

À la surprise des autres hommes, Julia s'approche du bureau du Resolute. Elle traverse le sceau de l'aigle présidentiel, immobile sur la moquette ocre et franchit la ligne invisible qui sépare le président du reste de son gouvernement. Elle pose ses deux mains à plat sur le bois brun foncé de la table, à quelques centimètres du visage de Brighton.

« Jack ! Que comptes-tu faire maintenant ? Alberich est avec moi, en vie. Je l'ai ramené de Berlin. Il t'attend dans l'hôpital militaire de premiers soins de la base d'Andrews. »

Je laisse les mots m'emporter.

Jack s'arrête net.

« Monsieur le président ! annonce Levin qui n'a rien entendu, le président Vernon va être en ligne dans dix minutes. »

Brighton pivote vers Levin.

« Une seconde, Mark. »

Le masque se déchire. Le président se tourne vers Julia.

« Je n'ai pas compris ce que vous venez de dire, Julia. » Sa voix tremble.

« Je veux être claire, Jack : Alberich est ici. Alberich est à Washington. Et il est toujours en vie. »

La guerre de Jack contre Julia vient de commencer. J'ai l'élément de surprise pour moi.

Brighton s'énerve :

« Mark, Paul, Jon… redescendez dans la salle de conférences, intime-t-il, d'une voix qui ne souffre nulle contestation. Attendez-moi là. Et établissez la liaison téléconférence avec le Centre national de commandement militaire et le centre Tevis à DEFSMAC. »

Les trois hommes n'arrivent pas à comprendre ce qui se passe.

« Je vous rejoindrai dans cinq minutes ! » insiste le président, fou de colère.

Les trois hommes quittent immédiatement le Bureau ovale par l'escalier descendant vers la Sit Room, stupéfaits par ce qu'ils viennent de voir.

Jack est resté seul avec l'agent O'Brien.

Lorsque le silence a enfin enveloppé nos deux ombres et que plus rien ne peut troubler notre intimité, l'empoignade commence. La nuit dehors a recouvert de son voile de ténèbres la terre et le ciel.

Jack bondit de son fauteuil :

« J'ai cinq minutes pour que tu m'expliques ce qu'Alberich fout ici. Et en vie. J'avais envoyé des consignes claires pourtant ! »

Je fais un pas en arrière. Je sais très bien quelles étaient les consignes. Dans l'e-mail sécurisé du 1er août que j'ai reçu à Tel-Aviv, « Winston » me demande de « prendre un verre de gin au bar du Chestnut Tree » : je devais empoisonner Alberich de manière définitive à l'issue de mon interrogatoire. Après mon départ de Berlin, il aurait dû être retrouvé mort dans l'hôpital municipal qu'il n'aurait jamais dû quitter, replacé sous la garde des autorités fédérales allemandes — et le Kommissar Berger et ses supérieurs forcés de porter la responsabilité de son décès.

« J'ai bien reçu tes consignes, Jack. C'est à ce moment-là d'ailleurs que j'ai commencé à comprendre. C'est toi qui étais à l'origine de ce désordre. Comptais-tu sur ma loyauté et mon amour, Jack ? Tu as commis une erreur. J'ai trahi, Jack. Alberich n'a pas pris son dernier verre de gin avec moi. Il respire toujours, soigné dans une base à quelques kilomètres de toi.

— Es-tu folle ? rugit maintenant Jack, as-tu perdu la raison ? Nembaïtsov m'a envoyé il y a deux heures une demande d'information sur le MoLink au sujet d'Alberich et d'Arzamas ! Sais-tu ce que Nembaïtsov va penser s'il apprend que nous avons exfiltré au nez et à la barbe de tout le monde le directeur du centre d'Arzamas-84 et que nous sommes en train de le soigner sur l'une de nos bases militaires, ici à Washington ? Il comprendra immédiatement que nous contrôlions Alberich, qu'il était un de nos agents et que nous sommes derrière toutes ces attaques informatiques, pas les Chinois ! Les Russes n'ont plus de système d'alerte avancé — tu peux imaginer leur paranoïa, un rien peut tout faire basculer, maintenant ! Veux-tu déclencher… une guerre entre ton pays et la Russie, Julia ? Réponds-moi ! »

La vague de rage passée, c'est un abîme d'incompréhension qui submerge Jack. Il se lève mais éprouve une peine immense à se rapprocher de Julia. Qui est cette femme, capable d'une telle folie ? Qui est cette inconnue aux desseins monstrueux qui lui fait face ?

Ce n'est que moi, Jack. Je t'avais dit de m'écouter.

Un frisson d'angoisse secoue brièvement le président. Une guerre nucléaire entre la Chine, la Russie et l'Amérique est désormais possible.

Mais je continue à rester debout, devant lui. Je ne reculerai plus.

« J'ai essayé de te raisonner, Jack. Je t'ai dit que cette opération était vouée à l'échec. Mais tu ne veux entendre que ta propre volonté, alors… Je te suis toujours fidèle, Jack. Je te démontre simplement que tu as tort. Je fais cela pour toi. Reconnais que tu t'es trompé, c'est tout. Ce n'est pas si difficile que cela, tu sais. »

Brighton est piqué dans son orgueil. Il brûle de colère, dépit et souffrance. La souffrance que je lui inflige. La souffrance que nous nous échangeons jusqu'à ce que tous les deux nous atteignions le point de rupture.

« Mais pour qui te prends-tu, Julia ? Pour qui te prends-tu ? »

Il tonne de toute sa voix, mon visage tremble sous la pression physique. Mais je reste droite.

« Tu parles à ton président ! Tu parles à l'autorité suprême de l'État ! Tu ne peux aller à l'encontre de la République, Julia ! Tu dois m'obéir !… Que tu le veuilles ou non, Alberich disparaîtra dans l'heure. Je ferai passer mes ordres aux responsables de la base d'Andrews. Alberich n'a jamais posé le pied sur le sol américain. Il s'est simplement évanoui dans la nature… Il ne doit pas parler. Il ne doit même plus exister. Maintenant, à toi de choisir, Julia. Tu peux encore prouver ta loyauté pour moi et pour la République et toi-même t'occuper du "patient". Je te laisse encore cette chance. Mais sache que de toute façon son sort est réglé. »

Je sais que ce n'est plus toi, Jack, qui me parle. J'en suis sûr désormais. Tu me l'as avoué : c'est « l'institution suprême de l'État ». Et sa voix s'est mêlée à celle de la Déesse. Tu ne me laisses plus d'autre choix. Je fais cela parce que je t'aime, et je veux te servir.

« Non, Jack. Tu vas laisser Alberich en vie. Tu vas me faire raccompagner à la base d'Andrews. Le C-17 est toujours là, prêt à redécoller. Tu vas envoyer un message à Boris Nembaïtsov. Tu diras à Nembaïtsov que nous

nous intéressions depuis longtemps aux activités suspicieuses d'Alberich, que nous l'avons retrouvé en Allemagne et que nous allons le livrer à Moscou afin de lancer une enquête conjointe sur place. Puis tu arrête- ras toutes les opérations de guerre informatique graduel- lement. Et tu nous enverras, Alberich et moi, à Moscou. Je deviendrai *de facto* notre gage de bonne volonté — et leur otage… Et c'est ainsi que tout prendra fin dans les douze prochaines heures. Réfléchis-y un instant : il n'y a plus d'autre solution. »

Jack est stupéfait. Il oscille entre le mépris et la souf- france interdite qui l'étreint. Il sait ce que cela signifie d'envoyer Julia à Moscou. C'est une mission suicide. Mais comme le point de rupture approche, seule la colère occupe l'esprit de Brighton. Quelles qu'en soient les rai- sons, la trahison n'a pas d'excuse. Jamais. Par définition.

Il a la voix grave et calme d'un homme qui a pris sa décision et qui n'en démordra plus.

« Je crois que tu as perdu la tête, Julia. Cela suffit. Je vais te faire raccompagner à Langley. Tu y resteras pour débriefing. C'est un ordre. »

Le téléphone sonne. Jack décroche. François Vernon sera en ligne dans deux minutes. Jack demande à trans- mettre la conversation dans la salle de conférences de la Situation Room. Il va s'y rendre immédiatement.

« Non, Jack. Tu n'as toujours pas compris… tu feras ce que je t'ai demandé. »

Jack raccroche. Il regarde Julia, stupéfait — puis se met à ricaner.

« Et pour quelles raisons ?… Parce que tu as été un temps ma maîtresse, c'est cela ?… »

Il a un rictus presque triste — et se redresse. Il va faire appeler une estafette.

Mais je n'ai pas terminé. Je le regarde, imperturbable.

« Tu me déçois, Jack. Mais je savais que tu réagirais comme cela. Voilà pourquoi j'ai pris mes dispositions… »

Jack s'arrête. Il ne sourit plus. Il est aux aguets. Il y a deux agents de sécurité à chaque porte. Il suffit qu'il en donne l'ordre pour qu'ils jaillissent et se saisissent de l'espionne qui a trahi. Mais Julia demeure toujours droite comme un i, insolente. Elle va continuer, sûre d'elle, la voix calme et posée.

« … Jack, Nembaïtsov t'a demandé des informations concernant Alberich sur le MoLink parce que ses agents du FSB m'ont coursée et m'ont rattrapée à Novossibirsk. Nikolaï, un agent russe, m'a percée à jour. À cause de moi, ils savent déjà que nous cherchons Alberich — voilà pourquoi Boris Alexandrievitch t'a appelé. Cependant, ils ne savaient pas encore qu'il était en notre possession… Du moins jusqu'à maintenant : Jack, je viens d'envoyer un message à Nembaïtsov. Je l'ai informé que c'est nous qui détenions Alberich. À Moscou, Nikolaï confirmera l'authenticité. Je te conseille donc de faire très attention à ce que tu vas répondre sur le MoLink à Nembaïtsov. Comme tu l'as dit toi-même, si les Russes comprennent que tu leur mens, ils deviendront très nerveux. Après tout, leur pays a sombré dans la nuit par ta faute ou celle des Chinois et ils n'ont plus de systèmes de détection avancée des attaques par missiles. S'ils comprennent que tu mens, tu attireras sur notre pays et la Chine un coup de semonce nucléaire tiré par les Russes. »

Pendant un long moment, Jack demeure interdit. Il est stupéfié par la folie criminelle de Julia. Mais la rage et la raison reprennent à nouveau le dessus, bousculant une dernière fois le silence dans un ultime assaut.

« C'est toi qui mens, Julia. Ton histoire, c'est du vent et tu le sais. Tu n'as jamais pu envoyer ce message à Nembaïtsov. Nous avons interrompu les communications sur les satellites Gorizont et Express ; nous avons brouillé les signaux des transpondeurs. Les réseaux télématiques ne sont plus opérants ; nous avons pénétré les fournisseurs d'accès Internet locaux ; les systèmes de téléphonie filaire et mobile ne fonctionnent plus, y compris les télétypes commerciaux. Et nous avons même provoqué des interruptions de faisceaux sur les infrastructures de communication intergouvernementales. Si ton message a été envoyé il y a quelques minutes ou quelques heures, il n'a aucune chance d'avoir abouti. Aucune. »

Brighton a terminé. La mutinerie doit être matée. Le glaive est enfoncé jusqu'au cœur du dispositif ennemi, pénétrant la chair même de sa raison. Il pourrait aller plus loin encore. Privilèges exécutifs en temps de guerre : s'il le faut, il broiera jusqu'à disparition la chair de l'ennemi, celle de l'officier qui a trahi. Pourtant, Julia ne semble pas ébranlée. Immobile, elle plonge dans son regard.

« … Mais, Jack, je n'ai pas utilisé les réseaux modernes d'information. J'ai utilisé une autre technologie à laquelle tu n'as pas pensé — et que désormais rien ne peut arrêter. Pas même toi. » Elle s'arrête et sourit. « Je n'ai pas eu besoin de systèmes informatiques avancés… J'ai simplement pris une feuille de papier blanc et j'ai saisi mon stylo-bille. C'est tout. Et j'ai noirci la feuille. J'ai écrit ce que je devais écrire. Puis j'ai enclos ma lettre dans une enveloppe. Voilà… Ensuite je suis allée déposer mon enveloppe avant de quitter Berlin — à l'ambassade de la Fédération de Russie, au numéro 63 de l'avenue Unter den Linden… Maintenant, écoute-moi. L'ambassade est encore fermée — il doit être six heures du matin à Berlin en ce moment. Mais dans deux heures, le fonctionnaire de l'ambassade en charge du service du courrier fera son tri quotidien. Il déposera ma lettre dans le casier du conseiller politique de l'ambassade à qui elle était adressée deux heures plus tard. Avant la fin de la matinée, le conseiller politique aura mis au courant l'ambassadeur et le chef d'antenne à Berlin des services de renseignement extérieurs russes, lui aussi logé à l'ambassade. Le chef d'antenne de Berlin connaît l'importance d'Alberich — les services de renseignement le font chercher depuis des jours. Et le chef d'antenne préviendra alors Moscou, probablement quelques heures plus tard — car, dans le pire des cas, même si les communications en Europe continentale demeurent impossibles, l'ambassade enverra un courrier humain porter le message à Moscou. Donc Jack, quoi que tu fasses, même l'impensable » — elle sait que sa vie désormais est en jeu —, « quoi que tu dises, ma lettre parviendra sur le bureau de Boris Alexandrievitch Nembaïtsov au Kremlin. Me faire disparaître maintenant serait une terrible erreur. La lettre entre leurs mains, les Russes réclameront ma présence à Moscou. S'ils apprennent que je suis morte, leur rage sera décuplée. C'est aussi simple que cela. Tu ne peux plus arrêter la progression de ma petite feuille de papier blanc. Elle atteindra inéluctablement Moscou dans moins de douze heures. »

Tout le calcul de Jack se retourne contre lui. Les trente-six stratagèmes : Julia l'a attaqué avec une épée qu'elle a empruntée. Le souffle coupé par la souffrance, Jack contemple le triomphe de son ennemie.

« … C'est un crime, Julia… Tu as commis un crime contre ton pays, contre ton président, contre toi-même… As-tu seulement conscience de ce que tu es en train de faire ? Tu dois me dire le contenu exact du message que tu as fait parvenir à Nembaïtsov. C'est une question de sécurité nationale désormais. »

Le téléphone sonne à nouveau. À bout de force, Jack décroche. Vernon va être en ligne. Jack doit absolument prendre la conversation en bas, dans la petite salle de conférences, entouré de tous ses conseillers.

« Jack, tu ne connaîtras le contenu exact du message à Nembaïtsov qu'au moment où tu auras renvoyé à Moscou le C-17 actuellement sur la base d'Andrews avec à son bord Alberich et moi-même. Et cela après que tu auras suspendu la deuxième phase de l'opération Babel. »

Il doit prendre la communication avec Vernon. Il doit prendre une décision maintenant. Il est de toute façon impossible d'extraire par la force le contenu du message de Julia. Julia ne peut être « exploitée » en si peu de temps. Il fait venir l'un des membres du Secret Service en charge de sa sécurité et lui désigne du doigt Julia.

« Veuillez s'il vous plaît accompagner cette personne au bureau des services administratifs, au rez-de-chaussée. J'aimerais que vous lui accordiez une surveillance de tous les instants. Sa protection est très importante pour moi. »

Il n'a plus le temps de prendre une décision concernant Julia. Brighton sort, dévale les escaliers, fonce vers la Situation Room et pénètre à nouveau dans l'étroite salle de conférences.

Cornelius est surexcité.

« Jack ! nous avons maintenant le président Vernon. »

Dans les haut-parleurs du téléphone, on entend des bruits de pas.

Les pensées de Jack sont occupées par Julia. Le choc n'a pas disparu — au contraire, maintenant que la colère s'apaise, c'est toute la violence de sa trahison qui grandit en lui, sentiment d'injustice que rien ne peut faire comprendre ou accepter. Il ne peut pas comprendre. Il ne veut pas comprendre. La lettre. Ce coup de poignard droit dans le cœur. Quelque chose de sombre et de mort affleure au fil de l'horizon. Il prend place au bout de la petite table de bois poli, juste devant son sceau et le poster de la deuxième guerre mondiale du président Franklin Delano Roosevelt.

Le ministre de la Défense Henry Grant s'avance, mâchoires serrées.

« Monsieur le président, nos systèmes GPS militaires sont désormais officiellement hors d'usage. L'information sera connue d'ici quelques instants par nos alliés. L'US Space Command nous informe également que l'ensemble des satellites militaires chinois Feng-Huo est sur le point d'être mis hors d'usage. »

Julia est toujours à ses côtés, il le sent. Sa présence hante la pièce. La guerre est un voyage dans la souffrance de l'autre et dans la sienne propre. C'est l'écho de sa voix calme et terrible qu'il entend. Le point de rupture est là, béant, en forme de chute.

Les satellites militaires chinois Feng-Huo décrochent un par un et vont aller brûler dans l'atmosphère.

« Président Brighton ?... »

C'est la voix de François Vernon. Mais elle est étrange. Elle aussi sent la souffrance. Chaque mot semble un combat.

« Oui, président Vernon. Je suis heureux de vous entendre ! » dit Jack, presque sur la défensive.

Un long silence se fait.

Jack semble tétanisé. Il ne veut toujours pas comprendre ce que Julia vient de lui annoncer. Qu'elle l'a trahi. Qu'elle l'a toujours trahi — car quiconque enfreint l'esprit du lien, ne serait-ce qu'une fois, l'a en vérité, dans le mystère de son âme, toujours bafoué. Quelle patrie sert-elle donc ? Alors qu'il se raccroche au combiné, Brighton fait signe à Adam de se lever et de se rapprocher de lui.

Lentement, Brighton se reprend.

« Président Vernon… Je suis ici avec tous les membres de mon cabinet restreint de sécurité. Je suis heureux d'avoir cet entretien. Les événements des dernières heures ont pris une tournure très sérieuse. »

À nouveau un grand silence se fait, que vient interrompre à voix basse le ministre de la Défense Henry Grant, en liaison permanente avec le général Dörner, au Centre national de commandement militaire du Pentagone.

« Monsieur le président ! Avons-nous l'autorisation de lancer les drones Horseman sur la base militaire du mont Yuquan Shan ? »

Jack, encore groggy, donne son accord d'un signe de la tête.

C'est un geste machinal. Il souffre encore trop pour pouvoir réfléchir à tête reposée. Un pan entier de sa vie est en train de s'écrouler. Ce n'est pas une douleur maintenant, c'est un vide sans fond. Il s'est affaissé. Son dos voûté, sa belle prestance brisée. Derrière ses épais sourcils, deux yeux perdus cherchent Julia sans arriver à comprendre. Julia était une bombe logique, calme et patiente, attendant de le détruire au point critique de sa vie.

Les quatre drones de combat viennent d'être largués à trois mille mètres d'altitude depuis les C-17. Ils montent rapidement en postcombustion. Équipés de moteurs GE de type F404, ils foncent à plus d'une fois et demie la vitesse du son. Ils vont atteindre les côtes chinoises dans sept minutes — et le QG chinois du mont Yuquan Shan, près de Pékin, dans moins de quinze.

« Président Brighton !… » La voix de Vernon grésille dans le lointain. « Je vous appelle car… je crois que nous nous sommes engagés sur la voie d'une confrontation qui ne sert ni nos intérêts ni les vôtres. Un danger plus grave nous menace… »

Cornelius reprend des couleurs. La France et les Européens sont-ils en train de s'aligner sur le front anti-chinois ?

Brighton ne sait plus quoi penser. Les annonces prophétiques de Julia résonnent encore dans sa tête.

Le ministre de la Défense Henry Grant, qui a Dörner en ligne, se retourne vers Brighton.

« Nous avons confirmation que le réseau de satellites Feng-Huo a été totalement "illuminé", monsieur le président. Nous allons immédiatement poursuivre l'attaque informatique. Les Horseman ont été initialisés. Ils seront sur la cible dans dix-sept minutes.

— Jack !… » C'est à nouveau la voix de Vernon. Cornelius jubile. « … Je vous appelle depuis mon centre de guerre, le QG Jupiter, dans le sous-sol de l'Élysée. Notre réseau européen de satellites de navigation Galileo, l'équivalent de votre GPS américain, semble avoir cessé de fonctionner, Jack. Nous sommes inquiets, ici, car Galileo est également utilisé par les Chinois pour certaines de leurs applications militaires et nous ne savons pas comment ils vont prendre cette affaire… Nous devons absolument coopérer, Jack. Il faut éviter une tragédie. »

Paul s'est penché vers Brighton alors qu'ils écoutaient sur haut-parleurs le président Vernon. Mais Jack est en pleine réflexion.

« François…, répond Jack après quelques instants, tentant de rassembler ses pensées malgré la fatigue et les ombres abyssales qui le hantent… je peux vous assurer n'avoir aucune information sur l'origine des attaques de votre système Galileo… » Jack ne mentait pas. Galileo n'avait jamais été une cible. « … Mais je ne serais pas surpris d'y voir la main des Chinois eux-mêmes. Ils possèdent un autre système de navigation militaire. S'ils perdent Galileo, cela ne sera pas si grave que cela pour eux… Du reste, quelle peut être l'origine de l'ensemble des autres attaques informatiques qui ont paralysé votre pays, le mien et nombre de nos alliés au cours des dernières heures ? »

Jack s'était avancé au bord du Rubicon. En quelques mots, son ancien ami François pouvait tourner la page et fonder avec lui la nouvelle alliance.

Un silence inquiet remplit la pièce. Brighton se tourne alors vers Paul et lui chuchote à l'oreille.

« Vous m'avez dit que Julia O'Brien a été grillée par les Russes. Pensez-vous qu'elle travaille pour eux désormais ? »

Paul est effaré de découvrir un Brighton comme égaré dans un labyrinthe sans issue. Le président est rongé par le doute. Adam commence lui-même à avoir la frousse. De quoi Jack et Julia ont-ils bien pu discuter ?

« Je ne le pense pas, monsieur le président. Vous n'en êtes pas sûr ?… »

La salle est plongée dans le silence. Juste le grésillement sourd des haut-parleurs.

Sur l'un des trois écrans de télévision placés derrière les panneaux de bois, une carte électronique figurant le nord de la Chine montre quatre petits points clignotants, en déplacement constant. Les quatre Horseman sont sur le point d'atteindre les côtes chinoises. Ils vont les franchir près du port industriel de Dagu.

Tout d'un coup, une respiration lourde s'échappe des haut-parleurs. François Vernon va répondre.

« Jack, je suis d'accord… C'est peut-être la Chine. Mais cela pourrait aussi être quelque chose d'autre… » Silence. Une bouffée d'appréhension flotte dans l'atmosphère close de la salle de conférences. On suspecte comme un soupir à l'autre bout de la ligne. « … Jack, nous avons reçu un nouveau rapport sur l'origine initiale de l'attaque contre l'euro du 26 juillet dernier. Nous… des gens dans ma hiérarchie ont commis une erreur. » L'extrême fatigue accumulée au cours des derniers jours est encore plus perceptible chez Vernon. Le Français éprouve une vraie difficulté à trouver ses mots. « … L'attaque contre l'euro vient d'une simulation de guerre informatique qui a été perpétrée contre nous par un institut de recherche… avec lequel nous collaborions depuis trois mois. Un institut russe, situé en Sibérie occidentale. Nous venons d'apprendre que son directeur a disparu depuis quelques semaines. Et que l'institut a été attaqué par les forces du ministère de l'Intérieur de la Fédération de Russie… »

Stupeur dans la salle.

Les quatre petits points rouges avancent vers la côte électronique de la Chine.

« Jack… je ne sais pas si la situa…

— François, François ! coupe Brighton, qui ne comprend plus ce qui se passe, ni même ce que François essaie de lui dire, de quel institut parles-tu ? »

Jon glisse un bout de papier devant le regard effaré de Brighton. « Jack, arrêtez — coupons les comm… Vernon risque de comprendre. » Paul semble atterré. Mark, Paul et Jon échangent fébrilement leurs notes.

« Jack… Nous avons saisi ce que nous pensions être une opportunité, continue François, avec une peine immense. Nous pensions découvrir, via notre collaboration avec cet institut de Sibérie occidentale, ce que les Chinois et les Russes développaient en matière de guerre informatique… Cet institut s'appelle Arzamas. Il est dirigé par un scientifique russe, Ernst Alberich, secondé par Sergueï Ponomarenko. » Adam se joint à Cornelius, affolé. Ils font signe au président de couper les communications.

Jack ne croit plus un mot de ce que lui raconte François. Les Français et les Allemands voulaient développer une capacité de guerre informatique contre les États-Unis. Le même sentiment de trahison refait surface. La même colère.

« François, répond Brighton d'une voix de plus en plus menaçante, j'espère que cela n'a rien à voir avec tous nos désaccords commerciaux — ce que certains appellent, de façon outrancière, la "guerre économique" ! »

Un blanc.

Jack ne sait même plus s'il menace pour forcer la coalition, ou s'il laisse simplement échapper son dépit. Tout est en train de vaciller.

Autour de la pièce, les regards sont perdus. Vitrifiés. Cornelius fixe Brighton de loin. Les Français et les Allemands. Il est clair maintenant qu'ils « y » ont touché.

Les derniers mots de Julia obsèdent Jack. Les attaques boursières qui ont entraîné le piratage franco-allemand, puis le krach viennent de la cité interdite d'Arzamas. Elle le lui avait annoncé. L'erreur est partout désormais et parasite jusque dans ses entrailles la guerre et son dialogue de souffrances. Il n'y a plus de mensonge. Il n'y a plus de vérité. Il n'y a plus aucun sens. La prophétie de Julia est en train de se réaliser. Alberich s'est trompé. Il travaillait pour les Chinois, les Américains, les Russes, les Français, les Allemands. La cité elle-même est devenue un agent provocateur, égarée

dans la confusion des allégeances. Elle n'appartient plus
qu'à elle-même — c'est-à-dire à personne, pas même
à Alberich.

« … Comprends-moi, Jack, continue Vernon, la voix
enrouée d'émotion. Nous pensions… Enfin, tu sais ce
que nous pensions. Il s'agissait juste d'une garantie, rien
de plus… Je suis bien obligé de préparer le scénario du
pire même si je pense qu'il ne se réalisera probablement
pas ! On ne sait jamais, tu comprends. » À son tour, il se
fait plus cassant. « … Nous entendions les propos agressifs de certains de vos représentants, chez vos ennemis
républicains, mais également chez quelques-uns de tes
démocrates. Ces extrémistes, pensent-ils que nous
aurions attendu les bras croisés ? Que nous n'aurions
jamais réagi ? Que nous étions dupes ? Que l'on pouvait
nous soumettre simplement parce que notre flotte est
moins puissante, notre armée moins nombreuse, ou
notre contrôle de l'infosphère moins solide, est-ce là
tout ? Veulent-ils tout résumer à une question de force ?
… Excuse-moi, je ne parle pas de toi, Jack, bien sûr,
jamais, tu sais la très haute estime dans laquelle je te
tiens, enfin, nous nous connaissons depuis tellement de
temps… mais tu dois savoir également comment un
certain discours, tenu par certains idiots chez vous, peut
rendre les gens nerveux de ce côté-ci de l'Atlantique…
Cependant et tu as ma parole, Jack, tu as ma parole,
nous ne nous serions jamais doutés que cela nous entraînerait là où nous sommes aujourd'hui. Il s'agissait pour
nous uniquement de mesures défensives.

— Tout cela est très grave, François ! tonne Brighton
tremblant et fou de rage.

— Écoute, Jack… Nous sommes prêts à coopérer. La
France et l'Allemagne sont prêtes à tout arrêter de leur
côté. Nous ne comprenons plus ce qui a été fait par cet

institut, Arzamas. Quelque chose a été compromis. Au plus haut niveau. Nous devons agir rapidement… » À nouveau, des grésillements.« … se mettre en contact avec un de nos agents traitants… » La voix se fait inaudible. « … partager l'information. Êtes-vous d'accord ? »

Brusquement, plus rien.

Brighton se tourne vers Levin, le poing fermé. Ses mains sont froides, moites.

« Mark… qu'est-ce que cela veut dire ? Demandez à Signal de rétablir immédiatement le contact avec le président Vernon. »

Levin se jette sur son combiné téléphonique — mais rien sur les haut-parleurs.

Brighton frissonne. Le ministre de la Défense Henry Grant s'approche de l'épaule du président.

« Les quatre Horseman sont à huit minutes de leur cible, monsieur le président. »

Les drones ont atteint le port de Dagu. Ils n'ont toujours pas été repérés. Ils vont passer maintenant à une vingtaine de kilomètres à l'ouest de Tientsin. Ils suivent une parallèle à la ligne de chemin de fer qui mène jusqu'à Pékin. Brighton demeure immobile.

Et puis tout s'entrechoque. Il fait venir près de lui Cornelius et Adam. Derrière eux, Franklin Delano Roosevelt, impassible, les regarde sévèrement. Un petit conciliabule s'établit en bout de table autour du siège surélevé du président

« Jon, Paul… je dois vous poser une question…, demande Brighton à voix basse. Quels sont nos risques si Nembaïtsov… ou Vernon… apprenaient que nous avons exfiltré Alberich aux États-Unis ? »

En un instant, Cornelius a pâli. Paul essaie de répondre, le regard perplexe.

« Monsieur le président… Y a-t-il un lien avec votre conversation privée avec Julia O'Brien ? »

Le visage de Brighton se crispe.

« Je vous ai posé une question, Paul. Je vous écoute… »

C'est Cornelius, son vieux collaborateur, livide désormais, qui trouve la force de répondre.

« Jack, enfin… tu n'as pas besoin de nous pour répondre à cette question. Tu sais très bien ce que cela signifie… Ça veut dire que c'est la fin… pour tout le monde. Russes compris. »

Silencieusement, dans le petit matin de Berlin, la simple lettre de Julia couchée sur feuille blanche et aussi dévastatrice qu'un missile est en train d'entamer la trajectoire qui l'amènera sur Moscou d'ici moins de douze heures.

Tout s'est arrêté dans sa tête. Jack commence à digérer. Le premier choc est passé. Il peut regarder droit dans le vide, du haut de la falaise. Le dégoût. Un écœurement violent, celui d'un homme nu auquel on aurait tout pris en une nuit, en une heure, en une minute. Voilà ce qu'il ressent. Comment aurait-il pu y croire ? On est toujours seul. Toujours. La seule fidélité que l'on puisse avoir, c'est avec soi-même… Travaillait-elle pour les Russes ? Qui sait… Le glaive est enfoncé jusqu'au fond de ses entrailles. Il tremble. Il a froid. Tout est compromis. Il faut fermer les volets et condamner. Tout doit s'arrêter maintenant. Tout. C'est un piège. Un piège que plus personne ne contrôle… Rien ne peut plus arrêter la lettre de Julia.

Quelque chose s'est définitivement cassé. La mine du président s'assombrit. Le conciliabule avec Jon et Paul est terminé. Brighton demande le silence dans la pièce.

« Messieurs, j'ai décidé l'arrêt de l'opération Babel. L'émergence de risques que nous n'avions pas prévus m'oblige à faire ce choix. Nous allons geler immédiatement l'offensive militaire. »

Le ministre de la Défense Henry Grant se retourne, stupéfait.

« Monsieur le président, êtes-vous bien sûr de votre décision ? »

Levin est frappé par la transformation du visage présidentiel. Il n'a plus le menton impérieux et brûle de rage. Le masque qui le protégeait est à terre.

« Monsieur le ministre de la Défense ! explose d'un coup Brighton contre le pauvre Henry Grant qui tremble de tout son corps et cherchait simplement à confirmer la décision de Brighton. La Constitution de mon pays fait de moi le chef suprême des forces armées des États-Unis d'Amérique. J'ordonne à l'état-major interarmes la suspension immédiate de l'offensive aérienne sur le QG chinois du mont Yuquan Shan. J'ordonne la suspension de toutes les attaques informatiques jusqu'à nouvel ordre. »

Levin fait à nouveau non de la tête.

« Monsieur le président, nous risquons vraiment…

— Je m'en fous, Mark ! coupe brutalement Brighton. Toute cette opération est en train de partir en vrille. Nous ne contrôlons plus rien — nous ne savons même pas ce que font nos alliés européens ! À l'heure qu'il est, nous n'avons plus d'alliés ! Nous n'avons plus d'OTAN ! … Mark, Jon, vous plancherez sur une sortie de crise de nature diplomatique. Désormais, toutes les opérations militaires de nature offensive sont suspendues, est-ce bien clair ? C'est votre président qui vous l'ordonne… »

La vidéoconférence avec le Centre national de commandement militaire au Pentagone est branchée. Le général

Dörner apparaît à l'écran. Le président lui fait face par-delà la table.

« Général Dörner, avez-vous bien reçu mes ordres ? »

— Oui, monsieur le président. Nous transmettons les ordres électroniques d'arrêt de mission aux quatre Horseman. »

Les Horseman continuent d'avaler la campagne chinoise. Ils viennent de doubler Tientsin.

« Monsieur le président… » La voix de Levin est spectrale. « Signal n'arrive plus à établir la communication avec le Kremlin… Ni même avec le palais de l'Élysée… »

Adam se remet à trembler. Le ministre de la Défense Henry Grant se raidit imperceptiblement.

« Comment ça ? bondit Brighton… Nous n'arrivons plus à établir les communications ?

— Non, monsieur le président… rien ! poursuit Levin, qui essaie de se maîtriser.

— Réessayez ! Réessayez, Jon ! » rugit Brighton, lui aussi gagné par la peur.

Sur l'écran, le visage du général Dörner semble perdu.

« Monsieur le président ! intervient par vidéoconférence le chef d'état-major interarmes, le général Dörner, nous avons une nouvelle difficulté… L'interruption volontaire de notre part du réseau GPS a provoqué des problèmes de transmission que nous n'avions pas prévus. Nous n'arrivons plus à reprendre contact avec les quatre Horseman.

— Qu'est-ce que cela veut dire, Dörner ?

— Nous n'arrivons plus à reprendre contact avec les Horseman. L'interruption du signal GPS semble avoir provoqué une panne des systèmes de transmission que nous n'avions pas identifiée et…

— Je m'en fiche de vos explications, Dörner ! éclate Brighton, le visage rouge devant l'écran de télévision. Je vous demande : qu'est-ce que cela veut dire ? Vous me comprenez ?

— Cela veut dire, monsieur le président, qu'il nous est pour l'instant impossible de rappeler les quatre Horseman. Leur ordre de bataille demeure inchangé. Dans cinq minutes, ils lanceront leurs charges sur le QG chinois du mont Yuquan Shan. »

Brighton se renverse sur sa chaise, lâchant un long soupir.

Les Horseman viennent d'attendre Wuqing, au nord de Tientsin. La plaine s'ouvre droit sur Pékin.

Levin ne peut s'empêcher de songer au missile de croisière lancé par erreur sur l'ambassade de Chine pendant le bombardement de la Serbie en 1999. Ou encore à l'ancien patron de l'US Air Force, Curtis Le May. Pendant la crise des missiles de Cuba, il avait essayé de chercher à provoquer la guerre. L'incident des Horseman est-il une erreur ? ou bien un coup d'État ?

Jack songe à nouveau longuement à Julia. Il ne serait pas engoncé dans ses habits de président, il irait la frapper… Non. De toute façon, cela n'a plus de sens. Il ne peut plus l'aimer. Il ne doit plus. Il n'a toujours pas demandé de la mettre aux arrêts. La lettre va bientôt atteindre Moscou.

Sur le tableau électronique, les quatre points rouges continuent de clignoter et d'avancer. Ils vont franchir les limites de la province de Pékin.

« Mark ?

— Nous essayons encore de joindre l'Élysée et le Kremlin… Les communications sont toujours interrompues avec Pékin. »

Brighton observe à nouveau son conseiller. Aurait-il dû écouter son instinct et son « bon sens » ?

« … Mark, j'ai besoin de votre avis, poursuit Brighton, à la surprise de Cornelius. Que faisons-nous si nous ne pouvons arrêter les Horseman ?

— Monsieur le président… si nous ne pouvons les arrêter, je suggère d'agir comme si nous les avions lancés. Rengageons l'attaque informatique pendant qu'il est encore temps. Sans elle, nous risquons une riposte nucléaire chinoise. Au moment où les Chinois se rendront compte que nous avons détruit leur quartier général pour les communications, le centre du mont Yuquan Shan, en banlieue de Pékin, ils réfléchiront à une riposte nucléaire. Ils essaieront alors de brouiller notre bouclier spatial antimissiles. Voilà pourquoi nous devons porter le fer chez eux, créer le désordre et le doute sur leurs capacités stratégiques : nous devons immédiatement reprendre l'offensive de guerre informatique Babel. Cette opération Babel est une erreur — mais malheureusement nous avons atteint le point de non-retour depuis déjà trop longtemps. Alors mettons toutes les chances de notre côté. »

Brighton se retourne vers l'écran de vidéoconférence.

« Général Dörner ?

— Dans quatre minutes, monsieur le président.

— Pouvons-nous encore les intercepter ?

— Impossible, monsieur le président. Les drones sont au-dessus du territoire chinois. Si nos chasseurs décollent maintenant, non seulement ils ont très peu de chances de les atteindre, mais en plus ils devront affronter l'aviation chinoise avant de les intercepter. Et Pékin prendra cela pour un signe d'agression.

— La chasse chinoise peut-elle intercepter les quatre Horseman ?

— Non. Les Horseman sont très furtifs. Même avec les batteries antiaériennes de SA-10 russes déployées autour de Pékin, les Chinois auront besoin de la signature radar des Horseman et comme nous les employons pour la première fois... »

Les quatre Horseman maintiennent leur vol subsonique. Ils sont à cent trente kilomètres de Pékin.

Jack est à nouveau perplexe. Levin a raison. Arrêter Babel était une seconde erreur. Les États-Unis sont effectivement au milieu du gué. Si les Horseman détruisent le QG chinois, Pékin prendra peur. Les Chinois réfléchiront à une riposte nucléaire. Et en arrêtant l'offensive informatique et militaire, les Américains rendent cette riposte à nouveau possible. Sans compter sur une possible réaction nucléaire des Russes dans moins de douze heures, déclenchée par le « missile » de Julia. La situation est maintenant pire — à moins bien sûr de laisser les Horseman aller jusqu'au bout et de reprendre immédiatement l'offensive Babel.

« Général Dörner, reprend tout à coup Brighton, pouvons-nous communiquer aux Chinois les positions exactes et la signature radar des Horseman ?

— Nous venons de détruire leur réseau de satellites militaires Feng-Huo. Même si nous leur communiquions l'information, nous ne sommes pas sûrs qu'ils puissent maintenant la relayer à leurs batteries de défense aérienne antimissiles !

— Monsieur le président ! poursuit Levin, ayant cette fois succombé à la fatigue, à la colère et au stress, nous allons démarrer cette foutue guerre dans trois minutes ! Voudriez-vous donner aux Chinois les codes qui leur permettront de nous battre ? C'est fini, monsieur le président, fini ! Nous devons gagner ce round et attendre… »

Brighton se tourne vers Cornelius.

« Qu'en pensez-vous, Jon ? »

Mais Cornelius, très diminué, ne peut plus répondre.

« Je ne sais pas, Jack… Je ne sais pas. Peut-être que Mark a raison. »

Jack devine ce que Julia pourrait lui dire. On ne peut pas gagner ce round. Gagner ne veut plus rien dire. Y aura-t-il encore un « round », après ?

Le patron de la CIA, Paul Adam, décide à son tour d'intervenir. Il n'est plus le même. Son regard s'est fait plus volontaire.

Les drones ne sont plus qu'à trois minutes et quinze secondes de Pékin. Dès qu'ils seront à sa hauteur, ils largueront leurs charges sur le QG du mont Yuquan Shan, à douze kilomètres à l'ouest de la capitale. Les détruire après sera inutile. Les missiles seront déjà partis.

« Monsieur le président, implore Paul, je crois que nous pouvons encore utiliser les quelques minutes qui nous restent… Tant que le QG chinois n'est pas physiquement attaqué… nous pouvons toujours prétendre que leurs satellites Feng-Huo ont été victimes du virus d'Arzamas…

— Poursuivez, Paul, coupe Brighton.

— Si les Chinois disposent des coordonnées précises du plan de vol des avions et de leur signature radar, ils pourront peut-être repérer la signature radar des drones et les abattre ! Nous savons que leurs nouveaux modèles reconfigurés de SA-10 sont très performants, et…

— Bien, merci, Paul ! interrompt Brighton, cassant, brûlant d'une extrême fébrilité qu'il maîtrise avec peine. Nous n'avons plus le temps. Ma décision est prise. »

Les étoiles rouges sur la carte électronique ont encore avancé d'un carré. Quatre-vingt-dix kilomètres de Pékin. Elles continuent de progresser en parallèle à la grande ligne de chemin de fer.

Brighton se tourne vers l'écran de télévision.

« Général, mettez l'ensemble de nos forces stratégiques en état d'alerte maximale. Nous passons en DEFCON 1. Nous nous préparons à la guerre. » Aussitôt, un officier tenant à la main une grosse mallette de cuir — le « Football » — surgit de l'arrière-salle et se poste près de « Winston », le nom de code secret du président. La mallette contient les « Golden Codes » — les codes de mises en œuvre des différentes options des forces stratégiques nucléaires. La suspension des activités de guerre informatique contre les sites chinois, qui vient d'être décidée par le président, facilite et augmente la possibilité d'une riposte nucléaire chinoise. Les Américains vont être obligés de se mettre en DEFCON 1. En réaction, les forces nucléaires stratégiques russes se placeront automatiquement au plus haut niveau d'alerte. Les Russes n'ont plus leur réseau SPRN de détection avancée d'attaque de missiles. Dans ce contexte explosif, la lettre de Julia peut devenir le déclencheur d'une attaque nucléaire préemptive des Russes.

« Monsieur le président ? »

« Winston » se tourne vers le troisième poste de télévision, celui branché sur DEFSMAC, à la NSA. Un cercle de rouge clignote sur le contour de l'écran.

Dick Engleton, le directeur de la NSA, raccroche au même moment — et prend la parole.

« Monsieur le président, DEFSMAC vient d'identifier un satellite chinois sur orbite basse dont la trajectoire est très suspecte. »

Le troisième poste de télévision affiche immédiatement une vue électronique de la Terre aperçue du ciel avec un grossissement sur la zone de l'Amérique du Nord. Une ligne en pointillés orange traverse le quart nord-est américain. La ligne pointillée passe par la ville de Washington.

« Monsieur le président, continue Engleton, nous avons eu beaucoup de mal à identifier le signal de ce satellite. Son orbite n'est pas classique. Le signal qui nous est renvoyé est celui d'un petit débris spatial… Mais sa trajectoire, presque parfaite, va rencontrer Washington d'ici à sept minutes. Les Chinois ont développé des satellites lanceurs d'engins de façon à passer au-dessus de notre bouclier antimissiles. Ces satellites de nouvelle génération sont dits "silencieux", avec une signature radar très limitée. Il est probable que le signal soit celui d'un satellite d'attaque chinois.

— En êtes-vous sûr, Engleton ?

— Les calculs de DEFSMAC indiquent de très fortes chances. »

Brighton est exténué. Il ne sait plus qui croire. Et pourquoi les Chinois n'utiliseraient pas leurs sous-marins s'ils voulaient déclencher une première frappe nucléaire ?

Le président tourne le dos aux écrans.

« Lieutenant général Engleton, en tant que directeur du Department of Homeland Security, je vous demande de mettre en place le plan de continuité du gouvernement et d'organiser l'évacuation immédiate des responsables des deux Chambres. »

Le vice-président, jusqu'ici présent dans l'ombre, doit évacuer la Situation Room et être mis en lieu sûr. Deux agents du Secret Service viennent immédiatement l'accompagner.

Brighton se tourne vers Levin et l'écran de télévision affichant le visage de Dörner.

« Mark, demandez à Signal d'établir le contact simultanément avec Pékin et l'ambassade de Chine à Washington. Par téléphonie sécurisée, par télétexte, tout ce que vous voulez — tous les moyens. Immédiatement. Général Dörner, nous allons activer la ligne "Nixon-Mao", le fax télécopieur spécial avec Pékin — celui qui se trouve chez vous, au Centre national de commandement militaire. Préparez-vous à transmettre les coordonnées du plan de vol des drones ainsi que leur signature radar. »

Les quatre Horseman ne sont plus qu'à soixante kilomètres. Matériaux et systèmes de brouillage des drones ont parfaitement réussi à les maintenir indétectables de la défense civile chinoise.

« Monsieur le président, implore Levin. Nous n'avons plus que deux minutes. Même si nous parvenons à contacter les Chinois, la mise en état d'alerte de toutes les forces que vous venez de décréter ne nous permettra pas d'être crédibles aux yeux de Pékin. Ils vont nous croire prêts à attaquer !

— Mark, je suis bien obligé de nous préparer à la guerre ! Il nous reste encore deux minutes. Il faut espérer... que cela sera suffisant pour que leurs batteries antiaériennes autour de Pékin abattent les drones. »

Paul Adam les interrompt, un combiné en main, un analyste de la Sit Room à ses côtés.

« Nous essayons d'avoir Pékin directement en ligne. Hu Ronglian essaie de nous joindre. Signal nous dit que nous sommes en mesure d'établir une liaison sécurisée — mais nous n'avons pour l'instant aucun retour son.

— Tant pis ! répond Jack, le regard fixé sur la carte électronique où clignotent les étoiles rouges, nous n'avons plus le choix. Général Dörner, êtes-vous prêt à transmettre les coordonnées des drones ? »

Un fichier se télécharge sur la console du général au Centre national de commandement militaire.

« Oui, je suis maintenant prêt, monsieur le président. Mais…

— Monsieur le président, éclate Engleton à l'autre bout de la table. Je viens de recevoir une autre alerte Flash de DEFSMAC. La plupart des distributeurs automatiques de billets du pays ne fonctionnent plus… ainsi que le réseau de compensation VisaNet. »

Jack et Levin ont compris. La monnaie ne circule plus. L'argent est en train de s'évanouir.

L'ensemble du pays risque maintenant le chaos.

Engleton lui aussi tremble. S'agit-il d'une riposte ?

Sur le troisième écran de télévision, une étoile orange poursuit sa trajectoire jusque sur Washington. L'horloge électronique indique moins de six minutes.

Dick Engleton fixe le président.

« Êtes-vous toujours sûr de vouloir offrir ce cadeau aux Chinois, monsieur le président ? »

Jack ne répond plus.

Il a pris en main le combiné de téléphone en face de lui. Paul et Mark sont dubitatifs. Ils ne savent toujours pas si la liaison a pu être établie. Les haut-parleurs sont désespérément muets. Les Horseman viennent de franchir les limites de la province de Pékin. Jack prend sa respiration. Il lui semble s'adresser d'en bas à la paroi d'une falaise.

Il continue à me chercher du regard. Il souffre comme on saigne, d'un écoulement que rien ne peut arrêter et qui vide ses artères et ses entrailles de minute en minute.

Quarante-cinq kilomètres de Pékin.

« Monsieur le Premier ministre Hu Ronglian ! C'est le président Jack Brighton qui vous parle. M'entendez-vous, monsieur le Premier ministre ? »

Le silence en écho.

« Merde… », grince entre les dents Levin. Jack se retourne vers l'écran de Dörner.

« Transmettez ! »

Dörner appuie sur quelques boutons — il ne sait pas si le message est acheminé ou non. Trente kilomètres, désormais. Noir total. Cornelius, Levin, Dörner, Adam, Engleton. Ils observent pétrifiés leur président face à un mur qui ne lui parle plus.

Les drones n'ont toujours pas été inquiétés par la défense chinoise. Ils foncent toujours sur Yuquan Shan, imperturbables.

« Monsieur le Premier ministre Hu Ronglian ! commence Jack, faisant face à un mur d'écrans de télévision d'où rien ne sourd, notre état-major a déclenché accidentellement une attaque aérienne contre votre base du mont Yuquan Shan. Nous avons perdu le contrôle de quatre avions sans pilote qui atteindront Pékin dans environ une minute trente secondes. Nous sommes en train de vous transmettre par télétexte les coordonnées précises seconde après seconde des appareils. Vous devez les abattre avant qu'ils ne franchissent Pékin et ne lancent leurs missiles. » Dörner vient de finir la trans-mission des plans de vol. Jack hésite. En face de lui, toujours le silence. De longues secondes passent. Les drones sont maîtres désormais de la plaine de Pékin. La capitale est à seulement vingt kilomètres. « … Monsieur le Premier ministre Hu Ronglian, reprend Jack, la voix brisée, c'est une terrible, une dramatique erreur. Depuis quelques heures, nous sommes frappés par le même ennemi. Nous devons tout faire pour mettre fin à notre état de belligérance mutuelle. Nous devons faire front commun ! » Toujours pas d'écho. Quinze kilomètres. « ... Nous devons nous parler, monsieur le Premier ministre ! Pour la survie de votre pays et du mien. »

Le même grésillement muet à l'autre bout.

Il parle dans le vide.

Jack s'effondre sur son siège. L'officier chargé du « Football » s'est rapproché. Dans moins de trente secondes, les Horseman sont sur Pékin.

Engleton revient à la charge.

« J'ai un dernier message Flash de la NSA, monsieur le président. Les sous-marins nucléaires russes auraient reçu l'ordre d'appareiller. »

Était-ce cela, notre dernière minute ?

L'étoile orange sur la carte électronique des États-Unis n'est plus qu'à trois minutes trente de la verticale de Washington.

L'ensemble des flottes de l'US Navy passe en DEFCON 1. Le Strategic Command ordonne une nouvelle procédure à l'US Space Command : les centres de guerre informatique chinois — à Datong, Xian, Echeng et Xiamen — sont à nouveau réintégrés dans les plans de navigation des missiles de croisière Tomahawks de la 7e flotte. Le système de défense satellitaire antimissiles est mis en état d'alerte maximum. Le président n'a toujours pas donné l'ordre de reprendre l'offensive de guerre informatique Babel. Une riposte nucléaire chinoise à l'attaque réussie du QG du mont Yuquan Shan devient maintenant probable. Les systèmes d'armes antisatellites ont ordre de repérer et d'éliminer le possible satellite chinois lanceur d'engins qui va passer au-dessus de Washington. Les installations de la Fed dans le bunker de Culpeper, en Virginie, essaient de rétablir les réseaux bancaires. Ils sont totalement désorganisés après l'interruption de VisaNet. La mise à disposition d'espèces est une priorité vitale en cas de frappes nucléaires. Il faudra limiter le chaos et les pillages. L'ensemble des dirigeants de la Chambre basse et du Sénat ainsi que les neuf membres de la Cour suprême sont en train d'être héliportés par des unités de marines vers les bunkers de Mount Weather et de Raven Rock Mountain, en Virginie et dans le Maryland. Il est impossible d'évacuer les grands centres urbains. Le vice-président vient d'être emmené vers le Site R.

Des membres du Secret Service viennent d'entrer dans la Situation Room. Jack et l'ensemble des membres du Special Situations Group doivent maintenant décider : soit embarquer sur le Boeing 747-200 militarisé, le Centre d'opérations national aérien surnommé également « l'avion de l'apocalypse » par le personnel de la Maison Blanche, soit rejoindre le site R, le bunker de Raven Rock Mountain qui constitue le Centre alternatif de commandement militaire national.

Jack se tient debout, immobile. Il ne regarde même plus les cartes électroniques.

« Monsieur le président !... » C'est Dörner, un combiné à la main. « On nous rapporte plusieurs très fortes explosions à une vingtaine de kilomètres à l'ouest de Pékin... Dans la zone du mont Yuquan Shan. »

Jack ne bouge pas. Il est déterminé à rester là, à la barre, la tête haute. Seul jusqu'au bout.

Le responsable du Secret Service s'approche de Jack.

« Monsieur le président ! Pour votre sécurité, les membres du Special Situations Group et vous-même devez être immédiatement évacués ! »

Pas un mot, pas un mouvement.
Plus un bruit.

Le satellite chinois lanceur d'engin sera au-dessus
de Washington dans trois minutes. Un F-15 disposant
d'une fusée antisatellite à deux étages vient de décoller
en Virginie. Il va essayer d'éliminer le satellite chinois
— s'il est encore temps…

Et puis, soudain, un appel. Dörner est surexcité.
« Monsieur le président !… Nous sommes en train
de recevoir un message de Pékin sur le télétexte Mao-
Nixon. »
Jack fait le vide dans son esprit. Il se dirige d'un pas
lent vers l'écran de télévision, seule silhouette mou-
vante dans cette pièce immobilisée.
Le message de Pékin, traduit simultanément du mandarin à l'anglais, est en train de lentement défiler.
« Monsieur le président ! poursuit le responsable du
Secret Service, nous devons vous évacuer maintenant !
— Taisez-vous, officier ! » hurle Jack, alors qu'il n'a
pas fini de lire le message. Il balaye la pièce du regard.
« Que ceux qui souhaitent quitter la Maison Blanche
partent sur-le-champ ! Les autres pourront rester… De
toute façon, le vice-président est déjà à l'abri. » Et puis,
après un moment d'hésitation : « Emmenez également
le colonel Julia O'Brien sur la base d'Andrews. Au plus
vite. Elle doit… » Il n'a plus la force de terminer.

*Dans le bureau des services administratifs du rez-de-
chaussée, deux officiers du Secret Service s'approchent
de moi. Je dois quitter la Maison Blanche et me rendre
sur la base d'Andrews. Ordre du président. Je les suis.
Traversant la Situation Room, je croise dans le fond du
couloir les silhouettes perdues des hommes de Jack. Je*

vois Levin me percer du regard comme s'il essayait de gratter la terre de mes yeux pour y découvrir un secret. Il n'y a pas de secret. Cornelius est effondré. Il ne parle plus... Les portes de la salle de conférences se referment lentement derrière eux. J'ai fait ma part de sacrifice. J'ai fait ce que j'ai pu... Laisse-moi user de notre dernier silence pour te dire adieu, Jack. Notre sort était scellé depuis le début.

Les officiers escortant Julia sont partis. Tous les autres membres du Special Situations Group sont restés auprès de leur président. La mine grave, Jack s'avance vers eux. Il a fini de lire le message chinois.

« Merci d'être restés à mes côtés, messieurs. » Il fait pivoter l'un des écrans de télévision et le présente au groupe.

« Voilà ce que dit le message de Pékin, messieurs :

COMITÉ DE SALUT PUBLIC
DE LA RÉPUBLIQUE POPULAIRE DE CHINE
PÉKIN/TRANSMIS À GMT 04:58:32

MONSIEUR LE PRÉSIDENT BRIGHTON,
NOUS AVONS BIEN REÇU VOTRE MESSAGE. POUR DES RAISONS TECHNIQUES, NOUS N'AVONS PU Y RÉPONDRE IMMÉDIATEMENT.
NOUS AVONS RÉGLÉ LE PROBLÈME QUE VOUS NOUS AVEZ SIGNALÉ.
CET INCIDENT EST TRÈS GRAVE. IL AURAIT PU NOUS ENGAGER SUR LA VOIE D'UNE CONFRONTATION TRAGIQUE POUR NOS DEUX PAYS. IL N'Y A PAS D'AUTRE ISSUE POUR VOUS COMME POUR NOUS QUE DE RÉTABLIR LE DIALOGUE ENTRE NOS DEUX NATIONS.
IL EST TEMPS QUE NOUS PUISSIONS NOUS PARLER.

POUR LE COMITÉ DE SALUT PUBLIC DE LA RÉPU-
BLIQUE POPULAIRE DE CHINE,

LE PREMIER MINISTRE DE LA RÉPUBLIQUE POPU-
LAIRE DE CHINE,

CAMARADE HU RONGLIAN. »

Jack triomphant toise Levin.

« Apprenez, mon cher Mark, comme les secondes
peuvent être longues, parfois !... » Il se tourne vers
Engleton.

« Dick... a-t-on identifié ce satellite chinois lanceur
d'engin ? »

Engleton ne répond pas. Jack s'approche, presque
souriant.

« Dick, allons, que se passe-t-il ? Vous n'allez pas me
dire que les Chinois ont décidé de nous attaquer, malgré tout ? »

L'objet sera dans une minute trente secondes au-dessus de la ville.

Engleton lève finalement la tête.

« Monsieur le président... C'est DEFSMAC... »
Engleton est livide. « D'après DEFSMAC, si le satellite
chinois avait eu la capacité de lancer un engin nucléaire,
il l'aurait fait il y a déjà cinq minutes. En prenant en
compte les éléments balistiques, un missile pourrait
frapper Washington d'ici... moins d'une minute. La
mission d'interception antisatellite n'a plus de sens... »
Si la décision chinoise de lancer le ou les missiles a été
prise il y a cinq minutes, c'était donc avant que Pékin
reçoive le message de Brighton.

Ils sont depuis toujours condamnés.

Jack décide alors de reprendre sa place au bout de la table devant le poster de Franklin Delano Roosevelt. Sa marche est lente. Il ne parle pas. Il est seul, une dernière fois. À l'imitation du président, les hommes qui ont décidé de rester — Jon, Mark, Paul, Dick et Henry — ont retrouvé leur place autour de la table.

« Messieurs, commence Jack, d'une voix solennelle, nous pourrions envoyer nos dernières instructions au vice-président, au cas où ceci serait notre dernière minute… Cependant, si effectivement les Chinois ont décidé de faire détruire Washington, notre message au vice-président n'a pas grand intérêt. Le vice-président sait quoi faire. C'est assez simple en l'occurrence. Pékin et une bonne moitié de la Chine seront détruits dans le restant de la journée tant par des missiles américains que russes. Et peut-être vice versa. Alors je vais vous dire le fond de ma pensée : profitons de cet instant. Nous devons patienter encore une minute… Quelqu'un a-t-il une histoire plaisante à raconter afin de faire passer cette mauvaise minute ? »

Il y a un moment de surprise. Puis Cornelius qui se met à sourire décide de prendre la parole.

« Jack, je n'ai pas d'histoires — mais je connais ton goût pour ce poète français, Victor Hugo. Je n'ai jamais vraiment compris ta passion coupable… mais il y a quelques vers de ce Français, cependant, que j'aimerais partager avec vous, messieurs… si le président me le permet. Je souhaite qu'ils nous rappellent le devoir de justice, de courage et d'abnégation que nous ne devons jamais oublier. Nos idées seront toujours plus fortes que nos vies. »

Avec l'assentiment silencieux de ses amis, Cornelius, les yeux mi-clos, se met à déclamer les vers dans la nuit.

« ... Je ne fléchirai pas ! Sans plainte dans la bouche,
Calme, le deuil au cœur, dédaignant le troupeau,
Je vous embrasserai dans mon exil farouche,
Patrie, ô mon autel ! Liberté, mon drapeau !

Devant les trahisons et les têtes courbées,
Je croiserai les bras, indigné, mais serein.
Sombre fidélité pour les choses tombées,
Sois ma force et ma joie et mon pilier d'airain !

J'accepte l'âpre exil, n'eût-il ni fin ni terme,
Sans chercher à savoir et sans considérer
Si quelqu'un a plié qu'on aurait cru plus ferme,
Et si plusieurs s'en vont qui devraient demeurer.

Si l'on n'est plus que mille, eh bien, j'en suis ! Si même
Ils ne sont plus que cent, je brave encor Sylla ;
S'il en demeure dix, je serai le dixième ;
Et s'il n'en reste qu'un, je serai celui-là ! »

Lorsque Jon a terminé, après un instant de recueillement, Jack regarde l'une des horloges au mur. Sur l'écran électronique, le rectangle orange matérialisant le satellite chinois lanceur d'engins vient de passer au-dessus de la capitale.

La seconde a commencé.

Elle dure un siècle. Elle dure une éternité. À quoi ressemble l'éclair nucléaire lorsqu'il foudroie ? Avec quelle violence l'extrême intensité de la lumière explosera-t-elle jusqu'à cet éblouissement qui précède l'anéantissement ?

Le verrons-nous nous-mêmes avant que de n'être plus rien ?

... Mais la seconde dure toujours. Elle tient, et continue de vivre. Puis vient le quart de minute. Le mystère se poursuit. Et maintenant trente secondes. L'embrasement se fait attendre.

Et quand arrive la minute, la dernière minute et que l'aiguille passe de l'autre côté, alors l'incroyable miracle devient réalité : ils sont encore en vie.

Les yeux n'ont pas brûlé. Les murs n'ont pas plié. Autour de la table, personne n'ose encore y croire. Le temps avance à pas tranquilles — comme si l'instant pouvait encore se prolonger et même durer. Ce songe qui ressemble à la vie paraît tenir bon.

« Messieurs, finit par dire Brighton, après un ultime moment d'hésitation, il semble qu'il n'y ait pas d'attaque chinoise. Nous sommes peut-être sur la voie d'un apaisement. » Brighton s'est redressé. « Nous allons arrêter progressivement toute la deuxième phase de l'opération Babel. Nous réduisons le niveau d'alerte de l'ensemble de nos forces. Nous devons recontacter immédiatement nos alliés européens. Ainsi que répondre à Boris Nembaïtsov sur le Moscow Link. Et lui dire que nous menions une enquête sur Alberich, que nous l'avons retrouvé à Berlin et que nous allons le livrer aux autorités de Russie en gage de coopération… Enfin, concernant nos alliés… Nous allons envoyer un message de grande fermeté au Premier ministre israélien Bar-Ilan au sujet de sa nouvelle fusée Shavit de vingt mille kilomètres de portée… » Il se tourne alors vers Dörner, en vidéoconférence, toujours présent au Centre national de commandement militaire. « Général — nous allons également procéder au plus vite à coup de semonce contre les installations de recherche nucléaire de Chungshan à Taiwan. Et j'espère que cette fois les Chinois vont se retirer de Matsu !… »

Jack se fend d'un large sourire et s'extirpe avec une peine immense de son fauteuil.

L'alerte est levée.

Jack quitte la Chambre. Il a besoin de se dégourdir les jambes. Peut-être retourner dans la quiétude du Bureau ovale pour quelques minutes avant de redescendre et finir le travail. Alors qu'il est sur le point de remonter les escaliers le menant au Bureau ovale, son vieux camarade Jon l'accoste.

« Dis-moi juste une chose, Jack… Entre toi et moi, tu pensais vraiment que le satellite chinois n'attaquerait pas ? »

Jack s'arrête, les yeux rougis.

« C'était le fond de ton raisonnement, Jack ? »

Il se rapproche et pose sa main sur l'épaule de son vieux compagnon.

« À la vérité, non, Jon… Le fond de mon raisonnement, c'était que nous avions fait une erreur avec les Horseman. Et il n'y avait aucune raison pour que les Chinois se montrent plus intelligents que nous. D'ailleurs, qui sait ? Peut-être avons-nous eu une chance insensée. Peut-être que le satellite chinois, lui aussi, est tombé en panne à la dernière minute… Nous ne le saurons jamais. Mais j'ai beaucoup aimé ton poème, Jon. Il s'agissait probablement de la plus belle façon de passer cette dernière minute… Je t'en remercie, Jon. »

85

Journal de Julia — Washington, 4 août

Il doit être maintenant une heure du matin sur la base militaire d'Andrews, à quelques kilomètres du Capitole. On m'a laissée dans un des bureaux de la base, au rez-de-chaussée, avec vue sur le tarmac. Pas de garde — les membres du Secret Service se sont absentés. Je ne sais pas comment tout s'est terminé, là-bas, dans leur bocal au fond de la Maison Blanche. Washington n'a toujours pas été attaqué. Je n'ai pas encore entendu de sirènes. Les soldats sur la base ont reçu il y a une demi-heure un message d'abaissement d'un cran du niveau d'alerte — mais ils demeurent très tendus.

Brusquement, on entend comme une clameur dans le couloir qui mène à mon bureau — des bruits de porte, de talons qui claquent, quelques ordres lancés à forte voix — puis silence. Je vois la silhouette des deux membres du Secret Service passer devant l'une des vitres. On essaie d'ouvrir la porte.

C'est Jack, seul, entouré des deux gardes du Secret Service.

Il me toise, le regard sévère. Il semble cependant moins crispé qu'il y a une heure.

« Voilà, Julia… Tu as gagné. J'ai rempli ma part de contrat. Nous avons suspendu l'opération Babel. Tu vas prendre le C-17 avec Alberich. Nous allons te renvoyer en Russie. Mais j'ai besoin que tu me dises ce que tu as écrit dans ta lettre à Nembaïtsov. J'ai besoin de le savoir. Je dois répondre à Boris Alexandrievitch au plus vite. »

Je me suis levée. Il a l'air épuisé mais plus confiant déjà. Il semble avoir repris les affaires en main.

« Sommes-nous en guerre, Jack ? Ou bien, le miracle a-t-il eu lieu ?

— De quel miracle parles-tu, Julia ? De quel miracle ? »

Je te retrouve, Jack. Ton regard rugueux et doux à la fois, son éclat mordoré. Les rides nobles qui ont essaimé comme autant de nervures végétales sur ton visage. Ta silhouette dominante que je sens cassée par la fatigue. Ton ancienne chevelure d'ébène aujourd'hui striée de veines d'ivoire. Le coup de peigne maintient toujours la discipline. Pour combien de temps encore ? … C'est fini. Nous allons nous dire adieu. Tout se termine maintenant.

« Le miracle de notre survie, Jack. Le miracle de notre présence, en ce moment, à une heure du matin, en cette nuit du 4 août. Si tu es là, c'est qu'il y a eu un miracle. Parce que tu m'as écoutée. Parce que tu as eu peur. Parce que Hu Ronglian a eu peur. Parce qu'une poignée d'hommes, vivant dans deux ou trois maisons séparées de milliers de kilomètres de distance, ont décidé qu'aujourd'hui ils oublieraient quelques instants la logique qui a fait d'eux les maîtres de leur pays et les commandeurs en chef de leurs armées… Mais ça, c'est bon pour les romans d'anticipation. La réalité, c'est que nous avons eu une chance impossible. La prochaine fois, je ne serai pas là, Jack. La prochaine fois, nous nous en remettrons à la simple logique des choses. Parce que lorsque l'on a peur, le premier réflexe, c'est d'obéir aux certitudes que l'on s'est construites pour se protéger du doute. »

Jack fait un pas en arrière, plein de défiance. Derrière la vitre, sur le tarmac, un C-17 dont les moteurs commencent à vrombir. Au loin, une équipe médicale emmène sur un brancard Alberich pour son dernier voyage.

« Je ne sais pas de quoi tu parles, Julia. » Les dernières paroles de Julia brûlent pourtant de justesse. « … Dis-moi simplement ce que tu as écrit dans la lettre à Boris Nembaïtsov et… je te laisserai partir. »

Je me suis arrêtée net.

« Je n'ai pas trahi, Jack. Je n'ai jamais trahi. Jamais. »

Il demeure silencieux. Je suis morte pour lui.

« La lettre annonce à Boris Nembaïtsov que "nous venons de retrouver Alberich à Berlin, Jack. Je menais une enquête sur lui. Nous avions des doutes. Nous voulons coopérer avec vous, Boris"… Et je te suggère d'écrire à peu près la même chose dans ton message sur le Moscow Link. »

Il n'y avait rien dans la lettre, ou presque. Juste du vide.

Mais sa présence seule t'a fait plier, Jack. Moi aussi j'ai lu Sun Tzu. J'ai été formée pour être ton soldat. « Du plein et du vide ». Chapitre VI. « De même que l'eau qui coule évite les hauteurs et se hâte vers le pays plat, de même une armée évite la force et frappe la faiblesse. » Je t'ai vaincu parce que tu m'as crue faible. Tu m'as crue faible parce que je t'aimais. Je t'aimais parce que tu m'aimais. Voilà l'unique faiblesse que je pouvais utiliser pour te vaincre. Et te sauver. Et te servir.

Tel était le Tao de notre guerre, Jack.

Sur l'instant, Brighton ne réagit pas. L'ironie amère de cette lettre quasi blanche qui l'a terrassé — il ne veut plus la voir. Elle doit s'en aller. La page est tournée. Pour la première fois depuis des heures, il s'arrête. Respire. Cette fois, il semble réellement soulagé. Il ne sourit pas mais son visage s'éclaire d'une nouvelle lumière. Il veut partir.

Quelque chose le retient un dernier instant.

« Te rends-tu compte tout de même que si j'avais répondu à Nembaïtsov sur le Moscow Link avant de prendre connaissance de ta lettre, j'aurais peut-être… pu déclencher la colère des Russes et même une attaque préventive qui aurait eu lieu quelques heures plus tard sans que j'en sache quoi que ce soit ?

— Peut-être bien, Jack. Peut-être bien. Mais c'était un risque à prendre. Car sans la lettre, il est certain que tu serais mort de tes propres certitudes. Et nous tous avec, Jack. »

Mais Jack préfère fuir l'écho accablant de ma réponse. Sans un regard il tourne le dos et quitte la pièce. Sa grande silhouette disparaît dans le couloir.

Je ne le reverrai plus.

Journal de Julia — 4 août

Le voyage vers la Russie est long. Dans le C-17 ballotté par les vents, une étrange émotion m'a saisie. Une sensation de légèreté mêlée de vertige. Je sais que je ne retournerai probablement plus aux États-Unis. Suis-je effectivement en train de devenir folle, comme me prévenait Jack ? Avait-il raison ? Je sais qu'avant que l'avion ne se pose à Moscou, je dois terminer ma mission. Alberich est resté à mes côtés pendant le vol, groggy et alité. Au-dessus de l'Arctique, alors que les vents forcissent, sa respiration se fait brusquement plus pénible et saccadée. Il entre en convulsions. Il meurt deux à trois minutes plus tard, quelque part au milieu de l'océan glacé.

Je range la seringue. Madame la Mort a enfin accompli sa nécessaire besogne.

Une fois de plus, Alberich a vu juste.

*Journal de Julia — Région de Novossibirsk
(peut-être), date inconnue*

Je suis désormais leur prisonnière. Ils sont courtois
— pour l'instant. J'ai même pu revoir Nikolaï. Cher collègue. J'ai été logée dans une belle datcha, à l'Akademgorodok, pendant quelque temps, au milieu des pins et
des bouleaux. Il faisait très chaud, c'était encore l'été, je
crois. Officiellement, on m'avait rapprochée des « lieux
du crime ». J'aidais à l'enquête. Mais je n'étais pas dupe
— en réalité, on m'éloignait de toute ambassade ou
consulat occidental. Ils ont pris le temps. C'est normal,
j'aurais fait pareil. On ne torture que très rarement. On
ne menace jamais de mort. La plupart du temps, on
laisse simplement parler. Et la citadelle se découvre
d'elle-même. Phase I de l'interrogatoire. Mais je connais
mon métier. Je n'étais pas une cliente facile. Alors, les
camarades du FSB ont repris des méthodes un peu
plus grossières. Vers la fin du mois d'août, je suis tombée malade. J'avais de violentes coliques et une
migraine continue. Ils ont été obligés de m'hospitaliser
bien sûr — un hôpital quelque part dans les environs de
Novossibirsk, dont j'ignore toujours la localisation

exacte. Lorsque j'ai vu ma chambre d'hôpital, j'ai compris que nous étions passés à la Phase II. Il n'y avait pas de fenêtres, pas de télévision, pas même d'horloge — juste des murs blancs et un grand miroir en face de moi. Qui pouvait bien me regarder ?… Le médecin chef se montrait très prévenant à mon égard. Il ignorait ma maladie mais il connaissait un médicament qui calmait mes migraines et mes douleurs. Je n'ai toujours pas identifié le poison qu'ils ont utilisé contre moi — mais je sais que ma vie dépend désormais des soins du médecin chef. Ils veulent lentement me conditionner à lui obéir. Alors, je réponds avec une grande attention à toutes ses questions. Cela a commencé par les plus anodines. Et puis, évidemment, on est rapidement arrivés à Alberich, Ponomarenko et Nikolaï.

Mais je ne pouvais pas parler. C'était impossible. Alors j'ai essayé la folie. Ce fut simple. J'ai cherché Alberich et son fantôme. Je l'ai rencontré immédiatement — le spectre ne m'avait jamais quitté depuis notre dernier vol au-dessus de l'Arctique. Et j'ai laissé alors parler ma voix inquiète, ma voix double, celle qui me parle toujours désormais.

Comme par exemple ce matin (ou était-ce l'après-midi ? ou la nuit ?). Le médecin chef, toujours affable, m'a réveillée. Un visiteur souhaitait me voir, en privé, dans ma « chambre ». J'ai rangé comme j'ai pu. J'ai passé un peignoir et je l'ai attendu.

Quand il a passé la tête à travers la porte, j'ai cru le reconnaître. Mais il paraissait plus jeune et plus innocent que l'image que j'en avais gardée. Il devait avoir une toute petite trentaine d'années. Ses traits étaient lisses, presque poupins. Il faisait grand et même un peu efflanqué. Un homme frais aux gestes mal assurés, pas encore trop corrodé par le sel du temps. Je me souvins d'une vieille photo de presse. C'était Alan, le fils adoptif du président. Il vint s'asseoir en face de moi.

« Bonjour, madame. Je suis Alan Brighton… »

Je n'étais pas surprise de sa visite. Le jeune homme se tenait le buste droit devant moi, sans oser me serrer la main. Je ne sais pourquoi ce garçon m'intriguait. Pourrait-il ressembler à son père ?

« Bonjour, Alan. Appelez-moi Julia… Vous êtes devenu son émissaire personnel ? »

Il parut décontenancé.

« … Je suis effectivement porteur d'un message personnel de mon père, le président Brighton. Nous avons appris que vous étiez tombée malade. Nous voulions vous apporter l'assurance que le gouvernement des États-Unis, en collaboration avec le gouvernement de la Fédération de Russie, fera tout le nécessaire pour que ce séjour à l'hôpital… soit le plus court possible. »

Le jeune Brighton était nerveux. Il avait compris l'importance de sa mission. En dépêchant son fils, Jack m'envoyait un gage personnel.

Jack ne peut pas me tuer. Cela reviendrait à admettre sa responsabilité dans l'affaire Arzamas. Boris Nembaïtsov ne va pas me tuer. Il veut connaître la part de responsabilité de Jack dans l'affaire Arzamas. Et moi, je suis prisonnière de mon silence. Si Julia finit par parler, si elle ouvre la bouche, alors tout s'effondre à nouveau. La Russie discutera avec l'Europe, la Chine et le reste du monde. Ils machineront une nouvelle vengeance contre l'Amérique. Et le cycle des guerres préventives recommencera. Jusqu'à son dénouement ultime. Je ne peux plus parler. Raison d'État. Ma raison. Alors, avec une étonnante aisance, c'est Alberich qui vient se saisir de mon souffle, le tord selon sa volonté et finit par remplacer ma voix.

« Pourquoi trembles-tu, Alan ? Sais-tu vraiment quelle est la portée de ta mission ? Toi et ton père et tous ses conseillers, vous ne savez pas encore vraiment si la situation est réglée ou non, n'est-ce pas ? Si quelqu'un parle, Alan… nous replongeons tous, n'est-ce pas ? »

Il y a cette fièvre qui monte en moi. Alan semble ne pas comprendre, surpris comme j'ai pu l'être lorsque Alberich m'assenait ses vérités inextricables. Des images incongrues venant frapper mon esprit. Je repense à ce pauvre Petrov. Aux damnés d'Arzamas. Est-ce la folie d'Alberich qui lentement prend le contrôle de ma raison ?

« Alan, écoute-moi… » Je me rapproche de lui, je m'avance avec audace comme la première fois, comme si Jack était en face de moi et d'un geste maternel, je lui prends la main. « … Au fond de toi, tu ne sais pas vraiment si nous sommes sortis ou non du précipice, n'est-ce pas ? Tu doutes. C'est bien. Doute ! Doute toujours et vis avec cette peur, non pas comme une ennemie mais comme une alliée, la seule alliée qui te permette d'affronter tes erreurs passées, présentes et à venir. » La fièvre me domine totalement. Elle est une force vitale que je ne peux plus combattre. Je dois l'affronter. Est-ce Alan ou Jack qui se tient devant moi ? Quel jour sommes-nous ? Tout cela disparaît lentement. Ne reste que la voix. « Nous sommes effectivement entrés dans la dernière minute, Jack. La toute dernière minute. Peut-être. Peut-être pas. Cela dépendra de toi. » Ai-je perdu la raison ? Peu m'importe maintenant. Je me laisse parler. « … Écoute-moi ! Je vais te dire le secret d'Alberich ! Je vais te dire ce que vous êtes venus chercher ici : oui, nous sommes en train de perdre la mesure du temps.

Et je te le dis : il est trop tard pour corriger les horloges. Il faut foncer, maintenant. Aller à la source même de notre arythmie. Au cœur de notre faille. Elle a un nom ! Elle s'appelle Babel, Jack… Babel et ses drapeaux. Ses langues qui ne se parlent plus. Ses voix qui ne s'accordent plus. Tout ce temps, nous avons cru que notre espèce s'en accommoderait. Mais notre espèce a changé. Et Babel aujourd'hui est notre erreur. Notre aveuglement. Notre anachronisme… Nous continuons de construire une tour de brique et d'argile à l'âge de l'atome et de l'électron. À chaque étage que nous ajoutons, les faiblesses de sa conception deviennent plus évidentes. Il faut courir, Jack ! Arriver avant l'aiguille de l'horloge, avant elle, avant son dernier battement ! Babel est condamnée. Babel est notre malédiction. Elle va nous ensevelir ! À la dernière minute ! Celle où le poids de notre savoir rompra définitivement son architecture précaire ! » Mes ongles le lacèrent. Il veut se dégager. Il commence à avoir peur. Je garde ma proie. Je crie ma voix ! Je lui parle comme si je hurlais à mon fils qui n'existe pas, un fils pour lequel je ne suis qu'une ombre. Je lui parle comme si Jack pouvait m'entendre. « … Une langue une pour tous les hommes, Jack. Une langue une pour reconstruire la cité. Nous la parlions déjà. Nous ne la savions pas nécessaire. Vitale. » De minuscules gouttes de sang perlent sur la peau douce de sa main. « Aime-la, cette peur qui te fait douter, cette peur qui te tenaille et te montre que tout, absolument tout, est possible, Jack. Aime-la, cette peur qui te fait courir ! Aime-la, ne la refuse plus ! Déchire les divinités qui croient t'en protéger ! Déchire les drapeaux ! Nous n'avons plus le temps pour ces testaments de notre antique lâcheté. Nous sommes arrivés à l'âge de la guerre de l'atome et de l'information. Le champ de bataille se transforme. Il ne s'agit plus de campagnes ou de friches urbaines. La guerre des hommes risque maintenant, à tout instant, d'éclater sur le terrain de la vérité même de la matière et de l'esprit. Nous n'avons plus le temps ! Une minute en face d'une seule humanité. Une alliance pour toutes les nations. Une langue une pour tous les hommes. Maintenant, Jack. Une langue une pour tous les hommes… Ou nous finirons tous ensevelis, embaumés dans les dernières secondes des étoiles. »

Mes serres se décrispent. Il extirpe immédiatement ses mains torturées par mon cri. Je m'effondre sur le lit, comme une mère qui a tout perdu. Quelques larmes coulent sur mon visage caché. Il pourrait bondir et se lever. Mais il a ce geste étonnant. Il reste en face de moi, à attendre que la crise se termine. Puis, il se lève et va me chercher un verre d'eau. Il ne dit plus rien. Et alors qu'il est sur le pas de la porte, alors qu'il va partir, il se retourne une dernière fois.

« Cela vous étonnera peut-être mais je ne vous crois pas folle, madame. »

Non, je n'étais pas devenue folle. Pas folle.

Dans le miroir sale qui me fait face, j'ai aperçu son ombre.

Je suis devenue Alberich…

… Alberich survivante.

Prisonnière en Russie, j'ai désormais pris sa place.

Maintenant, la pièce blanchit d'une nouvelle lumière, plus forte et plus aveuglante. Maintenant qu'il est en moi, je suis également en lui. Et je retourne le glaive emprunté à mon spectre. Avant que le médecin chef ne revienne. Avant que Alan ou l'ambassadeur, ou un quelconque officiel ne repasse m'offrir un deal. Je veux terminer l'interrogatoire d'Alberich. J'arrive à la conclusion de mon voyage au cœur de la Source. J'arrive maintenant au bout de ma mission — la phase ultime : je suis devenue le prisonnier lui-même...

... je suis Alberich, le joueur d'échecs qui cherchait non pas la victoire, mais le pat. Je me suis trompé, parce que je le voulais. C'est ainsi que j'ai joué mon coup. Je n'avais pas d'autre choix. Si j'avais dit à la jeune espionne, mon interrogatrice, la Mort, qu'ils se trompaient tous — elle ne m'aurait jamais cru. Elle aurait imaginé une manipulation des Russes, ou des Chinois — ou que sais-je encore. L'unique façon de rendre la démonstration la plus claire possible, c'était de provoquer l'erreur moi-même. Comme aurait dit Sergueï, la « tactique Alberich pour le pat de guerre froide ». Il devait y avoir une solution élégante au problème de la guerre. Et au paradoxe de Fermi... Je n'allais pas quitter ce monde avant de rendre coup pour coup à la Déesse, la geôlière qui m'a volé ma vie. Elle succombera avec moi.

Pourtant je n'ai pas disparu... Par-delà la mort, le Doute est devenu la chair de ma nouvelle incarnation. C'est ainsi que j'ai envahi Julia. C'est ainsi que j'ai vaincu Madame la Mort. C'est ainsi que, même mort, je vis encore en elle. Et que ma voix, ma voix survivante, continue de parler à travers elle...

... Mais si je continue de parler, si je continue de hanter Julia de mon doute, c'est que je ne L'ai pas vaincue. Si je continue de parler... cela ne signifie qu'une chose : j'ai échoué.

La Déesse n'est pas morte. Elle est toujours là, et moi, son plus fidèle ennemi, plus entêté que son ombre, toujours enchaîné à ma vengeance immortelle.

Quelle plus grande puissance la protège ? Un autre dieu ?

Jusqu'à ce que je puise à la source ultime de sa force, ma voix survivante ne s'éteindra plus.

Peu importe l'Amérique.

Peu importent la Chine, la France, l'Allemagne, Taiwan, la Russie… et tout le reste des nations désunies.

Ce sont les noms d'oriflammes passant. Babel : ceux-là sont les noms des idoles modernes. Mais ce ne sont pas les idoles qui conduisent les hommes. Ce sont les hommes, les mêmes, partout, qui s'inventent des drapeaux différents et s'imaginent des solitudes particulières — qui ne sont le pas le signe d'une destinée mais le simple fruit du hasard. Ce sont les hommes qui fabriquent les idoles — car l'idole habille l'orgueil et l'orgueil travestit la peur. Ce ne sont pas les idoles qui façonnent le destin, mais les hommes, seuls, qui écrivent leur propre Histoire. Babel, écoute-moi ! Que les hommes reconnaissent, enfin, partager tous la même nature : ils sont doués d'un même sens commun, et frappés de la même faillibilité. Et qu'ils apprennent à craindre et regarder en face le seul Dieu, unique, cruel, implacable, le père de la Déesse, notre créateur et horizon ultime : le Dieu de l'Erreur.

Qu'Il prenne la forme de l'accident, du hasard ou de la destruction : c'est le Dieu de l'Erreur qui permet la métamorphose incessante de la Nature. Il marque chacun de nos pas. C'est une loi inviolable de la Nature — ce que l'on appelle la logique. Dans une Nature en perpétuel mouvement, aucun règne ne peut atteindre la perfection. Avec le temps, et quelles que soient les probabilités, aucun système ne peut échapper à la loi du Dieu unique. Pas même le système des hommes à l'âge de la bombe de Fermi.

À terme, l'Erreur est inéluctable. Il lui suffit juste de l'Éternel pour nous vaincre. Voilà comment le paradoxe sera résolu.

Dans dix ans, dans un siècle ou dans mille ans.
L'accumulation du savoir ne peut être arrêtée.
Ce qui a été créé sera un jour employé.
Peut-on détruire le savoir qui peut nous détruire ?...

Je me souviens de la tour sud. Je me souviens de Babel.
Ce qui est improbable n'est jamais impossible.
Avec le temps, ce qui est improbable finit par être pos-
sible. »

Je contemple le silence des étoiles. Si je m'échappe de ma prison, si mon voyage se poursuit — j'irai les réveiller.

Une dernière fois, écoute-moi, Jack. Écoute-moi :
Respire. Reprends ton souffle. Regarde les étoiles.
Leurs pléiades forment un champ de stèles : c'est là
que viennent mourir nos certitudes.
Accepte-le. Si tu veux poursuivre ta marche droite et
géométrique, il n'y a plus d'autre choix. Le chemin s'est
rétréci. Il n'est pas plus large qu'une minute.

Et la minute vient de commencer.

Notes annexes de l'auteur

Ce qui est improbable n'est jamais impossible.

1. Il existe bien une affaire « Promis — Inslaw », qui a donné lieu à deux enquêtes parlementaires aux États-Unis.
(Voir Rapport du comité sur les affaires gouvernementales du Sénat américain, septembre 1989 ; Rapport de la commission Brooks, 10 septembre 1992.) '

2. Vladimir Pentkovski est effectivement l'un des principaux développeurs du microprocesseur Pentium d'Intel, aujourd'hui utilisé dans la plupart des micro-ordinateurs PC. Du temps de l'URSS, il a participé au développement des ordinateurs Elbrus.
(Voir page des développeurs, site internet d'Intel.)

3. Selon Droit et Démocratie (organisme canadien de défense des droits de l'homme, créé en 1988 par le Parlement canadien et financé par le ministère des Affaires étrangères et du Commerce international), la société canadienne de télécommunications Nortel, qui a annoncé la création d'un centre de recherche commun avec l'université Tsinghua de Pékin en novembre 1998, aurait dédié ce centre en grande partie au développement de technologies de reconnaissance vocale permettant l'automatisation des écoutes téléphoniques ; la société Siemens Plessey aurait, elle, mis en place un réseau de caméras pour le contrôle de la « circulation routière » sur la place Tienanmen ainsi qu'à Lhassa, capitale de la région autonome du Tibet. Le financement

de ces installations aurait été réalisé en partie avec le concours de la Banque mondiale

(Voir « Les entreprises et le développement de la technologie de surveillance en Chine » — Droit & Démocratie/ICHRDD, octobre 2001.)

4. L'exercice « Able Archer » de l'OTAN, en novembre 1983, constitue avec la crise des missiles de Cuba l'un des moments les plus dramatiques de l'histoire de la guerre froide, et, selon certains historiens, le point à partir duquel l'administration Reagan commença à chercher le dialogue avec les Soviétiques.

(Voir Melvin Goodman, professeur au National War College de Washington, cité par CNN.)

5. L'historien allemand Fritz Fischer est bien l'auteur de la thèse d'un plan préparé dès décembre 1912 par l'état-major allemand pour que la guerre éclate au cours de l'été 1914. Cette thèse, bien que toujours controversée, a reçu le soutien de nombreux historiens allemands et étrangers.

(Voir F. Fischer, Krieg des Illusionen, *Düsseldorf, 1969.)*

6. La Chine communiste semble bien être à l'origine des attaques de juillet 1999 contre les réseaux bancaires de distributeurs automatiques de billets de Taiwan. De son côté, le président George W. Bush, saisissant l'occasion de la préparation de la guerre contre l'Irak, a signé une directive de Sécurité nationale en juillet 2002 autorisant pour la première fois l'utilisation offensive d'armes cybernétiques contre des réseaux informatiques ennemis.

(Voir Bradley Graham, Washington Post, *7 février 2003 ; article du major général Dai Qingmin, directeur au sein de l'état-major général pour la guerre de l'information et les opérations d'information, document de travail de la Défense chinoise, 16 octobre 2000 — cité par le lieutenant-colonel Timothy L. Thomas,* Military Review, *mai-juin 2001.)*

7. Le lieutenant-colonel Stanislav Petrov a bel et bien existé. L'incident du 26 septembre 1983, lié à une erreur technique et informatique, n'est pas isolé. Ainsi, par exemple, le 9 novembre 1979 à neuf heures du matin, au même moment, le NORAD, le

Centre national de commandement militaire du Pentagone ainsi que le Centre alternatif du site R identifièrent le lancement de plus de deux mille deux cents missiles soviétiques attaquant les États-Unis d'Amérique. Zbigniew Brezinski, le conseiller du président pour la Sécurité nationale, fut immédiatement prévenu. Il appela aussitôt le président Carter. L'ensemble des forces nucléaires stratégiques de missiles des États-Unis fut mis en état d'alerte et une dizaine de chasseurs décollèrent immédiatement. Trois minutes plus tard, après vérification auprès des radars, on se rendit compte qu'il s'agissait d'une erreur — une bande magnétique présentant un exercice de simulation un peu trop réaliste avait été placée dans l'un des ordinateurs du NORAD à l'occasion de la venue d'un élu du Sénat. Cependant, l'incident soviétique du 26 septembre 1983 semble avoir été plus grave encore. Les vérifications opérées sur la base secrète de Serpoukhov-15, réalisées sur plus de trente paramètres, indiquèrent au moment de l'attaque une probabilité de facteur 2 — « attaque très probable ». Au final, alors que les délais de réponse à l'époque étaient réduits à quelques minutes, condamnant à déclencher une riposte avant l'assurance d'une confirmation ou d'une infirmation claire par les radars, le lieutenant-colonel Petrov refusa de suivre les consignes et de confirmer l'attaque. Le système indiquait une attaque par cinq missiles : or, intuitivement, cela ne semblait pas logique à Petrov pour une attaque de première frappe. Mais il est impossible d'imaginer quelle aurait pu être sa réaction si le signal erroné avait indiqué non pas cinq, mais par exemple deux mille deux cents missiles. En 2004, Stanislas Petrov, officier à la retraite, vivait toujours dans la banlieue de Moscou, avec une pension de deux cents dollars par mois.

(Voir article du Washington Post, *« I had a funny feeling in my gut », par David Hoffman, 10 février 1999 ; article du* Moscow News, *« On The Brink », par Iouri Vassiliev, n° 48, 2004 ; Dr Geoffrey Forden, Security Studies Program, MIT — voir article du 31 mai 2001, Cato Policy Analysis n° 399.)*

… Quant à l'anecdote au sujet du paradoxe de Fermi, elle semble, elle aussi, être véridique. À ce jour, le paradoxe n'a toujours pas trouvé de réponse satisfaisante. Nous ne comprenons toujours pas pourquoi les étoiles demeurent silencieuses.

Remerciements

Je tenais à remercier mon éditrice Florence Robert, des éditions Denoël, dont le patient travail de relecture et les conseils avisés m'ont aidé à venir à bout de ce premier roman. Je souhaitais également remercier tous ceux, amis et proches, auxquels j'ai imposé la lecture de mon manuscrit aux différentes étapes de sa très longue gestation et qui m'ont guidé de leurs idées et avis : Virginie D., Laurence K., Pauline K., Colette A., Bach-nga T., Béatrice B.-S., Jacques C., Sébastien L., Tarek I., David E., Franck H., David S., Mickael N., Jérémy H., Bertrand F., Laurent B. et Pascal V.

Qu'ils trouvent ici l'expression de toute ma gratitude.

Ce livre est dédié à mes parents et à mes grands-parents.

Table

DU MÊME AUTEUR

Aux Éditions Denoël

BABEL MINUTE ZÉRO, 2007, Folio Policier
n° 578.

RÉALISATION : IGS-CP À L'ISLE-D'ESPAGNAC
IMPRESSION :
DÉPÔT LÉGAL : AVRIL 2007. N° 000000 (00000)
IMPRIMÉ EN FRANCE

COLLECTION FOLIO POLICIER

Dernières parutions

Composition IGS-CP
Impression Novoprint
le 25 février 2010
Dépôt légal : février 2010

ISBN 978-2-07-042750-5./Imprimé en Espagne.

171962